第2版

Photoshop レタッチ・加工

アイデア図鑑

楠田諭史

SB Creative

はじめに

本書はレタッチ、加工、合成、ロゴ、コラージュ、3D、最新表現テクニックなど、あらゆるスキルを凝縮させたPhotoshopのアイデア図鑑です。

第2版となる本作では前作より大きくバージョンアップしたPhotoshopの「選択」や「ワープ」など、作業が素早くできる最新機能を取り入れました。また、レタッチは新たな表現方法が日々生み出されており、トレンドの作品も追加しています。

前作に比べるとChapter07のプロレベルの作品を特に増やしています。この章を読むだけでも価値がある充実した内容になりました。P.271から始まる目を奪われる作品群は必見です！

また、本書の特徴として学習用のサンプル素材を「全部」揃えています。他のレタッチの解説書では素材を「一部」だけ提供している本もありますが、これでは読者が自分で探したり、別途購入したりと手間がかかります。予め全て揃っていれば効率的ですし、安心して学習に集中できます。

さらに、今回は作例の完成見本となる「psdデータ」を追加しました。データの構造が詳しくわかるので、学習中に迷ったときなど、参照することができるやさしい作りです。

Chapter01から通して学べばレタッチ・加工の基本からプロレベルの作品の技術まで、ありとあらゆるスキルが一気に習得できます。ぜひ本書を楽しみながら活用していただけると幸いです。

Introduction

CONTENTS

目次

本書は3つのPartと7つのChapterに分かれています。Partはレタッチ・加工の基礎からプロレベルまでのスキルを段階ごとに解説し、Chapterは作例のジャンル別にまとめています。
後半に行くほど、前で紹介した内容を踏まえた解説を行っていますので、これからレタッチ・加工を学びはじめる人はPart01のChapter01の最初から学んでいくとよいでしょう。

P.78

P.81

P.84

P.88

P.90

P.92

P.94

P.97

P.98

P.102

P.106

P.108

P.110

P.112

P.116

Part01
レタッチの基礎

Chapter03
人物のレタッチ

Part02
イメージ通りに仕上げる

Chapter04
かわいいレタッチ

Part02
イメージ通りに仕上げる

Chapter05
カッコいいレタッチ

● **サンプルファイルの著作権について**

ダウンロードしたサンプルファイルは本書の学習用途のみにご利用いただけます。すべてのダウンロードしたデータは著作物であり、グラフィック、画像の一部、またそれらのすべてを公開したり、改変して使用することはできません。
ただし、本書に関しご自身が学習用途として利用されていることを紹介する目的で、サンプルファイルを含む内容をSNS（数十分を超える長い動画や連載を除きます）等に投稿されることは問題ございません。また、ダウンロードしたデータの使用により発生した、いかなる損害についても、著者およびSBクリエイティブ株式会社は一切の責任を負いかねますのでご了承ください。

● **サンプルファイルのダウンロードについて**

サンプルファイルのダウンロードは、本書のサポートページから可能です。以下のサポートページにアクセスし、「サポート情報」にある「ダウンロード」のページに進んでください。なお、ダウンロードする際に必要となるパスワードにつきましては本書のP.297の下段、【Password】に記載があります。

サポートページ https://isbn2.sbcr.jp/07326/

※サンプルファイルをご利用いただくには、ご利用のコンピュータに対応バージョンのPhotoshopがインストールされている必要があります。

本書に関するお問い合わせ

この度は小社書籍をご購入いただき誠にありがとうございます。小社では本書の内容に関するご質問を受け付けております。本書を読み進めていただきます中でご不明な箇所がございましたらお問い合わせください。なお、お問い合わせに関しましては下記のガイドラインを設けております。恐れ入りますが、ご質問の際は最初に下記ガイドラインをご確認ください。

ご質問の前に

小社Webサイトで「正誤表」をご確認ください。最新の正誤情報をサポートページに掲載しております。

上記ページの「正誤情報」のリンクをクリックしてください。なお、正誤情報がない場合、リンクをクリックすることはできません。

ご質問の際の注意点

・ご質問はメール、または郵便など、必ず文書にてお願いいたします。お電話では承っておりません。
・ご質問は本書の記述に関することのみとさせていただいております。従いまして、○○ページの○○行目というように記述箇所をはっきりお書き添えください。記述箇所が明記されていない場合、ご質問を承れないことがございます。
・小社出版物の著作権は著者に帰属いたします。従いまして、ご質問に関する回答も基本的に著者に確認の上回答いたしております。これに伴い返信は数日ないしそれ以上かかる場合がございます。あらかじめご了承ください。

ご質問送付先

ご質問については下記のいずれかの方法をご利用ください。

▶ Webページより

上記のサポートページ内にある「この商品に関する問い合わせはこちら」をクリックすると、メールフォームが開きます。要綱に従って質問内容を記入の上、送信ボタンを押してください。

▶ 郵送

郵送の場合は下記までお願いいたします。

〒105-0001
東京都港区虎ノ門2-2-1
SBクリエイティブ　読者サポート係

■本書はPhotoshop CCに対応しています。ただし、記載内容にはPhotoshop CCの全バージョンには対応していないものもあります。
■本書では主にPhotoshop CC（2020）のMac版のパネル画像やメニュー画像を使用しています。これらの項目や位置などはPhotoshopのバージョンごとに若干異なることがあります。
■本書内に記載されている会社名、商品名、製品名などは一般に各社の登録商標または商標です。本書中では®、™マークは明記しておりません。
■本書の出版にあたっては正確な記述に努めましたが、本書の内容に基づく運用結果について、著者およびSBクリエイティブ株式会社は一切の責任を負いかねますのでご了承ください。
■本書ではApache License 2.0に基づく著作物を使用しています。

Chapter 01

基本のレタッチ

Photoshopでは目指す結果にたどり着くための操作が複数存在します。まずは繰り返し操作することで、各ツールの役割を理解することが重要になります。
この章では基本ツールを使った各種色調の補正、画像合成などの定番手法や、様々なシーンで使える手軽で実用的な作例、便利な新機能を集めました。必要に応じたツールの使い分けを学び、効率的に結果を出せるように学んでいきましょう。

Photoshop Recipe

Recipe

001

GRADATION

BLUE YELLOW PURPLE

グラデーションマップを使ったスタイリッシュな加工

人気のデュオトーン加工の紹介と、さらにカラーを追加して深みのあるグラデーション加工を紹介します。

Photo retouching

元画像

01 グラデーションマップだけで簡単にデュオトーンを再現する

素材[風景.psd]を開きます。レイヤーパネル内の[塗りつぶしまたは調整レイヤーを新規作成]から[グラデーションマップ]を選択します 01。[属性]パネルの[クリックでグラデーションを編集]を選択し 02、[グラデーションエディター]を開きます 03。

グラデーションの左端のカラー分岐点をダブルクリックし、[カラーピッカー]を呼び出します。カラーを[#c50a7c]と設定し、[OK]で確定します 04。同様に右端のカラー分岐点をダブルクリックし、[カラーピッカー]で[#fee273]とします 05。[カラーピッカー]、[グラデーションエディター]を[OK]で確定します。

これにより、元画像の暗い部分(シャドウ側)はパープル系に、背景などの明るい部分(ハイライト側)はイエロー系の色に置き換えられます 06。デュオトーン(2色の組み合わせ)の加工を行いたいならばこれで完成です。

02 さらにシャドウ側に1色を追加した加工を行う

[グラデーションマップ]のレイヤーサムネールをダブルクリックします 07。

手順1と同様に[属性]パネルの[クリックでグラデーションを編集]を選択し、[グラデーションエディター]を開きます。左側のカラー分岐点をドラッグし[位置：30%]にします 08。

グラデーション上でクリックし、左端の[位置：0%]にカラー分岐点を追加します 09。カラーはブルー系の[#2d5d83]とします 10。手順1のシャドウ側の最も暗い部分にブルー系の色が追加され、さらに引き締まった印象に加工することができました 11。

Point

使用する画像の明暗を観察し、画像に合わせて[カラーの分岐点]の位置を調整しましょう。
作例は上から下にハイライト→中間→シャドウと明暗が分かりやすくなっており、シャドウ部にブルー系を合わせています。ある程度陰影が把握できる画像では、狙った効果を出しやすくなります。

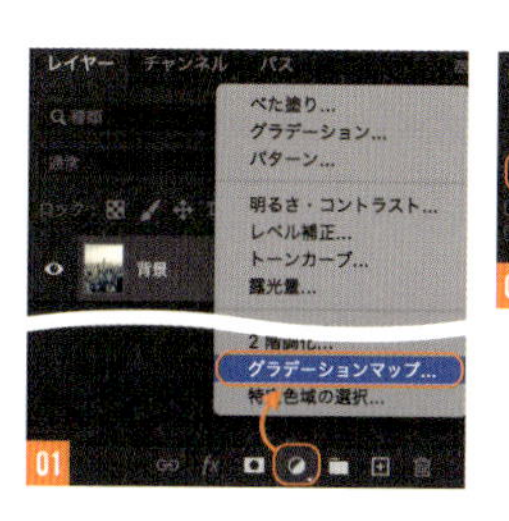

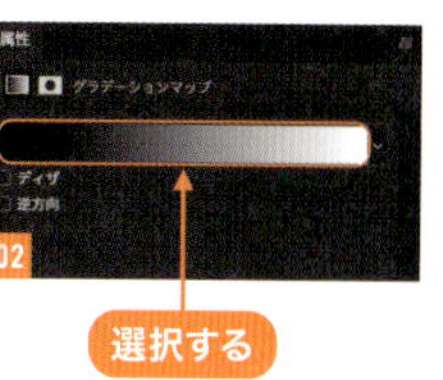

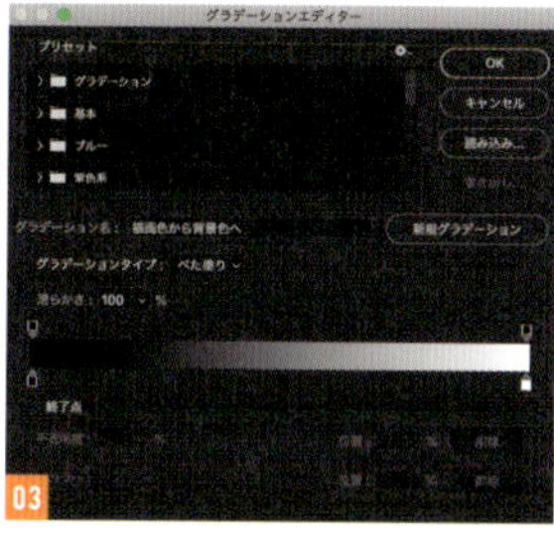

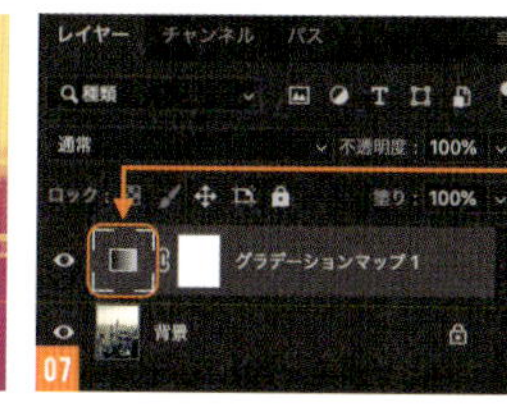

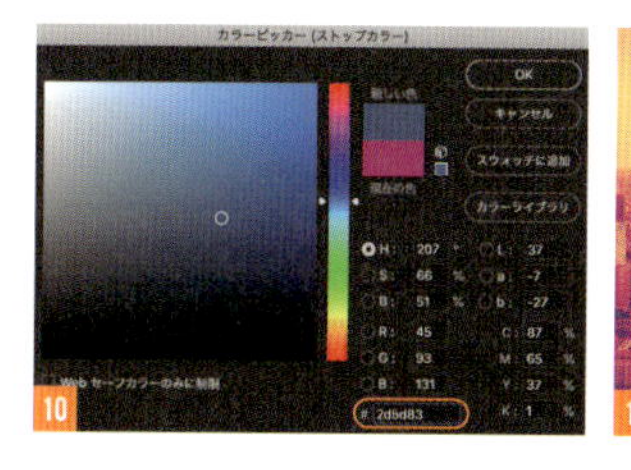

元画像

Recipe

002 不要なものを消す

写真に写り込んでしまった不要なものも［スポット修復］と［コピースタンプ］を使えば簡単に消すことができます。

Photo retouching

01 パッチツールを使って遊具の破損部分を修復する

素材［子供.psd］を開きます 01。
ツールパネルから［パッチツール］を選択し 02、オプションバーの［パッチ：コンテンツに応じる］を選択します 03。
遊具の破損部分を丁寧に選択します 04（拡大表示にして作業すると綺麗に選択できます）。
選択範囲が作成できたら、右にドラッグします。すると自動的に破損部分が修復されます 05。
同じ要領で遊具中央の破損部分も修復します 06 07。

01

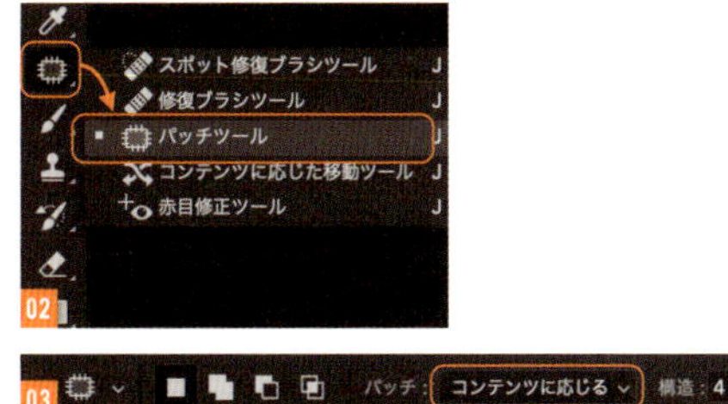

02
03

04

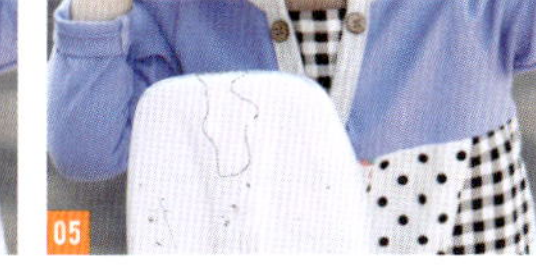
05

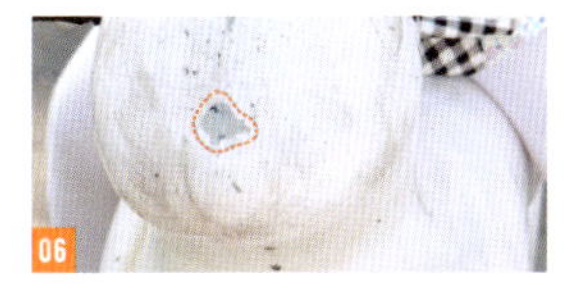
06

07

02 スポット修復ブラシを使って不要な部分を修復する

ツールパネルで［スポット修復ブラシツール］を選択し 08、オプションバーの［種類：コンテンツに応じる］を選択します 09。
女の子の帽子がほつれているので修復していきます。ほつれている部分を［スポット修復ブラシツール］で選択すると、自動的に修復されます 10 11。1度で修復できなかった場合は、何度か繰り返し行ってください。

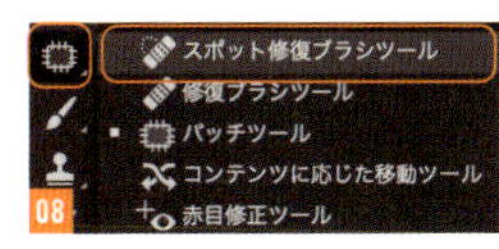

08

09

10

11

03 全体を整えて完成

ウィンドウ上で右クリックすると［ブラシオプション］が表示されます 12。修復したい傷や汚れに合わせて、ブラシサイズを変えながら作業していきます。全体の不要な傷や汚れを修復できたら完成です 13。
ただしあまりやりすぎると、不自然になってしまうこともあるので、元の素材の質感や雰囲気を損なわない程度に修復しましょう。

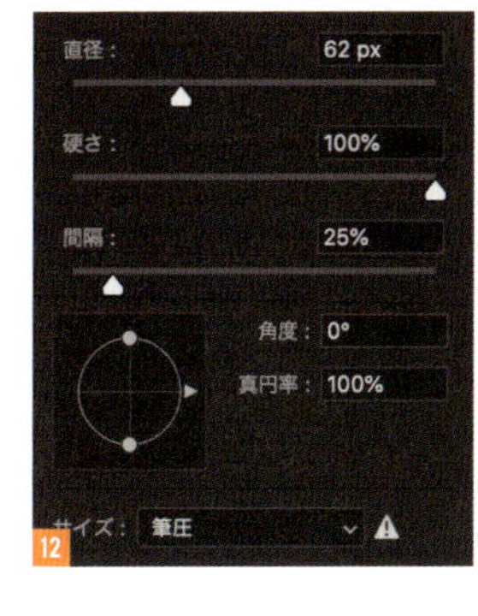

12

13

Recipe

003

空を差し替えて広々とした景色にする

広々とした空間を表現するには空の割合が重要です。思い切って別の空の写真と合成することで、より魅力的な写真に変えることができます。

Photo retouching

01 素材を選択する

素材[ビーチ.psd]を開き、ツールパネルから[自動選択ツール]を選択します 01。
オプションバーで[許容値：50]とし 02、空を選択します 03。Shift キーを押しながら複数回選択していくといいでしょう。

02 素材を削除し切り抜く

Delete キーを押し選択範囲を削除します 04。削除しきれなった部分が残っている場合、01〜04を繰り返し整えてください。細かく選択しにくい部分は[消しゴムツール]も使用しましょう 05。
空のないビーチの素材ができました 06。

Point

レイヤーが背景になっている場合は選択範囲を削除しても透明になりません。背景レイヤーをダブルクリックし、レイヤー化してから作業しましょう。

03 新規ドキュメントを作成し、素材を配置する

[ファイル]→[新規]を選択し[幅:13センチ][高さ：18センチ][解像度：300ピクセル/インチ]で新規ドキュメントを作成します 07。
先程切り抜いた[ビーチ.psd]を最上位に配置し、[空.psd]を配置します 08。
2つの素材の位置を整えて完成です 09。

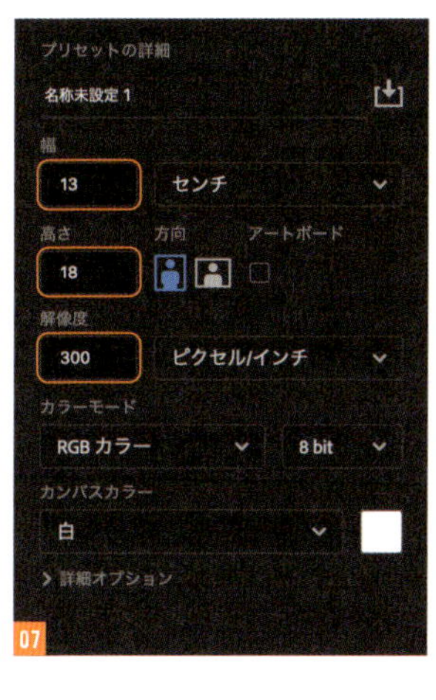

自然を感じる
旅に出よう。

Recipe 004 透明感のある風景を作る

何気ない風景写真を透明感のある広告ポスターのような魅力ある写真に加工してみましょう。

Photo retouching

01 レイヤーを スマートオブジェクトに変換する

素材[風景.psd]を開きます。レイヤーの上で[右クリック]し[スマートオブジェクトに変換]を選択します 01 。
スマートオブジェクトに変換することで、色補正やフィルターを再適用することができるようになります。

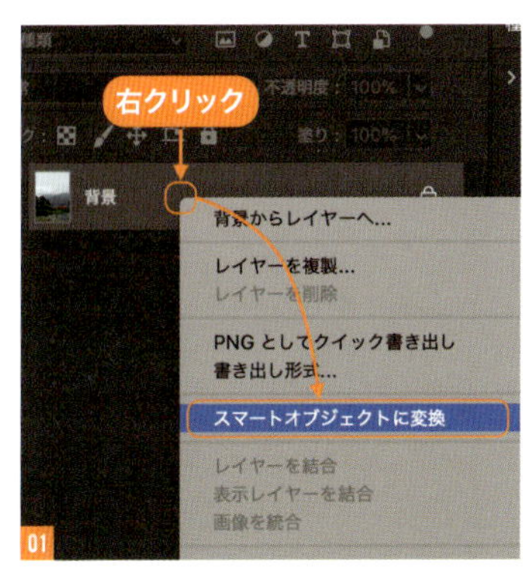

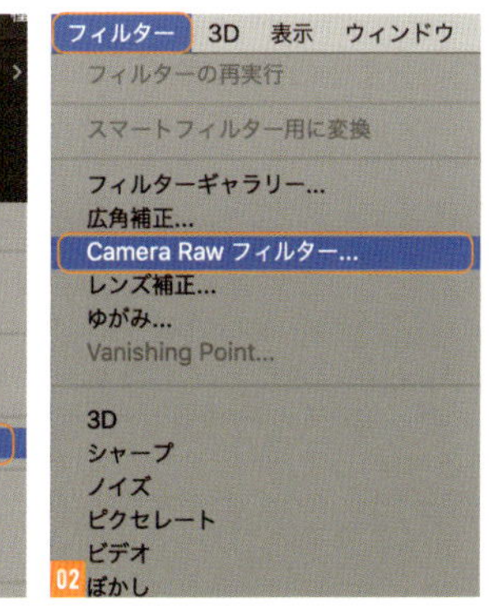

02 Camera Rawを使って透明感を出す

[フィルター]→[Camera Rawフィルター]を選択します 02 。
[Camera Raw]ウィンドウが開きます。青い透明感のある風景を意識して[色温度:-30][色かぶり補正:-5][露光量:+0.25][コントラスト:-11][明瞭度:-20][自然な彩度:+10]としOKをクリックします 03 。

03 ノイズを加えて質感を出す

［フィルター］→［ノイズ］→［ノイズを加える］を選択します04。［量：4%］とします05。
写真全体にノイズが加わり、アナログ風な質感になりました。

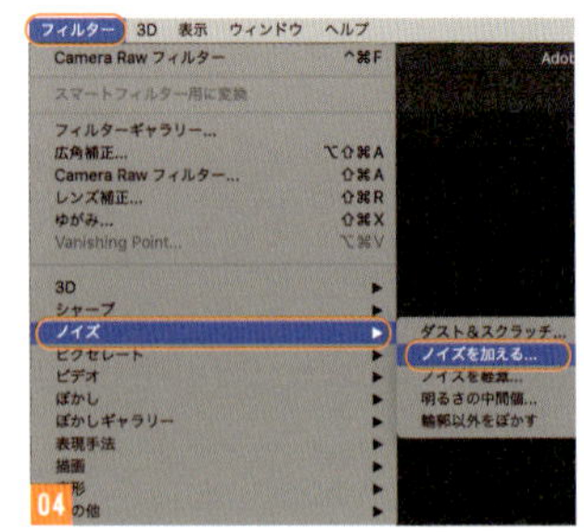

Point

元画像にノイズ感がある場合はノイズを加える必要はありません。写真の質感を見ながらノイズ量を調整しましょう。

04 さらに透明感のある画像を目指して色補正する

レイヤーパネルの調整レイヤー作成ボタンから［カラーバランス］を選択します06。［属性］パネルの［階調：中間調］を選択し［-30：15：15］07、［階調：ハイライト］を選択し［0：0：15］とします08。全体にシアンとブルーを足すように補正しています09。

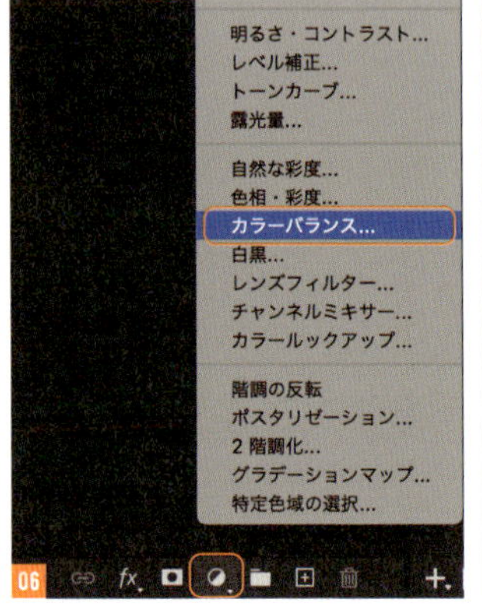

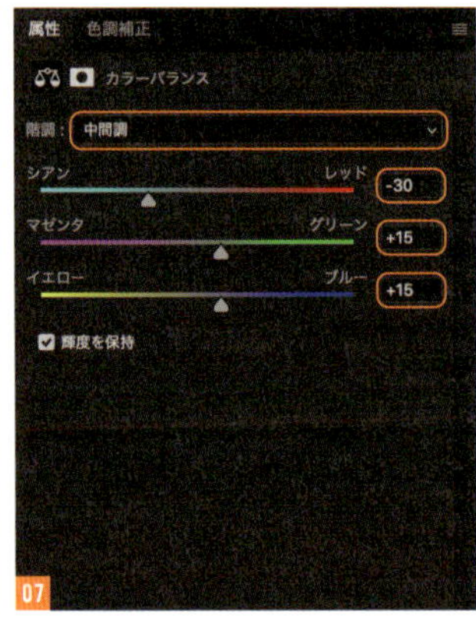

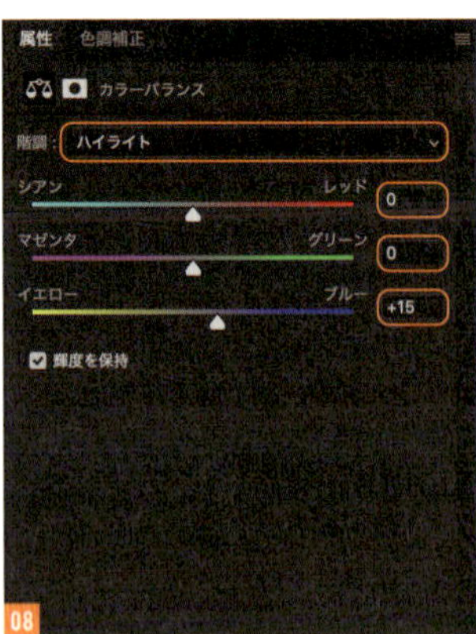

05 画面全体に うっすらともやをかける

最上位に新規レイヤー[もや]を作成し、描画色白[#ffffff]、背景色黒[#000000]とします。[フィルター]→[描画]→[雲模様1]を選択します10 11。

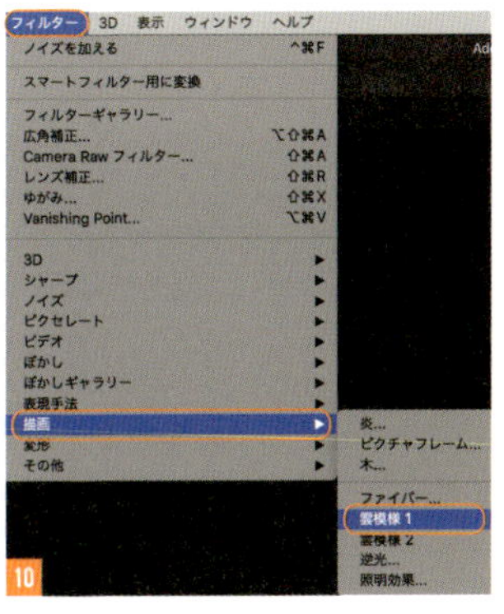

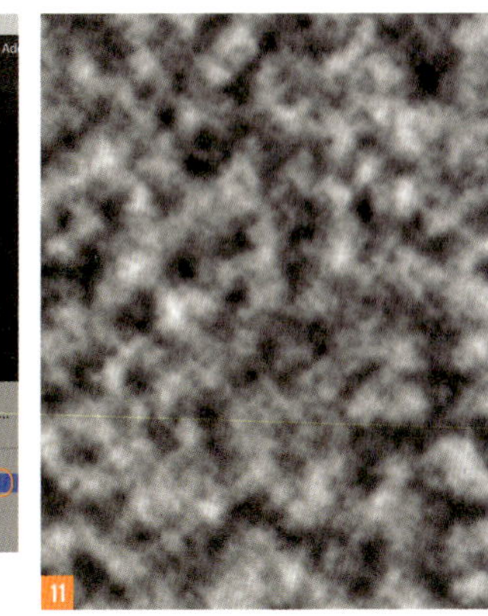

06 ぼかし(ガウス)を設定し、もやをぼかす

[雲模様1]を適用したレイヤーを選択し[フィルター]→[ぼかし]→[ぼかし(ガウス)]を選択します12。
[半径:100.0pixel]で適用します13。

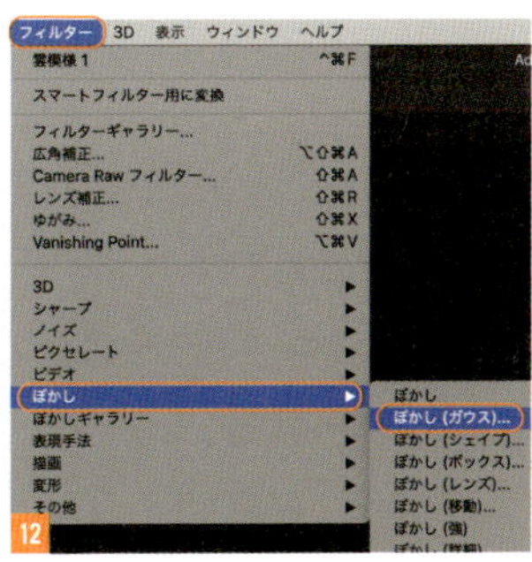

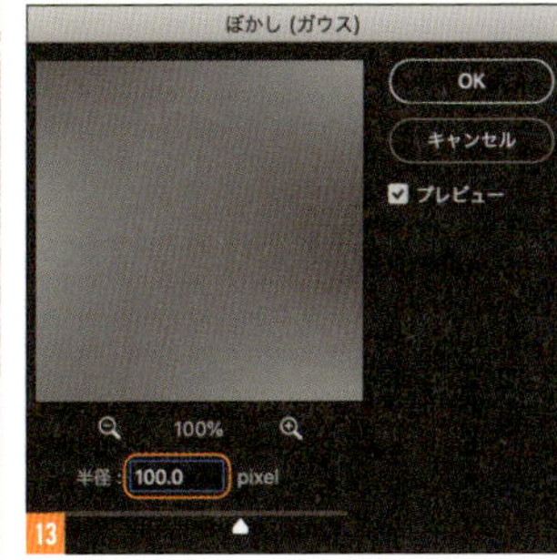

07 描画モードをスクリーンにして もやをなじませて柔らかな印象にする

レイヤーの描画モードを[スクリーン]にし14、不透明度を[25%]にします15。
雲の色むらを作ることで質感を加えています。シアン・ブルーを強め、全体にもやをかけることで柔らかな印象と透明感のある風景になりました16。

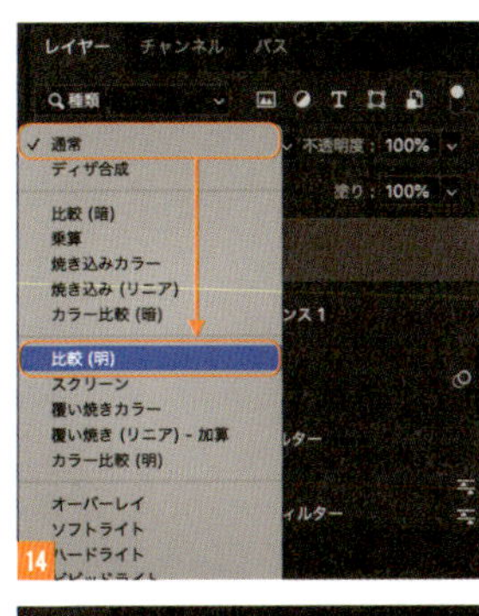

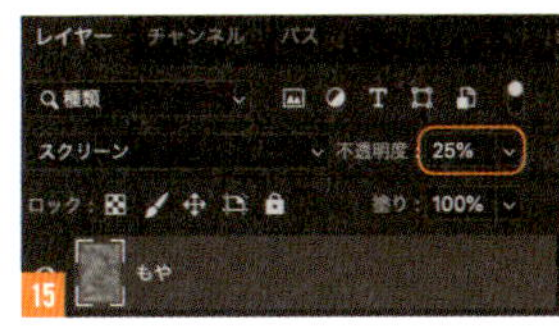

Recipe

005

明るさやコントラストを調整してメリハリのある写真にする

トーンカーブとレベル補正を使ってメリハリのある画像補正をしてみましょう。

Photo retouching

01 調整レイヤーでトーンカーブを作成する

素材[背景.psd] を開きます。

全体に淡い柔らかな雰囲気のある写真です。ここでは、サボテンを強調するようなイメージで、メリハリのある補正を行います。

レイヤーパネル内の [塗りつぶしまたは調整レイヤーを新規作成] から [トーンカーブ] を選択し 01 上位に配置します 02。

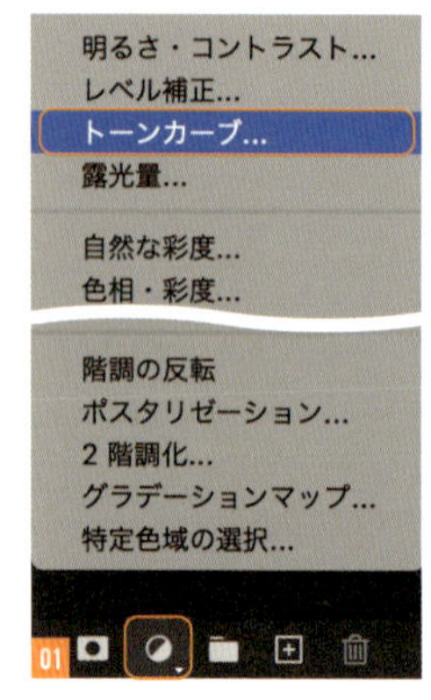

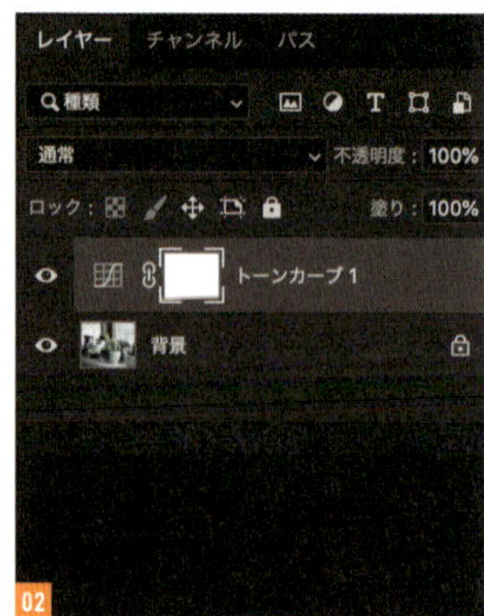

02 トーンカーブを使い メリハリのある画像補正を行う

01 の手順で［属性パネル］のトーンカーブが開いたら、パネル上でクリックし、コントロールポイントを3点追加します。もし［属性パネル］が見つからない場合はレイヤー［トーンカーブ1］をダブルクリックしたり、レイヤー［トーンカーブ1］を選択した上で［ウインドウ］→［属性］を選択し、属性パネルを表示するとよいでしょう。

03 を参考にゆるやかなS字カーブになるよう補正します。それぞれのコントロールポイントは左下が、［入力：30、出力：19］、中心が［入力：131、出力：123］、右上が［入力：217、出力：224］としました 04。

明るい部分、暗い部分がそれぞれ強調され、コントラストの高い画像補正ができます。

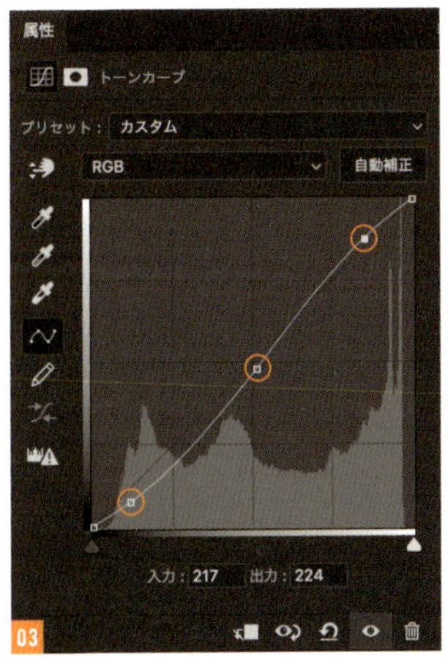

Point

トーンカーブでのS字カーブは簡単にコントラストを上げることのできる定番の手法です。あらゆるタイミングで使えるのでぜひ覚えておくとよいでしょう。

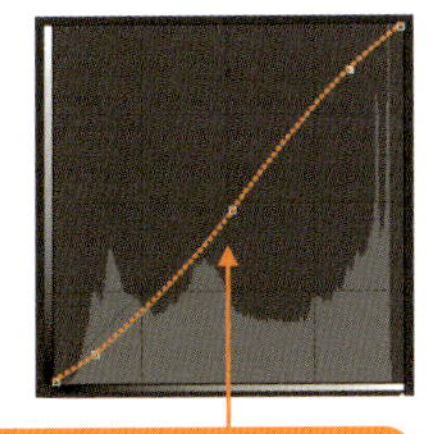

02 レベル補正を使った メリハリのある画像補正を行う

同様にレイヤーパネルから［レベル補正］を選択し、上位に配置します 05。

入力レベルを左（シャドウ側）から［15 ： 0.90 ： 245］とします 06。

トーンカーブと同じように、コントラストが高く、メリハリのある補正ができました 07。

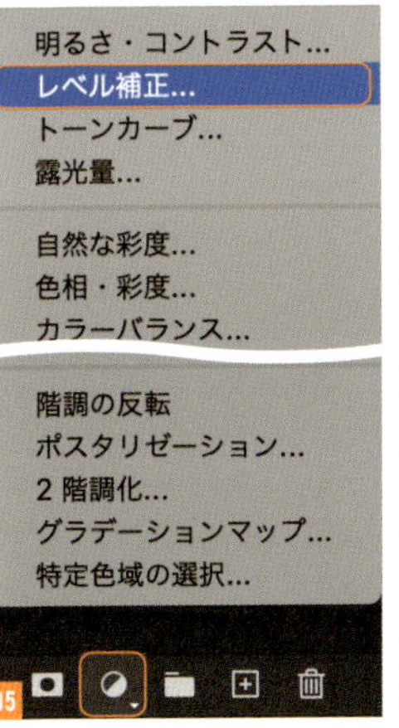

Recipe

006 ピントを合わせて背景をぼかした写真にする

主役以外の背景をぼかして、一眼レフカメラ風の印象的な写真を制作してみましょう。

Photo retouching

01 女の子の画像を切り抜く

素材[人物.psd] を開きます。ツールパネルから[ペンツール] を選択し 01、女の子の輪郭に沿ってパスを作成していきます 02。
ペンツールが選択された状態のまま[右クリック]で表示されるメニューから [選択範囲を作成] を選択します 03。
[選択範囲を作成] ウィンドウが表示されるので、[ぼかしの半径：0pixel] [アンチエイリアス] にチェックが入った状態で [OK] を押し適用します 04。女の子の輪郭が選択されました 05。

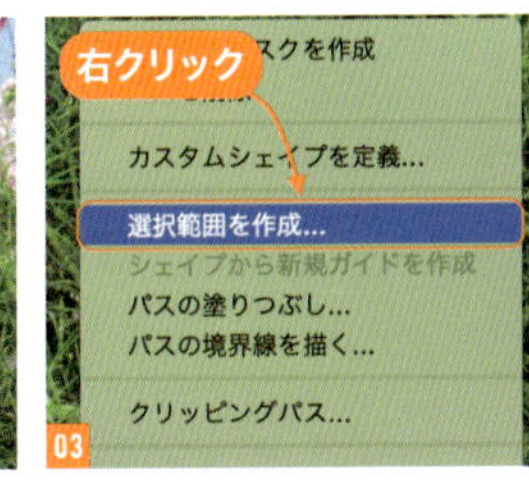

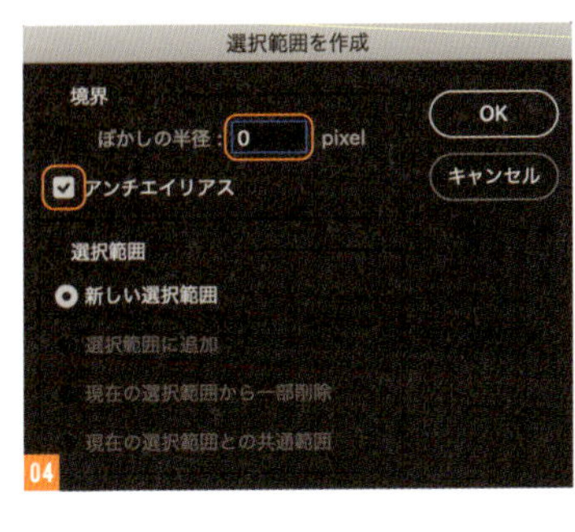

02 選択範囲を反転し、ぼかし（レンズ）で背景をぼかす

ツールパネルの選択ツール（長方形選択ツールや、なげなわツール、自動選択ツールなど、選択ツールであればどれでもかまいません）を選択し、カンバス上で右クリックし [選択範囲の反転] を選択します 06。選択範囲が反転し、女の子以外の部分が選択されました 07。
[フィルター] →[ぼかし] →[ぼかし（レンズ）] を選択します 08。[ぼかし（レンズ）] ウィンドウが開くので虹彩絞りの[形状：六角形] [半径：34] [絞りの円形度：100] [回転：0]、スペキュラハイライトを [明るさ：48] [しきい値：255] とします 09。背景のみぼかすことができました 10。

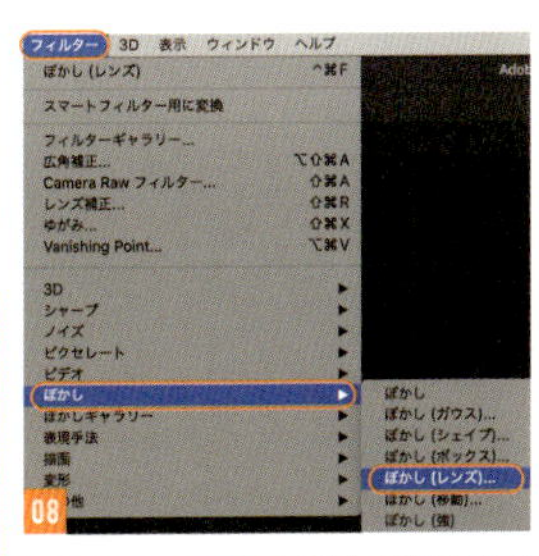

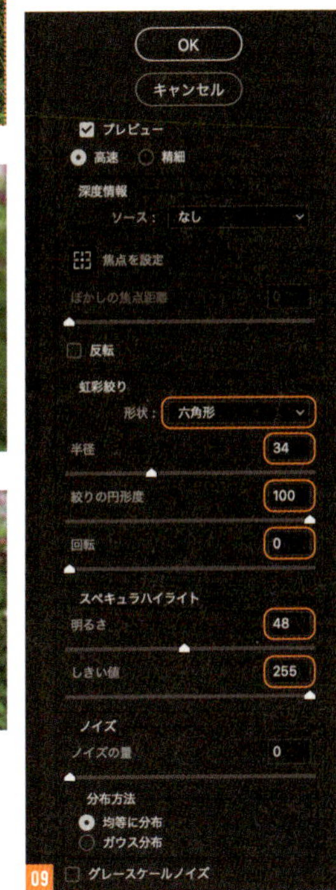

Point

[ぼかし（ガウス）] などに比べると選択範囲以外（女の子部分）に影響なくぼけを作ることができます。なお、[ぼかし（ガウス）] でぼかした場合、女の子の腕部分に注目すると右図のようになります。

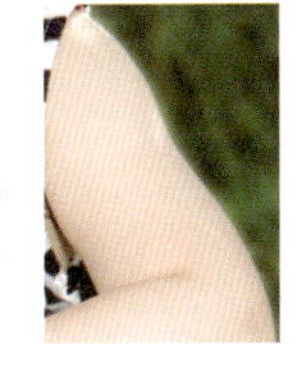

03 髪の毛や輪郭の細かな部分をぼかしツールを使って整える

ツールパネルの [ぼかしツール] を選択します 11。髪の毛や輪郭を背景となじませるようになぞり整えたら完成です 12。

Recipe

007

モノクロ写真の一部に色を付けて印象深くする

モノクロ写真の一部に色を付けることで主役を際立たせて見せることができます。

01 [オブジェクト選択ツール]で選択範囲を作成する

素材[リンゴ.psd]を開き、[ツールパネル]から[オブジェクト選択ツール] 01 を選択します。オプションバーを[モード：長方形]とし 02、03 のようにドラッグしてリンゴを選択すると、Photoshopに搭載された人工知能「Adobe Sensei」により自動的におおまかなリンゴの選択範囲が作成されます 04。

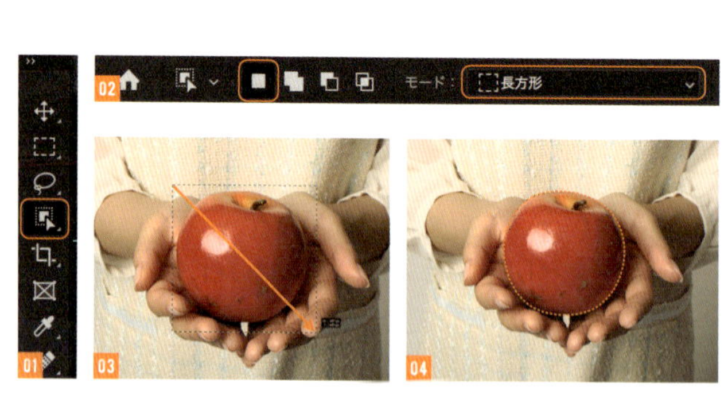

02 [クイック選択ツール]を選択する

[ツールパネル]から[クイック選択ツール]を選択します 05。

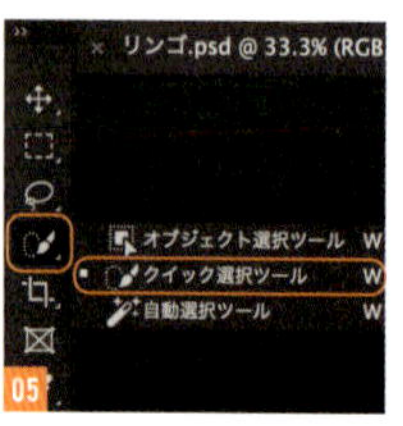

Point

[クイック選択ツール]が[ツールパネル]に見つからないときは[オブジェクト選択ツール]のアイコンを長押しして、出てきた[クイック選択ツール]を選択しましょう。

03 色を残したい部分の選択範囲を作成する

ブラシの直系を10px前後にし、選択しきれていない部分をドラッグし、追加選択していきます 06 07。

不要な部分や、はみだしてしまった場合は option （ Alt ）キーを押しながらドラッグすると選択範囲から削除されます。

うまく選択範囲を作成できない場合は、ブラシの直系を5pxにするなど調整しながら進めるとよいでしょう。

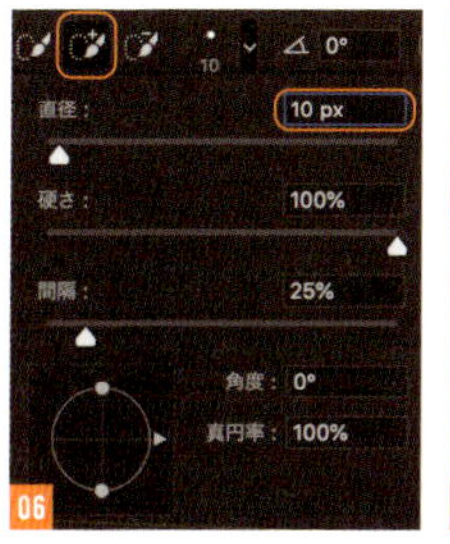

06

07

04 選択範囲にマスクを追加し、モノクロとカラー部分を分ける

リンゴの部分だけが選択されたら［選択範囲］→［選択範囲を反転］を選択します 08。一見変化がないように見えますが、選択範囲が反転し、カンバスの四隅からリンゴまでが選択されていることが確認できます 09。［レイヤー］→［新規調整レイヤー］→［白黒］を選択します 10。選択範囲だけに白黒が適用されました 11。

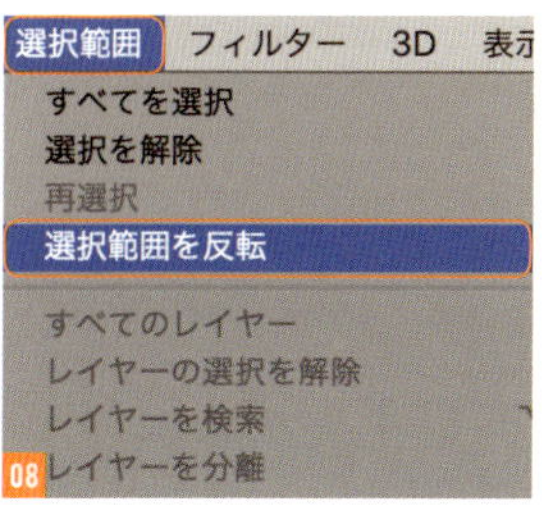

08

09

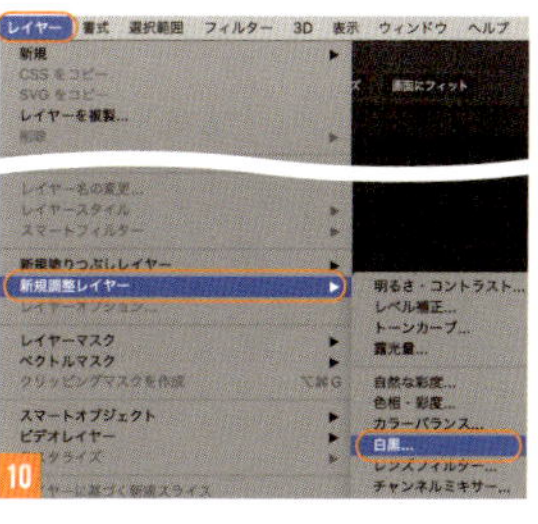

10

11

05 明るさとコントラストを調整して完成

背景のレイヤーを選択し［イメージ］→［色調補正］→［レベル補正］を選択します 12。

入力レベルスライダを［シャドウ：20］［中間調：1.2］［ハイライト：250］に設定します 13。

レベル補正によって全体的に明るくなりつつも［シャドウ：20］によって影が濃くなり、メリハリのある画像になりました 14。

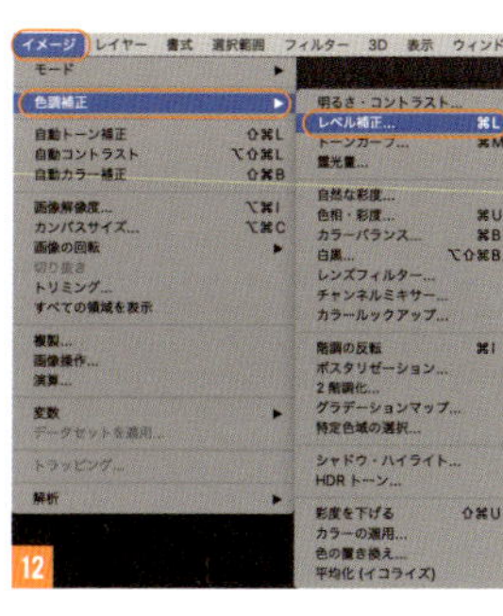

12

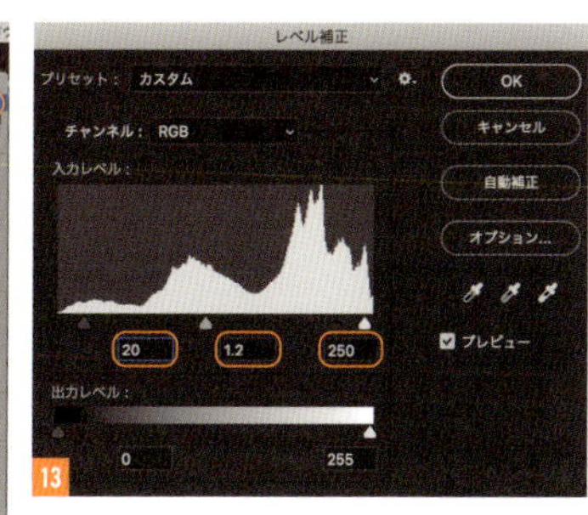

13

14

Point

モノクロ写真の一部に色を付けて印象深くする使い方は、主役にフォーカスを当てたいときに重宝するテクニックです。果物や人物など色々と試してみるとよいでしょう。

Recipe

008

食べ物をおいしそうに見せる

食べ物の色を調整することでおいしそうに見せることができます。

元画像

01 写真を暖色系に補正し、おいしそうに見せる

素材[パスタ.psd]を開きます。
レイヤーパネルの調整レイヤー作成ボタンから[トーンカーブ]を選択します01。
[属性]パネルのトーンカーブが開いたら、中央にポインタを追加し[入力：121][出力：137]とします02。
チャンネルを[レッド]に変更し、中央にポインタを追加し[入力：119][出力：137]とします03。
チャンネルを[ブルー]に変更し、中央にポインタを追加し[入力：133][出力：125]とします04。
冷たい印象だったパスタが、赤味を足すことでおいしそうに見えるように補正できました05。

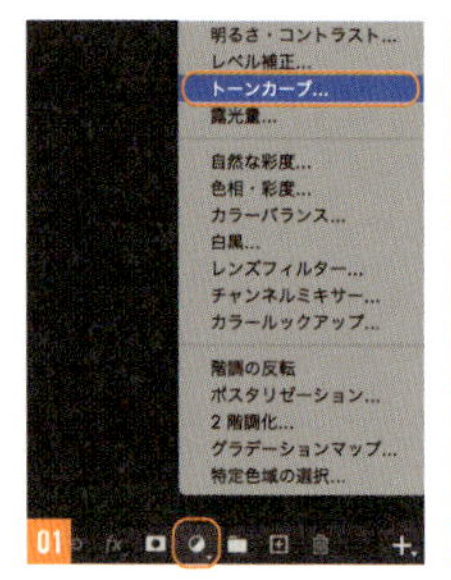

01

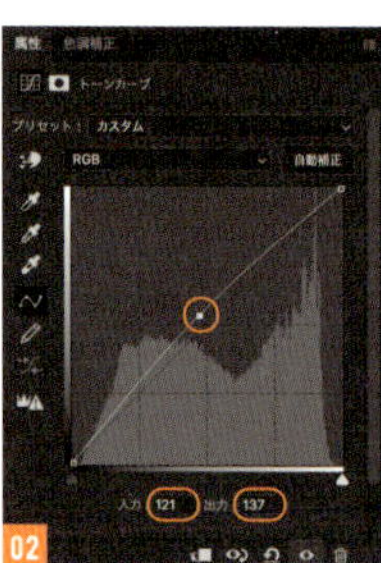
02

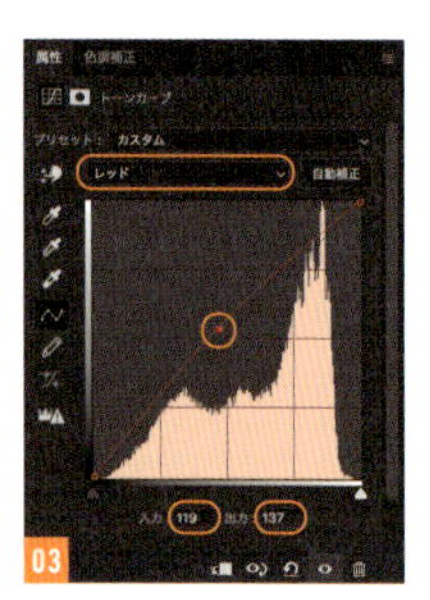
03

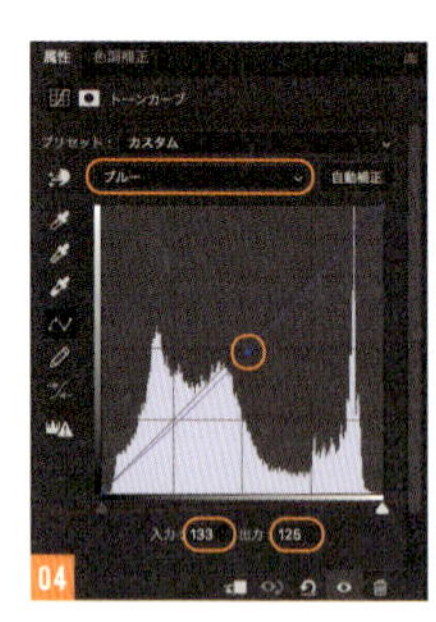
04

05

02 バジルの葉の色を強調して完成

バジルを[クイック選択ツール]や[なげなわツール]などを使い選択します06。
レイヤーパネルの調整レイヤー作成ボタンから[色相・彩度]を選択します。
選択範囲を作成した状態で調整レイヤーを作成すると、自動的に選択範囲にマスクが作成されます。
[色相：15]とします07。
バジルの緑が強調され、フレッシュな印象に仕上がりました08。

06

08

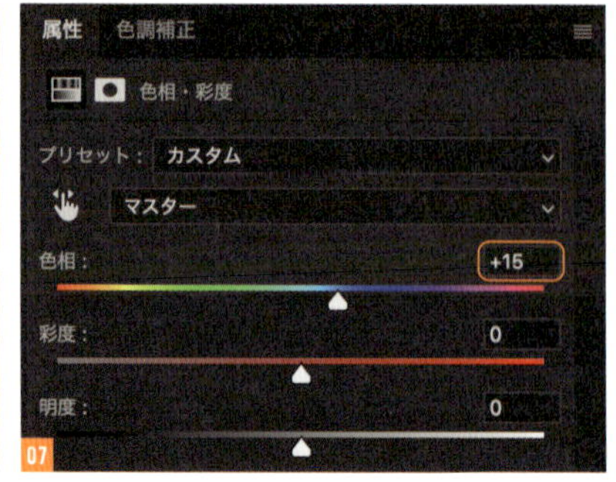

07

Recipe

009

食べ物を強調しておいしそうに見せる

被写体のイメージに合わせて色補正することで、より魅力的な写真に仕上げることができます。

元画像

01 主役の強調を目的とした補正を行う

素材[マカロン.psd]を開きます。素材写真は暖色系でおいしそうなのですが、マカロンを主役とした場合、メリハリのない写真になっています。マカロンを強調し、すっきりしたイメージに補正してみましょう。

02 赤味を抑え、すっきりさせる

調整レイヤー作成ボタンから［トーンカーブ］を選択、中央にポインタを追加し［入力：115］［出力：141］とします 01。
調整レイヤー作成ボタンから［カラーバランス］を選択します 02。
階調[中間調]を選択し[-20：0：+30]とします 03。
赤味が抑えられすっきりした印象になりました 04。

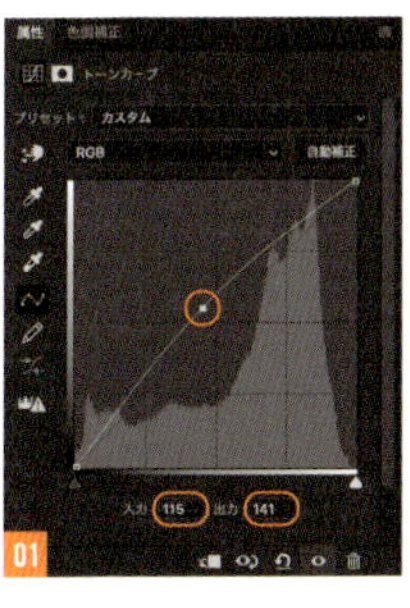

01

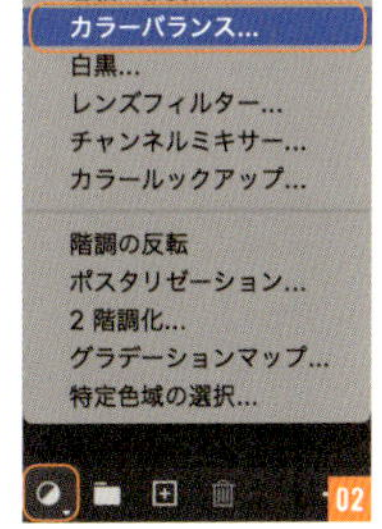

02

03

04

03 マカロンの色を強調して完成

調整レイヤー作成ボタンから［自然な彩度］を選択します 05。
［自然な彩度：50 彩度：5］とし 06、マカロンの彩度を上げたら完成です 07。

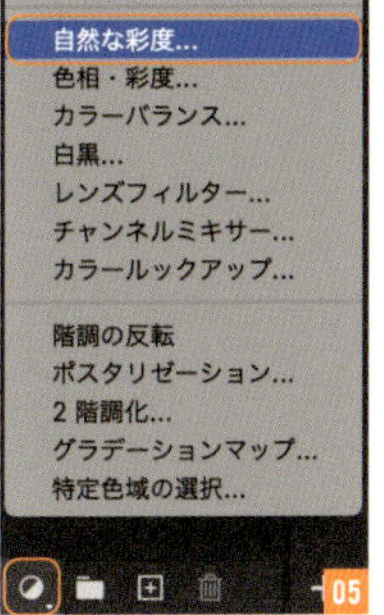

05

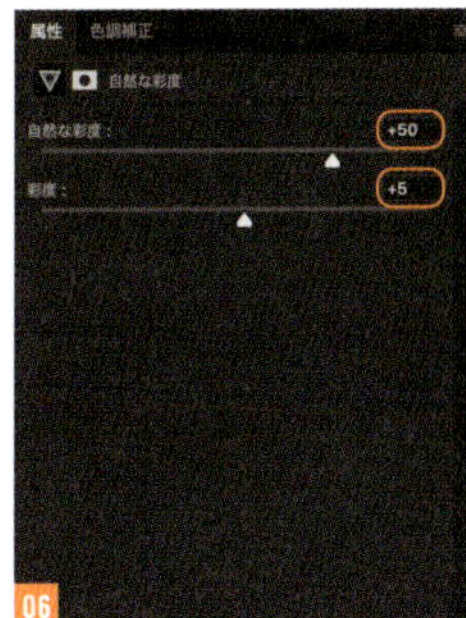

06

07

Point

背景のカラーなども関係するため一概には言えませんが、多くの場合、温かい食べ物は暖色系に、冷たい食べ物は寒色系に補正すると、食べ物の持つイメージを強調することができます。

元画像

Recipe

010

色を浅く、濃くし印象を変える

色の濃淡を変えるだけで、写真の雰囲気をガラリと変えることができます。

Photo retouching

01 トーンカーブを使い、淡い色味に補正する

素材[ソファ.psd]を開きます。レイヤーパネルの調整レイヤー作成ボタンから[トーンカーブ]を選択し01、最上位に配置します02。

左下のポインタを[入力：0][出力：29]とし、中央にポインタを追加し、[入力：110][出力：142]とします03。

シャドウと中間調を明るく補正することで、淡い印象に補正することができました04。

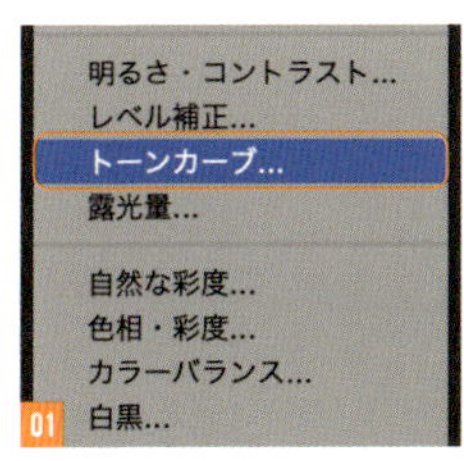

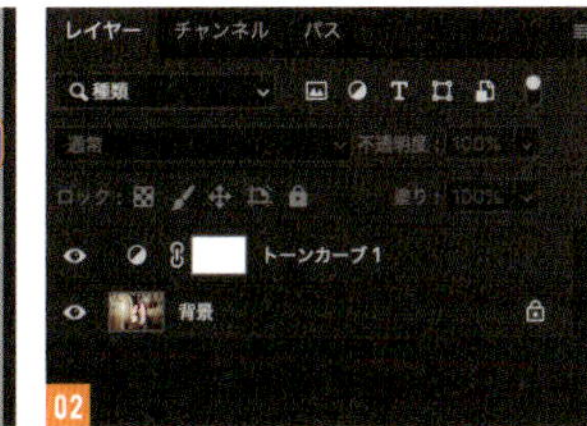

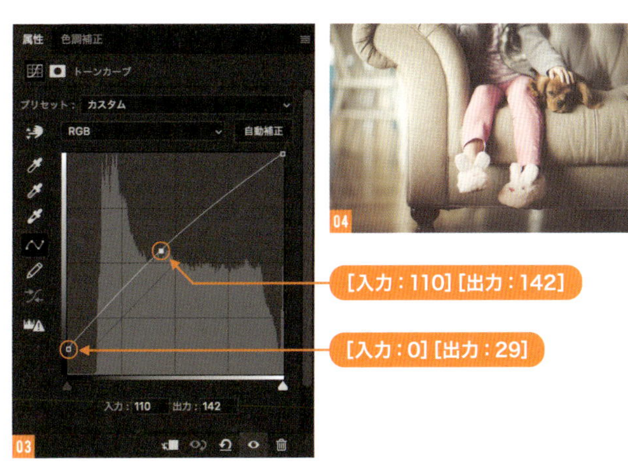

02 トーンカーブを使い、濃く引き締まった色味に補正する

同様にトーンカーブのパネルが開いたら、左下のポインタを[入力：22][出力：0]、中央にポインタを追加し[入力：135][出力：119]とします05。シャドウと中間調が引き締まった印象に補正できました06。

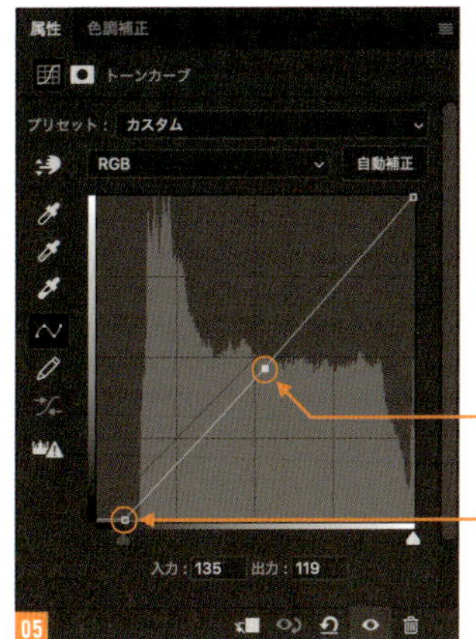

Recipe

011 夕焼けの写真を印象的に仕上げる

夕焼けのオレンジや、ハイライトをブラシで描き込むことで、より美しく、印象的な写真にすることができます。

Photo retouching

元画像

01 レイヤーを作成し、描画する下地を作る

素材[風景.psd]を開きます。上位に新規レイヤーを作成し、レイヤー名[オレンジの光]とします 01。ツールパネルから[ブラシツール]を選択します 02。

ツールパネルから[カラーピッカー]ウィンドウを表示し、描画色を[#ed671e]にします 03。

レイヤー[オレンジの光]を選択し、レイヤーの描画モードから[オーバーレイ]を選択します 04。

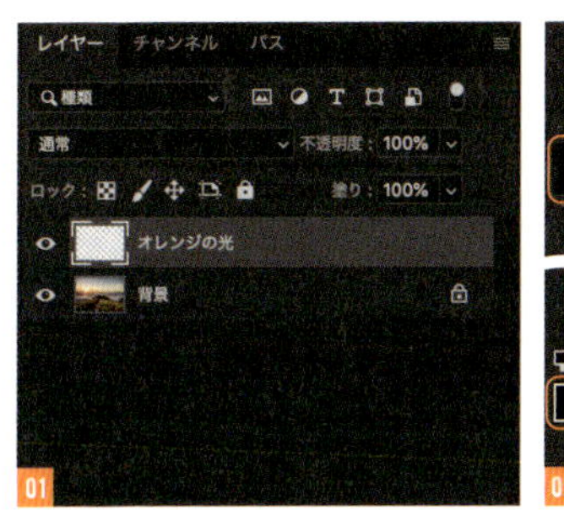

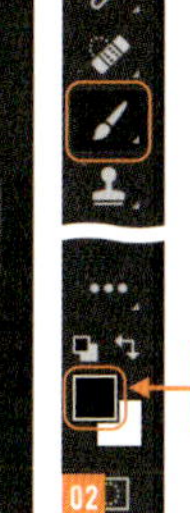

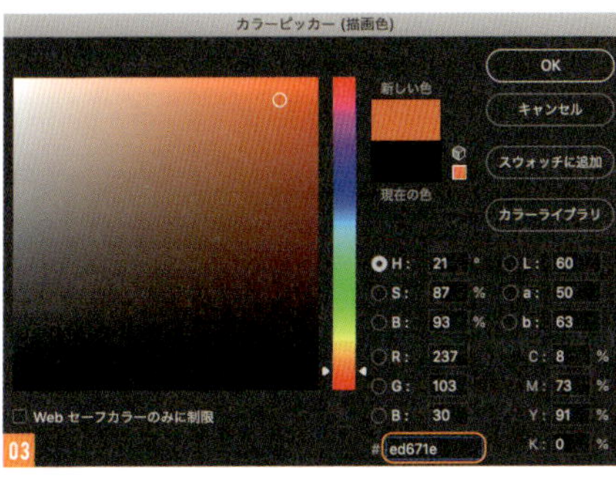

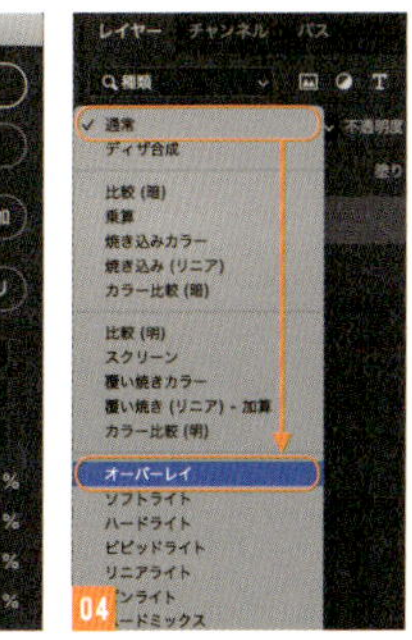

02 ブラシツールを使って、夕焼け色の光を描き込む

ブラシパネルでブラシサイズとオプションバーで不透明度を調節し 05、オレンジ色に光らせたい部分を描き込みます。06 のようにススキや雲海部分を描画します。

レイヤー[オレンジの光]を[不透明度：58%]にし、写真になじませます 07。

夕焼け色に染まった光を追加することができました 08。

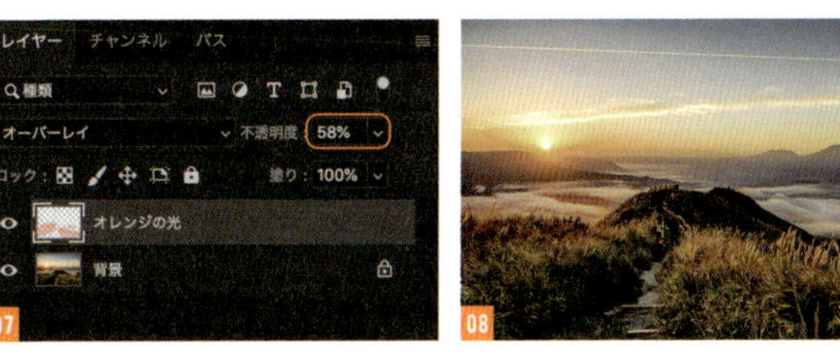

03 グラデーション用のレイヤーを作成する

新規レイヤーを作成し、レイヤー名[グラデーション]とします。背景画像より上位に配置します 09。

ツールパネルから[グラデーションツール]を選択します 10。

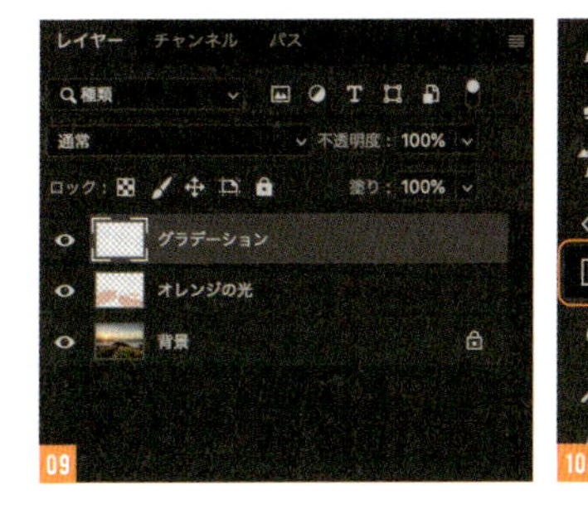

04 グラデーションツールを使って、空に夕焼けの色を追加する

オプションバーから［クリックでグラデーションを編集］を選択し 11［グラデーションエディター］ウィンドウを開きます 12。

グラデーションエディターが開いたら、左側のカラー分岐点を［#9197a4］13 とし、右側のカラー分岐点を［#e86a25］14 とします。

右のカラーボックスと不透明度のポインタの位置を［50%］とします 15。右上にポインタを追加し［不透明度：0%］とします 16。OK をクリックして確定させたら、画像の上から下に向かって 17 のようにクリックしながらドラッグします。夕焼けの色が追加できました 18。

レイヤー［グラデーション］を選択し、レイヤーの描画モードを［オーバーレイ］にします。夕焼けの色を強調することができました 19。

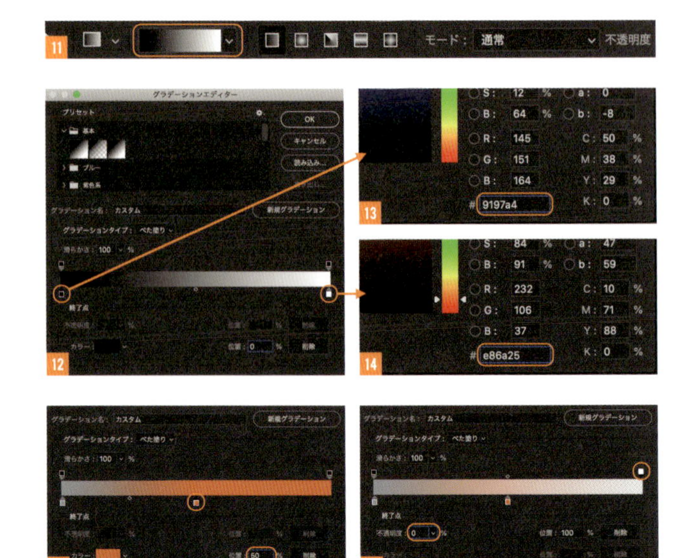

05 ブラシツールを使って、ハイライトを描き込む

新規レイヤーを作成し、レイヤー名［ハイライト］とし最上位に配置します 20。

レイヤー［ハイライト］を選択し、レイヤーパネルの描画モードを［オーバーレイ］とします。

手順01と同様にツールパネルから［ブラシツール］を選択し、描画色白［#ffffff］とします。

ブラシのサイズや不透明度を調整しながら、21 のようにハイライト部分を描画します。

夕日やススキの先端部分などハイライトを追加したい部分に描画します。

描き終えたらレイヤーパネルで［不透明度：59%］にし、なじませます。

光を加えることによって、幻想的で美しい夕焼けの写真にすることができました 22。

Recipe

012

切り抜き画像の境界をぼかし、自然な印象でなじませる

切り抜いた写真をそのまま貼り付けると、境界がシャープになり違和感が出てしまう場合があります。この節では素材の境界をぼかして自然な印象に加工してみましょう。

Photo retouching

元画像

01 花びらを切り抜く

素材[花.psd] を開きます。ツールパネルから [ペンツール] を選択します 01。

画面右上の花をペンツールで輪郭を選択します 02。

ペンツールが選択されている状態で[右クリック]→[選択範囲を作成] を選択 03。

選択範囲を作成ウィンドウが表示されたら [ぼかしの半径：0pixel] で適用します 04。

選択範囲が作成されました 05。

ツールパネルの選択ツール(長方形選択ツールや、なげなわツール、自動選択ツールなど、選択ツールであればどれでもかまいません) を選択し、カンバス上で [右クリック] →[選択範囲をコピーしたレイヤー] を選択します 06。

上位レイヤーに切り抜いた花のレイヤーが作成されました 07。

Point

選択した状態で ⌘ (Ctrl) キー＋J キーを入力することでも [選択範囲をコピーしたレイヤー] と同じ作業が完了できます。

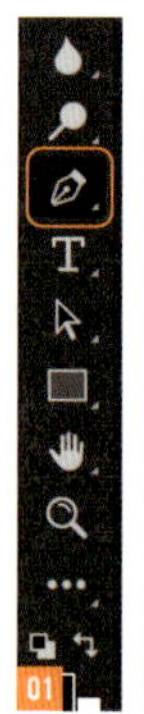

01

02

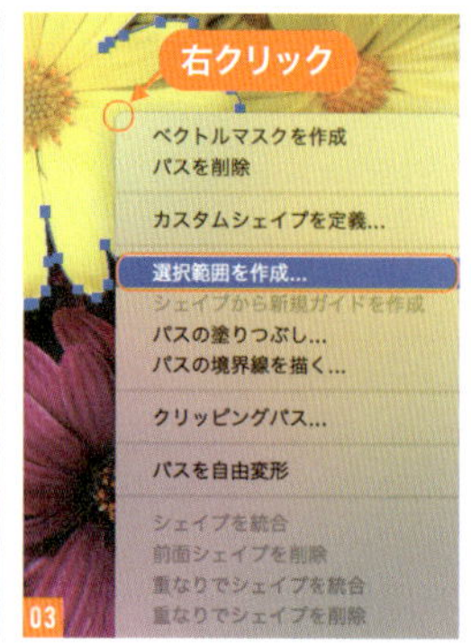

03

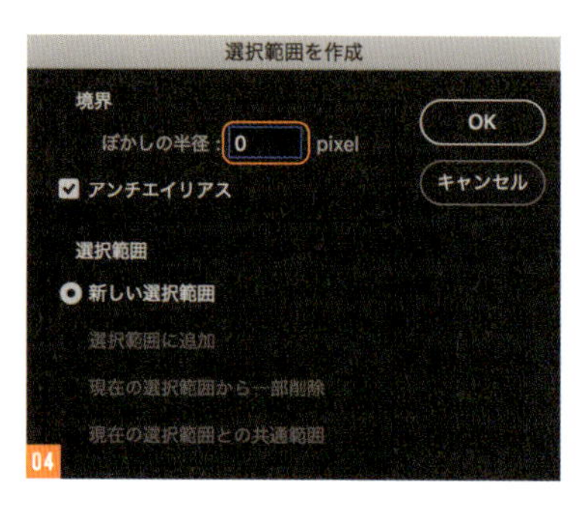

04

05

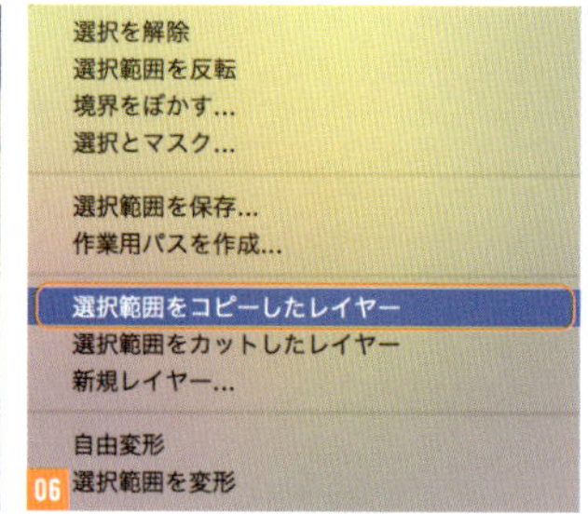

06

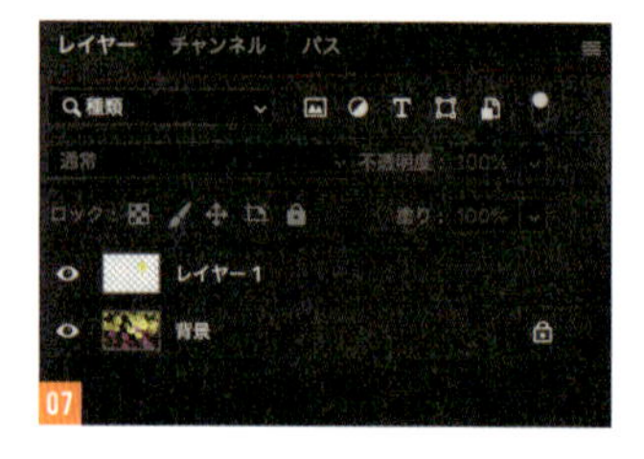

07

02 切り抜いた花びらを移動する

切り抜いた花のレイヤーを左下に移動します 08。

08

03 切り抜いた花びらの境界をぼかし、自然になじませる

レイヤーサムネールの上で［⌘（Ctrl）キーを押しながら左クリック］を押して選択範囲を作成します 09 10。

［選択範囲］→［選択範囲を変更］→［縮小］を選択します 11。選択範囲を縮小し［縮小量：1pixel］を適用します 12。

花の1pixel内側に選択範囲が作成されました 13。

［選択範囲］→［選択範囲を変更］→［境界をぼかす］を選択し 14、［ぼかしの半径：1pixel］を適用します 15。

［選択範囲］→［選択範囲を反転］を選択し 16、delete キーを押し不要部分を削除します。

境界線を調整する前に比べて 17、自然な印象に仕上がりました 18。

Point

左がぼかしなし、右がぼかしありの画像。ぼかしを入れた方が自然な形でなじんでいます。

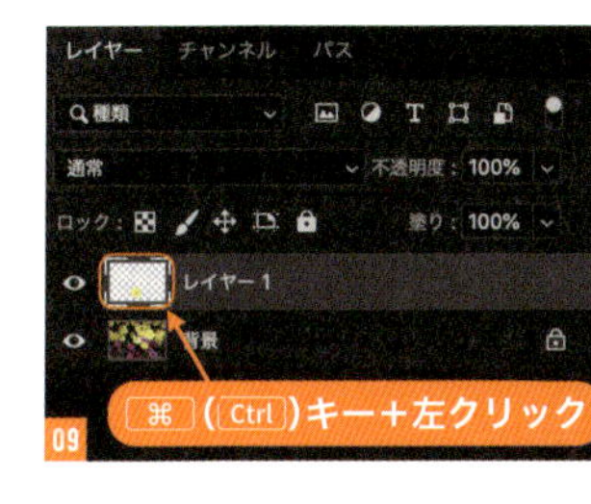

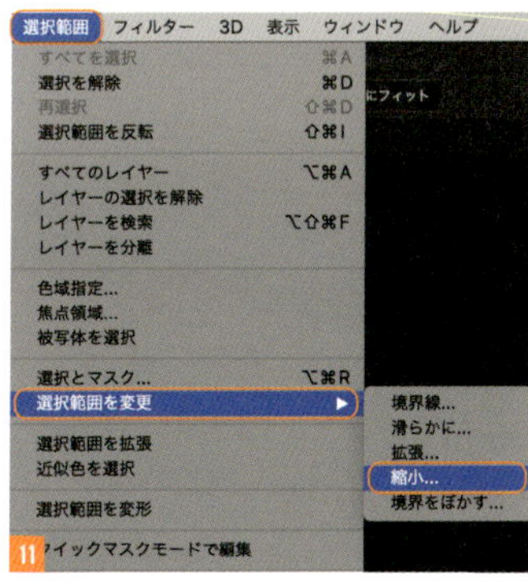

選択範囲を縮小
縮小量：1 pixel
OK
カンバスの境界に効果を適用
キャンセル
12

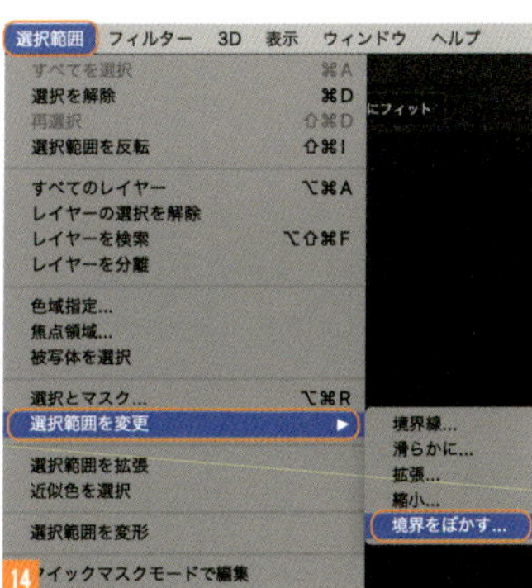

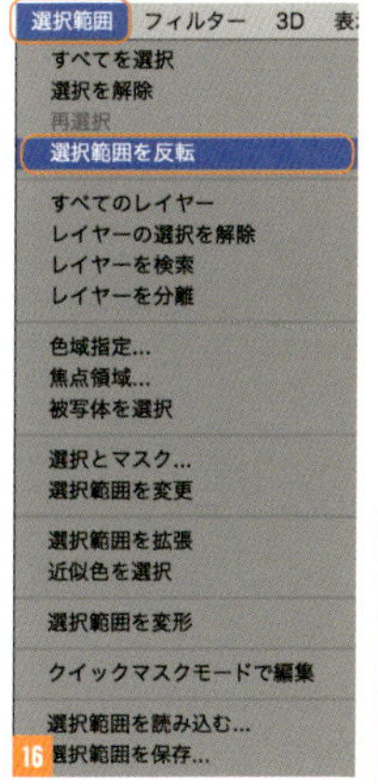

Recipe

013

光の当たり方を変える

光の当たり方を変えるだけで、写真の印象が変わります。画像を合成する時にも使える方法です。

Photo retouching

01 素材を複製し、切り抜く

素材[果物.psd]を開き、複製します。上位レイヤー名を[果物]、下位レイヤー名を[背景]としました 01。レイヤー[果物]から背景部分のみ選択します。
ペンツールや自動選択などの選択方法がありますが、ここでは[クイック選択ツール] 02 を使います 03。
選択範囲を作成したらコピーしたレイヤーを削除します(ここではわかりやすいようにレイヤー[背景]を非表示にしています) 04。

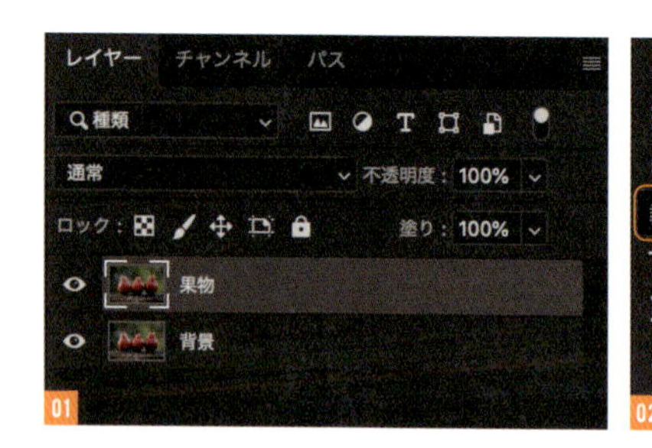

02 光と影のレイヤーを用意する

レイヤーパネルの[新規レイヤーを作成]を選択し 05、レイヤー[果物]の上位に2つの新規レイヤーを作成します。上位レイヤー名を[光]、下位レイヤー名を[影]としました 06。

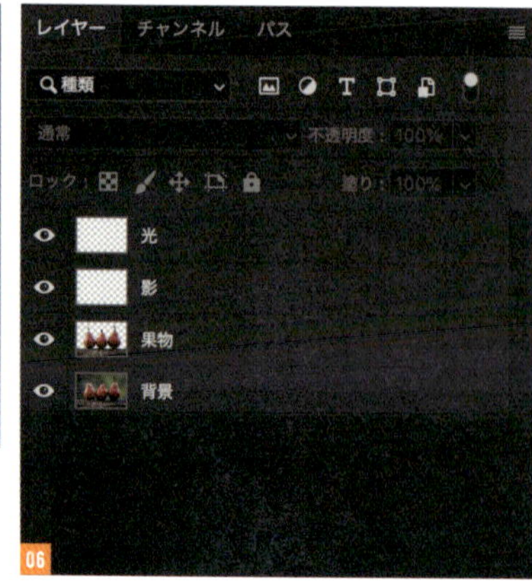

03 レイヤー[果物]にクリッピングマスクを適用する

レイヤーの描画モードをレイヤー[光]は[オーバーレイ]に 07、レイヤー[影]は[ソフトライト]にします 08。

レイヤー[光]と[影]の2つを選択します(⌘(Ctrl)キーを押しながらクリックすると複数選択できます)。

選択したら、[右クリック]→[クリッピングマスクを作成]を選択します 09。

これにより、下位レイヤーである[果物]の範囲のみに描画するものが反映されます。

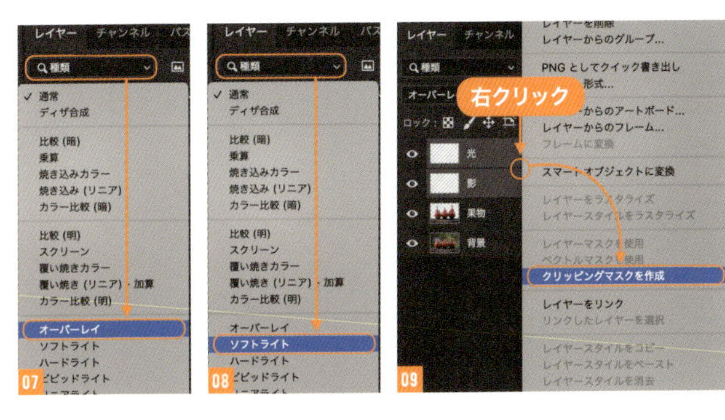

04 光と影を描画し、光の当たり方を変える

レイヤー[光]を選択し[ブラシツール]を選択します 10。描画色白[#ffffff]にします。

果物の右側から光が当たっているように意識しながらブラシで描画していきます 11。

レイヤー[果物]に対してクリッピングマスクが適用されているため、果物からはみ出した部分は描画されません。

同じようにレイヤー[影]を選択し[ブラシツール]を選択します。描画色黒[#000000]を選択し描き込みます 12。

05 光と影の不透明度を調整し、自然な印象に仕上げる

レイヤーの不透明度を[光]は[70%] 13、[影]は[50%] 14 とします。

画面右から光が当たっているような印象に仕上がりました 15。

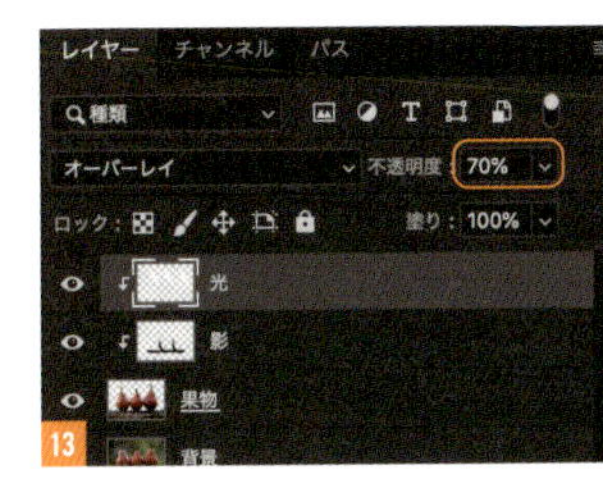

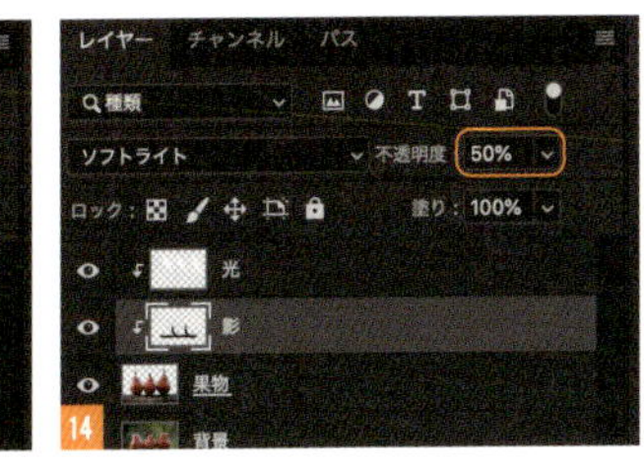

Recipe

014

選択範囲を作成し、花の色を変える

複数の選択ツールを使い分けることで、綺麗な選択範囲を作成してみましょう。丁寧な選択範囲を作成することで、より自然な色補正が可能です。

Photo retouching

01 花びら以外の選択範囲を作成する

素材[花.psd]を開きます。[自動選択ツール]を選択し[許容値：30]とします 01 02 。
花びら以外の部分を選択したいので、背景を選択します 03 。
画面左下に選択できなかった部分が残っているので、選択できていない部分にカーソルを合わせ[Shift キー＋左クリック]で追加選択します 04 。
茎の部分も選択できていないので、[なげなわツール]を選択し 05 、 Shift キーを押しながら選択範囲に追加していきます 06 。この時、一度で選択することは難しいので、数回に分けて選択しましょう。

02 選択範囲を反転し花びらのみを選択する

現状では花びら以外が選択されているため[選択範囲]→[選択範囲を反転]を選択します 07 。
選択範囲が反転し花びらが選択されました 08 。

03 クイックマスクを使い花の中心部分も選択する

花びらの部分のみを選択したいので、花中央の黄色い部分も選択していきます。

[自動選択ツール]や[なげなわツール]では選択が難しいので、[クイックマスクモード]を使いブラシで選択範囲を作成します。

花びらが選択した状態で、ツールパネルから[クイックマスクモードで編集]を選択します 09。

選択範囲以外が赤色になります 10。[ブラシツール]を選択し 11、描画色が黒になっていることを確認し、花の中心の黄色い部分を塗っていきます。ブラシは[ソフト円ブラシ]サイズは[35px][不透明度:100%]としました 12。

画面拡大して作業すると細かな部分まできれいに選択できます 13。また、ブラシサイズは塗る場所に合わせて変えていきます(5〜35px程度)。

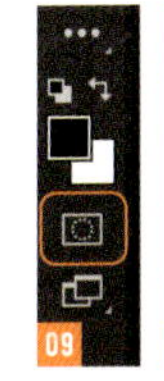
09

10

11

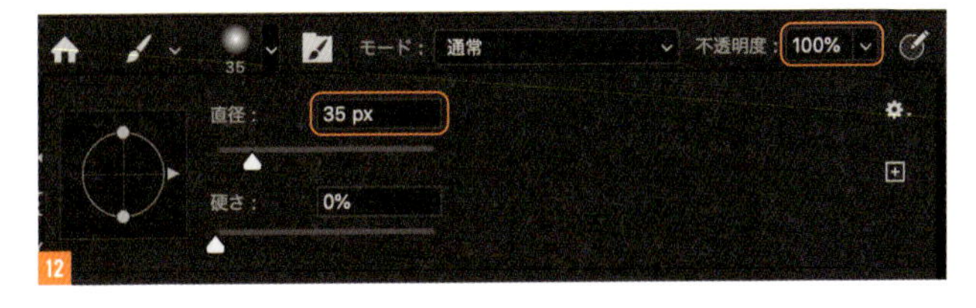

12

13

Point

赤色をはみ出して塗ってしまった場合は、描画色を白にして塗り直せば赤が消えます。

04 選択した花の色を変更し完成

花の中心を塗り終わったら、もう一度ツールパネルから[クイックマスクモードで編集]を選択します。これで赤色になっていた部分以外の花びらのみが選択されます 14。

選択範囲が選択された状態でレイヤーパネルの調整レイヤー作成ボタンから[色相・彩度]を選択します 15。上位に花びらの形でマスクがかかった[色相・彩度1]というレイヤーが作成されます 16。

[色相・彩度]パネルの[色彩の統一]にチェックを入れ[色相:10][彩度:75][明度:-20]とします 17。

サーモンピンクの色の花びらに変わりました 18。

14

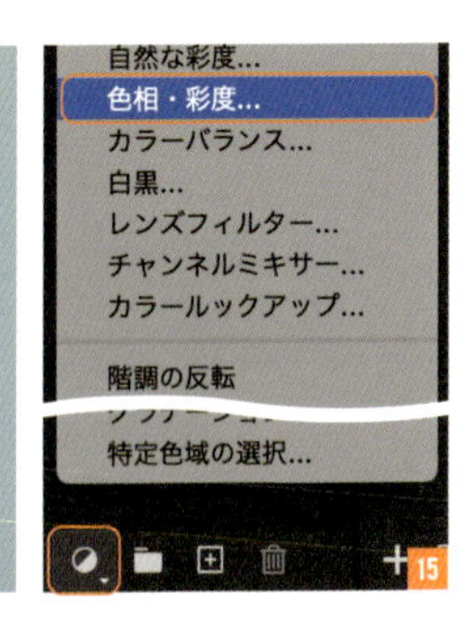

15

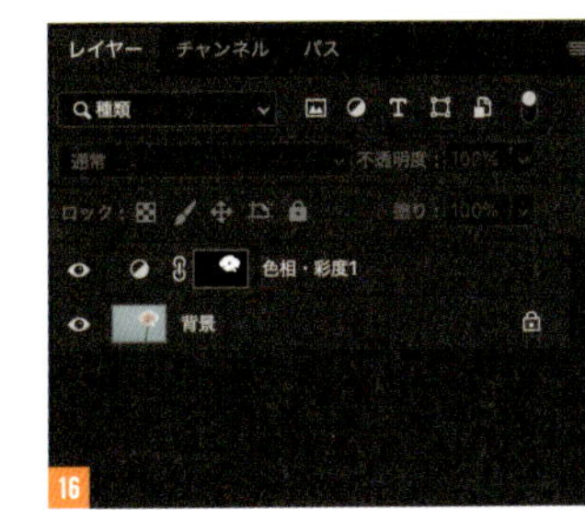

16

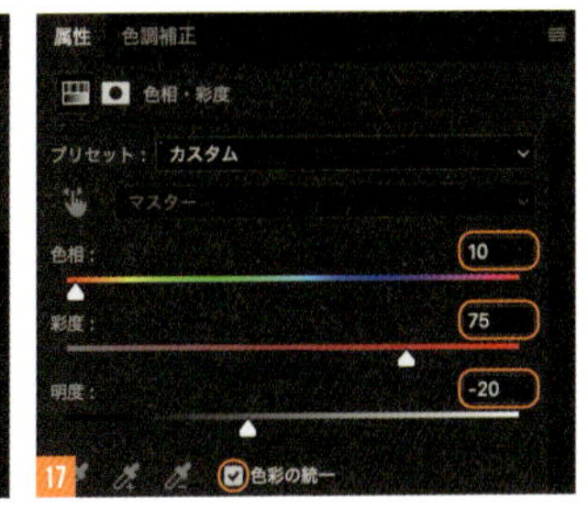

17

Point

色相・彩度を調整することで様々な色に変更することができます。

ブルー系[色相:245][彩度:55][明度:-20] 19

イエロー系[色相:35][彩度:70][明度:-20] 20

18

19

20

Recipe

015

数ステップで古ぼけた写真風に加工する

最近撮影した写真も古い紙や破れた紙と合成することで、味のあるアンティークな写真に加工することができます。

Photo retouching

元画像

01 ベースとなる写真をセピア色でマットな質感に補正する

素材[風景.psd]を開きます。[イメージ]→[色調補正]→[色相・彩度] 01 を選択し、[プリセット：セピア] 02 を選択し、適用します 03。

[イメージ]→[色調補正]→[トーンカーブ] 04 を選択し、ポインタを左から[出力：40][入力：0][出力：45][入力：43][出力：238][入力：255]とします 05。

Shortcut

色相・彩度：⌘（Ctrl）キー＋Uキー
トーンカーブ：⌘（Ctrl）キー＋Mキー

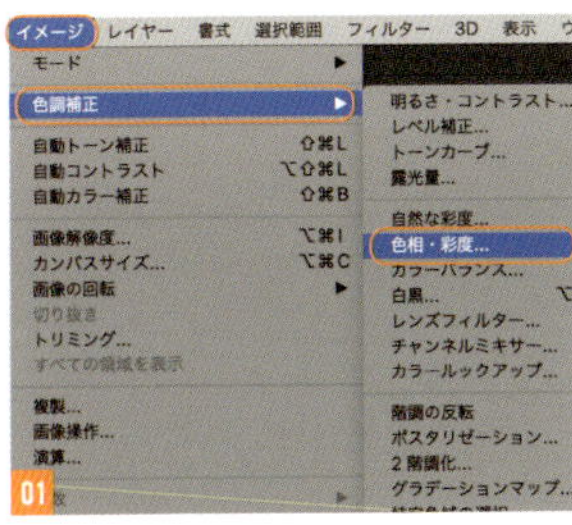

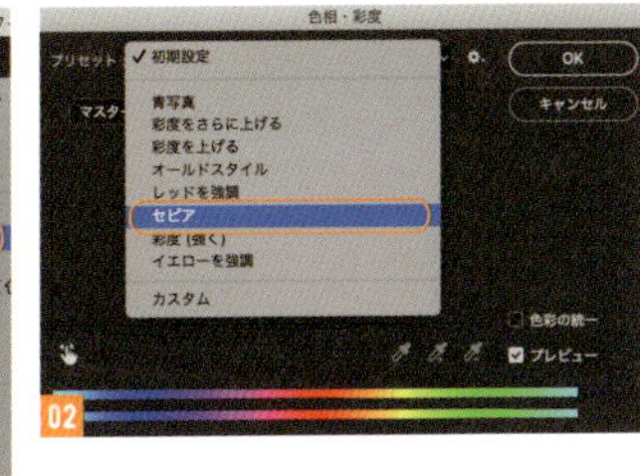

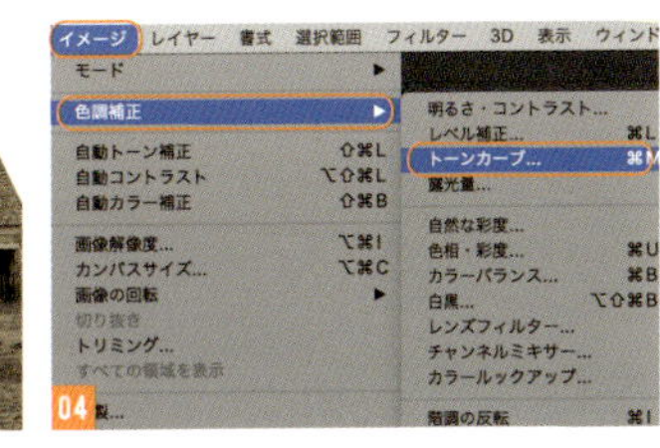

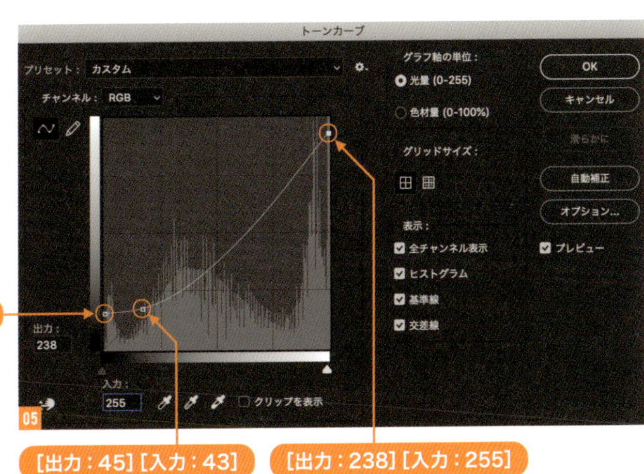

02 テクスチャを重ねアンティークな雰囲気に加工する

素材[テクスチャ.psd]を開き、最前面に配置します。

レイヤーの描画モードを[スクリーン]とし 06、不透明度を[50%]とします 07。

簡単な手順でアンティークな雰囲気の古びた写真を再現できました 08。

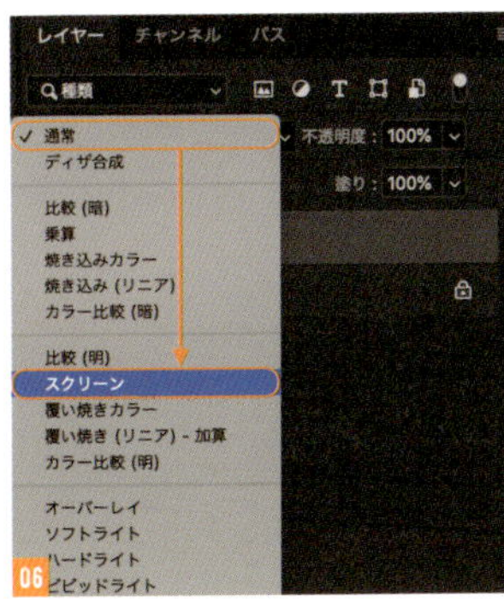

Recipe

016

色味や明るさの違う複数の写真を合成する

撮影した時間帯や場所によって色味が違ってしまった写真素材を、ベースとなる写真の明るさ、色味、ぼけ、ノイズ感に合わせて補正することでリアルに合成することができます。

Photo retouching

01 風景に浮かぶ本を配置する

素材[人物.psd]を開きます01。
４つの素材[book01/book02/book03/book04.psd]を開き、それぞれの素材を[編集]→[自由変形]（⌘（Ctrl）キー＋Tキー）02を使い、本が舞う様子を意識して、手前の本は大きく、奥の本は小さく配置します。サイズだけでなく本の傾き具合も意識して配置するとリズム感がでます03。

Point

[book01.psd][book03.psd]を画面からはみ出して配置することで画面に遠近感や動きを出しています。

01

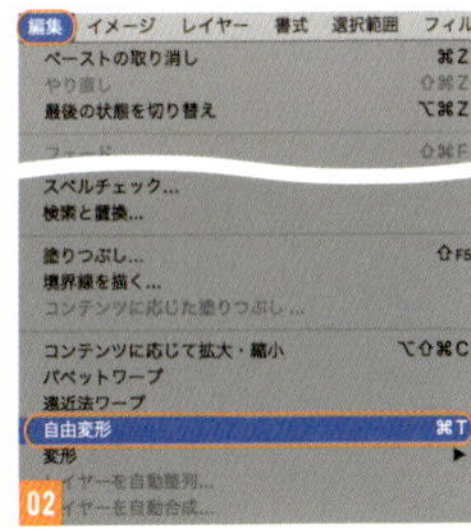

02

03

02 本の色味をそろえ、画面になじませる

画面右下に配置したレイヤー[book01]を選択します。この画像は彩度が高く、レッドとイエローが強く見えます。
まず[イメージ]→[色調補正]→[色相・彩度]を選択し04、[彩度:-30]とします05。次に[イメージ]→[色調補正]→[カラーバランス]を選択し[階調のバランス:中間調]にチェックをいれ、カラーバランスを左から[-30：-10：+20]とします06。
次に[階調のバランス：ハイライト]にチェックを入れ、カラーバランスを左から[-15：0：+26]とします07。赤味と彩度が抑えられ自然な印象になりました08。

04

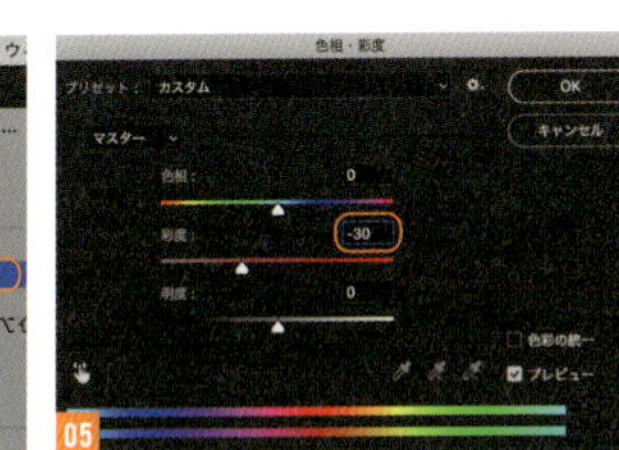

05

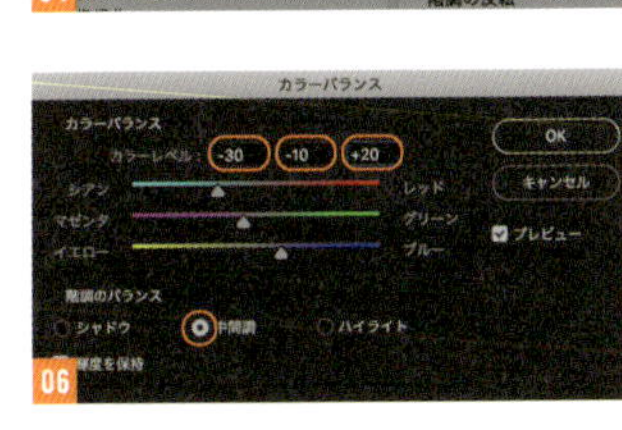

06

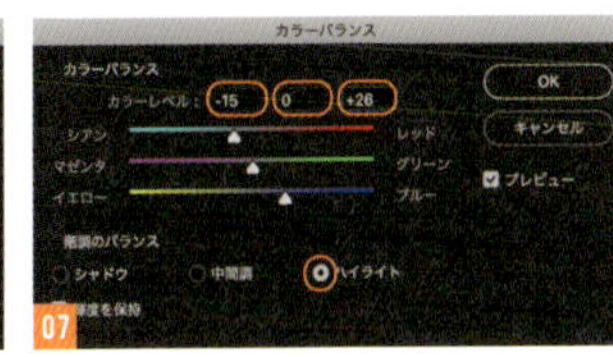

07

08

同じように画面左から2番目に配置したレイヤー[book04]を選択し[イメージ]→[色調補正]→[カラーバランス]を選択し[階調のバランス：シャドウ]を左から[0：0：+26]に 09、[階調のバランス：中間調]を左から[0：0：+15]とします 10。シャドウ部と中間色のイエローが抑えられ自然な印象になりました 11。

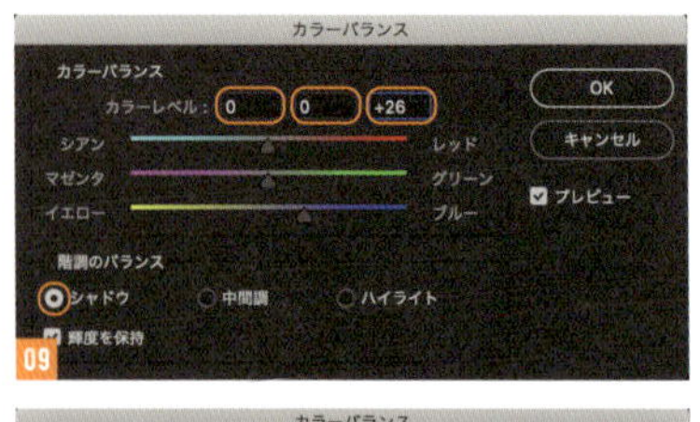

03 本の配置位置によって明るさを整える

レイヤー[book02]を選択します。この画像は画面奥の薄暗い場所に配置しているので、周りに合わせて暗く補正することで距離感を演出します。[イメージ]→[色調補正]→[レベル補正]を選択し 12、[入力レベル]を左から[0：0.75：185]とし、[出力レベル]を左から[0：130]とします 13。

暗くすることで距離感を出すことができました 14。

次にレイヤー[book03]を選択します。手前の光が当たっている場所に配置しているので[レベル補正]を選択し[入力レベル]を左から[0：1.00：200]とします 15。

これで、全体の色味と明るさを整えることができました 16。

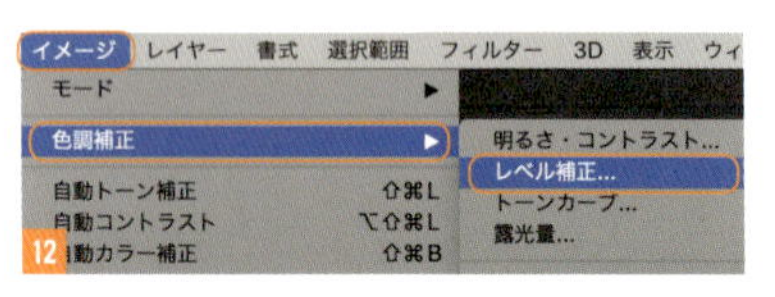

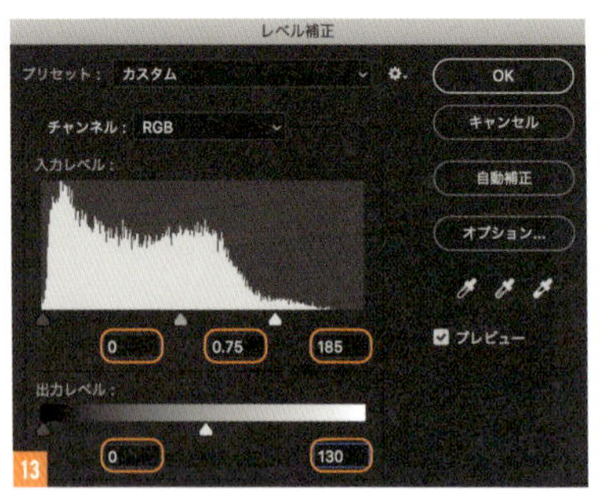

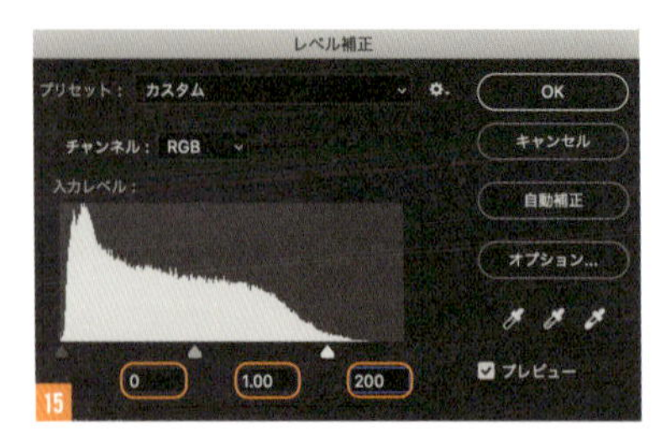

04 本の位置によってぼかしの強さを変え、距離感を演出する

背景となっているレイヤー[人物]をよく観察し、配置した本の位置にあったぼかしを適用し、よりリアルに合成します。

最も手前に配置したレイヤー[book01]を選択します。[フィルター]→[ぼかし]→[ぼかし(ガウス)]を選択し[半径:10.0pixel]を適用します 17。

同じようにレイヤー[book04]は[半径:5pixel] 18、レイヤー[book02]は[半径:7.0pixel] 19 を適用します。

レイヤー[book03]はピントがあっているように見せたいので、ぼかしは適用せずそのままにしておきます。

距離によってぼかし加減を変えることで、一眼レフカメラで撮影したようなピットの合わせとぼかしの演出ができました 20。

05 仕上げに背景画像と本の素材画像のノイズ感を合わせ質感をそろえる

レイヤー[人物]のノイズ感を参考に、本にノイズを加えます。

book01〜04のレイヤーに対し、[フィルター]→[ノイズ]→[ノイズを加える]を選択し 21、[量:3.25%]を適用します 22。

素材を配置する場所によって、色味、明るさ、ぼかしを整え、ノイズ感をそろえることで、よりリアルな演出ができました 23。

17

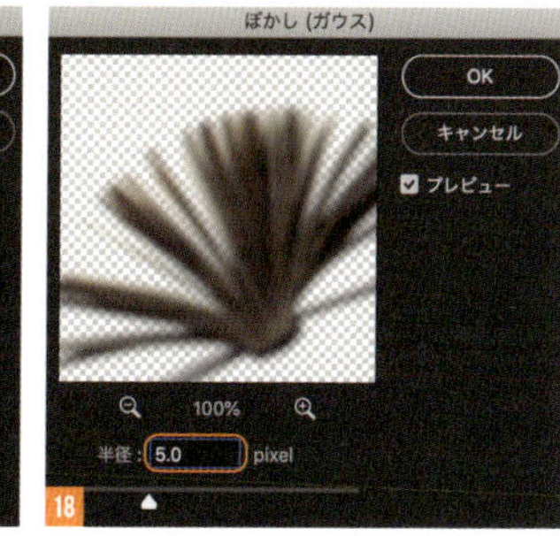

18

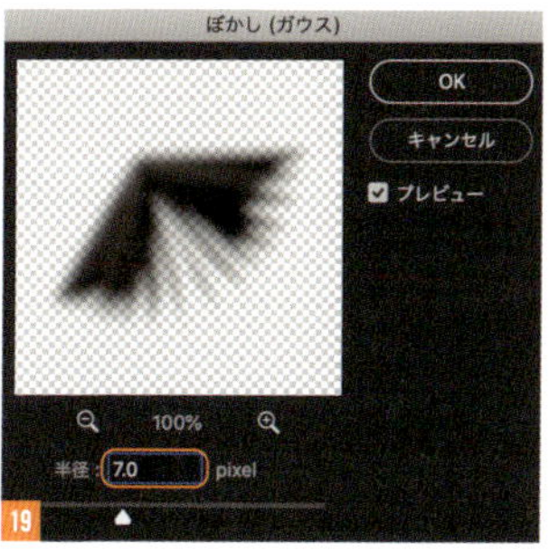

19

20

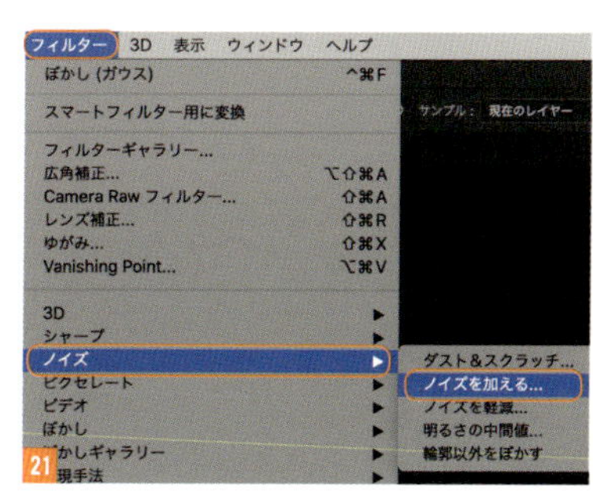

21

22

23

Recipe

017

空を鮮やかにする

特定色域の調整と自然な彩度を使い、澄んだ鮮やかな空に加工してみましょう。

Photo retouching

元画像

01 特定色域の選択でシアン系の色を調整する

素材[空.psd]を開きます。レイヤーパネルの調整レイヤー作成ボタンから[特定色域の選択]を選択し 01、最上位に配置します 02。
[属性]パネルの[特定色域の選択]パネルから[カラー：シアン系]を選択し、[シアン：+100%][マゼンタ：+50%][イエロー：0%][ブラック：-20%]とし、[絶対値]にチェックを入れます 03。
空のシアン系の色味が強調されました 04。抜け感のあるカラーにしたい場合は[マゼンタ]を控えめにするといいでしょう。

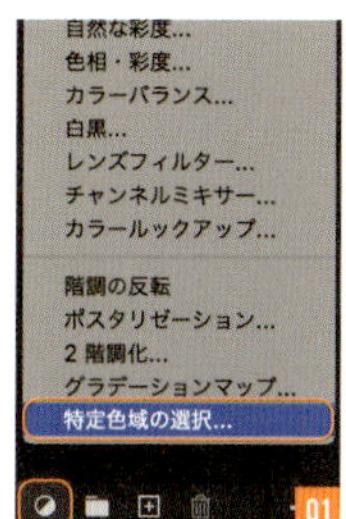

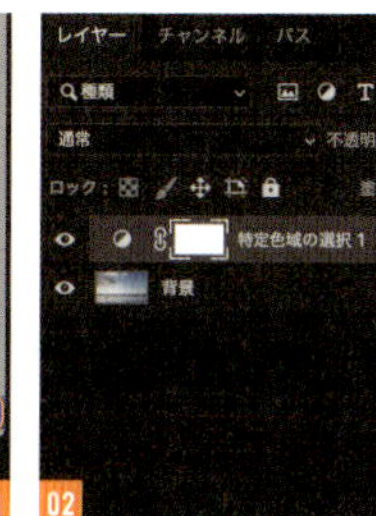

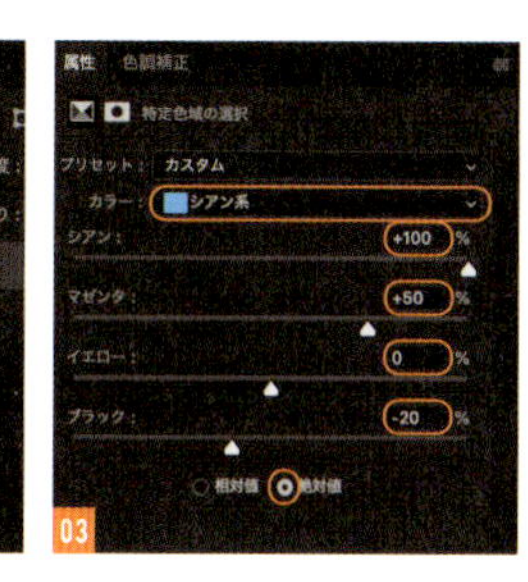

02 ブルー系の色も調整していく

シアン系の補正と同じように特定色域の選択パネルから[カラー：ブルー系]を選択し[シアン：+100%][マゼンタ：+50%][イエロー：-100%][ブラック：-15%][絶対値]を選択しました 05。
シアンとブルーが強調された青空に補正できました 06。

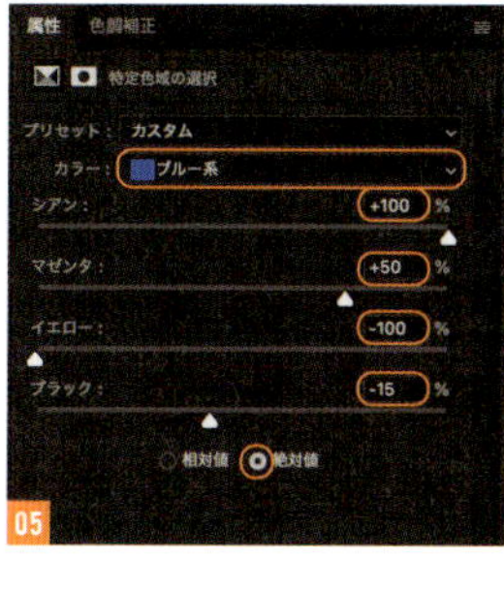

03 自然な彩度を使って、さらに青を強調する

レイヤーパネルの調整レイヤー作成ボタンから[自然な彩度]を選択し 07、最上位に配置します 08。
[自然な彩度：+65][彩度：+20]としました 09。
特定色域の選択で補正することができなかった淡いシアン系・ブルー系のカラーが強調され、より澄んだ青空に補正することができました 10。

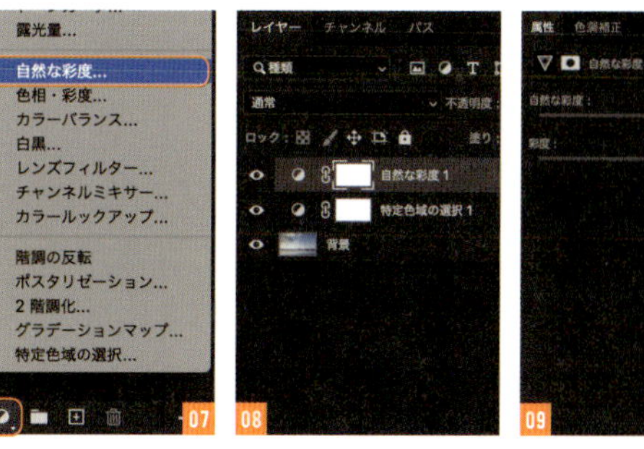

Point

[特定色域の選択]の絶対値はスライダーを動かした分だけ色が変化しますが[相対値]は現在の色に対しての%で変化します。
この節では、はっきりと色味を変えたいので[絶対値]にチェックを入れて作業しています。

Recipe

018

セピア色にする

写真をセピア色に変え、ハイパスフィルターでシャープな印象に仕上げます。

Photo retouching

元画像

01 色相・彩度を使い、セピア色に変える

素材[レンズ.psd]を開きます。レイヤーパネルの調整レイヤー作成ボタン（以下、調整レイヤー）から［色相・彩度］を選択し 01 、最上位に配置します 02 。

［属性］パネルの［色相・彩度］パネルが開いたら［プリセット：セピア］ 03 を選択することで、簡単に画像を補正することができました 04 。

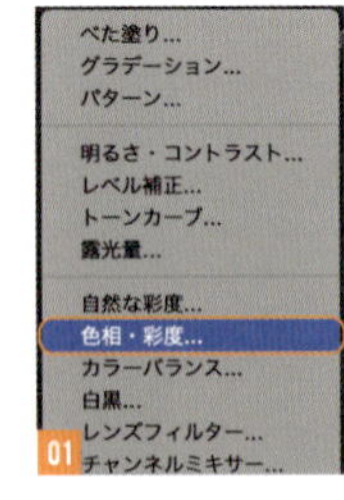

01

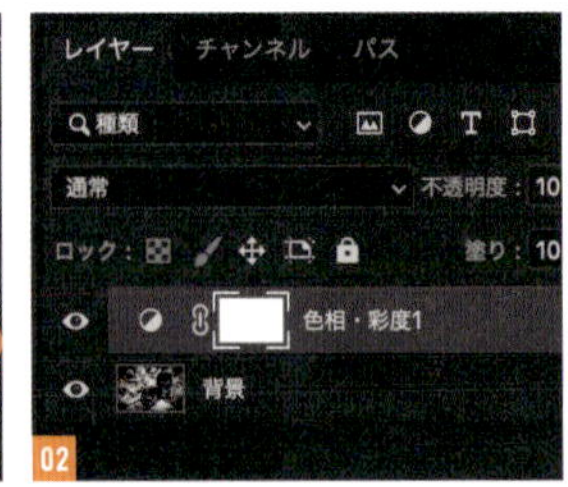

02

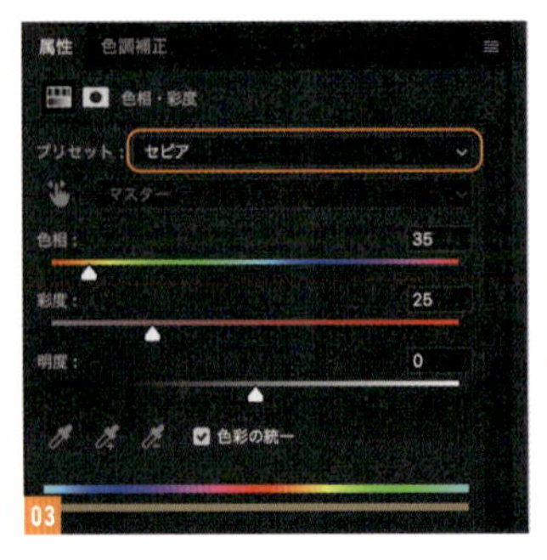

03

04

02 トーンカーブを使い、マットな風合いを加える

レイヤーパネルの調整レイヤーから[トーンカーブ]を選択します05。背景より上位に配置します06。トーンカーブのパネルが開いたら、左下のポインタを[入力：0][出力：15]とし07、中央にポインタを追加し[入力：30][出力：30]とします08。シャドウを明るく、中間調を暗く補正することでコントラストを下げ、レトロな風合いを出すことができました09。

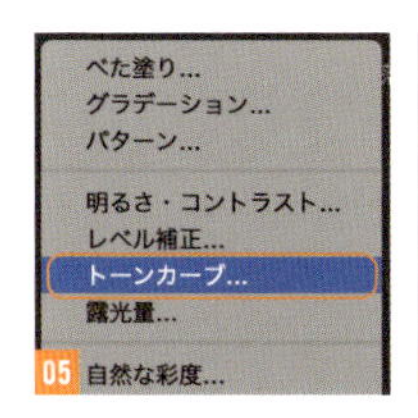

05

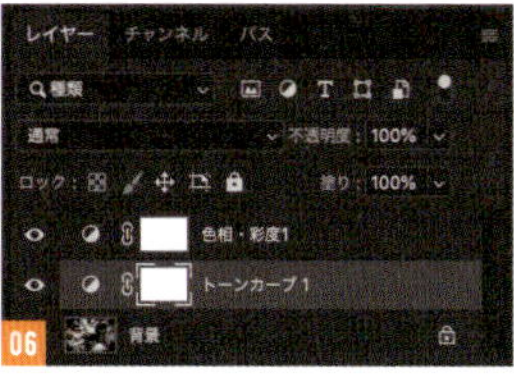

06

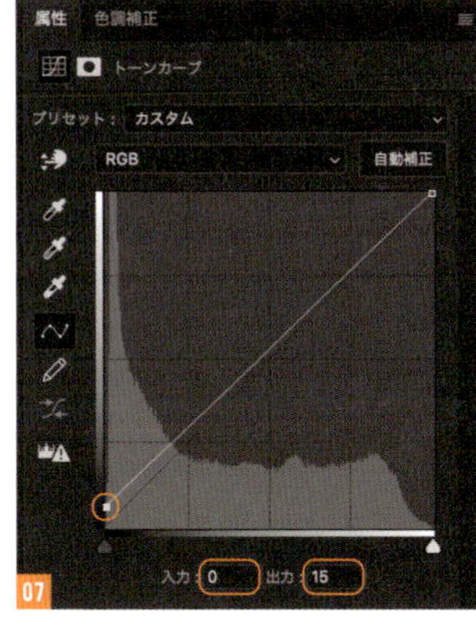

07

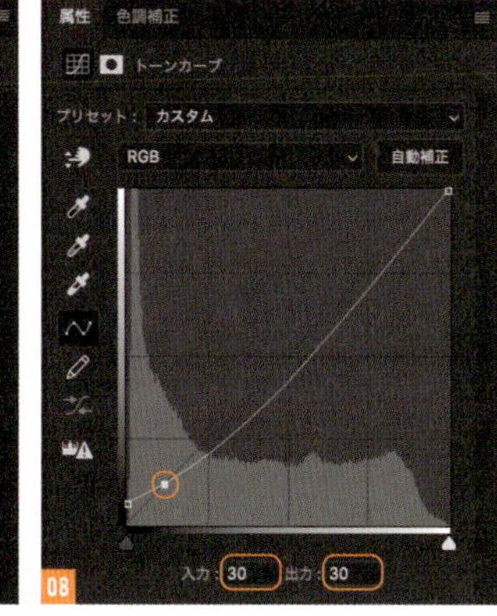

08

09

03 ハイパスフィルターを使い輪郭を強調し完成

背景レイヤーをコピーし、最上位に配置します10。
[フィルター]→[その他]→[ハイパス]を選択します11。
[半径：3.0pixel]とします12 13。
レイヤーの描画モードを[オーバーレイ]にすることで、輪郭のハイライトが強調され完成です14。

10

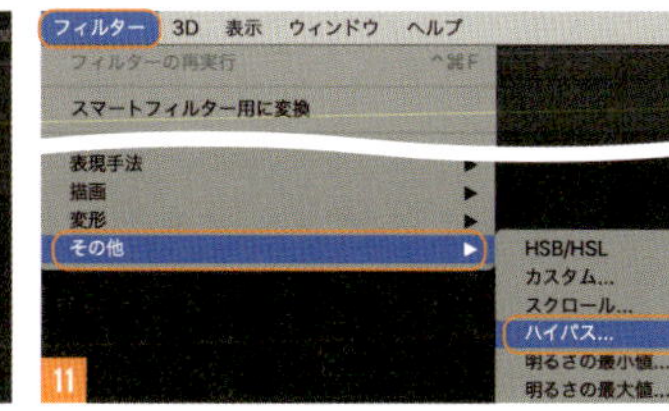

11

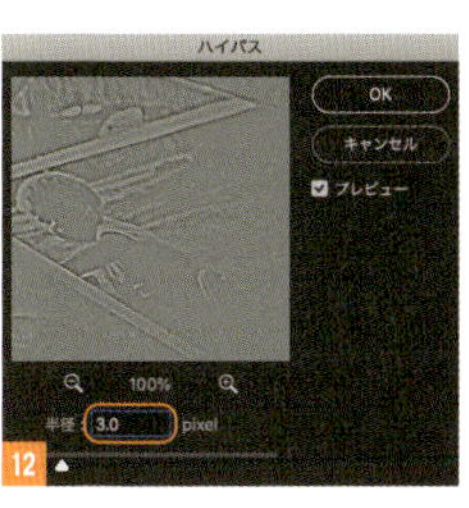

12

13

14

Recipe

019

水彩風の写真にする

少ない手順で水彩風の写真に仕上げることができます。

01 レイヤーを複製し、スマートオブジェクトに変換する

素材[静物.psd]を開き、レイヤーを複製し、レイヤー名を[フィルター]とします 01。
レイヤー[フィルター]の上で[右クリック]→[スマートオブジェクトに変換]を選択します 02。

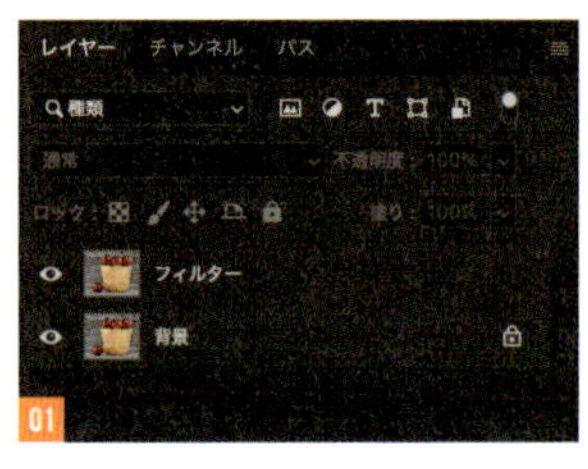

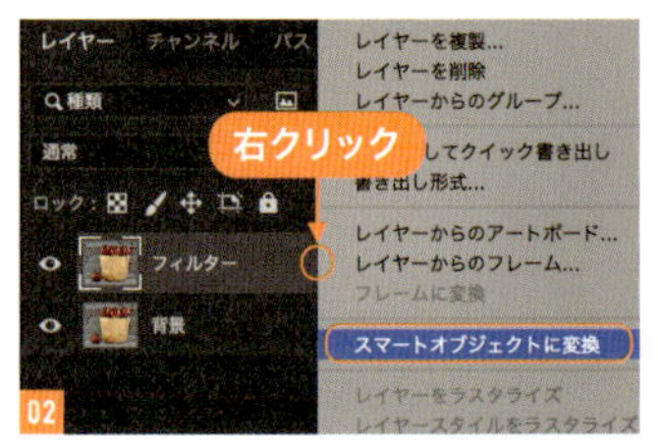

02 [階調の反転]、[色相・彩度]をかける

レイヤー[フィルター]を選択し、まずは[イメージ]→[色調補正]→[階調の反転]を適用します 03 04。
次に、[イメージ]→[色調補正]→[色相・彩度]を選択し 05、[彩度：-100]とします 06 07。

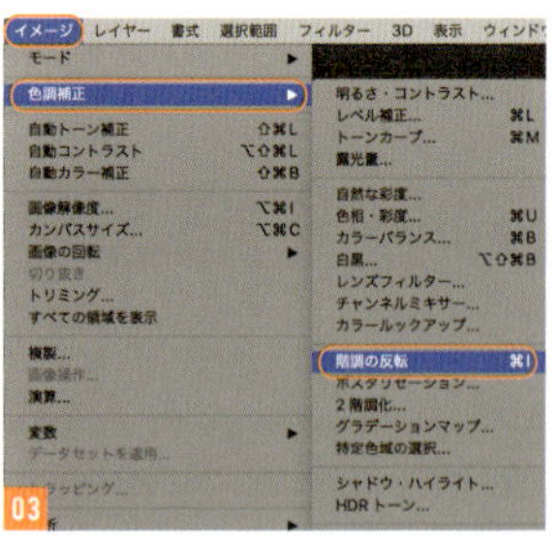

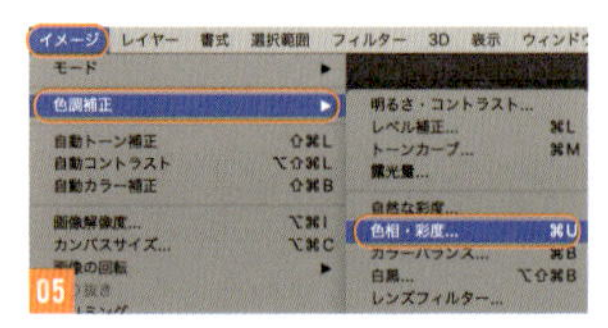

03 フィルターギャラリーをかけて水彩の質感を作る

[フィルター]→[フィルターギャラリー]を選択します08。

別ウィンドウが開くのでフィルターの一覧から[表現手法]→[エッジの光彩]を選択し[エッジの幅：1][エッジの明るさ：20][滑らかさ：10]とします09。

レイヤーの順番を調整し、静物の輪郭がアナログな質感で強調されたような画像になりました10 11。

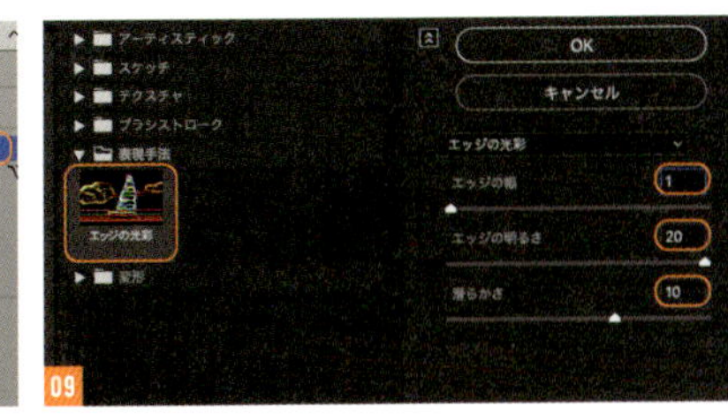

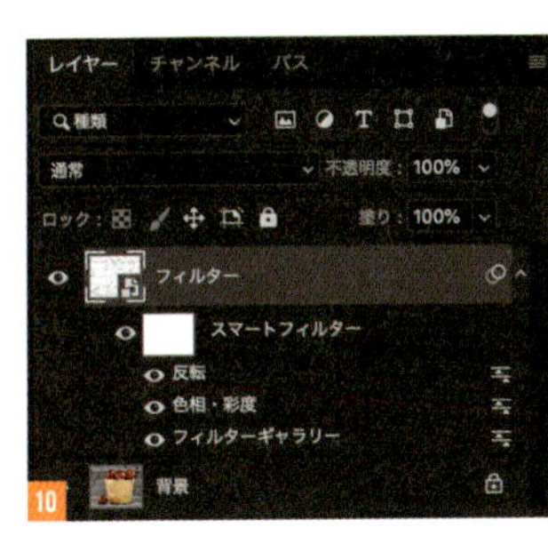

04 レイヤーの描画モードを変え、レイヤー［フィルター］にアナログな質感を加える

レイヤー[フィルター]を選択し、レイヤーの描画モードを[乗算]にします12。水彩風の質感になりました13。

レイヤー[フィルター]のコントラストを調整することで、質感を調整することができます。

ここではもう少し質感を足したいので[イメージ]→[色調補正]→[レベル補正]を選択し14、入力レベルのスライダーを左から[34：0.6：255]としました15。

水彩風な写真に加工することができました16。

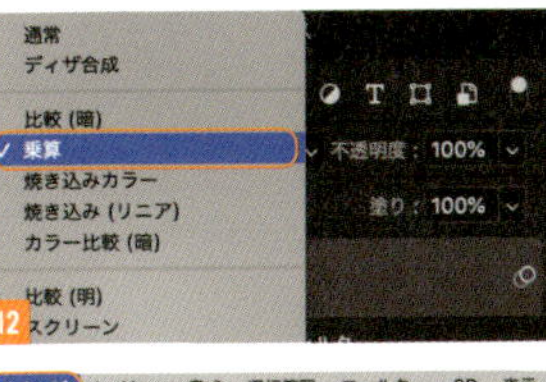

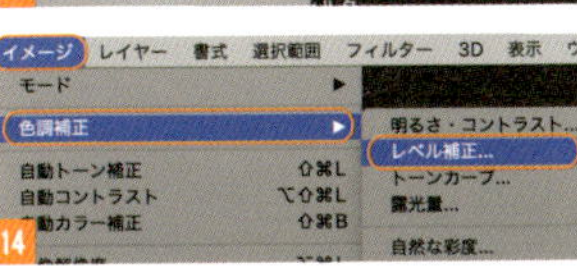

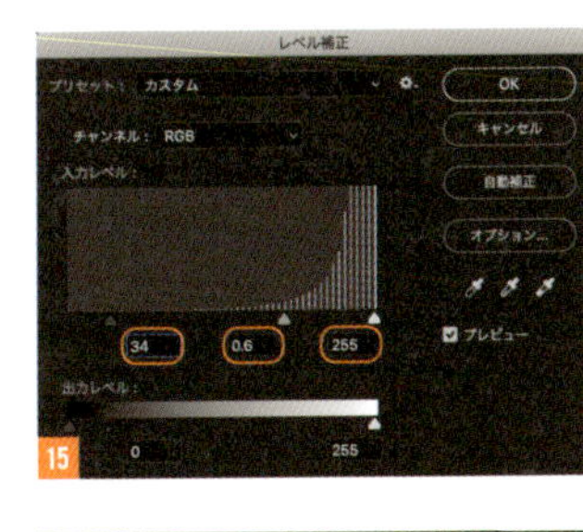

05 水彩のテクスチャを重ねよりリアルな表現を目指す

最後に素材[水彩テクスチャ.psd]を開き、最上位レイヤーに配置し、描画モードを[オーバーレイ]とします17。

本物の水彩のテクスチャを重ねることで、よりリアルな表現ができました18。

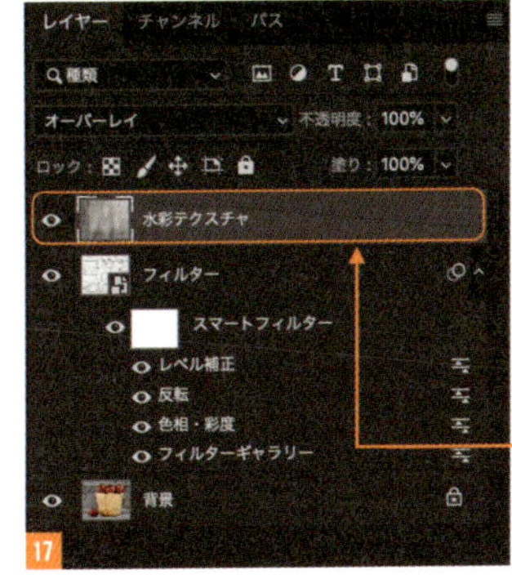

Recipe

020 周辺を暗くして主役を際立たせる

周りを暗くして、主役を際立たせることで、
高級感のある雰囲気に仕上げます。

Photo retouching

01 グラデーションを作成する

素材[キツネ.psd]を開きます。
描画色黒[#000000]を選択しておきます 01。
[レイヤーパネル]→[塗りつぶしまたは調整レイヤーを新規作成]→[グラデーション]を選択します 02。

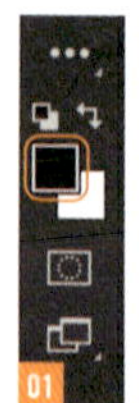

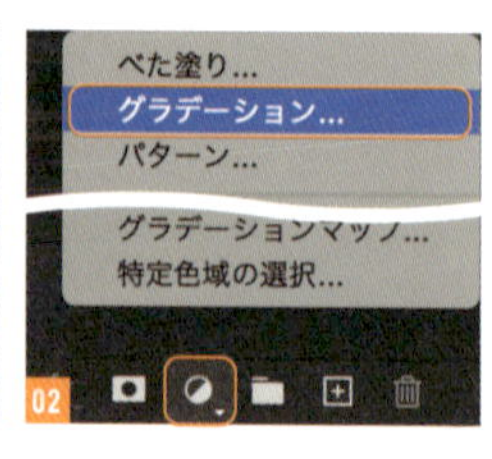

02 四隅が暗くなるように グラデーションを調整する

[グラデーションで塗りつぶし]パネルが開くので、[スタイル：円形][角度：90°][比率：150%][逆方向：チェック]とします03。

グラデーションをクリックすることで[グラデーションエディター]パネルが表示されるので[プリセット]→[基本]→[グラデーション名：描画色から透明に]を選択し、[OK]を選択します04。

さらに[グラデーションで塗りつぶし]パネルも[OK]を選択します。

レイヤー[グラデーション1]を選択し、[描画モード：ソフトライト]とします05 06。

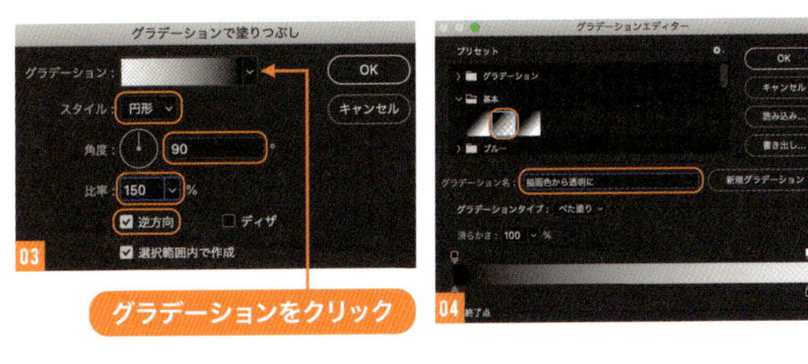

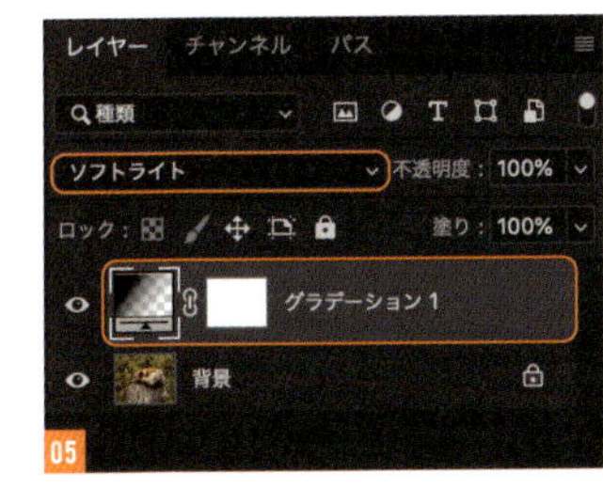

03 中心が明るくなるように グラデーションを作成する

描画色白[#ffffff]を選択しておきます07。

手順1と同じ要領で、[レイヤーパネル]→[塗りつぶしまたは調整レイヤーを新規作成]→[グラデーション]を選択します。

[スタイル：円形][角度：150°][比率：150%]とし、今度は[逆方向：チェックを外す]と設定し[OK]を選択します08。

レイヤー[グラデーション2]を選択し、[描画モード：オーバーレイ][不透明度：30%]とします09。

周辺を暗く、中心は明るくすることで、主役を強調した加工ができました10。

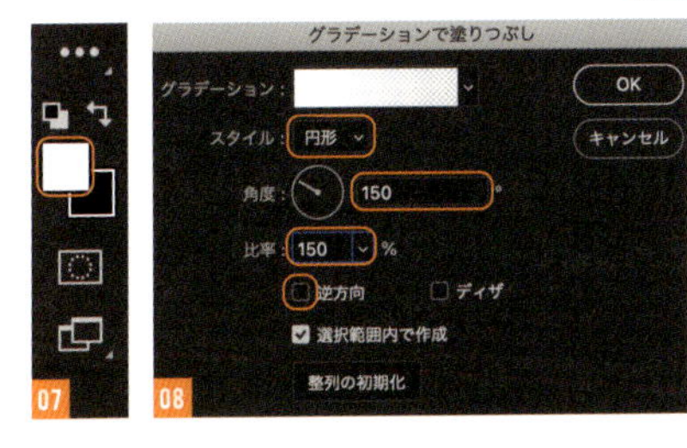

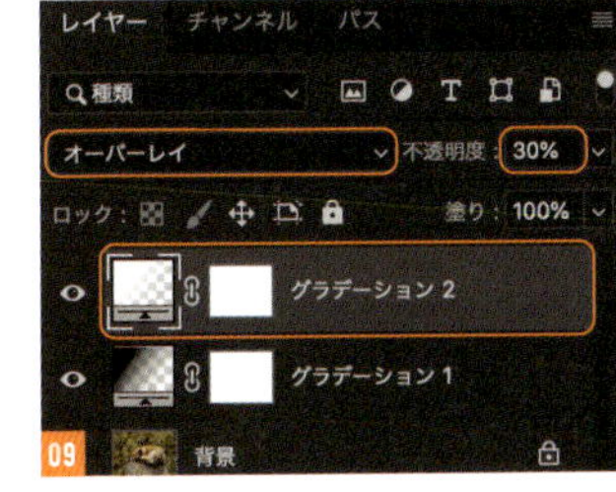

中心が明るくなった

Column

マウスとマウスパッドを見直して操作性と作業効率をアップする

マウスとマウスパッドは日々長時間使用するものですので、Photoshopのような細かな操作が必要なソフトでは操作性が作業効率に直結します。

どちらも使用感の個人差が大きなものですので、実際に手に取ってストレスの少ない自分にあったマウスとマウスパッドを探してみましょう。

筆者は、軽量でセンサーの精度が高いマウスをおすすめしています。軽い力で狙った位置にポインタを動かす事ができるからです。

マウスパッドは布、プラスチック、シリコン、金属とそれぞれ特徴があり、好みが分かれる物ですので実際に使用してなじみのよいものをおすすめします。

Recipe

021 自然な印象で花を増やす

コピーした素材を複製する際、配置する位置によってぼけや明るさを補正することで、よりリアルな合成が可能です。

Photo retouching

01 コピー元となる花の選択範囲を作成する

素材[花.psd] を開きます。部分を切り抜きコピーしていきます 01。

ツールパネルから [ペンツール] を選択します 02。

ペンツールを使い、花の輪郭のパスを作成します 03。

[ペンツール] が選択された状態で、カンバス上で [右クリック] →[選択範囲を作成] を選択します 04。

[境界：ぼかしの半径：0pixel] [選択範囲：新しい選択範囲] で適用します 05。

選択範囲が作成されました 06。

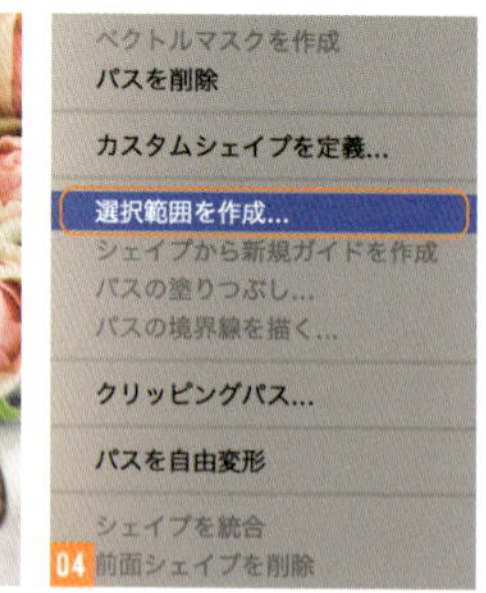

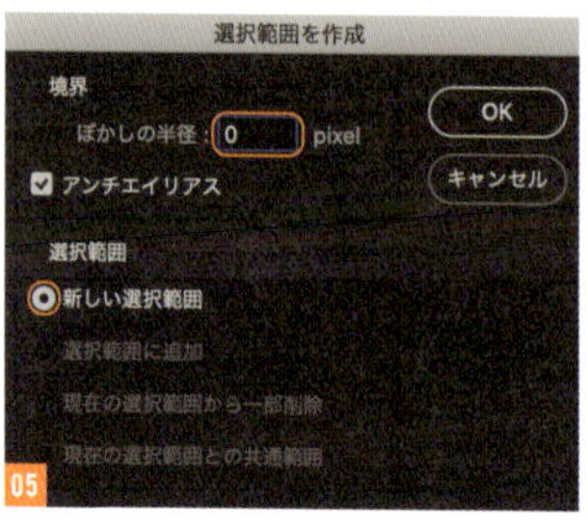

02 花を切り抜き複製する

選択範囲をコピーしたレイヤーを作成したいので[選択ツール]を選択します07。
[右クリック]→[選択範囲をコピーしたレイヤー]を選択します08。
コピーしたレイヤーが作成されるので、下位レイヤー名を[背景]、コピーした上位レイヤー名を[花01]とします09。
レイヤー[花01]をさらに複製し下位に配置し、レイヤー名[花02]とします10。

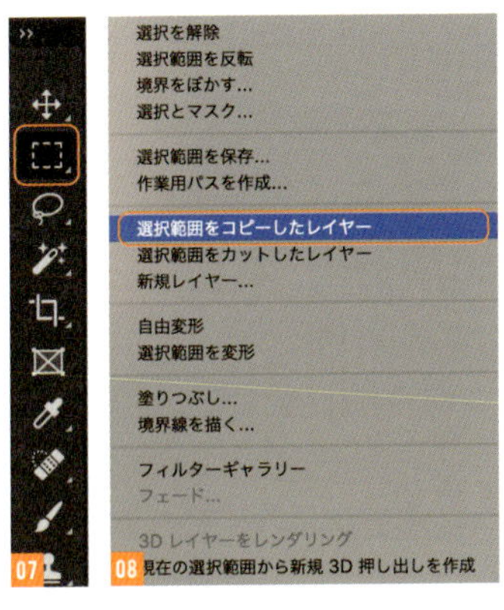

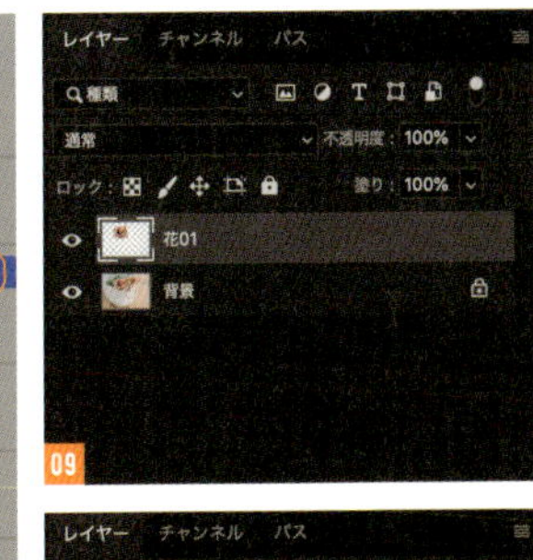

03 花の位置を変え花が増えたように表現する

レイヤー[花02]を選択し[編集]→[自由変形]を選択します11。
バウンディングボックスが表示されます12。左側に移動し[右クリック]→[水平方向に反転]を選択します13。
位置を調整し自然に見えるように配置します14。
さらにレイヤー[花02]を複製し、下位に配置しレイヤー名[花03]とします15。
同じように[自由変形]を選択し、サイズを[80%]前後まで縮小し、16の位置に配置します。

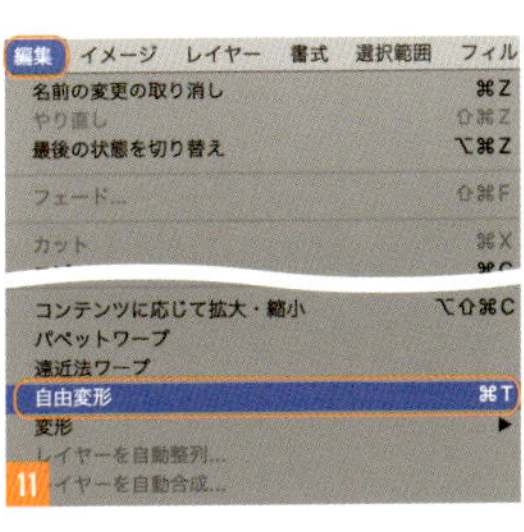

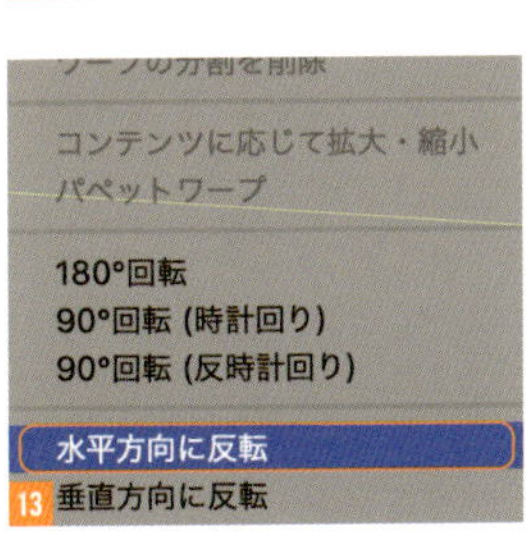

04 さらに花の位置を変え花が増えたように表現する

さらに同じ手順を繰り返し下位レイヤーに［花04］を作成し位置を整えます 17 。
［花05］も下位に複製し、レイヤー名［花05］とし配置し位置を整えます 18 。
レイヤー構成は 19 のようになっています。

05 花の位置によって色を浅くしぼけを調整しなじませる

現状では画像をコピーした印象が強いので、明るさやぼけを加えなじませていきます。
レイヤー［花03］を選択します。［フィルター］→［ぼかし］→［ぼかし（ガウス）］を選択し 20 、［半径：5.0pixel］とします 21 。
レイヤー［花04］［花05］はより奥に配置しているので、ぼかしを強く、色を浅くします。
［花04］のレイヤーに［ぼかし（ガウス）］を［半径：7.5］で適用し 22 、色を浅くするため［イメージ］→［色調補正］→［レベル補正］を選択します 23 。
［出力レベル：25］とし、色を浅く補正し奥行き感を出します 24 。
［花05］にも同様に［ぼかし（ガウス）］と［レベル補正］を適用してください。
自然な印象で花を増やすことができました 25 。

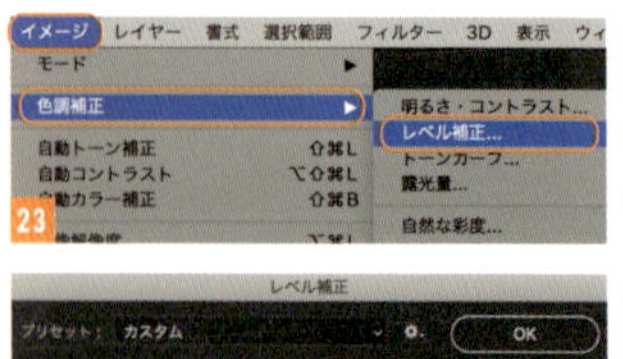

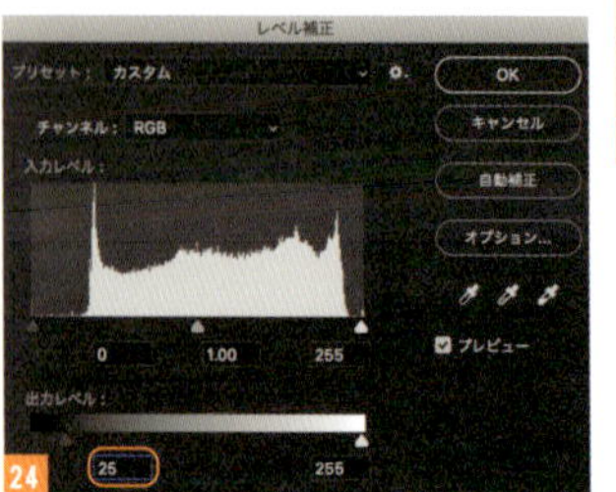

Recipe

022

ワープを使って部分的に変形する

ワープを使って写真内の一部を移動したり、部分的に変形したりします。

01 レイヤーに変換し、ワープで分割する

素材[背景.psd]を開きます。レイヤー[背景]に鍵マークがついているので、ダブルクリックし[レイヤー0]にします。

※レイヤーの状態にしないとワープの機能は使えません。

[編集]→[変形]→[ワープ]を選択します 01。[オプションバー]に表示されている、[ワープを水平方向に分割]を選択します 02。

マウスを動かし、03 のようにビンとグラスの境界あたりをクリックし、2か所に分割を入れます。なお、2か所目を分割する際にも[ワープを水平方向に分割]を再度選択しておくとよいでしょう。

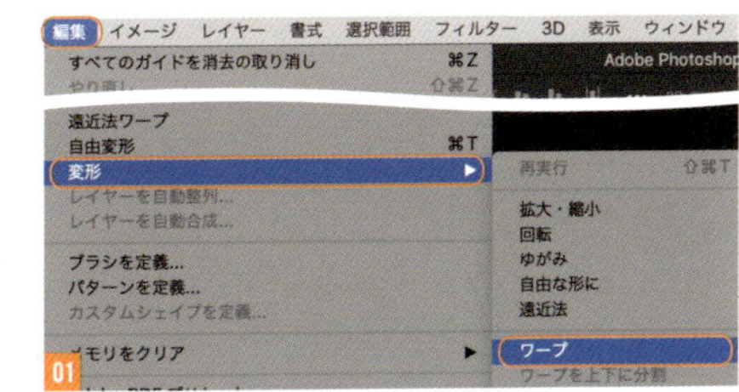

02 ワープを使ってビンと手、グラスを上に移動する

04 の矢印のようにドラッグします。ビンの注ぎ口の少し上あたりを上方向にドラッグします。ビンとグラスのサイズや比率は保たれたまま、流水だけが伸びるように変形していきます。

同様にグラスの泡あたりを上方向にドラッグします 05。グラス以外にほぼ影響を与えずに、グラスを細長く変形できました 06 07。

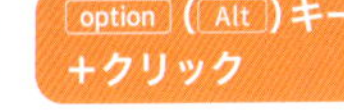

03 流水部分を選択して変形する

option（Alt）キーを押しながら、流水の中心あたりでクリックします 08。

作成したポイントを右下にドラッグし 09 のように流水だけを変形することができます。完成です 10。

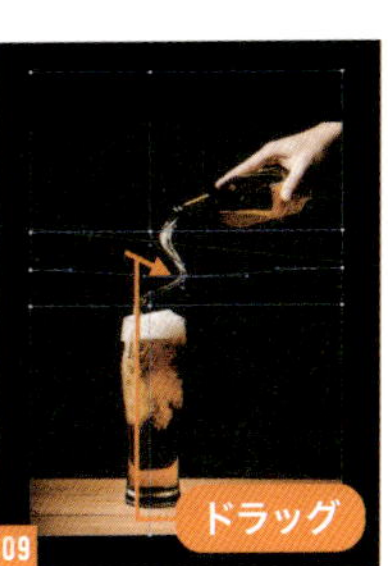

Recipe

023

実用的なライティング

写真の光の成分だけを強調し、着色するテクニックを紹介します。

01 コントラストの高いチャンネルを選択する

素材[風景.psd]を開きます。[チャンネル]パネルを選択します 01。

[レッド][グリーン][ブルー]をそれぞれ選択していき、その中で最も陰影のコントラストの高いチャンネルを選びます。

Point

光の成分を多く含んでいるチャンネルを選ぶため、コントラストが高いチャンネルを選択しています。

ここでは[レッド]を選択しました 02。[レッド]のみを選択した状態が 03 になります。[レッド]の[チャンネルサムネール]を ⌘ (Ctrl) キー＋クリックし、選択範囲を作成します 04 05。

02 選択範囲を塗りつぶし[描画モード：オーバーレイ]とする

選択範囲を作成した状態で、[レイヤーパネル]を選択、[塗りつぶしまたは調整レイヤーを新規作成]→[べた塗り]を選択します 06。

[カラーピッカー]パネルが表示されるので、[#ffffff]を選択し、[OK]を選択します 07。

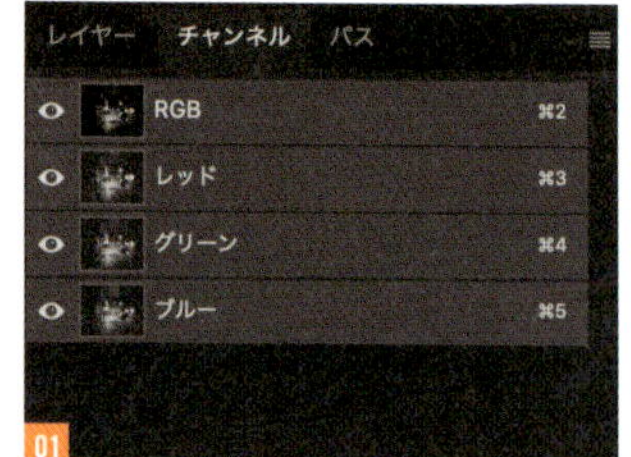

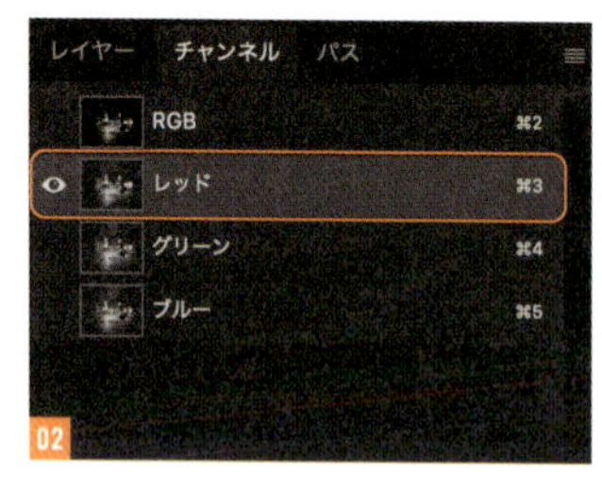

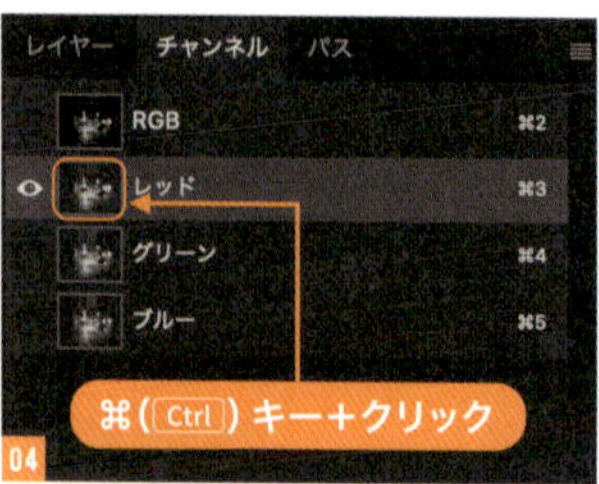

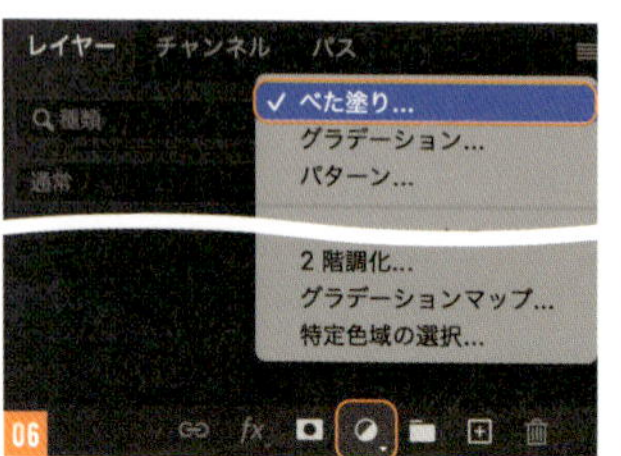

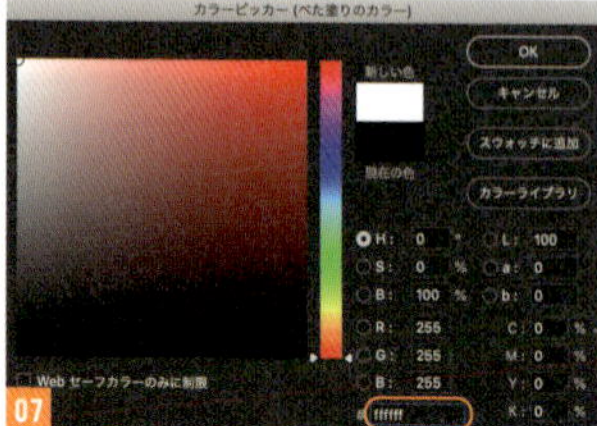

レイヤー[べた塗り 1]を選択し、[描画モード：オーバーレイ]とします 08 09。

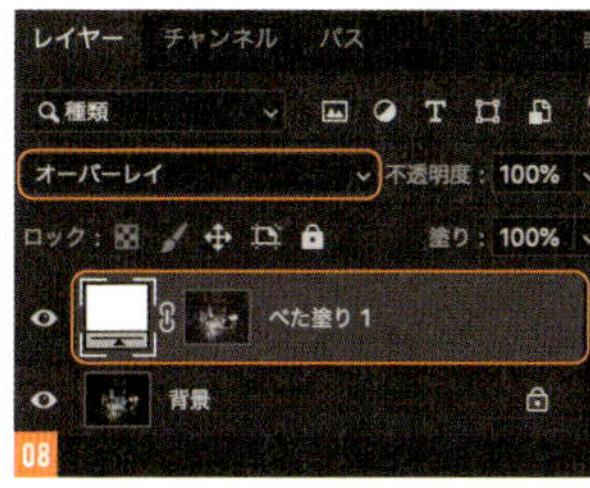

03 光を柔らかく加工する

レイヤー[ベタ塗り 1]の[レイヤーマスクサムネール]を選択します 10。
[フィルター]→[ぼかし]→[ぼかし（ガウス）]を選択し 11、[半径：50px]で適用します 12。
ぼかしが適用され、柔らかな光を強調した加工ができました 13。

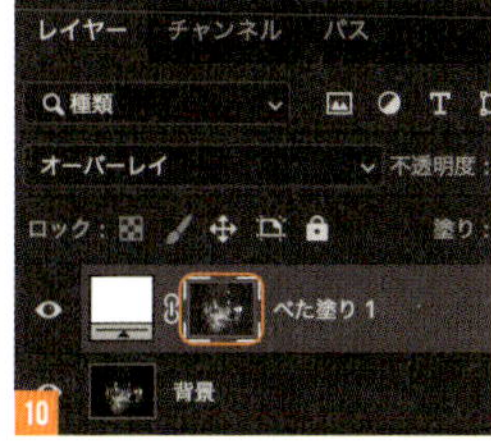

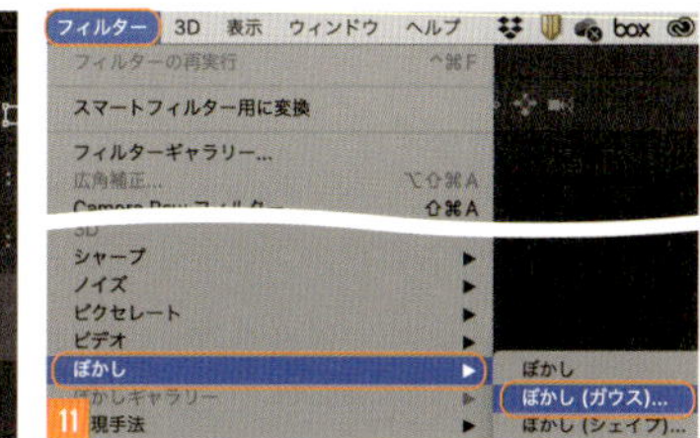

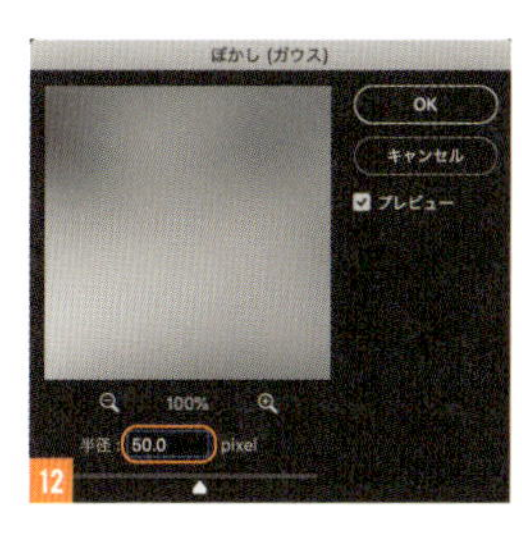

04 光に色を付ける

光の色味を変えたい場合はレイヤー[べた塗り 1]のレイヤーサムネールをダブルクリックし 14、表示される[カラーピッカー]で好みの色を選択するだけで変更できます。
作例では[#ff9600]を選択し、イエロー系で着色しました 15 16。
追加した光が薄く感じる場合は、レイヤー[べた塗り 1]を複製し、[不透明度]を変更することで調整できます 17。
作例では[不透明度：50%]に調整してみました 18。

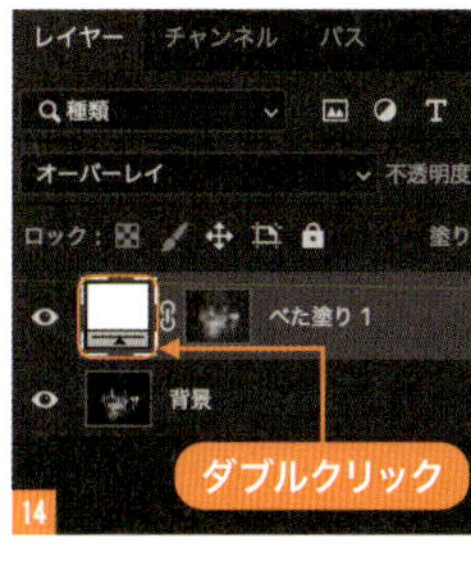

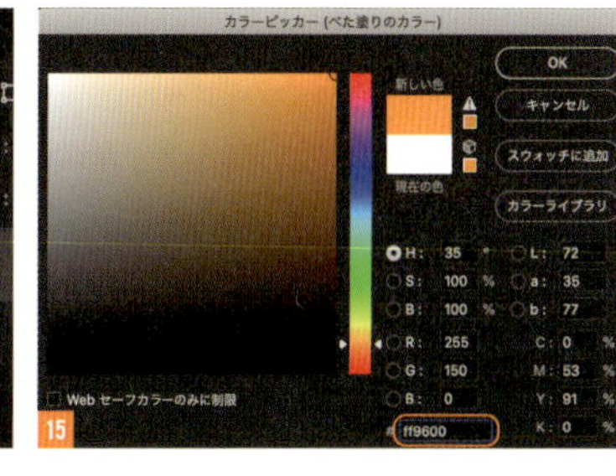

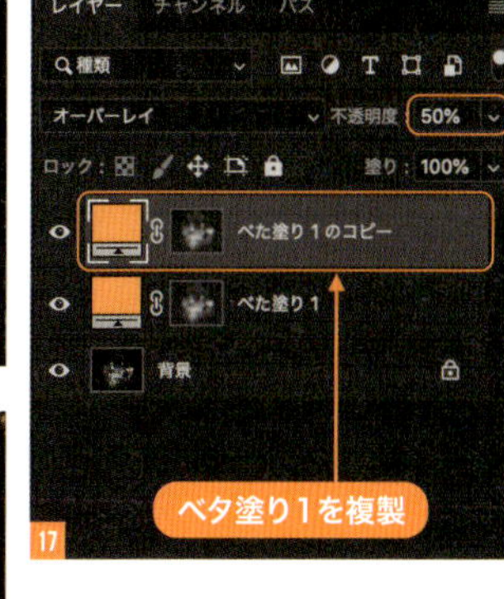

Recipe

024 ストーリー性のある作品を制作する

1枚の写真をベースに、ストーリー性のある作品を制作します。

Photo retouching

01 1枚の写真から ストーリーを考えてみる

ストーリー性のある作品を作る際はまず設定を考えます。今回は白鳥の写真を使って『女の子が白鳥の背中でくつろいでいる』という設定のもとに制作してみましょう。

02 白鳥の背中に女の子を、水面に船と梯子を配置する

素材[白鳥.psd]を開き[素材.psd]から[女の子]を白鳥の背中の上に[船][梯子]を白鳥の右側に配置します01。

03 女の子が座っているように見せるため影を足す

レイヤー[女の子]の下位に新規レイヤーを作成し、レイヤー名[影]とします02。

[ブラシツール]を選択します03。描画色黒[#000000]とし、ブラシサイズや不透明度の数値に指定はありませんので、描き込む場所に合わせて変更しながら影を描きます04。女の子の右から光が当たっているイメージで左側に影を描きました05。影を描く際は、女の子と白鳥の接地面を濃く、女の子から離れるほど薄くなるイメージで描くとリアルな影に見えます。

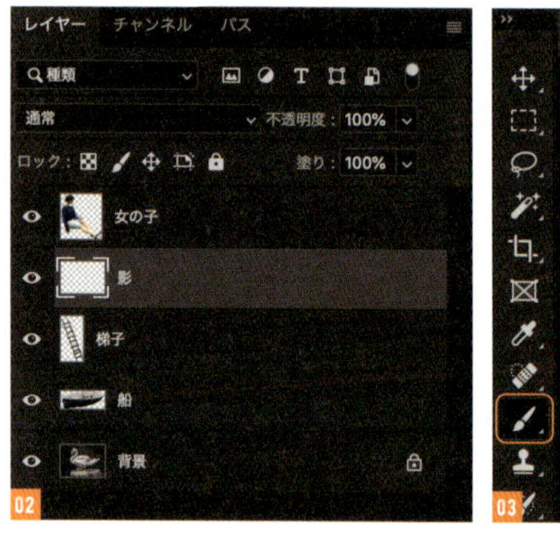

04 ペンツールで選択範囲を作る

レイヤー[梯子]をいったん非表示にし 06 、ペンツールで 07 のようにパスを作成します。

[ペンツール]が選択された状態で[右クリック]→[選択範囲を作成]、[ぼかしの半径：0pixel]で選択します 08 09 。

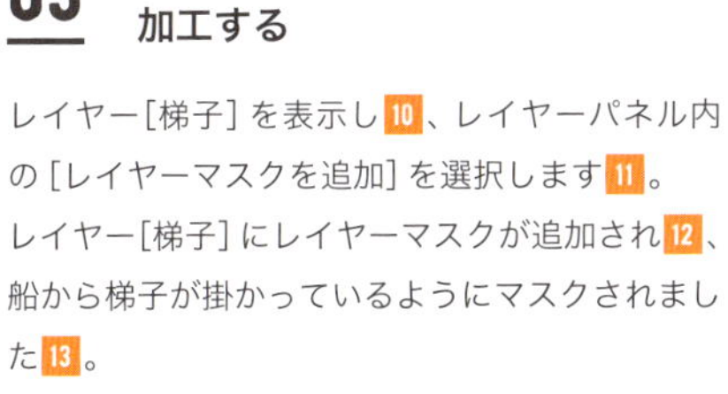

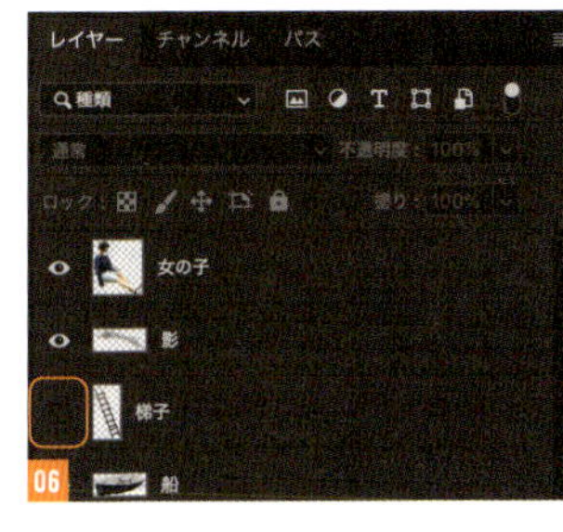

06

07

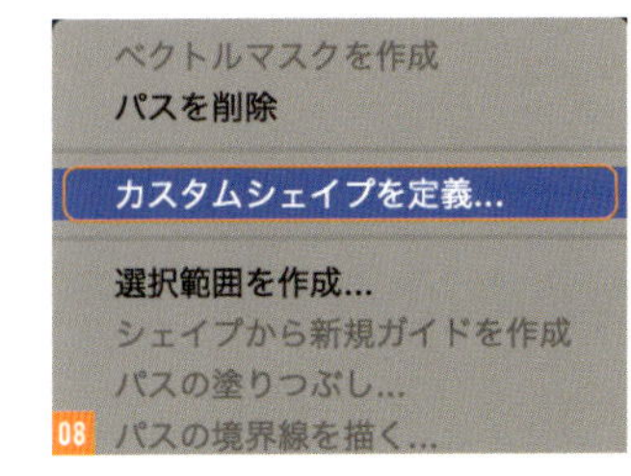

08

09

05 梯子が船内に入っているように加工する

レイヤー[梯子]を表示し 10 、レイヤーパネル内の[レイヤーマスクを追加]を選択します 11 。

レイヤー[梯子]にレイヤーマスクが追加され 12 、船から梯子が掛かっているようにマスクされました 13 。

手順03で女の子の影を作成した時と同じように、レイヤー[梯子]の下位に新規レイヤーを作成し、レイヤー名[梯子の影]とし、ブラシで影を描き込みます 14 。

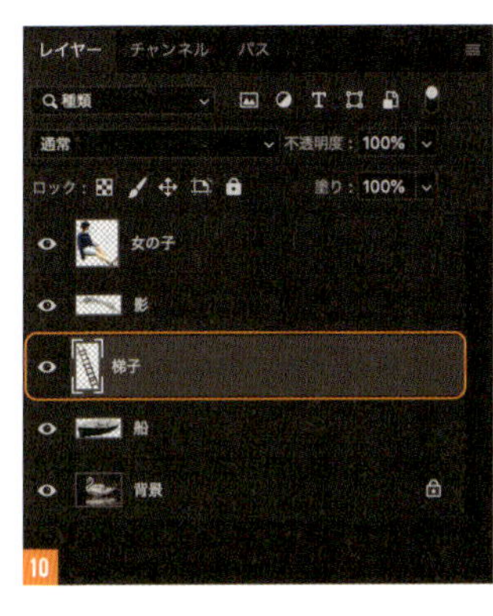

10

11 12

13

14

06 水面に船の映り込みを作成する

現状では船に水面への映り込みがないため不自然な感じがあります 15 。

レイヤー[船] の下位に新規レイヤーを作成し、レイヤー名を [船の映り込み] とします 16 。

レイヤー[船の映り込み] を選択した状態で、[なげなわツール] を選択します 17 。

水面に映り込んだ船をイメージして選択範囲を作成します 18 。

[塗りつぶしツール] を選択し 19 、描画色黒[#000000] で塗りつぶします 20 。

描画モードを [ソフトライト] [不透明度：65%] としました 21 22 。

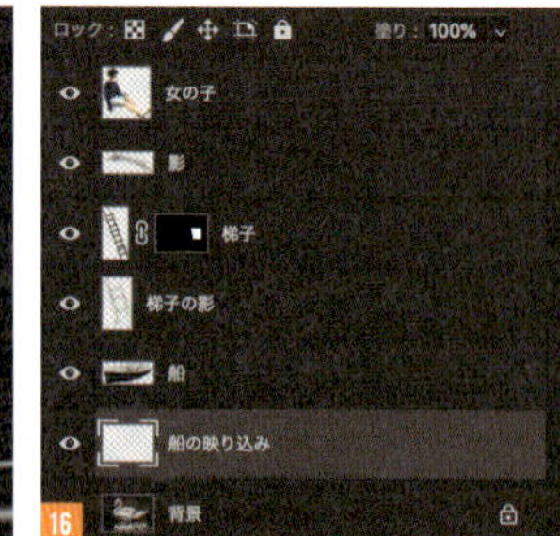

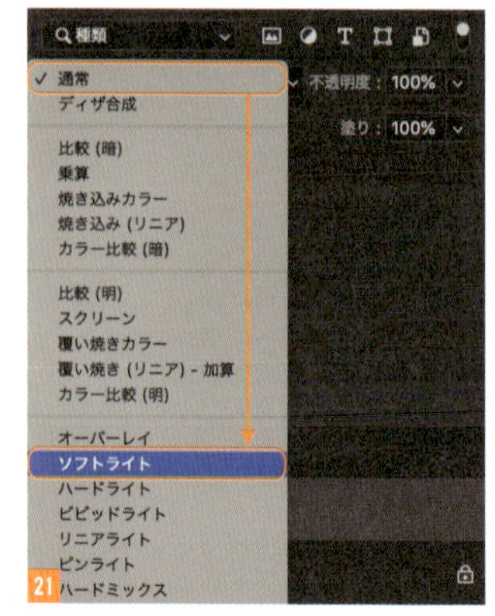

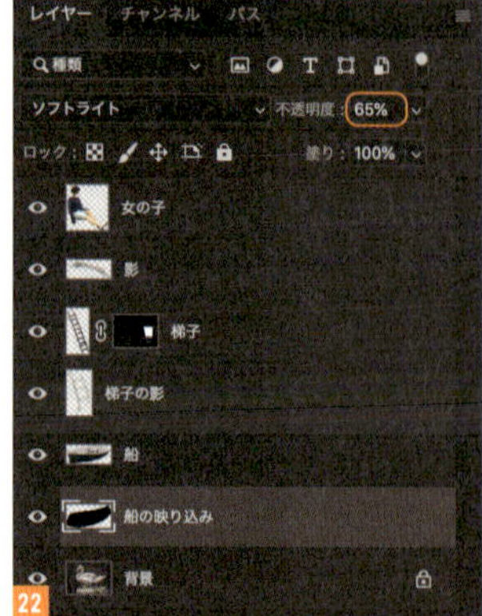

07 船の映り込みに変形をかけ水面になじませる

レイヤー[船の映り込み]を選択し[フィルター]→[ゆがみ]を選択します23。

[ゆがみ]ウィンドウが表示されたら24、左のメニューを「前方ワープツール」に設定し[属性]のブラシツールオプションを[サイズ：20][筆圧：100][密度：100][割合：0]とします。水面の揺らぎを意識して、船の映り込みを左右にブラシを動かします25。[OK]で適用します。

水面に映り込んだような揺らぎを再現できました26。

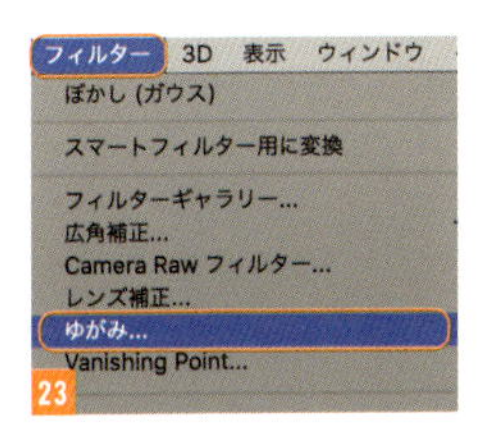

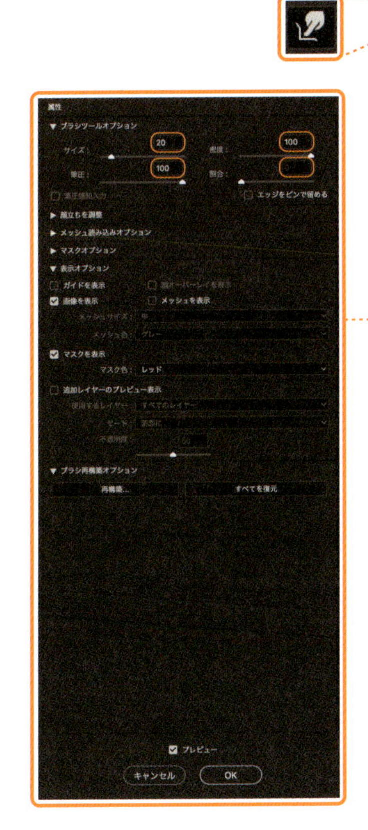

Column

描画モードについて

描画モードは下位レイヤーに対して、上位レイヤーの設定を切り替えるだけで様々な合成を行うことができる機能です。本書では陰影の描画に［オーバーレイ］［ソフトライト］を多用しています。テクスチャーを重ねる際に便利な［比較（暗）］［比較（明）］や、光の演出に使える［スクリーン］など実際に色々な描画モードを試してみましょう。どのような効果を得られるか一覧の一部を作成しました。

なお、ここでは下位レイヤーの色合いをベースカラー、上位レイヤーの色合いをブレンドカラーとして解説しています。

下位レイヤー
元画像。この画像の上に上位レイヤーを重ねる

上位レイヤー
左から白、グレー、黒、赤、黄緑、青の色を入れている。この画像を下位レイヤーの上に重ねる

通常
通常のモード。下位レイヤーに上位レイヤーを重ねた状態

比較（暗）
ベースカラーと比較し、ブレンドカラーよりも明るい色が暗い色に変わる。ブレンドカラーより暗い色に変化なし

乗算
ブレンドカラーとベースカラーの重なる部分が乗算され、暗い画像となる。白と黒は変化なし

焼き込みカラー
ベースカラーは暗く、ベースカラーとブレンドカラーのコントラストは高く描画される。白は変化なし

カラー比較（暗）
ブレンドカラーとベースカラーの画像を比較し、より暗い色が表示される

比較（明）
ブレンドカラーとベースカラーを比較し、ブレンドカラーよりも暗い色が明るい色に変わる。明るい色は変化なし

スクリーン
ブレンドカラーとベースカラーを反転した色が乗算され、明るい画像となる。黒は影響なく、白は変化なし

カラー比較（明）
ブレンドカラーとベースカラーの画像を比較し、より明るい色が表示される

オーバーレイ
ベースカラーの明暗を保ったまま、ブレンドカラーを重ねる。明るい部分はより明るく暗い部分はより暗くなる

ソフトライト
ブレンドカラーが50％グレーより明るい場合［覆い焼き］、50％グレーより暗い場合［焼き込み］になる

Chapter 02

風景のレタッチ

クリアな空や海の色の補正、夕日の表現といった基本的な風景の補正から学びます。
遠近感・空気感の演出方法や複数の素材を組み合わせた印象的な風景の仕上げ方まで、風景をより魅力的に見せる表現手法が満載です。

01 トーンカーブを使い赤みを抑え、青みを足す

素材[背景.psd]を開きます。レイヤーパネルの調整レイヤー作成ボタンを選択し[トーンカーブ]を選択します 01。

トーンカーブパネルのブルーを選択し左下のポインタ(シャドウ側)を[入力:0][出力:22]とし青みを足します 02。

レッドを選択し、中央にポインタを追加[入力:146][出力:110]とし、赤みを抑えます 03。

全体に青みがかった印象になりました 04。

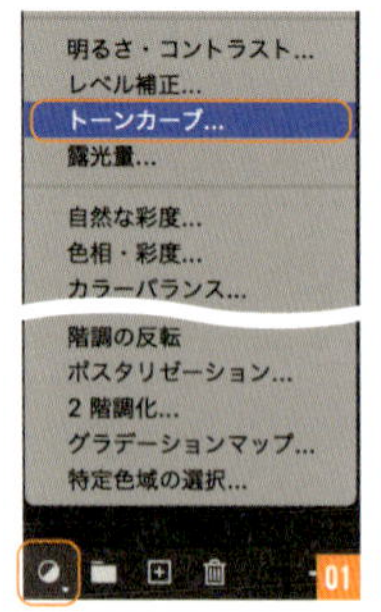

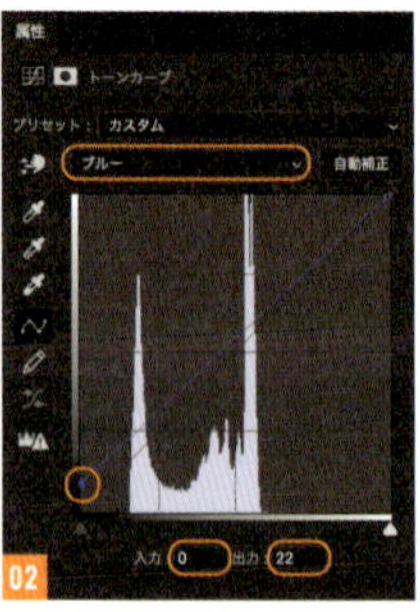

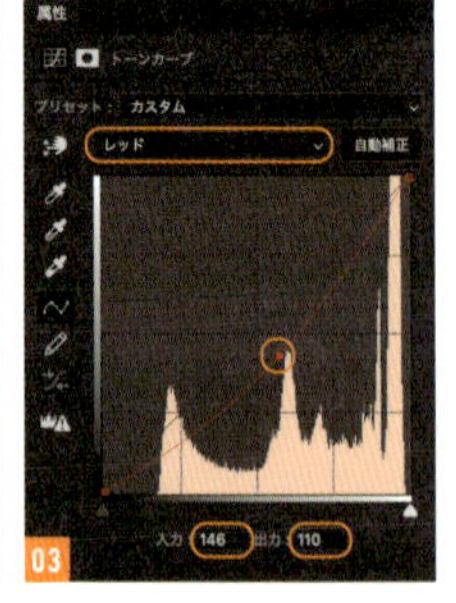

Recipe

025

朝の空気感を出す

複数のグラデーションとレンズフィルターを使い、朝靄(あさもや)の空気感や澄んだ早朝の色味を再現します。

Photo retouching

元画像

02 レンズフィルターを使い全体に青を足す

レイヤーパネルの調整レイヤー作成ボタンを選択し［レンズフィルター］を選択します 05。フィルタータブを［Cooling Filter (80)※］にして［適用量：30%］とします 06。
全体にさらに青みが追加され、クリアな青に近づきました 07。

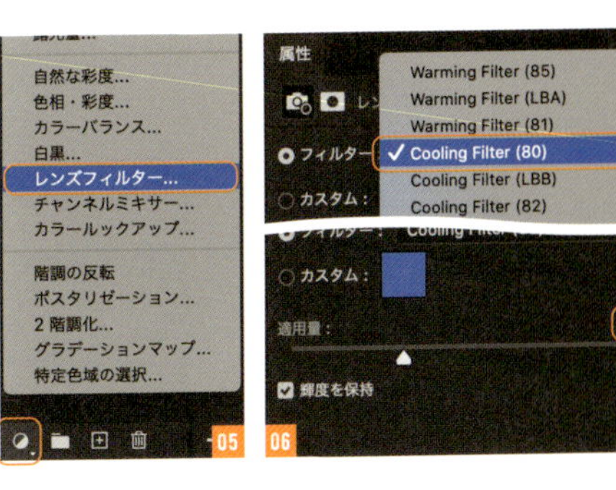

※フォトショップのバージョンやOSにより［フィルター寒色系(80)］と表示されている場合もあります。

03 グラデーションを使い青を足す

レイヤーパネルの調整レイヤー作成ボタンを選択し［グラデーション］を選択し 08、レイヤーの最上位に配置します 09。レイヤー［グラデーション1］のレイヤーサムネールをダブルクリックすると［グラデーションで塗りつぶし］ウィンドウが表示され［スタイル：線形］［角度：-90］［比率：100%］とし［選択範囲内で作成］にチェックを入れます 10。

ウィンドウはそのままに、表示されているグラデーションをクリックして［グラデーションエディター］ウィンドウを表示し、プリセットの［描画色から背景色へ］を選択したのち、グラデーションのカラーを左を［カラー：#3a87bd］［位置：0%]、右を［カラー：#ffffff］［位置：50%］と設定します 11。

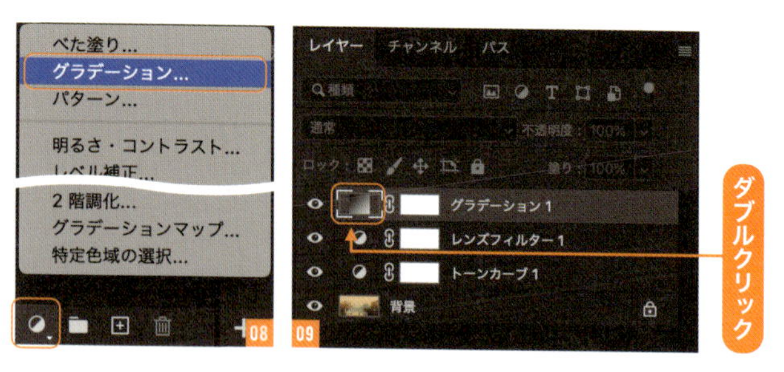

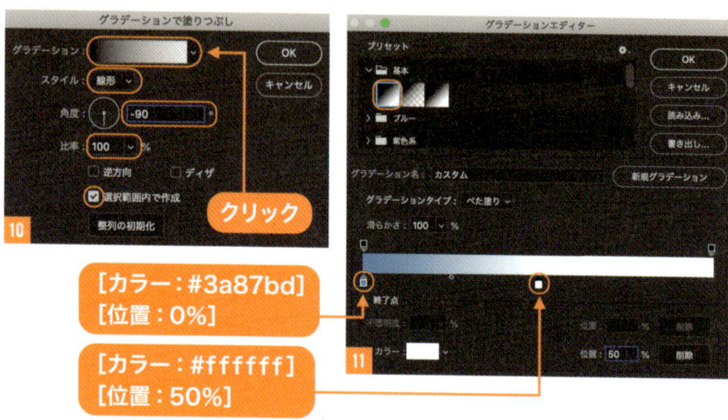

04 ソフトライトにして朝靄のような空気感を出す

現状ではカンバスはレイヤー［グラデーション1］が最上位に配置されているので 12 のようになっています。レイヤー［グラデーション1］を選択し、描画モードを［ソフトライト］にします 13 14。

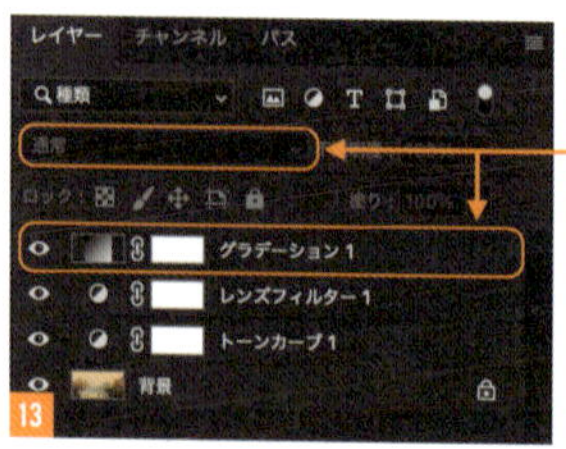

05 さらにグラデーションを追加し、空気感を演出する

手順03と同じように、レイヤーパネルの調整レイヤー作成ボタンを選択し［グラデーション］を選択し最上位に配置します15。［グラデーションで塗りつぶし］ウィンドウが表示されたら［スタイル：反射］［角度：90］［比率：100%］とします16。グラデーションをクリックして［グラデーションエディター］ウィンドウを表示し、プリセット［描画色から透明に］を選択すると白から透明へのグラデーションとなります17。

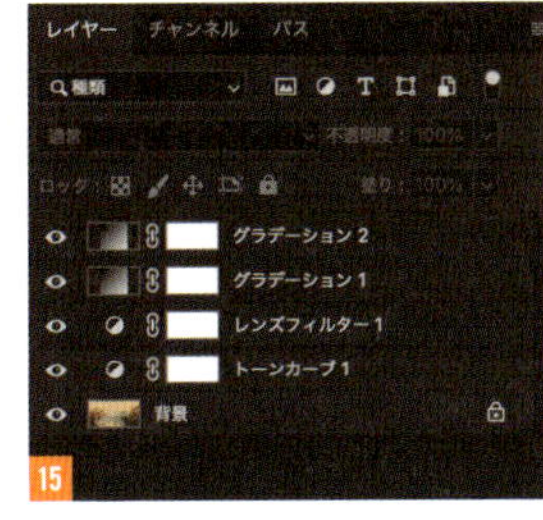

15

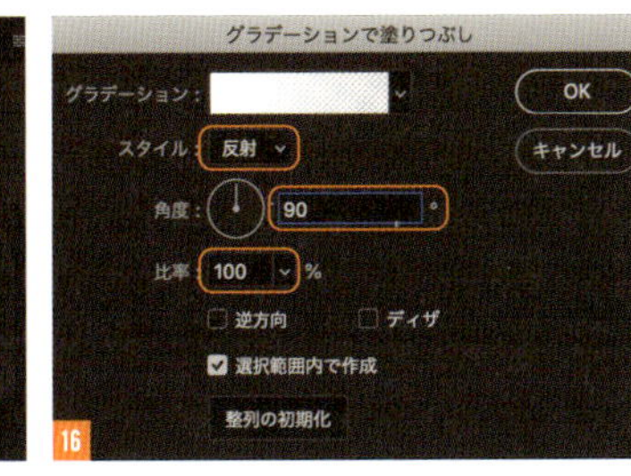

16

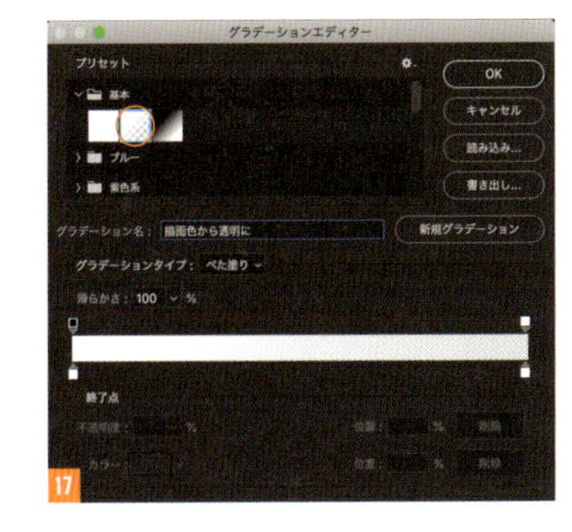

17

Point

プリセットはツールバーの描画色が反映されるので、あらかじめ描画色白［#ffffff］に設定しておくとよいでしょう。

06 ソフトライトにして白をなじませる

色を作成したら［OK］で確定し［グラデーションで塗りつぶし］ウィンドウに戻ります。
18のようにライン状の白いグラデーションができます。
描画モードを［ソフトライト］にしたら完成です19。

18

19

Point

意図しない位置にラインができている場合は、カンバス上でドラッグすることでラインの位置を変えることができます（［グラデーションで塗りつぶし］ウィンドウが表示されている時のみ有効）。例えば下にドラッグすると下図のようになります。

Recipe

026 ジオラマ風の写真に加工する

ぼかしフィルターを使って簡単にジオラマ風の写真を制作してみましょう。

Photo retouching

01 ぼかしギャラリーを使って ミニチュアのようなぼけを再現する

素材[風景.psd]を開きます。フィルターの再適用や微調整が可能になるようにレイヤー上で右クリックし[スマートオブジェクトに変換]しておきます。レイヤー名も[風景]にしておきましょう 01。

[フィルター]→[ぼかしギャラリー]→[虹彩絞りぼかし]を選択します 02。

専用画面に[虹彩絞りぼかし]のタブをひらき、03 のようにぼかしたくない部分を円形で囲みます。

適用する写真素材によって変わりますが、ここでは[ぼかし：15px]としました 04。

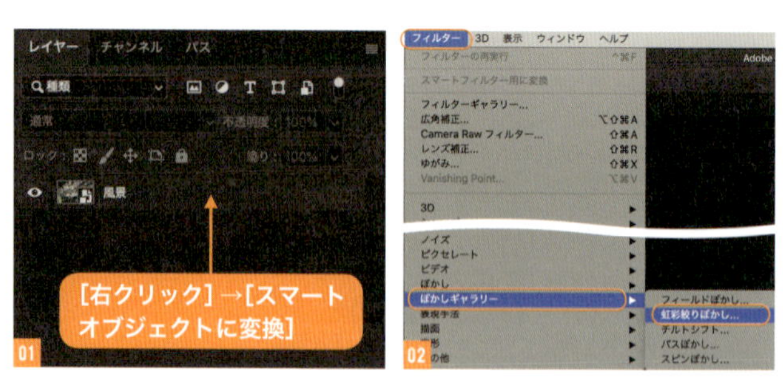

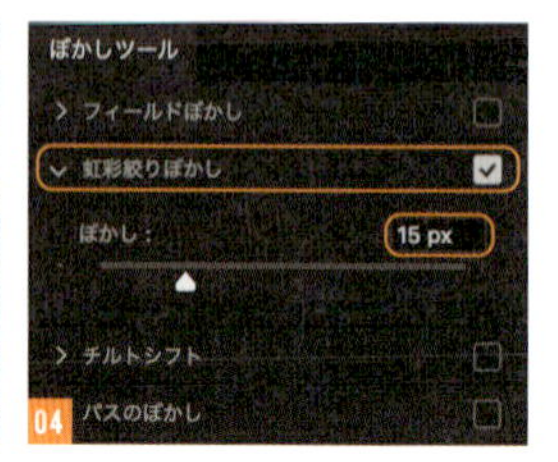

02 さらにぼかしを加える

手順01で狙ったぼけ感が再現できれば、手順03に移動してかまいません。
ここでは、中心部の海沿いの道路と、家にピントを合わせた風景にしたいので手順01と同じく[フィルター]→[ぼかしギャラリー]→[虹彩絞りぼかし]を選択します。
タブから[チルトシフト]を選択し05を参考にぼけの具合を調整します。[ぼかし：20px][ゆがみ：0%]としました06。
中心にピントが合ったミニチュア風の写真となります07。

05

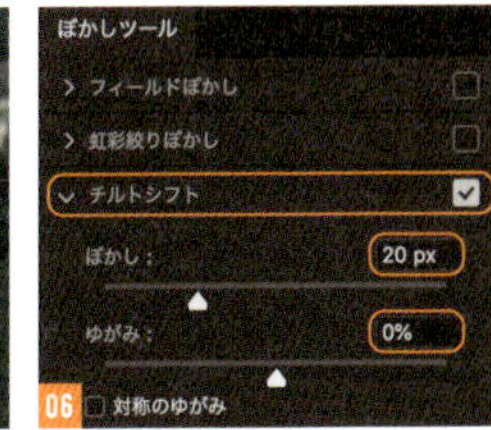

06

07

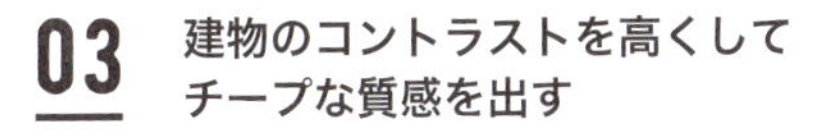

03 建物のコントラストを高くしてチープな質感を出す

屋根のコントラストを上げて、おもちゃのようなチープなカラーに加工します。
[イメージ]→[色調補正]→[色相・彩度]を選択し08、[マスター]から[レッド系]を選択して[彩度：+50]とします09。
最後にレイヤーパネルの調整レイヤー作成ボタンから[自然な彩度]を選択し、最上位に配置、[自然な彩度：+60][彩度：0]とします10 11。全体の彩度をあげて、ジオラマのような緑の強いイメージにしました12。

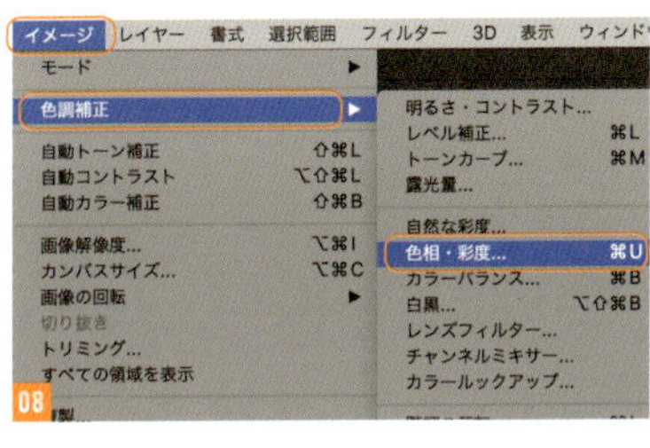

08

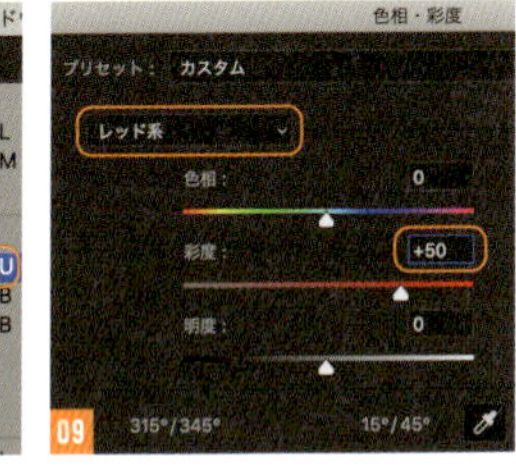

09

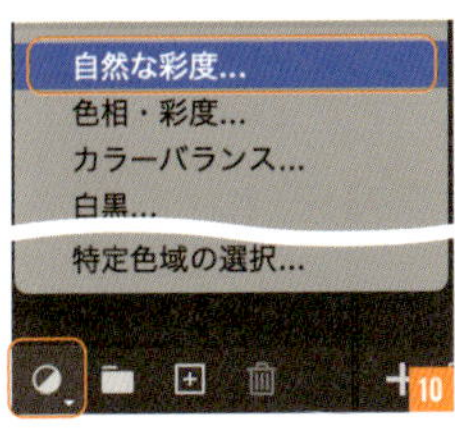

10

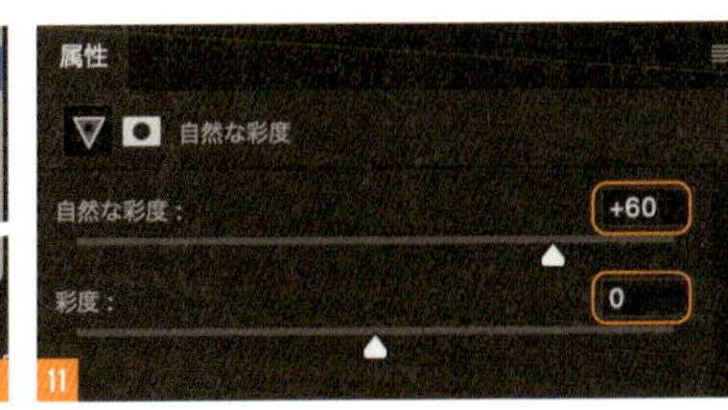

11

12

Recipe

027 海の青を綺麗に表現する

くすんだ色の海も、鮮やかな青い海に変更することができます。

Photo retouching

元画像

01 トーンカーブを使って、明るさと青みを調整する

素材[海.psd]を開きます。レイヤーパネルの調整レイヤー作成ボタンから[トーンカーブ]を選択します01。上位に配置します02。

トーンカーブのパネルが開いたら、中央にポインタを追加し[入力：123][出力：133]とします03。今回は海の青色を綺麗に表現したいので、トーンカーブのチャンネルを[RGB]から[ブルー]に変更し、左下のポインタを[入力：0][出力：18]とします04。全体が明るく青みがかった画像に補正できました05。

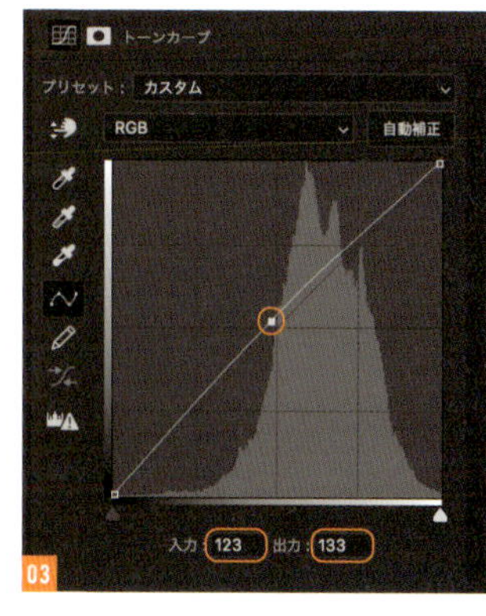

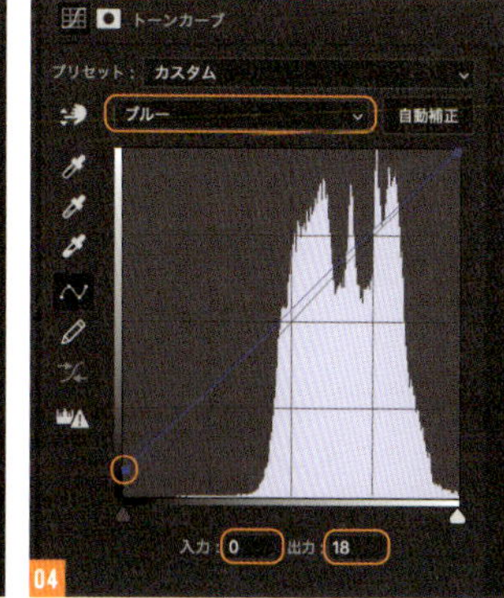

02 特定色域の選択を使って、砂浜の色を補正する

レイヤーパネルの調整レイヤー作成ボタンから[特定色域の選択]を選択し06、最上位に配置します07。

特定色域の選択パネルが表示されたら絶対値にチェックを入れます。[カラー：レッド系]を選択し、[シアン：-30%][ブラック：+35%]とします08。

[カラー：イエロー系]を選択し[イエロー：+51%][ブラック：+20%]とします09。

砂浜のレッド系、イエロー系の色がシアンを引くことと、イエローを足すことで強調されました10。

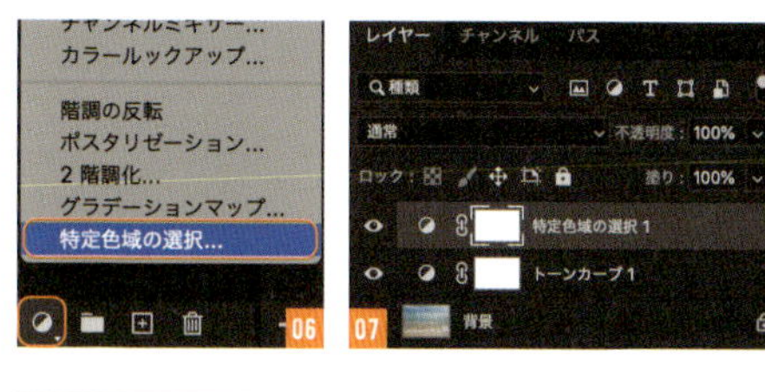

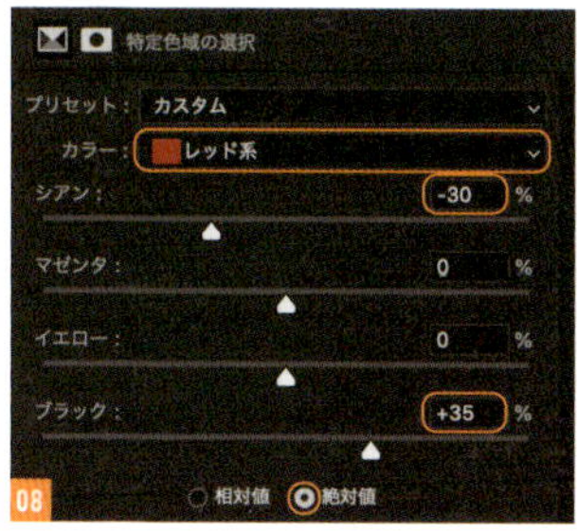

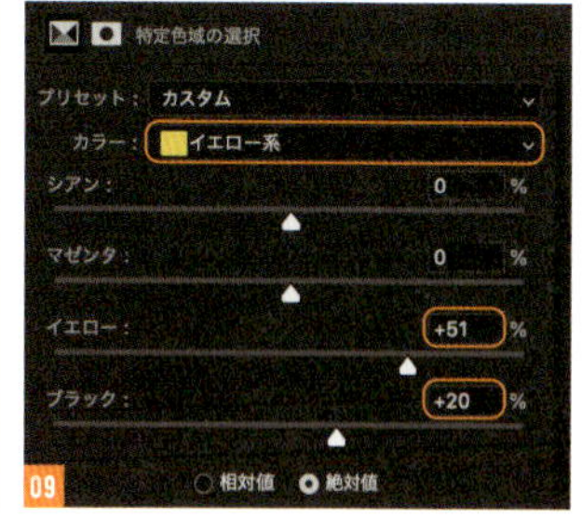

03 特定色域の選択を使って、クリアな海と青空を再現する

[カラー:シアン系] を選択し [シアン:+30%] [マゼンダ：-20%] [イエロー：-50%] [ブラック：+20%] とします11。
[カラー：ブルー系] を選択し [イエロー：-45%] とします12。
[カラー：白色系] を選択し [ブラック：-10%] とします13。
[カラー：中間色系] を選択し [シアン：+5%] とします14。
特定の色域を調整することによって、他の色彩を損なわずクリアな海と青の色を再現できました15。

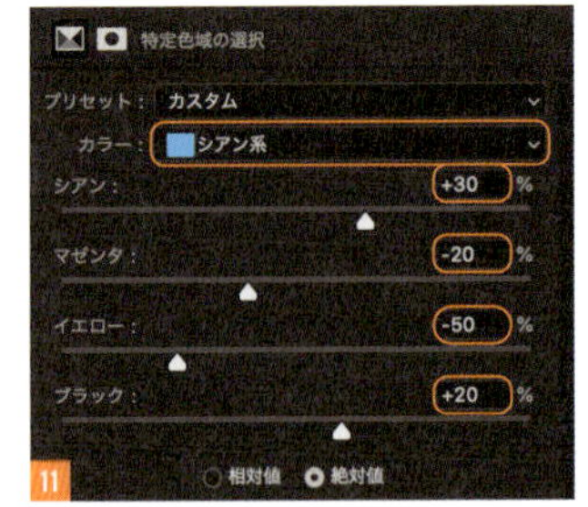

11

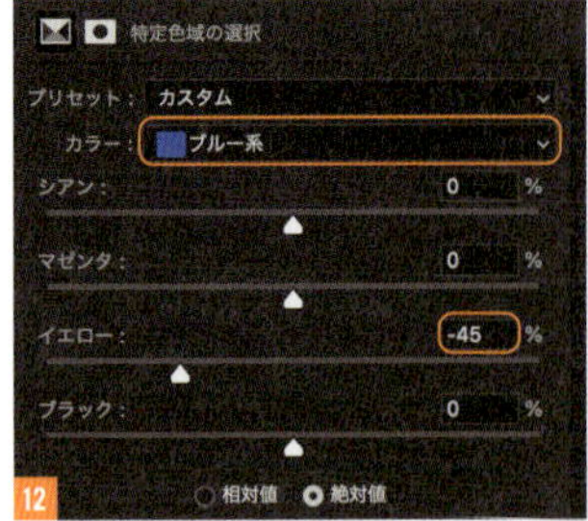

12

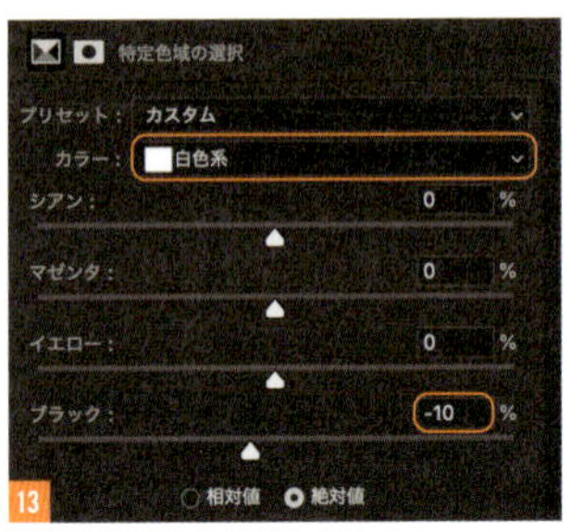

13

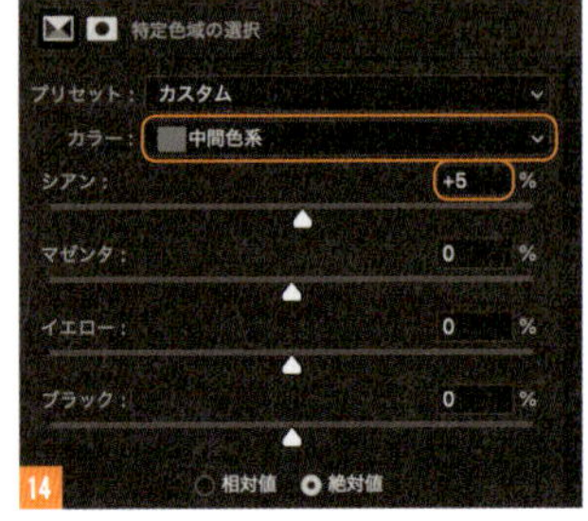

14

04 自然な彩度を使って、鮮やかにする

調整レイヤー作成ボタンから [自然な彩度] を選択します16。レイヤーの最上位に配置します17。[属性] パネルの [自然な彩度] のパネルが開いたら [自然な彩度：+45] [彩度：+5] とします18。[特定色域の選択] で補正することができなかった、彩度の低い部分が鮮やかになりました19。

15

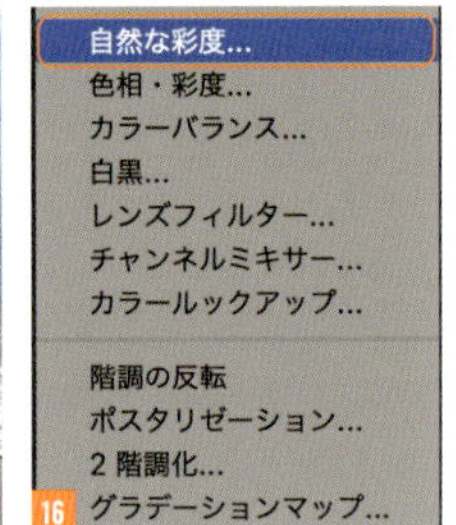

16

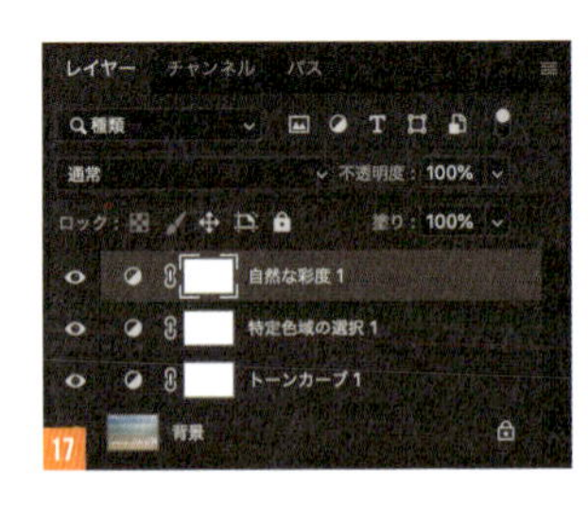

17

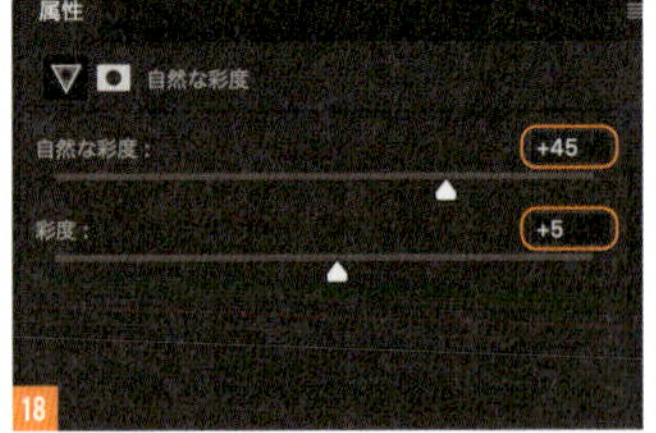

18

19

Recipe

028

夕方の風景に、自然な夕日を追加する

逆光フィルターを使い自然な夕日を作成し、夕日が水面に映り込んだ様子も再現してみましょう。

Photo retouching

01 逆光フィルターを使い夕日を作成する

素材[風景.psd]を開きます。新規レイヤーを作成し、レイヤー名[夕日]とし上位に配置します 01。
ツールパネルから[塗りつぶしツール]を選択し、描画色黒[#000000]を選択します 02。
画面を塗りつぶします 03。[フィルター]→[描画]→[逆光]を選択します 04。
逆光パネル内でクリックしながらドラッグすることで光の方向を変えることができます。
光を中心に移動させ、できるだけ円形に見えるように移動します。[明るさ：100%][レンズの種類：50-300mmズーム]とします 05。光の円が作成されました 06。レイヤーの描画モードを[スクリーン]とし 07、画面右上に配置します 08。

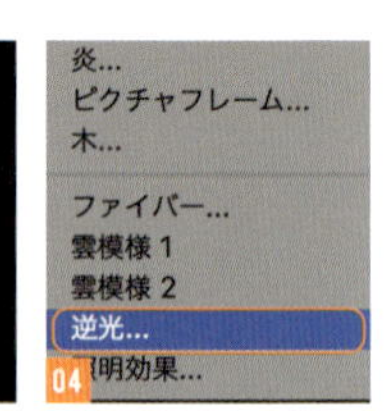

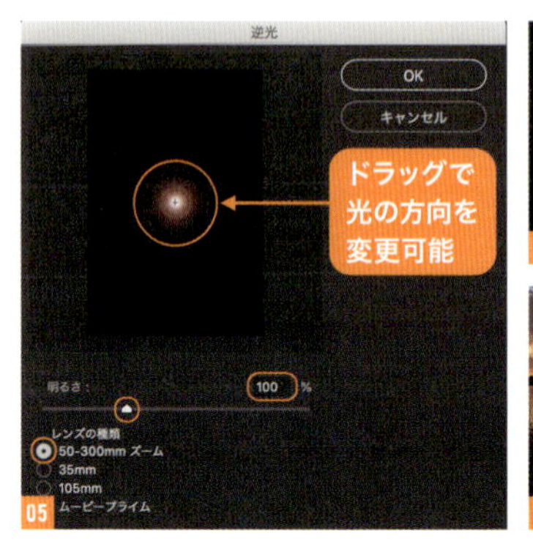

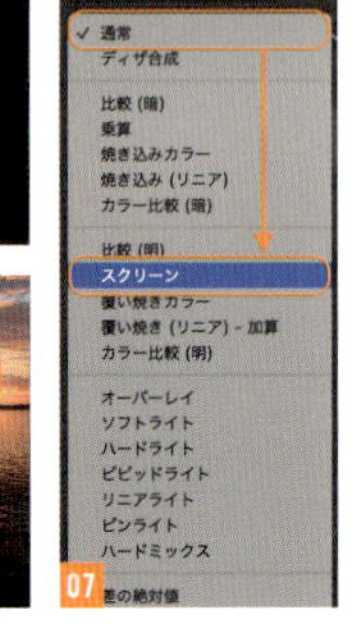

02 夕日のサイズと光り具合を調整する

夕日をもっと強く光らせたいので、[イメージ]→[色調補正]→[レベル補正]を選択します 09。
入力レベルを[25：0.75：209]としました 10。
コントラストが高く、強い光になりました 11。
つぎに夕日のサイズも大きくします。[編集]→[自由変形]を選択します 12。
バウンディングボックスが表示されたら 13、四隅のハンドルどれでもかまいませんので option（Alt）キーを押しながらドラッグし、中心点を基準に拡大縮小します 13。
配置した位置を中心点にサイズを拡大できました 14。

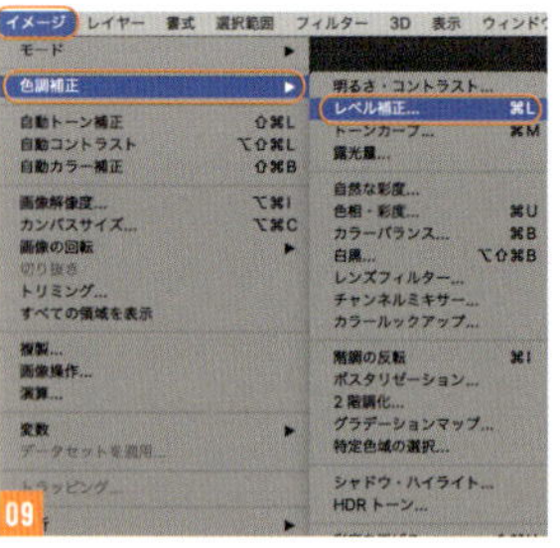

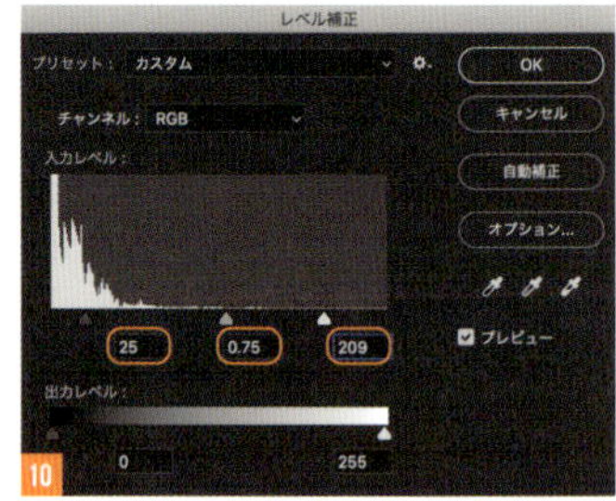

Point

option（Alt）キーを押しながらドラッグすることで希望の場所を中心点として拡大縮小できます。

03 水面に映り込む夕日を作成する

レイヤー[夕日]を複製し、レイヤー名を[夕日の映り込み]とします 15。
手順02と同じ要領で[自由変形]を選択し、バウンディングボックスが表示されたら、サイズはそのままに地平線あたりまで下に移動します 16。
Shift + option (Alt)キーを押しながら左右どちらかのハンドルを内側へドラッグします 17。
縦長の円形ができたら 18 [フィルター]→[変形]→[波形]を選択します 19。
[波数：5][波長：最小：1 最大：20][振幅：最小：1 最大：17][比率：水平：100% 垂直：1%]とします 20。
水面に揺らいだような光が作成されたら位置を整えます 21。

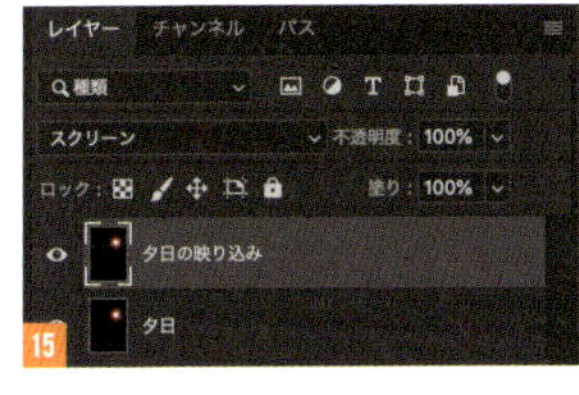

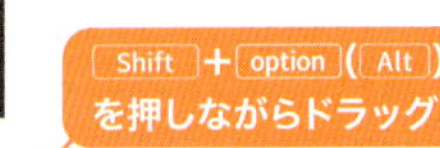

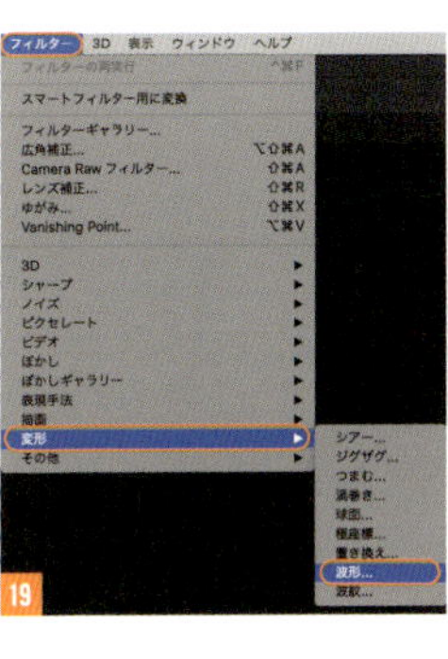

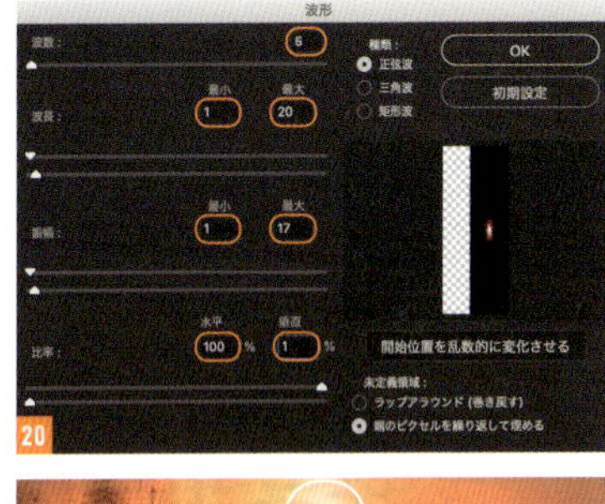

04 夕日にぼかしをかけてなじませたら完成

レイヤー[夕日]を選択し[フィルター]→[ぼかし]→[ぼかし(ガウス)]を選択します 22。[半径:9.0 pixel]で適用します 23。
自然な印象で夕日の風景を作成することができました 24。

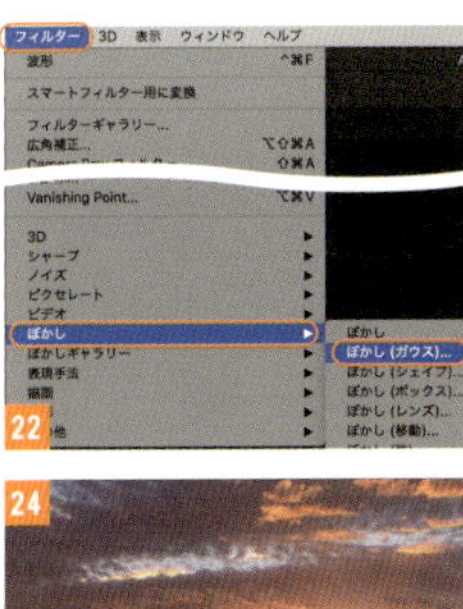

Point

レイヤー[夕日]に[ぼかし(ガウス)]を最後に適用したのは、ぼけていない夕日に[波形]フィルターをかけるためです。ぼかした画像に[波形]フィルターをかけるとぼやけた印象になってしまいます。

Recipe

029

水面に映り込む風景

風景を水面に映り込ませることによって、
印象深い写真にすることができます。

Photo retouching

元画像

01　ペンツールを使い風景が反射する範囲のパスを作成する

素材[風景.psd]を開きます。レイヤーを複製し、レイヤー名を[風景]と[水面]とします。レイヤー[風景]を上位に配置し、レイヤー[水面]は非表示にしておきます 01 。ツールパネルから[ペンツール]を選択します 02 。

水面に沿ってパスを作成します 03 。[右クリック]→[選択範囲を作成]を選択し 04 、[ぼかしの半径：0pixel]とします 05 。

水面の選択範囲が作成されました 06 。

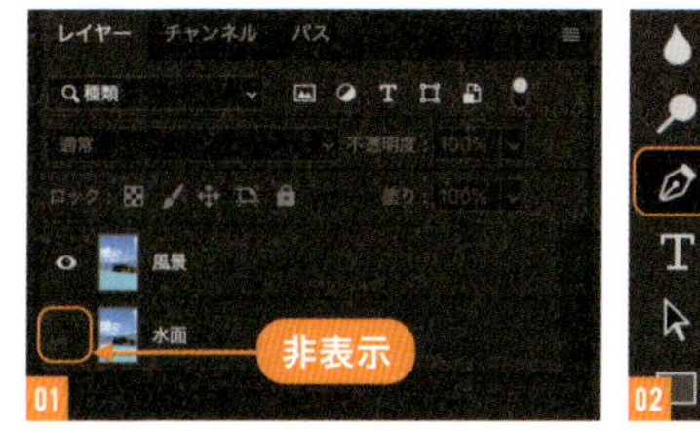

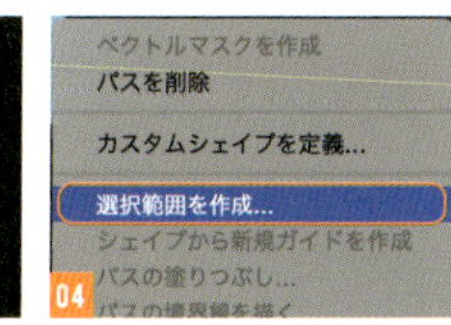

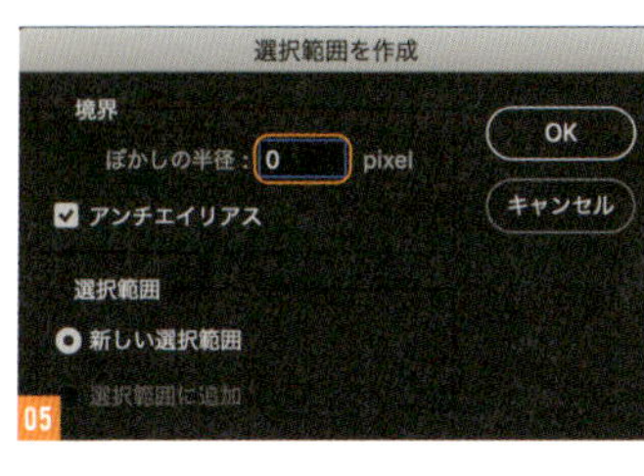

02　木々の隙間に残っている水面の色も選択する

レイヤー[風景]を選択し、ツールパネルから[選択ツール]を選択します 07 。画面上部のオプションバーから[選択とマスク]を選択します 08 。

[選択とマスク]専用の画面に切り替わり、先程選択範囲を作成した部分が透明部分100%に指定されていると 09 のように表示されます。

[属性]パネルの[グローバル調整]のタブ内にある[反転]をクリックします 10 。

選択範囲が反転し 11 のように表示されます。

ツールパネルから[境界線調整ブラシツール]を選択し、ブラシサイズを[20px]とします 12 。

13 の木々の隙間に残っている水面部分をブラシでなぞると 14 のように調整されます。Return（Enter）キーまたは[OK]で確定します。水面以外の部分が選択されました 15 。

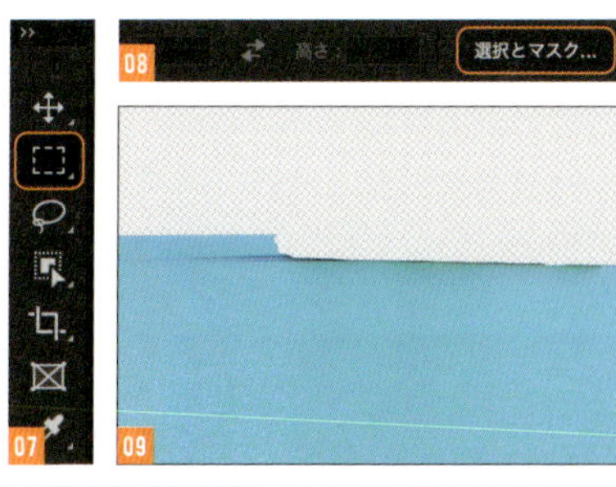

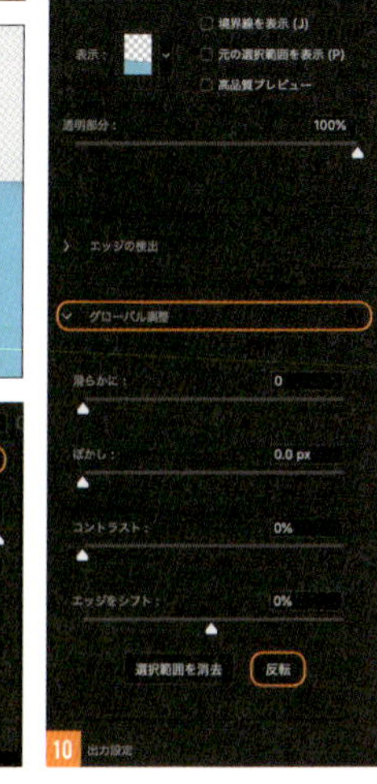

03 レイヤー [風景] にマスクを追加する

選択範囲が作成された状態で、レイヤー[風景] を選択し、レイヤーパネルの [レイヤーマスクを追加] を選択します16。レイヤーにマスクが追加され17、水面以外にマスクされました18。
レイヤーマスクサムネールの上で [右クリック] →[レイヤーマスクを適用] を選択します19。

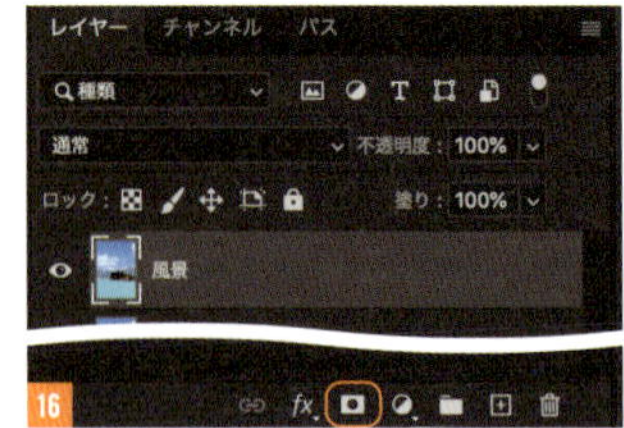

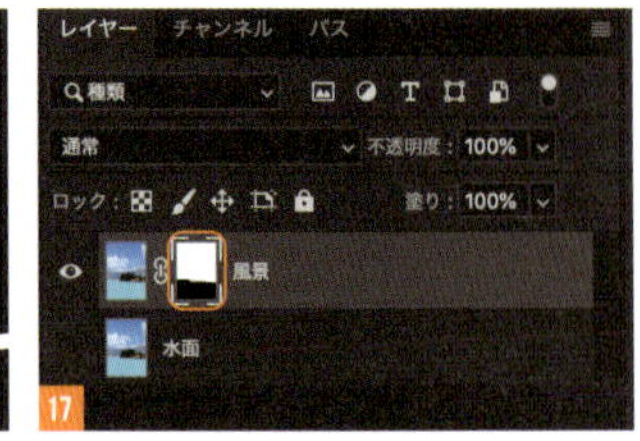

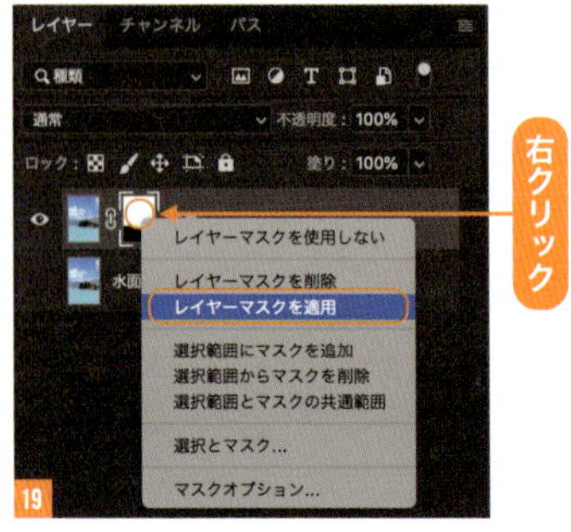

04 レイヤー [水面] を反転し水面に反射する様子を再現する

非表示にしていたレイヤー[水面] を表示、選択し [編集] →[変形] →[垂直方向に反転] を選択します20。
21のように垂直方向に反転された風景を下に移動し位置を整えます22。

05 手前の木々の反射をリアルに表現する

手前の木々の映り込みがズレていたり、車の映り込みがなかったりと、違和感があります。
手前の木々や車は別に切り抜いて反射させます。
作業がしやすいように、再度レイヤー[水面] を非表示にし [風景] レイヤーを選択したのち、ツールパネルから [クイック選択ツール] を選択し23、手前の木々を選択します24。選択範囲が作成できたら [右クリック] →[選択範囲をコピーしたレイヤー] を選択します25。レイヤー[風景] の下位に配置し、レイヤー名[木々] としました26。
レイヤー[水面] を反転した時と同じ要領でレイヤー[木々] を反転し、位置を整えます27。

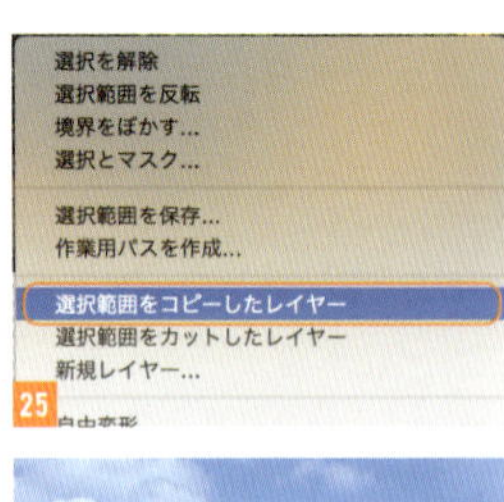

06 水面に映り込んだように歪みを加える

レイヤー[木々]と[水面]を選択し[右クリック]→[レイヤーを結合]を選択し結合します28。レイヤー名を再度[水面]とします。

[フィルター]→[変形]→[波形]を選択します29。[波数：30][波長：最小：1　最大：15][振幅：最小：1　最大：15][比率：水平10%　垂直：1%]とします30。

ゆるく歪みが加わりました31。

[フィルター]→[ぼかし]→[ぼかし（移動）]を選択し32、[角度：90][距離：10 pixel]とします33。

[イメージ]→[色調補正]→[カラーバランス]を選択し34、階調のバランス[中間調]にチェックをし、カラーレベルを左から[-50：+15：+50]とし35、水面の色味を調整したら完成です36。

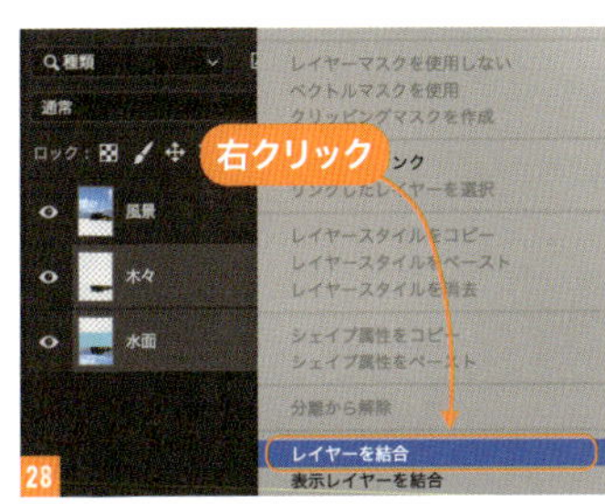

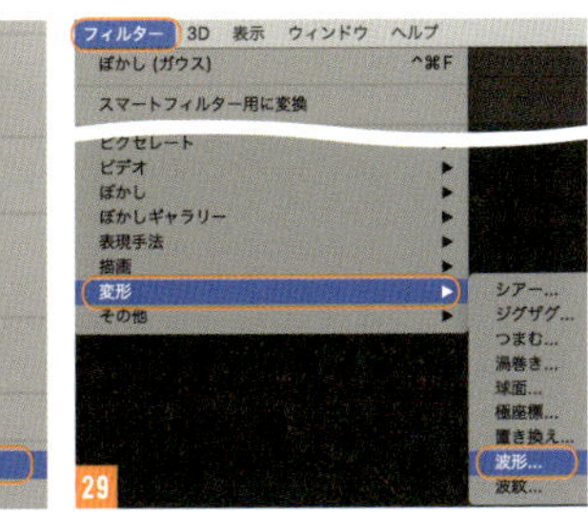

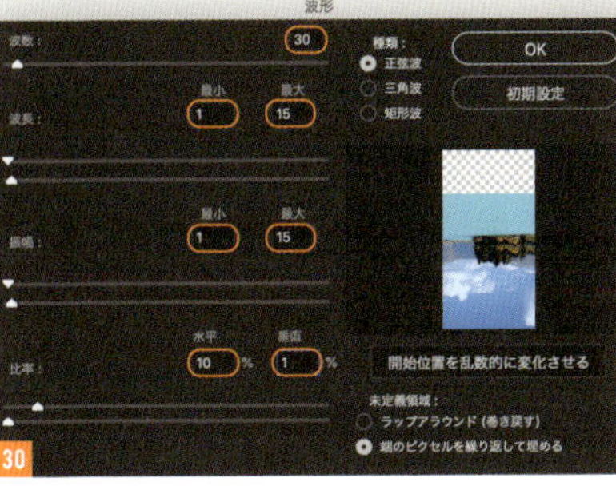

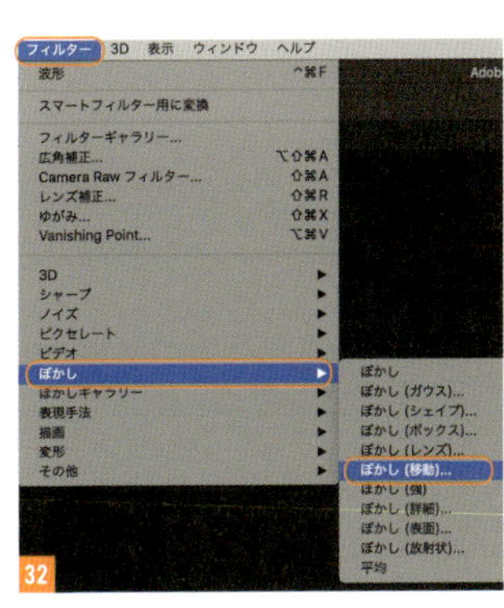

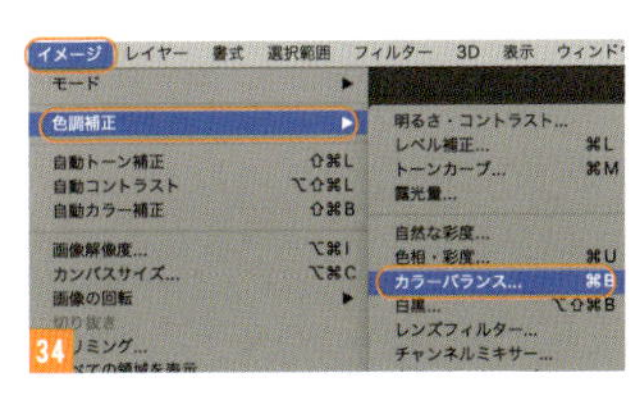

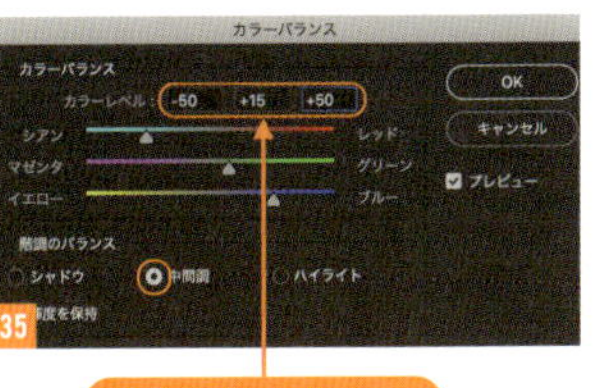

元画像

Recipe

030 写真の歪みを正す

レンズ補正をうまく使うことで、写真の歪みを修正することができます。

Photo retouching

01 元画像の傾きや歪み具合を確認し、修正方法を考える

素材[風景.psd]を開きます。広角で撮影された写真で、左右の建物の傾きや歪みが気になります 01。垂直方向の遠近感を補正して、できるだけ垂直な建物に見えるよう補正してみましょう。

02 レンズ補正フィルターで補正する

[フィルター]→[レンズ補正]を選択します 02。[レンズ補正]ウィンドウが開いたら、左下の[グリッドを表示]にチェックを入れ、続いて右側の[自動補正][カスタム]とあるタブの[カスタム]タブを選択します 03。

03 画面に引かれたグリッドを参考に歪みを修正する

[変形]→[垂直方向の遠近補正：-25]とします 04。次に、画面周辺の歪みが気になるので[歪曲収差]→[歪みを補正：+7.00]とします 05。簡単な手順で写真の歪みを補正することができました 06。

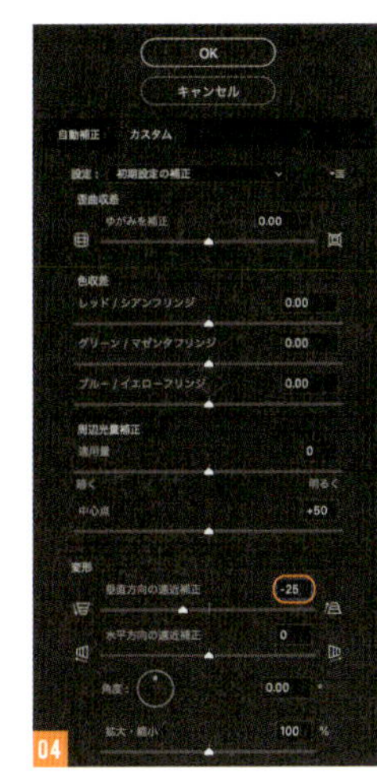

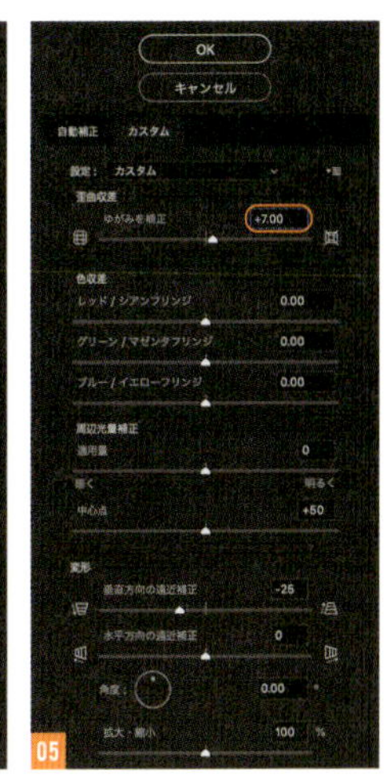

Point

レンズ補正フィルターは極端にかけると、違和感のある画像になってしまいます。
また、歪みを修正することで周辺が切れてしまいますので、全体の具合を見ながら少しずつ補正するようにしましょう。

Recipe

031 複数の空を合成して、深みのある空にする

風景に空の画像を合成する際、複数の写真を組み合わせることで独特の雰囲気を出すことができます。

Photo retouching

01 マスクを使って、空以外の部分を表示する

素材[風景.psd] を開きます。ツールパネルから[ペンツール] を選択し、空以外の部分のパスを作成し 01、選択範囲を作成します 02。[選択ツール] を選択し、オプションバーの [選択とマスク] を選択します 03。

[境界線調整ブラシツール] を使って 04、人物の髪の毛、山際、画面右の木などを調整します 05。

[OK] を押して選択範囲が作成されたら、レイヤー[背景] を選択し、レイヤーパネル内の [ベクトルマスクを追加] を選択します 06。レイヤーにマスクが追加され 07、背景以外の部分のみ表示されました 08。

なお、[選択とマスク] [境界線調整ブラシツール] の使い方はそれぞれP.85 を参照するといいでしょう。

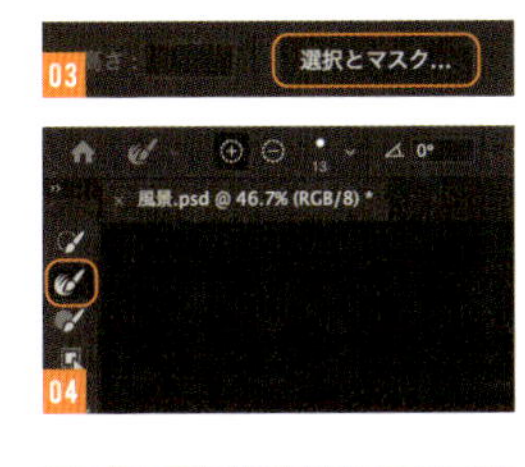

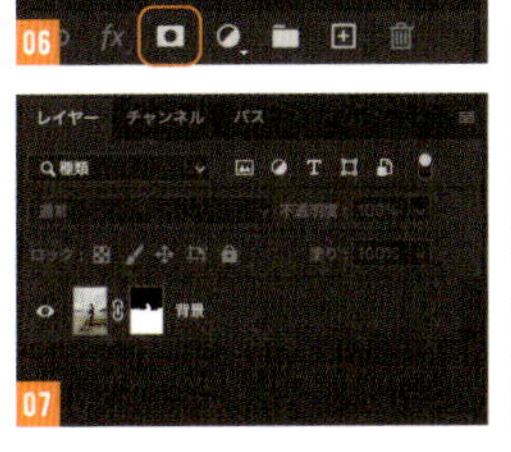

02 描画モードを使って、2つの画像を重ね独特の雰囲気を作る

素材[空 1.psd] と [空 2.psd] を開き、09 のようにレイヤー[背景] の下位に配置します。

レイヤー[空 1] の描画モードを [スクリーン] とし、完成です 10。

描画モードをスクリーンにすることによって、2つの空が重なり、独特の雰囲気を出すことができました。

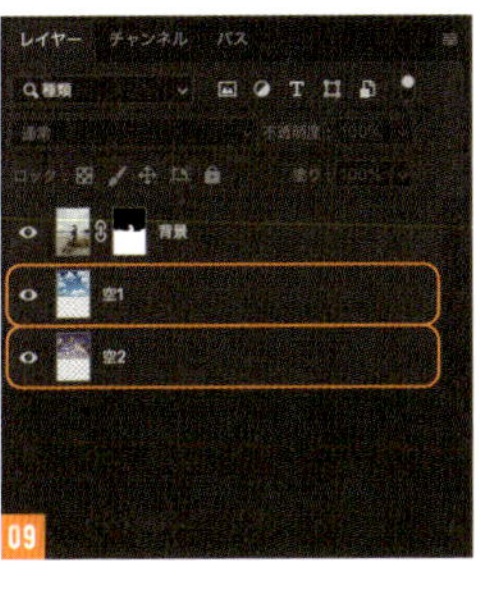

03 空の色に合わせて、海の色も調整する

レイヤー[背景] の上位に新規レイヤーを作成し、描画モードを [オーバーレイ] にします。

[ブラシツール] を選択し、描画色[#a1def6] とします 11。

ブラシのサイズや不透明度を変更しながら、海の部分だけを描画してください。塗りすぎてしまった場合は [消しゴムツール] で消しましょう。レイヤーの不透明度を [75%] にしたら完成です 12 13。

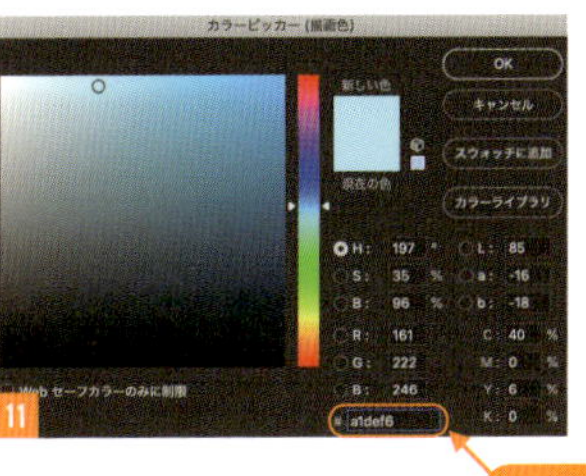

Recipe

032

光を印象的にする

光を強調することによって、人を惹き付ける写真にすることができます。

Photo retouching

01 レイヤーを作成し色を設定する

素材[風景.psd]を開きます。新規レイヤーを上位に追加し、レイヤー名を[オレンジ]とします 01。ツールパネルから[ブラシツール]を選択します 02。ツールパネルから[カラーピッカー]ウィンドウを選択し、描画色を[#d77951]にします 03。

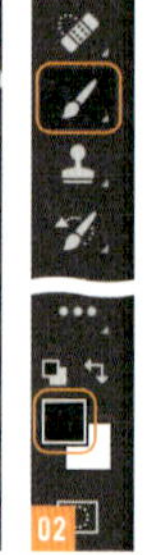

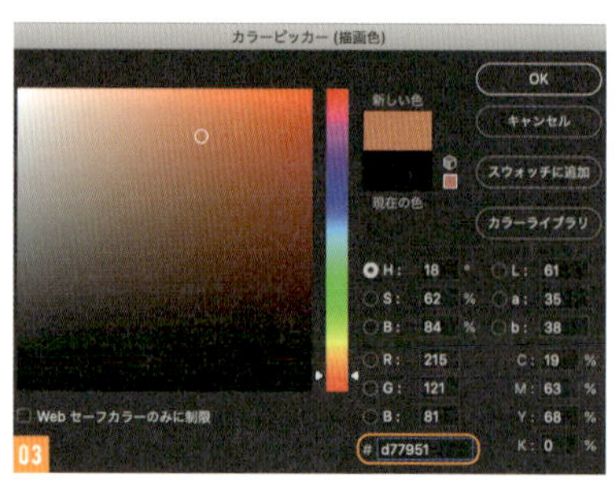

02 ブラシツールで オレンジ色の光を描き足す

レイヤー[オレンジ]を選択し、レイヤーパネルの描画モードを[オーバーレイ]に変更します 04。ブラシパネルでブラシの直径を調節し 05、太陽の周辺に光を描き足します。

オレンジ色の光を追加することができました 06。

Shortcut

ブラシの直径を小さくする：[キー

ブラシの直径を大きくする：]キー

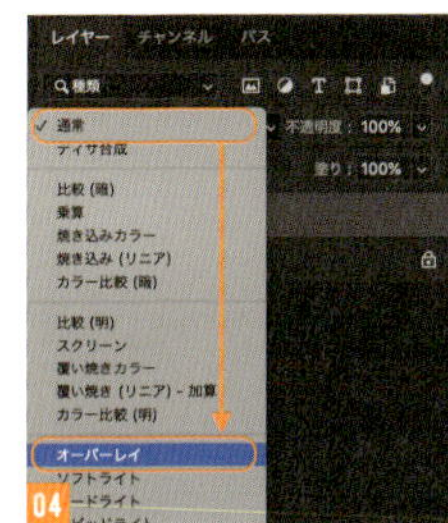

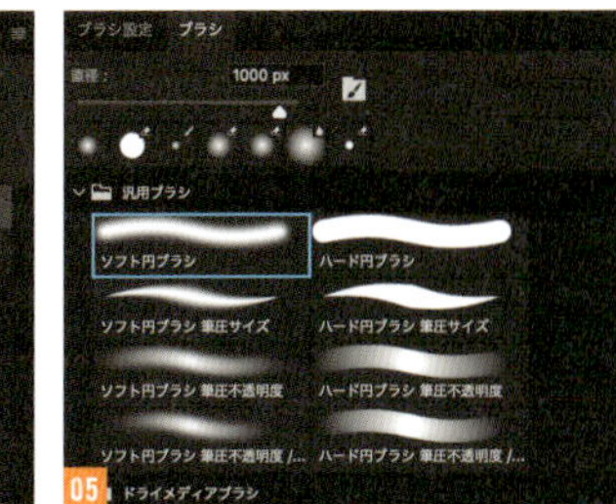

03 ブラシツールを使って、ハイライトを描き足す

新規レイヤーを上位に追加します。レイヤー名を[ハイライト]とし、レイヤーパネルの描画モードを[オーバーレイ]に変更します 07。ツールパネルから[ブラシツール]を選択し、描画色白[#ffffff]とします 08。

太陽の周りに白の光を描き込み、光を印象強く強調します。

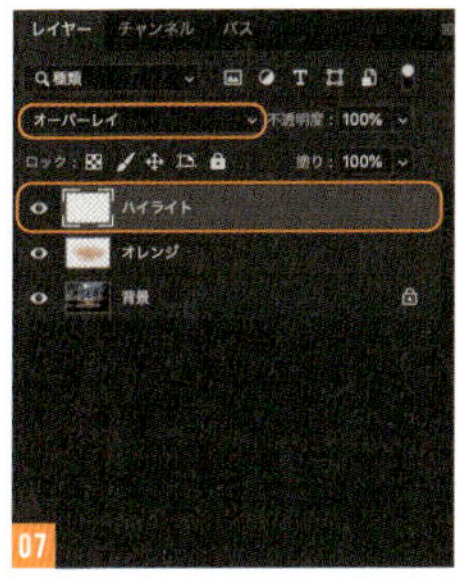

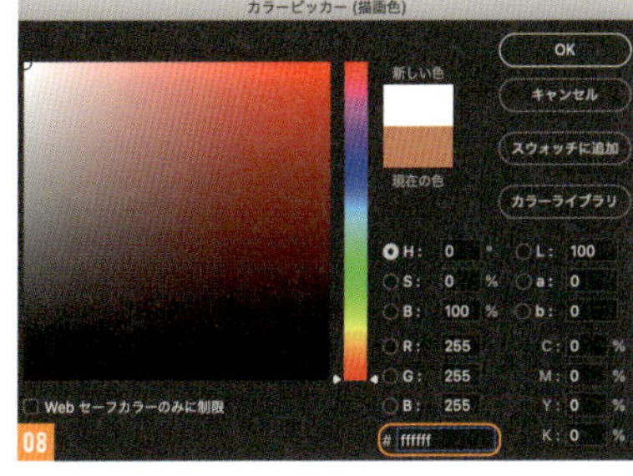

04 トーンカーブを使って、色味を調整する

レイヤーパネルの調整レイヤー作成ボタンから[トーンカーブ]を選択します 09。

左下のポインタを[入力：23][出力：15]とします 10。中央にポインタを追加し[入力：70][出力：53]とします 11。

右上のポインタは[入力：216][出力：255]とします 12。

あえて周囲を暗くすることで、光を強調し、印象的にすることができました 13。

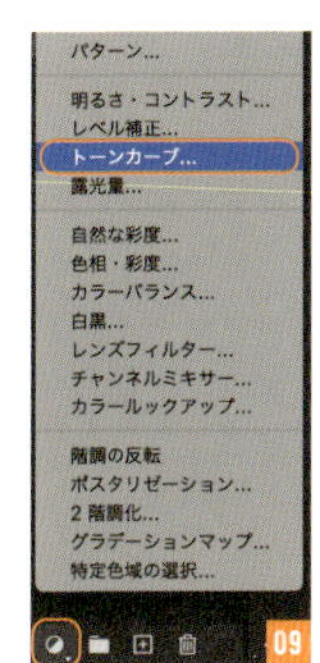

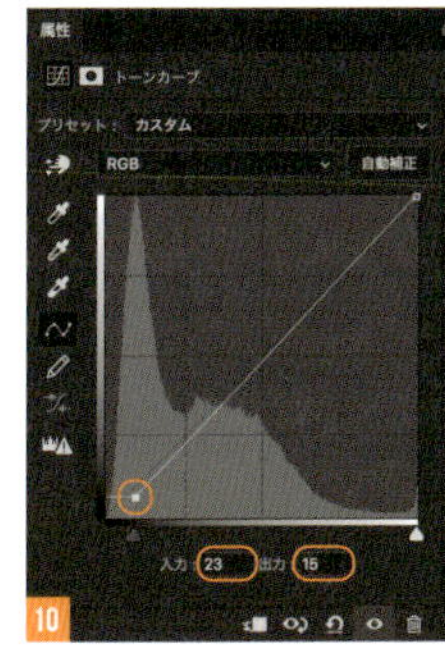

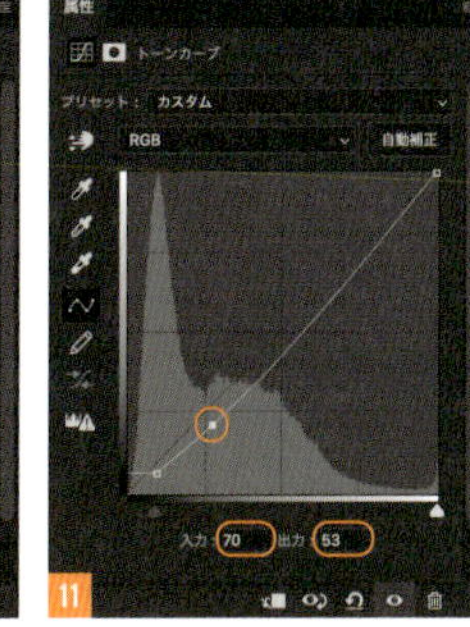

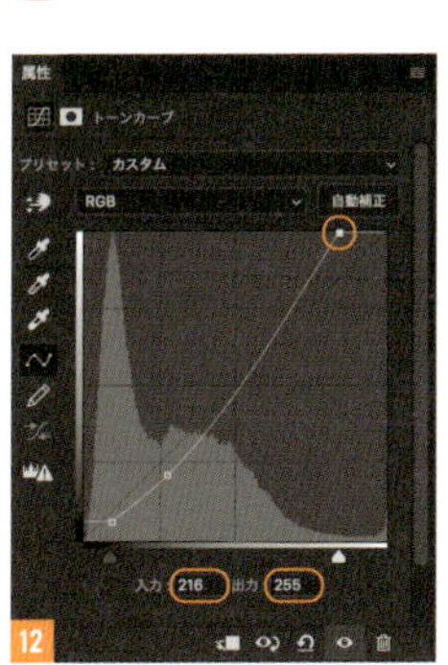

Recipe

033

風景に虹を合成する

プリセットのグラデーションを使って、虹のかかった風景を制作してみましょう。

Photo retouching

元画像

01　グラデーションツールで虹を作成する

素材[風景.psd]を開きます。新規レイヤーを作成し、レイヤー名[虹]とします 01。
ツールパネルから[グラデーションツール]を選択し 02、オプションバーの[クリックでグラデーションを編集]を選択し 03、[グラデーションエディター]ウィンドウを表示します。[従来のグラデーション]→[従来のデフォルトグラデーション]→[透明(虹)]を選択します 04。
虹レイヤーの画面上で、クリックしながら上から下に数センチドラッグすると、虹色のラインが作成されます 05。

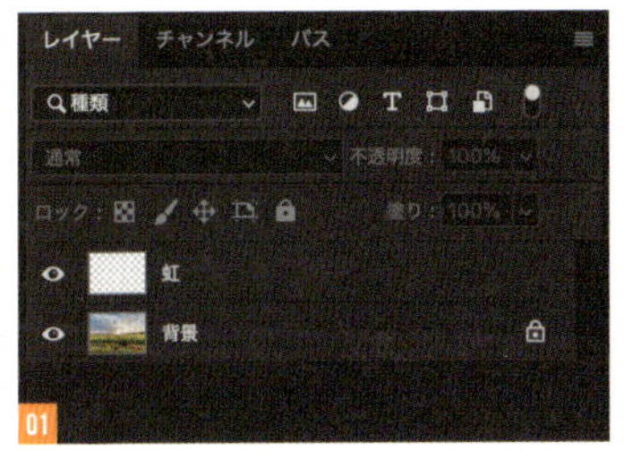

Point

初期設定では、プリセットに[透明(虹)]がありません。[ウィンドウ]→[グラデーション]を開き、パネル右上のオプションから[従来のグラデーション]を追加してください。

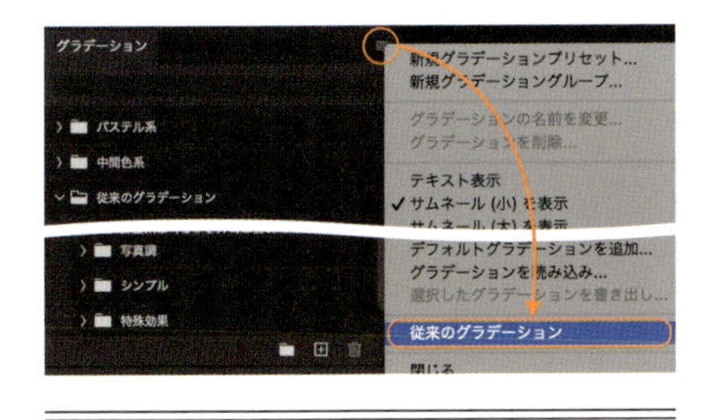

02　ワープツールを使って虹の形を再現する

[編集]→[自由変形]を選択し 06、バウンディングボックスが表示されたら[右クリック]→[ワープ]を選択します 07。
オプションバーのタブから[円弧]を選択します 08。
自動的に円弧に変形されます 09。虹の真ん中のハンドルを上下することで円弧の具合を調整することができます。
ここでは 09 を参考に作成してみましょう。Return (Enter) キーで確定します。

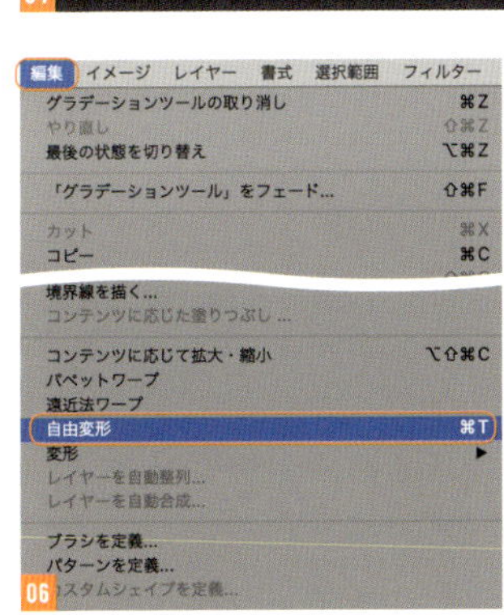

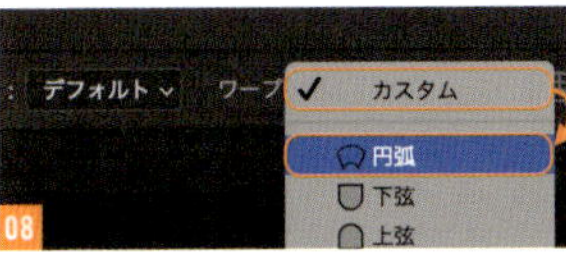

03 虹を調整する

レイヤー[虹]を選択し、描画モードを[スクリーン]にし、不透明度を[75%]にします 10 11。
この状態で再度[自由変形]を使ってサイズと位置を調整します 12。
手前のひまわり畑にかぶっている部分は[消しゴムツール]で削除します 13。

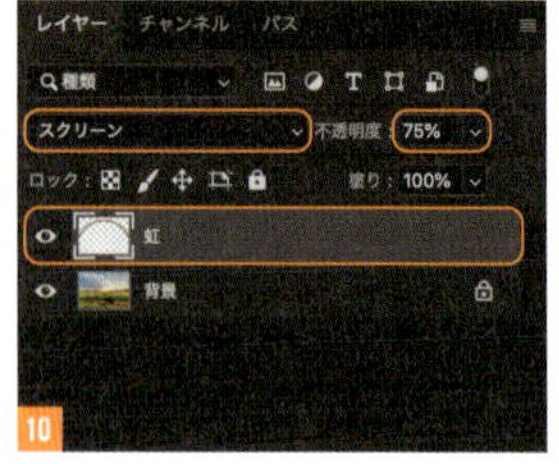

04 ぼかし(ガウス)をかけて空になじませて完成

虹がはっきりしすぎている印象があるので[フィルター]→[ぼかし]→[ぼかし(ガウス)]を選択し 14、[半径：8.0pixel]とします 15。自然な印象に仕上がりました 16。

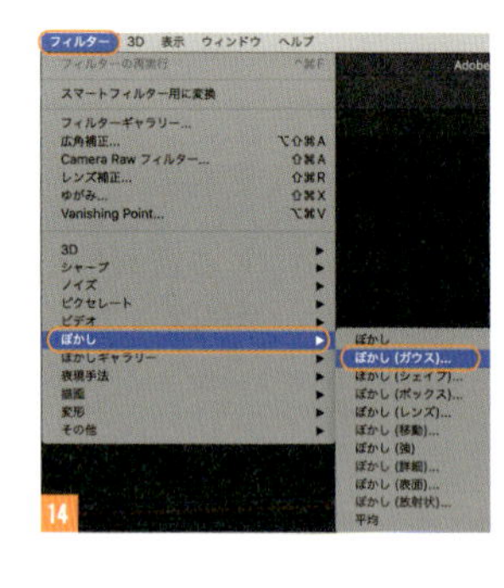

元画像

Recipe

034

コンテンツに応じた塗りつぶし

選択した範囲の要素を背景に合わせて塗りつぶし、人が消えたように見せます。

01 人物の選択範囲を作成する

素材[人物.psd]を開きます。
ツールパネルの[なげなわツール]を使っておおまかな人物の選択範囲を作成します01。
[編集]→[コンテンツに応じた塗りつぶし]を選択します02。

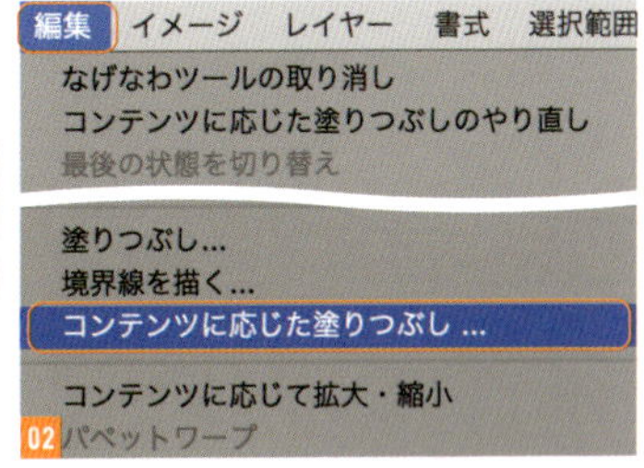

02 効果を確認する

左右2つのウィンドウに分かれた専用の画面に切り替わります。画面右側にプレビューが表示されるので、問題なければ[OK]を選択します03。選択した範囲に背景がなじむようにぬりつぶされました04。
レイヤーパネルを確認すると、新規レイヤーが作成されていることが確認できます05。

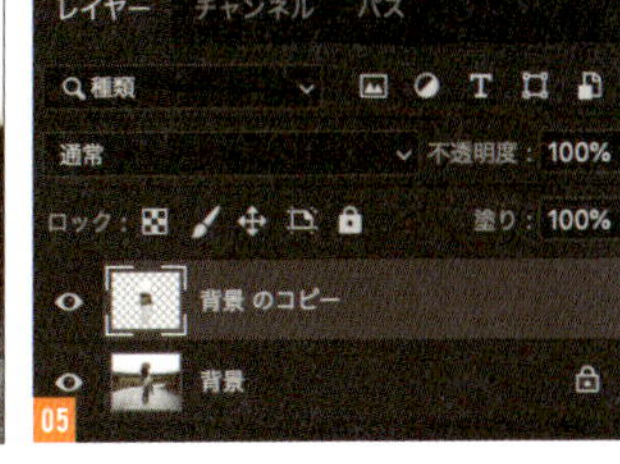

Recipe

035 滝の画像を合成する

風景と滝の写真を自然に合成してみましょう。ブラシを使って滝のしぶきも再現します。

Photo retouching

元画像

01 コントラストの高い画像を作成する

素材[滝.psd]を開きます。滝部分のみ抽出したいので[イメージ]→[色調補正]→[レベル補正]を選択し01、入力レベルを[34：0.90：235]とし02、コントラストの高い画像を作成します03。

02 風景から滝だけを抽出する

[選択範囲]→[色域指定]を選択します04。
滝の真ん中あたりを選択すると近い色が選択され白く表示されます。
05を参考に色域指定してみましょう。自動で設定されている[スポイトツール]で選択したい場所をクリックしつつ、許容値を調整します。ここでは[許容値：130]としました05。
選択範囲が作成されました06。

Point

選択色を追加する場合は Shift キーを押し（もしくは を選択）ながら、除外したい場合は Option（ Alt ）キーを押し（もしくは を選択）ながら選択することで選択色の調整が可能になります。

03 滝以外の不要な部分を除外する

空や手前の岩や森のハイライト部分など、選択した滝の色と近い色は一緒に選択されているので、[長方形選択ツール]や[なげなわツール]を使い、不要な部分を Option（ Alt ）キーを押しながら選択し除外します。滝だけが選択されるように調整しましょう07。
[選択範囲]→[選択範囲を反転]を選択し Delete キーで滝以外を削除します08。
滝のみを抜き取ることができました09。
この時点では滝の画像が汚れて見えますが、合成時に調整するのでこのままの状態で色補正などしないようにしましょう。

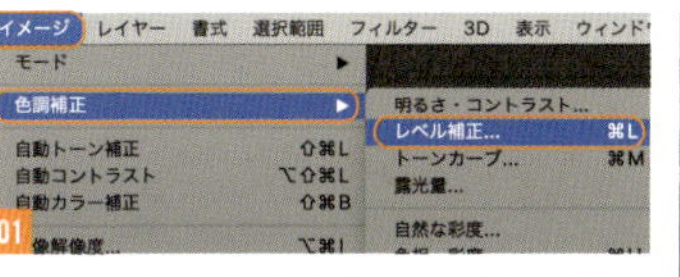

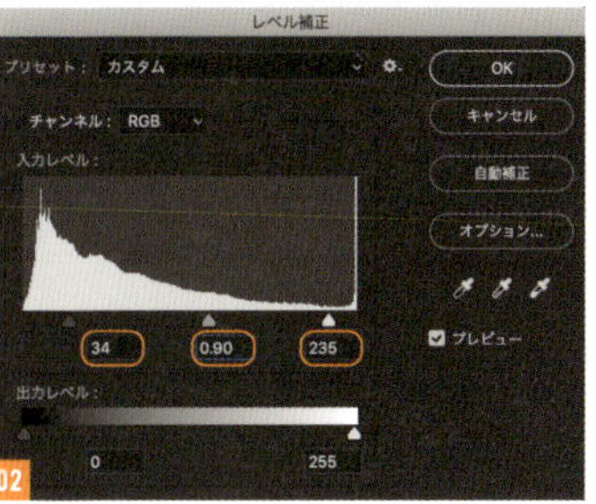

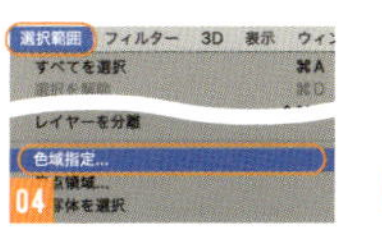

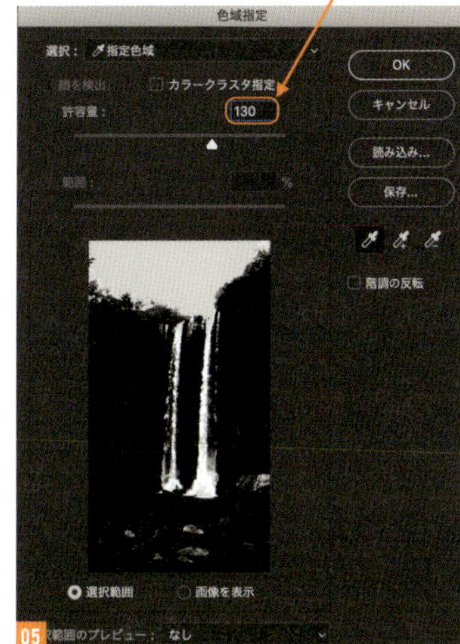

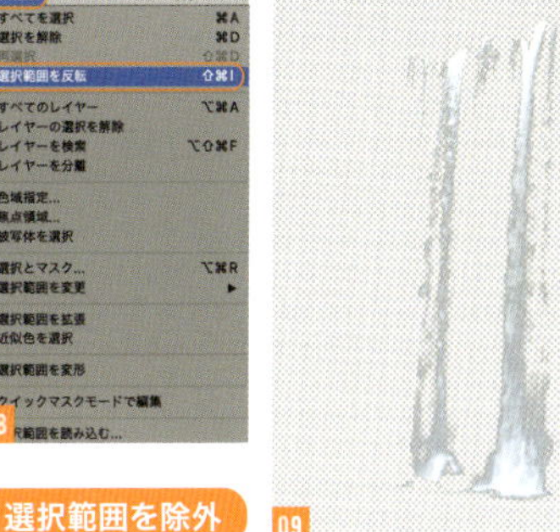

09

04 風景に滝を合成する

素材[風景.psd]を開き、切り抜いた滝の画像を重ねます 10 。レイヤー名を[滝1]とします 11 。
レイヤー[滝1]を選択し、[編集]→[自由変形]を選択し 12 、右側の崖に重ねます。縦横比は気にせず変形をかけましょう 13 。
レイヤー[滝1]の描画モードを[スクリーン]にします 14 15 。

10

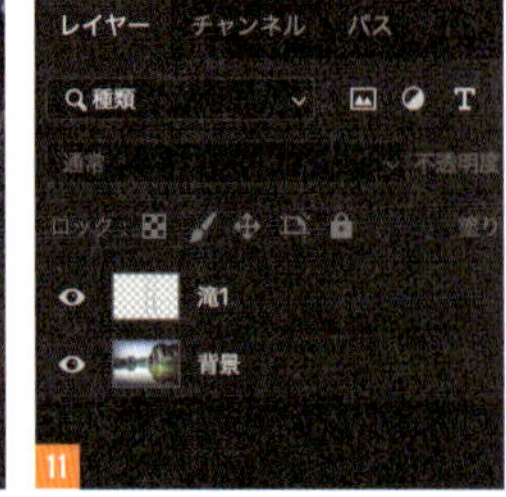

11

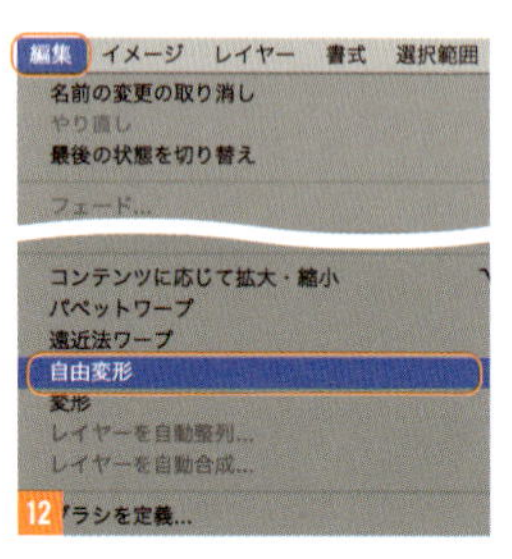

12

13

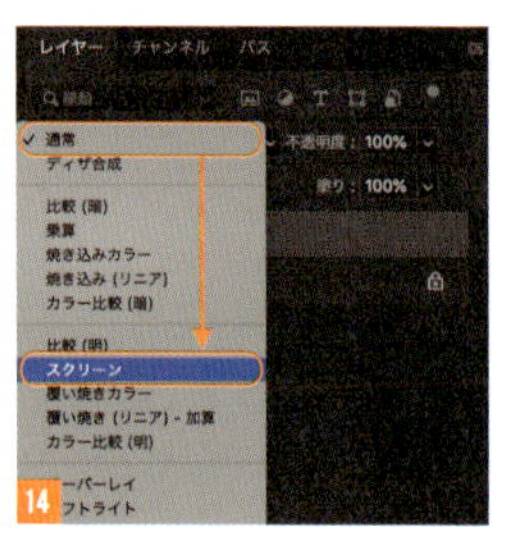

14

15

05 滝の不要な部分を消去する

[消しゴムツール]を選択し 16 、不要な部分を整えます 17 。
もう少し強い印象にしたいので明るさを調整します。
[レベル補正]を選択し入力レベル[0 : 1.60 : 255]としました 18 19 。

16

17

18

19

06 滝を複製し奥の崖にも滝を追加する

レイヤー[滝1]を複製し、レイヤー名[滝2]とします 20。手順04と同様に[自由変形]を選択しバウンディングボックスが表示中に[右クリック]→[水平方向に反転]を選択して反転し 21、22 のように左奥の崖に配置します。

複製した画像が並び不自然に見えるので、右側の滝は[選択ツール]や[消しゴムツール]など好みのツールで削除します 23。

20

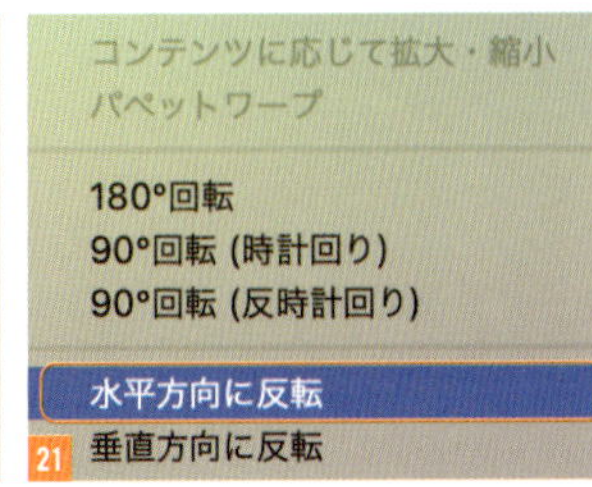

21

22

23

07 ブラシを使って滝のしぶきを追加する

最上位に新規レイヤーを作成し、レイヤー名[しぶき]とします 24。

[ブラシツール]を選択し、描画色白[#ffffff]とし、しぶきを描き込みます。

ブラシサイズを[150 pixel]前後の大き目のサイズとし、不透明度を[10%〜30%]と低めにし描き込みます 25 26。

描いたしぶきによってレイヤーの不透明度を調整してください。ここでは不透明度[90%]としました。

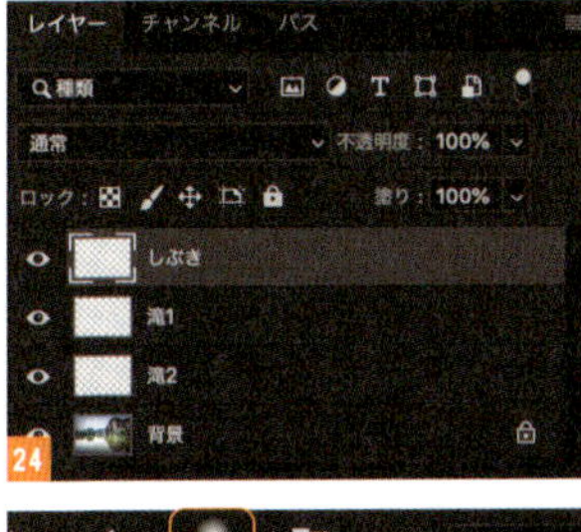

24

26

25

08 滝を水面に映り込んだように反転させる

レイヤー[滝1]と[滝2]を選択し[右クリック]→[レイヤーを結合]を選択し結合します。

レイヤーの描画モードが通常に戻るため、再度[スクリーン]を適用してください。レイヤー名は上位にあった[滝1]となります。レイヤー[滝1]を複製、下位に配置し[滝の映り込み]とします 27。

[自由変形]を使い、バウンディングボックスが表示中に[右クリック]→[垂直方向に反転]を選択し、28 のように配置します。レイヤーの不透明度を[30%]にしたら完成です 29。

27 28

29

Recipe

036

斜光の表現

雲模様から斜光を作成し、描画モードを使って
リアルな光を作成してみましょう。

Photo retouching

元画像

01 光が当たる面の窓を光らせる

素材[風景.psd]を開きます。[ペンツール]などを使い、右側の窓の選択範囲を作成します 01。
新規レイヤーを作成し上位に配置し、レイヤー名[窓の光]とします。
[塗りつぶしツール]を選択し、描画色白[#ffffff]と設定し、選択範囲を塗りつぶします 02。
レイヤー[窓の光]の描画モードを[オーバーレイ]にし、レイヤーの不透明度を[60%]にします 03。

01

02

03

02 雲模様を適用する

新規レイヤーを作成します。レイヤー名[斜光]とし最上位に配置します 04。
描画色と背景色を初期設定にしておきます 05。
[フィルター]→[描画]→[雲模様1]を選択します 06。
画面全体に雲模様が適用されます 07。
[イメージ]→[色調補正]→[2階調化]を選択し 08、[2階調化する境界のしきい値：128]とします 09。

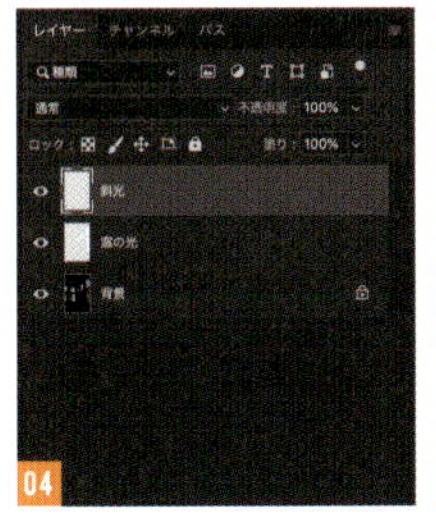

04

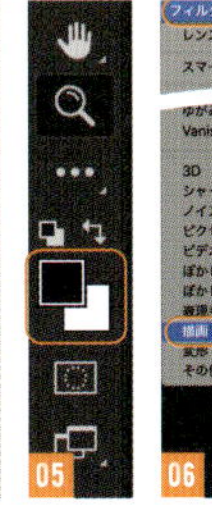
05

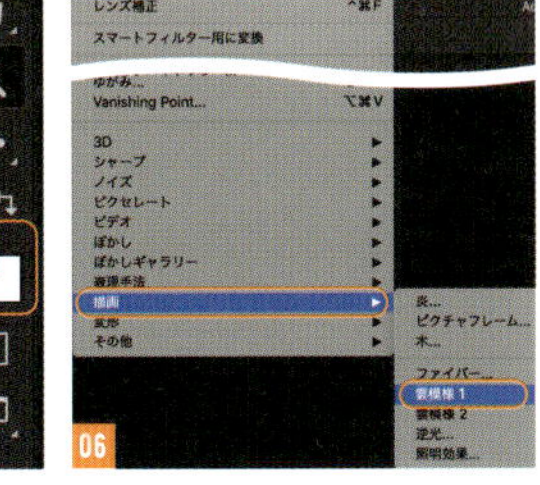

06

07

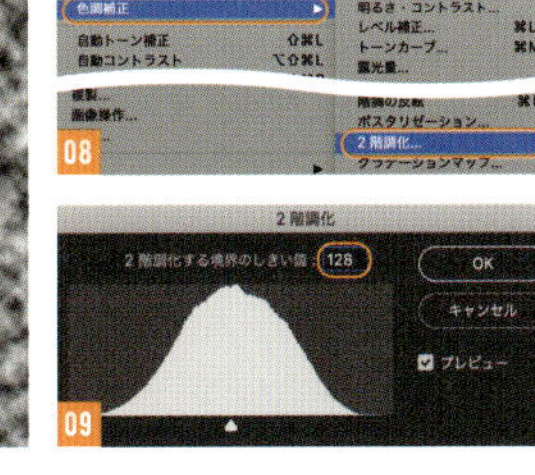

08
09

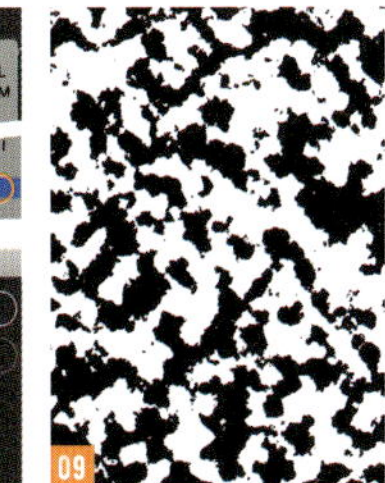
09

03 斜光を作成する

[フィルター]→[ぼかし]→[ぼかし(放射状)]を選択します 10。
パネルが開いたら、[量：100][方法：ズーム]とし[ぼかしの中心]をドラッグして右上に移動し適用します 11 12。
10、11 を再度適用します。
2度[ぼかし(放射状)]を適用することで、ムラが少なくなります 13。
レイヤーの描画モードを[スクリーン]にします 14。

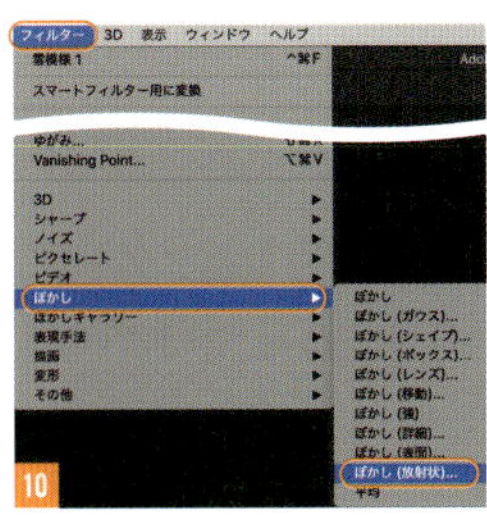

10

11

12

13

14

04 斜光にマスクを作成する

いったんレイヤー[斜光]を非表示にし[ペンツール]で斜光を表示したい部分のパスを作成し、選択範囲を作成します。窓から光が射しているように 15 のように作成しましょう。

非表示にしていたレイヤー[斜光]を表示し、レイヤーパネルから[レイヤーマスクを追加]を適用します 16。

窓から光が射したようにマスクが適用されました 17。

05 斜光の具合を調整する

現状ではレイヤーマスクの輪郭がくっきりしているので、ぼかしをかけてなじませます。

レイヤー[斜光]の[レイヤーマスクサムネール]を選択し 18、[フィルター]→[ぼかし(ガウス)]を[半径：10 pixel]で適用します 19 20。

ツールパネルから[グラデーションツール]を選択します。グラデーションのカラーは黒[#000000]から[透明]になるように選択します(プリセット名[描画色から透明に]) 21。

[レイヤーマスクサムネール]を選択した状態のまま、画面下から上半分にかけてドラッグし、マスクを追加します 22。

レイヤー[斜光]の[レイヤーサムネール]を選択します。[レベル補正]を出力レベルを[0：110]とします 23。

自然な印象になるように[レベル補正]を調整します 24。

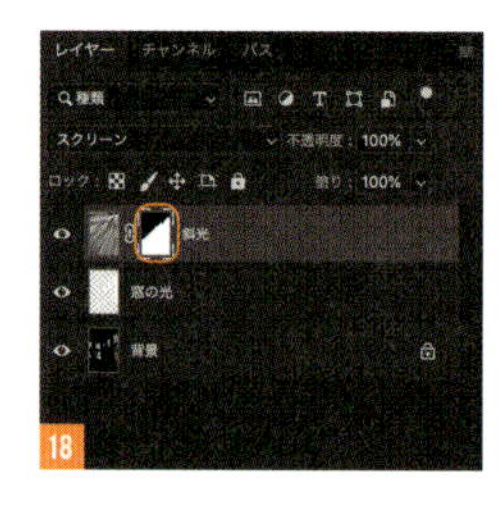

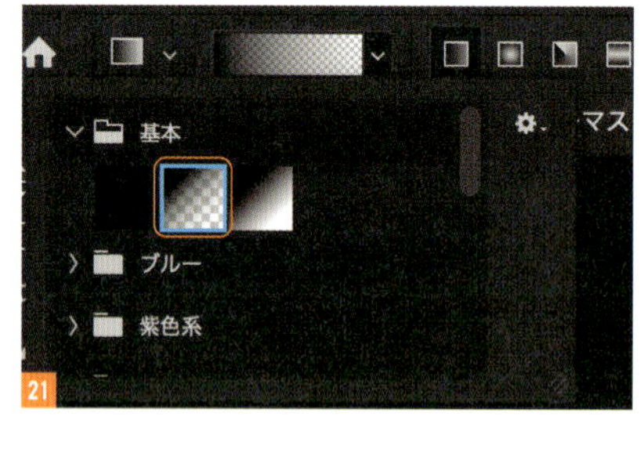

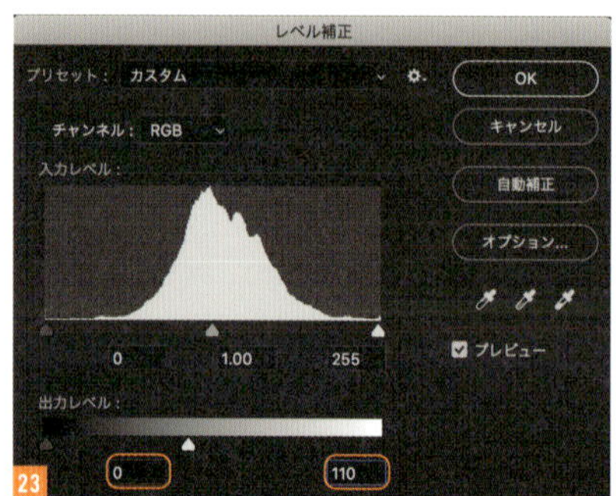

06 光の強さと色味を調整する

斜光の色と光の強さを調整します。ここでは光を強くし、イエローを足した光にしたいと思います。

レイヤー［窓の光］を複製し、下位レイヤーに配置します。

［色相・彩度］を選択し［色彩の統一］にチェックを入れ［色相：30］［彩度：80］［明度：-30］とします25。

レイヤー［斜光］も複製し、下位レイヤーに配置します。こちらはレイヤーの不透明度を［100%］、描画モードを［覆い焼きカラー］とします。

［色相・彩度］を選択し［色彩の統一］にチェックを入れ、［色相：40］［彩度：70］［明度：0］とします26。

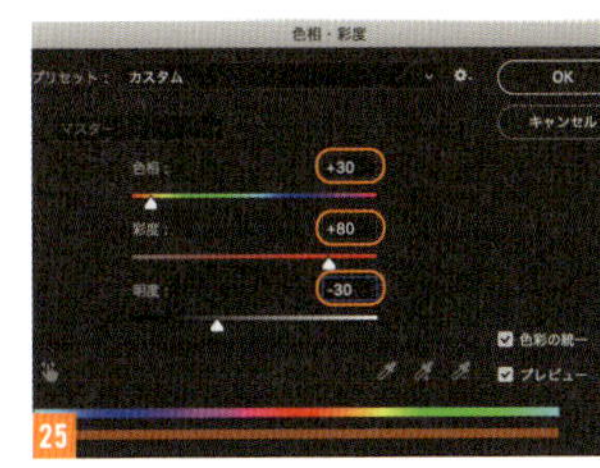

25

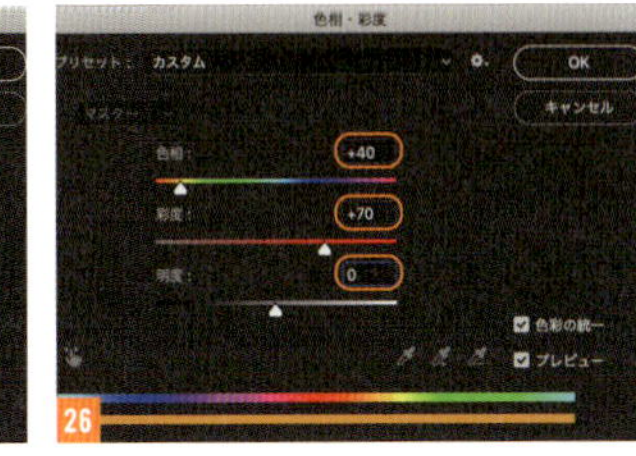

26

07 最後に床に影を描き足し完成

新規レイヤーを作成し、描画モードを［オーバーレイ］にします27。［ブラシツール］を選択し、光が壁に遮られていると思われる床に影を描き足しました28。

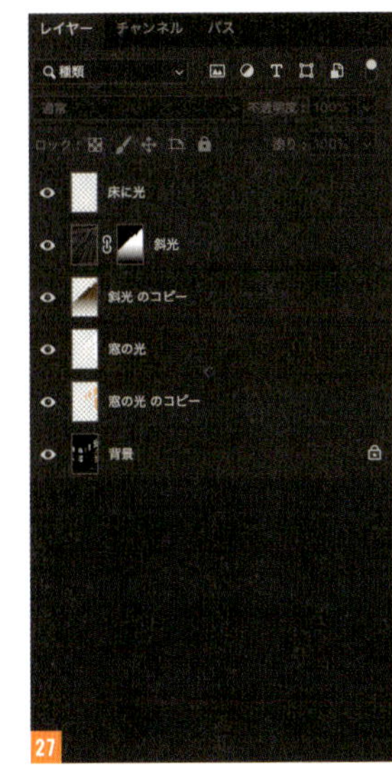

27

28

Column

マルチモニタのすすめ

Photoshopに慣れてくると、たくさんのパネルが画面を占領してしまい、ドキュメントウィンドウが狭いと感じる事が出てきます。

マルチモニターを使うことで、メインモニターはドキュメントウィンドウ、サブモニターに各パネルを配置といったように用途に合わせて広い画面で効率よく制作作業をすることができます。

マウスとマウスパッドと同じく作業効率アップが期待できるおすすめの製品です。

筆者はトリプルモニターを使い、左のモニターには写真素材や資料を並べ、中央モニターにドキュメントウィンドウ、右モニターに各種パネルを並べて制作しています。

※ご使用のコンピュータによってはマルチモニタ対応のビデオカード（グラフィックボード）が必要になる場合がありますので、導入を検討する際は事前にコンピュータのスペックを確認しましょう。

Recipe

037

遠近法ワープ

遠近法ワープを使って建物の立体感や、カメラの撮影位置を変えたような大胆な加工が可能です。

Photo retouching

01 遠近法ワープを使い建物のパースを変える

素材[建物.psd]を開きます。[編集]→[遠近法ワープ]を選択します 01。

オプションバーの[レイアウト]が選択されていることを確認してください 02。

元画像

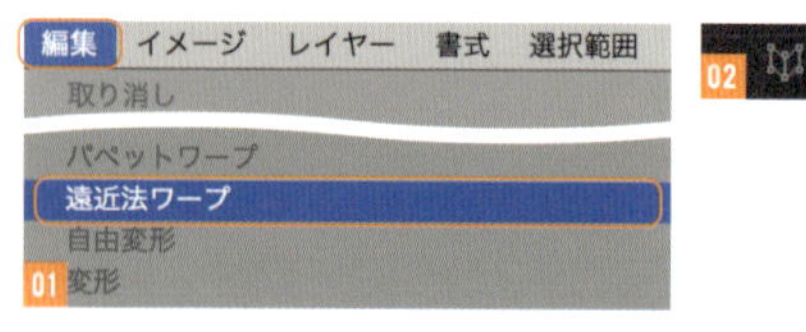

02 建物の分割線を設定する

建物の立体感に合わせてグリッドを作成します。グリッドは、クリックしながらドラッグすることで作成できます。

[遠近法ワープ]を使うには2つ以上の面が必要なため 03 の位置を分割線として、グリッドを作成します。

03 建物の立体感に合わせてグリッドを作成する

建物中央を分割線として、左側にグリッドを作成します 04。
分割線の右側にもグリッドを作成します。左側のグリッドの近くにグリッドを作成すると自動的に 05 のように2つのグリッドがくっついた状態になります。
建物の立体感に合わせて、各ポインタを移動します。この時、建物のライン近くでグリッドをつくらず、06 のように、余裕を持たせてグリッドを移動しましょう。

04

05

06

04 建物の立体感を変える

オプションバーの［ワープ］を選択します 07。それぞれのポインタは独立して動かすことができますが、Shift キーを押しながら中心の線を選択すると、黄色いラインが表示されます 08。
この状態で、上下どちらかのポインタを左に動かします 09。Return（Enter）キーを押して確定します。

07

08

09

05 切り抜きツールでトリミングしたら完成

ツールバーの［切り抜きツール］を選択します 10。ゆがんでいる部分や切れている部分がないようトリミングします 11。
建物を右側から撮影したような写真に加工することができました 12。

10

11

12

Recipe

038

リアルな煙を作る

様々な方法で煙を作成できますが、ここでは複数の手順でよりリアルな煙を作成をしてみましょう。

01 雲の画像からオリジナルのブラシを作成する

素材[雲.psd] を開きます。背景レイヤーをダブルクリックし、雲レイヤーにします。[なげなわツール] を使ってムラ感のある雲部分を選択し切り抜きます 01 。

ブラシとして使用するのでできるだけ円形になるようにしましょう 02 。

[レベル補正] を使ってコントラストを高くします。入力レベルを[20 : 0.50 : 210] としました 03 04 。

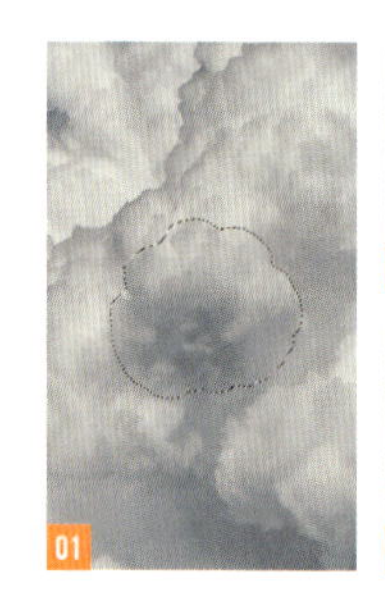

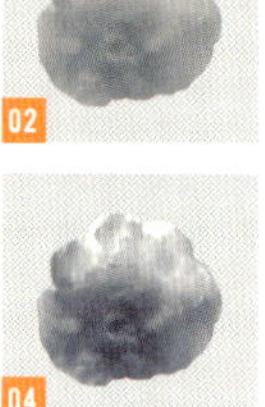

02 オリジナルのブラシを作成する

背景は透明にしておき [編集] →[ブラシを定義] を選択します 05 。

ブラシ名パネルが表示されるので [名前 : 雲ブラシ] としました 06 。

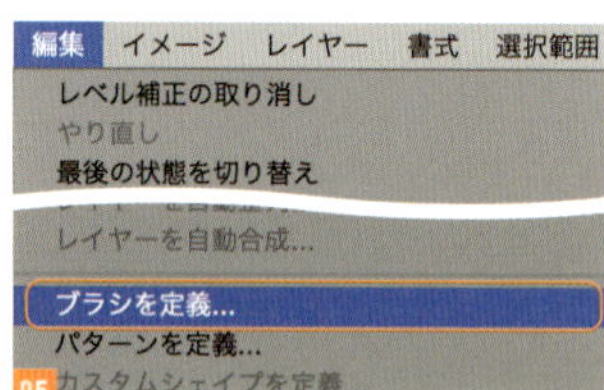

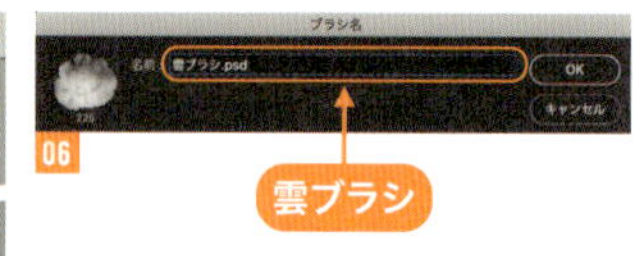

03 レイヤーを作成し、雲ブラシを選択する

素材[工場.psd] を開きます。上位に新規レイヤーを作成し、レイヤー名[煙] とします。

[ブラシツール] を選択し描画色は黒を選択します。先程作成した [雲ブラシ] を選択し [直径 : 30px] とします 07 。

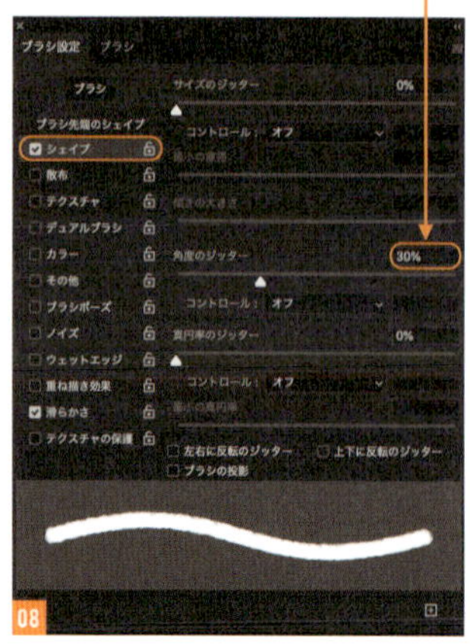

04 角度のジッターを指定する

前ページの 08 のようにブラシパネルの［シェイプ］を選択し［角度のジッター：30%］とします。角度のジッターを指定することで、描画するたびにブラシが回転します。

煙突の先端部から煙を描きます 09。煙が広がっていくイメージで煙突の先端から徐々にブラシサイズを大きくしながら描きます 09。

線を引くように描かず、点描することと、ムラ感がある様に描くことがポイントです 10。

05 雲模様フィルターをかけ、形を整える

レイヤー［煙］を選択し、レイヤーサムネール上で［⌘（Ctrl）キー＋クリック］をし、選択範囲を作成します 11。

［フィルター］→［描画］→［雲模様 1］を選択します 12 13。

次に、［フィルター］→［ぼかし］→［ぼかし（ガウス）］を［半径：2.0pixel］で適用します 14。

［消しゴムツール］を選択し、不透明度を［30%］前後にし、ムラ感を増すために、煙の輪郭をぼかす様に消していきます 15。

06 煙に陰影を付けて完成

ツールパネルから［覆い焼きツール］を選択し光を足します 16。オプションバーは［範囲：中間調］［露光量：100%］とします 17。煙の右側にムラ感があるように描画します 18。

ツールパネルから［焼き込みツール］を選択し影を足します 19。オプションバーは先程と同様に［範囲：中間調］［露光量：100%］とし 20、煙の左側に描画します。

全体の具合を再度見て［覆い焼きツール］［焼き込みツール］で陰影を［消しゴムツール］で形やムラ感を調整したら完成です 21。

09

10

11

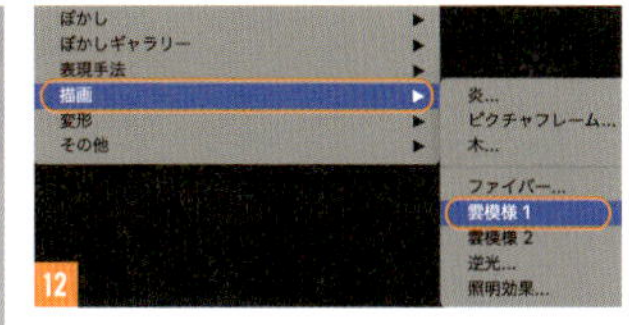

12

13

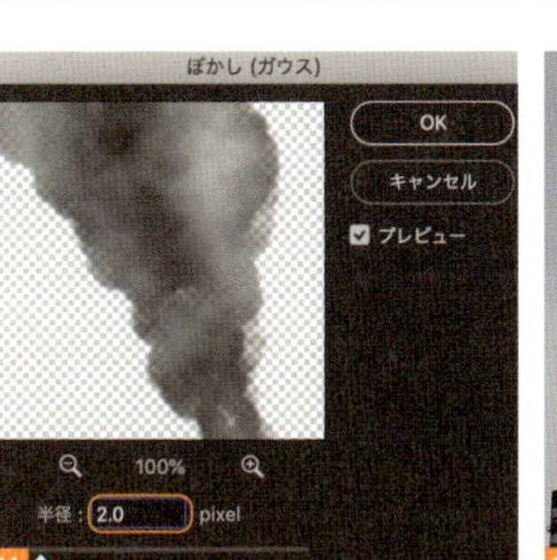

14

15

16

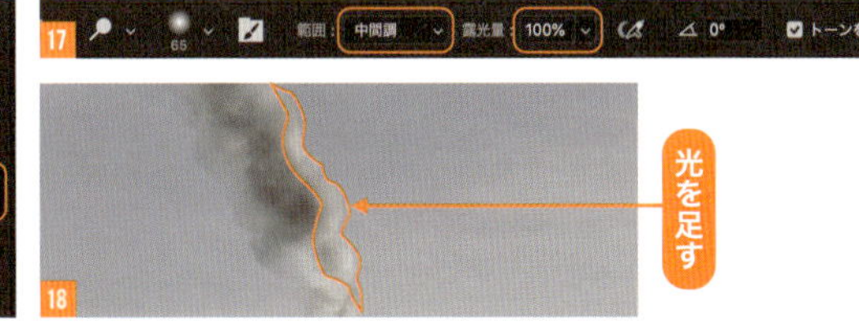

17

18

19

20

21

Recipe

039

水面に浮かぶ月

月の画像にゆがみや変形を加え、水面に映り込んだ様子を再現してみましょう。

Photo retouching

元画像

01 月に変形をかけ、水面のパースと合わせる

素材[風景.psd] を開き、素材[月] を移動させます 01。
[自由変形] を選択し、バウンディングボックスが表示されている状態で [右クリック] →[自由な形に] を選択します 02。
水面に映る月をイメージし 03 のように変形します。

02 月にゆがみを加え、波紋を再現する

[フィルター]→[ゆがみ]を選択し 04 [ブラシツールオプション]タブを開き、波紋を意識しながら[サイズ：50]程度で月をドラッグして歪みを加えます 05。
レイヤーの描画モードを[スクリーン]とし水面に揺らぐ様子が再現できました 06。

03 月の光を加える

最上位に新規レイヤーを作成し、レイヤー名[月の光1]とし、さらに上位に[月の光2]を作成。どちらもレイヤーの描画モードを[オーバーレイ]にします 07。
レイヤー[月の光1]は月の輪郭部分をブラシを使い描画色白[#ffffff]で描き込むことで光らせます。レイヤーの不透明度は[60%]としました 08。
次に[月の光2]も同様に、ブラシを使い白で月周辺を広めに描画します。こちらもレイヤーの不透明度を[60%]とします 09。

04 月を水面になじませて完成

レイヤー[月]を選択し[イメージ]→[色調補正]→[カラーバランス]を選択し、階調のバランスのシャドウにチェックを入れ、カラーレベル[-40：0：+70]とし 10、シャドウ側の青みを足します。
次に[イメージ]→[色調補正]→[レベル補正]を選択し、入力レベルを[0：0.5：255]とし、コントラストを高くします 11。
また、月にシャープな印象があるので[フィルター]→[変形]→[波形]を選択し 12、波数[20]、波長[最小：1 最大：60]、振幅[最小：1 最大：80]、比率[水平：100 垂直：1]とします 13。
手順02で加えた歪みにさらに、細かな歪みが加わりました 14。レイヤーの不透明度を[65%]として完成としました 15。

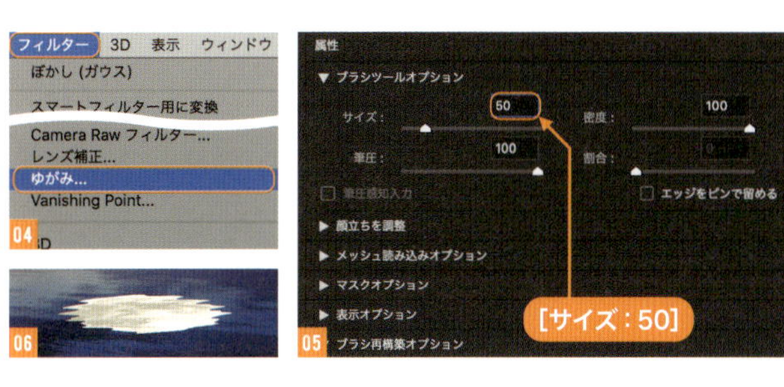

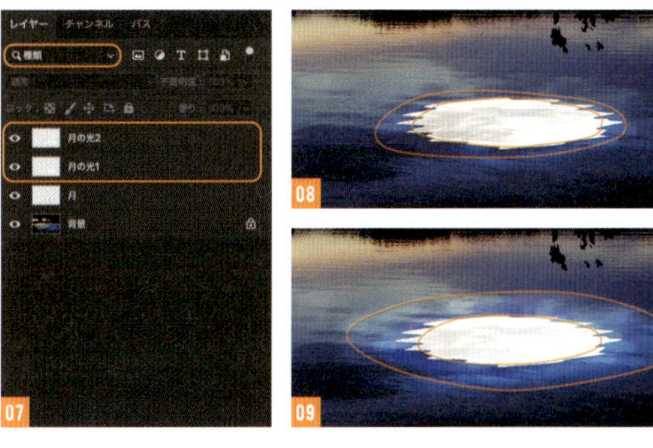

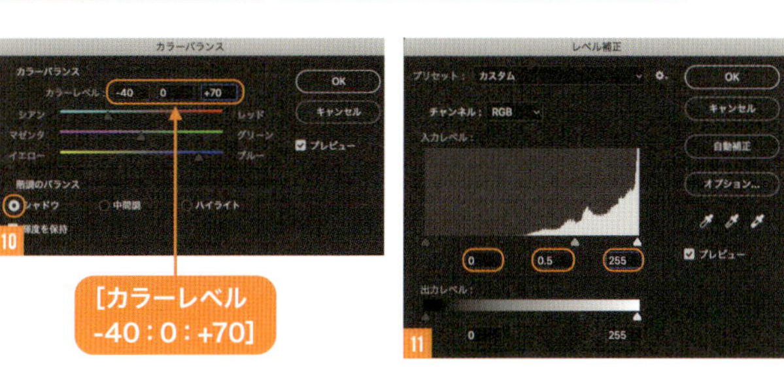

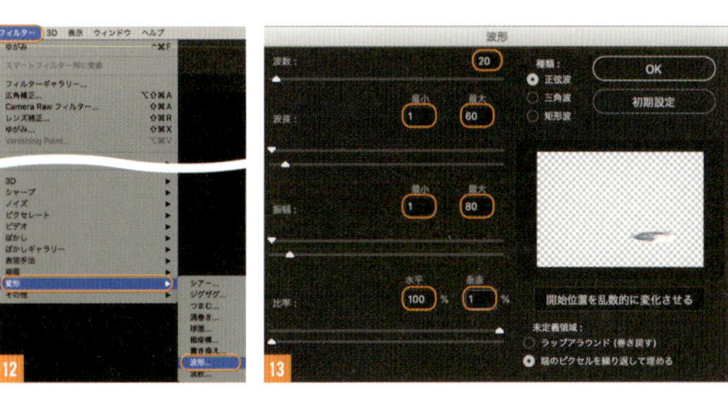

15

Recipe

040

舞い散る花びらで遠近感を表現する

花びらが舞い散る様子で遠近感を表現します。位置によってぼけ加減や明るさを変えて、空気感のある風景を制作します。

Photo retouching

元画像

01 花びらのおおまかな位置を決めながら配置する

素材[背景.psd]を開き[花びら.psd]からレイヤー[花びら1〜6]を移動させ配置します 01。
それぞれの花びらは[自由変形]を使い拡大、縮小、回転、反転などの操作を使い、サイズと位置を決めていきます 02。

Shortcut

自由変形：⌘(Ctrl)キー＋Tキー

02 位置によってぼかし(移動)の加減を変える

レイヤー[花びら1]を選択し[フィルター]→[ぼかし]→[ぼかし(移動)]を選択します 03。
花びらが舞う動きを出したいので[角度:45°][距離：40pixel]とします 04。
斜め45度にぶれたようにフィルターを適用しました 05。
レイヤー[花びら2]を選択し、同様に[ぼかし(移動)]を適用します。[角度:-45][距離:20]とし、移動の方向と変え、ぼかし加減(距離)を少なくしています 06。
ぼかしの[角度]に決まりはありません。角度を変えプレビューを確認しながら、雰囲気のよい角度にしましょう。

03 木の陰になっている部分のぼかしと明るさを調整する

次に画面右下に配置したレイヤー[花びら4]を選択します。木の陰になっている位置に配置したので、背景に合わせて暗くします。
まずは同様の手順で[ぼかし(移動)]を[角度：-68°][距離：20pixel]で適用します 07。
[イメージ]→[色調補正]→[レベル補正]を選択し、出力レベルを[0：125]とします 08。
花びらに木の影がかかったように表現できました 09。
花びらの数を増やし、サイズ、ぼかし、明るさを調整すると 10 のようになります。

01

02

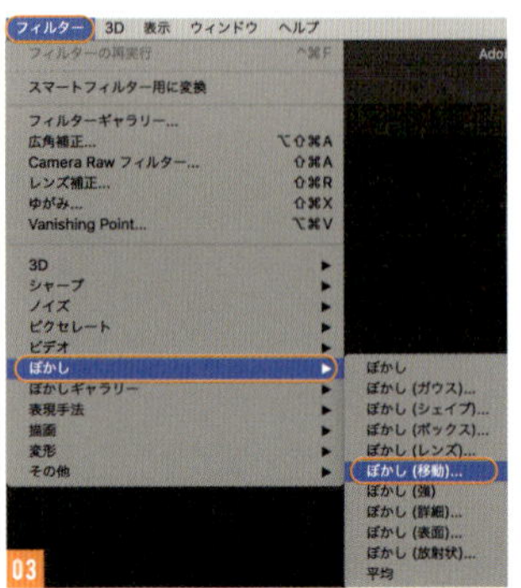

03

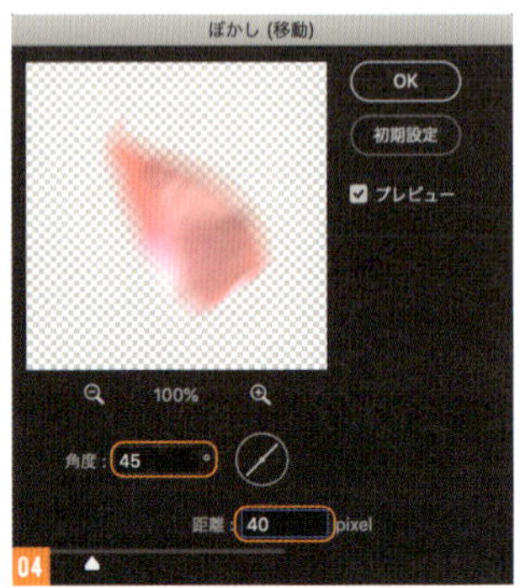

04

05

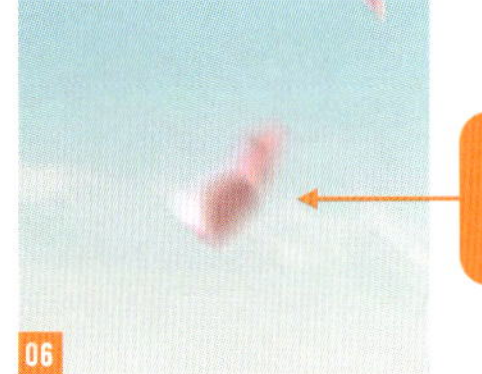
06

ぼかし(移動)、[角度：-45][距離：20]を適用

07

[角度：-68][距離：20]を適用

08

09

影がかかった

10

花びらの数が増えた

04 花びらにワープをかけて形を作る

左下に配置したレイヤー[花びら3]を選択します。[自由変形]を使いバウンディングボックスが表示されたら[右クリック]→[ワープ]を選択します。ワープでの編集モード 11 に入ったら、各ハンドルを動かし様々な形に変形してみましょう。ここでは、花びらの動きを意識して、手前にめくれているようなイメージでワープをかけてみました 12。これまでと同様に[ぼかし(移動)]も[角度：73][距離：30]で適用します 13。

05 遠くの花びらは浅い色にして距離感を出す

レイヤー[花びら6]を選択します。[自由変形]を使って遠くに小さく配置し遠近感を出してみましょう。14 くらい小さく配置したら[レベル補正]を開き、出力レベルを[140：235]とし 15、[ぼかし(移動)]を[角度:-60°][距離:7pixel]とします。遠くにあるような薄い印象になります 16。

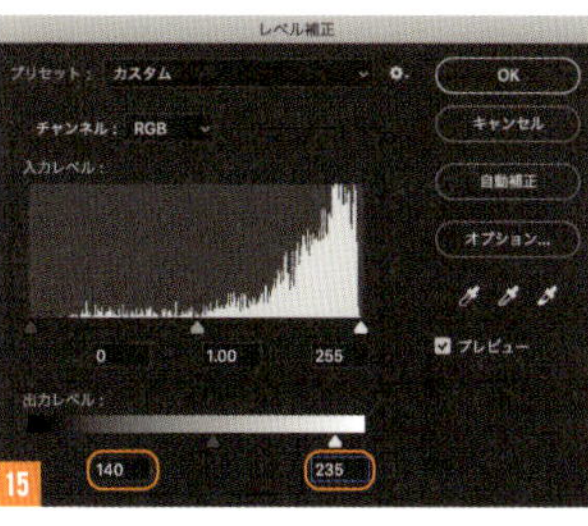

06 手順02〜05を駆使して花びらを増やし動きを意識して配置する

[自由変形]や[ワープ]などの変形と[ぼかし]、[レベル補正]を使い、花びらの舞い散る様子を作っていきます 17。花びらの配置は桜の木を中心に渦をまくような動きを意識して配置しています。
仕上げに花びらのレイヤーを1つに統合し、レイヤー名[花びら]とし、レイヤーパネルの調整レイヤー作成ボタンから[自然な彩度1]を[自然な彩度：+90][彩度：+3]で追加、同じく調整レイヤー作成ボタンから[トーンカーブ1]、中央にポインタを追加し[入力：120][出力：137]としました 18 19。

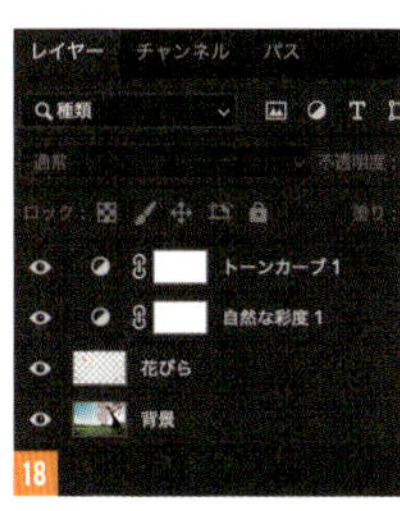

Point

花びらをランダムに配置するのではなく、ラインを描くように規則性をもたせて配置すると動きが出やすいです。
また、手前に大きく花びらを配置したり、影になっている場所を暗くする加工は加減が難しいのですが、画面を引いて全体をよく観察しながら配置や色補正をすることで全体のイメージが掴みやすくなります。

Recipe 041

水中と陸上を合成したファンタスティックな作品

水上と陸上の写真を合成して、ファンタスティックな風景を作成してみましょう。

Photo retouching

01 グラデーションを使って、背景となる夜空を作成する

素材[風景.psd]を開きます。レイヤーパネルの調整レイヤー作成ボタンから[グラデーション]を選択し[グラデーションで塗りつぶし]パネルを開いたら[スタイル：円形][角度：90°][比率：300%]とします 01。表示されているグラデーションをクリックし、[グラデーションエディター]ウィンドウを開きます 02。

夜の空を再現したいので、カラーの分岐点を左から[位置：0%]に[カラー：#8476a2]、[位置：17%]に[カラー：#1f1f76]、[位置：32%]に[カラー：#060617]とします。不透明度の分岐点は[位置：0%][位置：100%]とし、どちらも[不透明度：100%]とします。[OK]を押し確定すると、[グラデーションで塗りつぶし]パネルに戻ります。薄紫から濃い紫の円形のグラデーションが中央から外に向けて作成されます 03。レイヤー名は自動で[グラデーション1]となります。

下位レイヤーに配置し、レイヤーサムネールをダブルクリックし[グラデーションで塗りつぶし]パネルを表示させます。04 のように灯台と島の後ろから円形にグラデーションが広がるようにカンバス上でドラッグしグラデーションの位置を調整します。

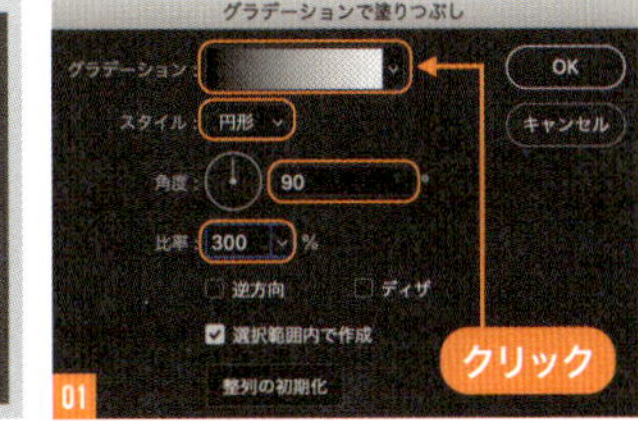

Point

[グラデーションで塗りつぶし]パネルが表示されている状態でないとグラデーションの位置をドラッグして移動することはできません。

02 さらにグラデーションを重ねる

レイヤー[グラデーション1]を選択した状態で、手順01と同じように、レイヤーパネルの調整レイヤー作成ボタンから[グラデーション]を選択します。自動的にレイヤー[グラデーション1]の上位に配置され、レイヤー名[グラデーション2]となります 05。

[グラデーションで塗りつぶし]パネルを開いたら[スタイル：線形][角度：90°][比率：100%]とします 06。

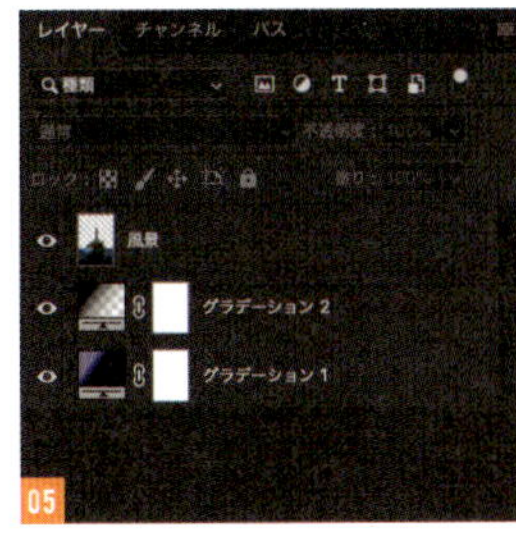

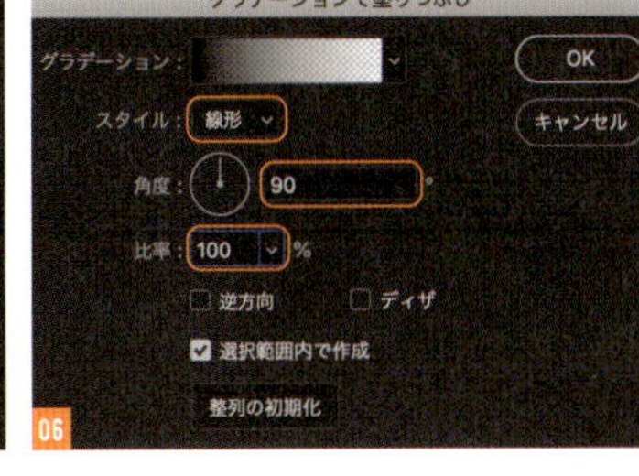

[グラデーションエディター]ウィンドウを開き、カラーの分岐点を[位置：0%]に[カラー：#fdc6b3]とします。不透明度の分岐点を[位置：0%]に[不透明度：100]、[位置：12%]に[不透明度：0]とし、[OK]を選択します07。

[グラデーションで塗りつぶし]パネルに戻りますので、カンバス上でドラッグし08のように位置を調整します。

03 夜空に星を追加する

レイヤー[風景]の下位に、新規レイヤーを作成しレイヤー名[星]とします09。

塗りつぶしツールを使って白[#ffffff]で塗りつぶします10。

描画色白[#ffffff]、背景色黒[#000000]とします11。

[フィルター]→[フィルターギャラリー]を選択します12。[スケッチ]内の[ちりめんじわ]を選択し[密度:45][描画レベル:0][背景レベル:0]とします13。適用したら、次に[レベル補正]を入力レベル[43：0.69：121]とします14。

コントラストが高くなり、小さな白い粒は薄くなり、大きな白い粒が強調されます15。

現状では粒感が強いので、[ぼかし(ガウス)]を[半径：0.5 pixel]で適用しなじませます16。

レイヤー[星]の描画モードを[スクリーン]とし、手順02のグラデーションとなじませます17。

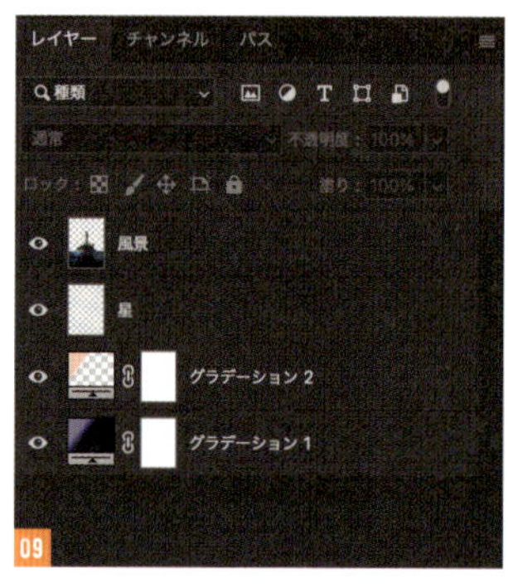

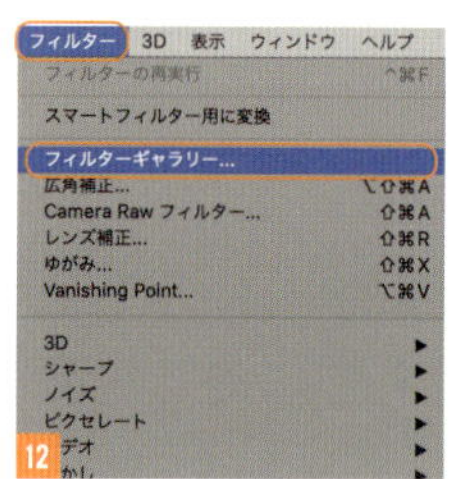

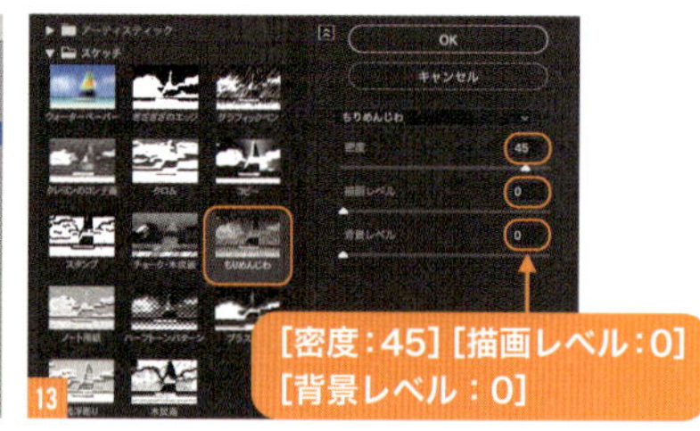

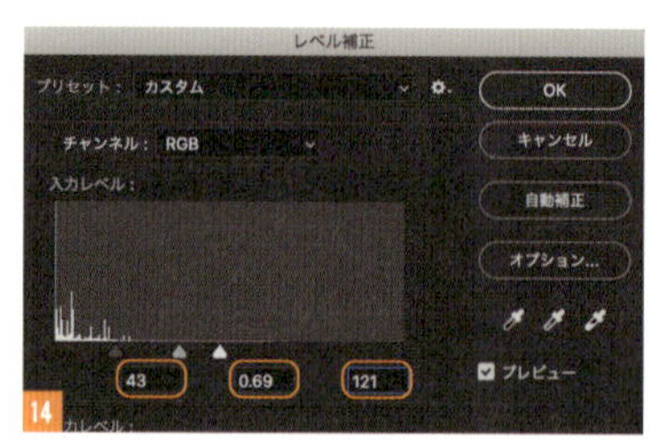

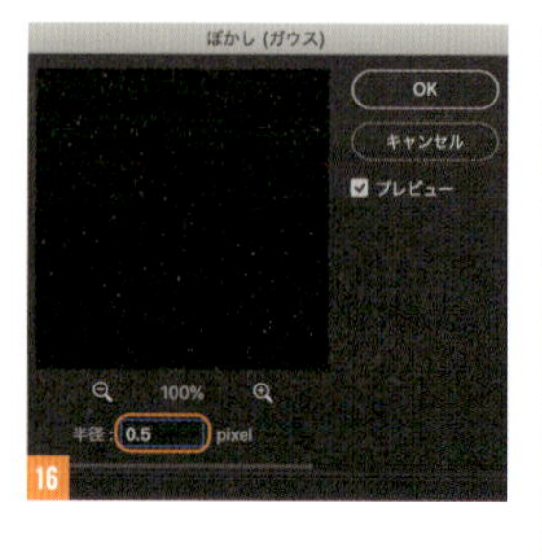

04 水中の画像を合成する

素材[素材集.psd]を開き、レイヤー[水中]をレイヤーの最上位に移動し、画面下に配置します18。このままでは水上と水中の境界が不自然なので境界を作っていきます。
レイヤー[水中]を選択した状態で[なげなわツール]を使い、波をイメージして選択範囲を作成します19。
レイヤーパネルから[レイヤーマスクを追加]を選択しマスクを追加します20 21。
さらに上位に新規レイヤーを追加し、レイヤー名を[境界線]とします22。
[ブラシツール]を選択し描画色を白にして水面との境界線を描画します。ブラシの不透明度とサイズを変えながら、ムラがあるように塗り重ねます。[消しゴムツール]を使い不透明度を低くしたり、高くしたりと調整しながら消すことでもムラ感を出すことができます23。

Point

うまくブラシを塗れなかった時は⌘(Ctrl)キー+Zキーで操作を取り消して作業をスピーディーに進めるといいでしょう。

05 岩が水中にだけ見えるようにマスクを追加する

[素材集.psd]から、レイヤー[岩]を移動させ、レイヤー[水中]の上位に配置します24。
水中にのみ岩が見えるようにしたいので、レイヤー[水中]のレイヤーマスクサムネールを選択し、Option(Alt)キーを押しながらレイヤー[岩]にドラッグします。レイヤーマスクが複製されます25。

Point

レイヤーとレイヤーマスクの間にあるリンク(鎖マーク)は解除しておきましょう。
リンクされていると移動した際にマスクも一緒に移動してしまいます。

18

19

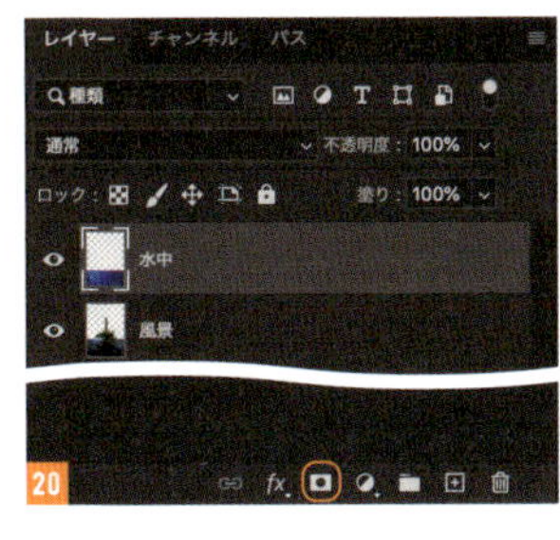

20

21

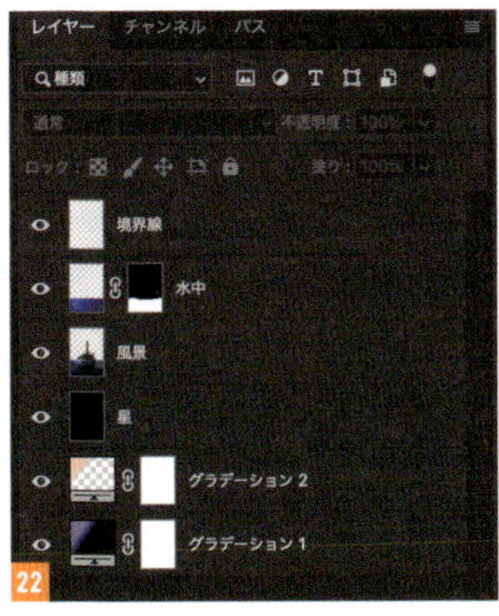

22

23

24

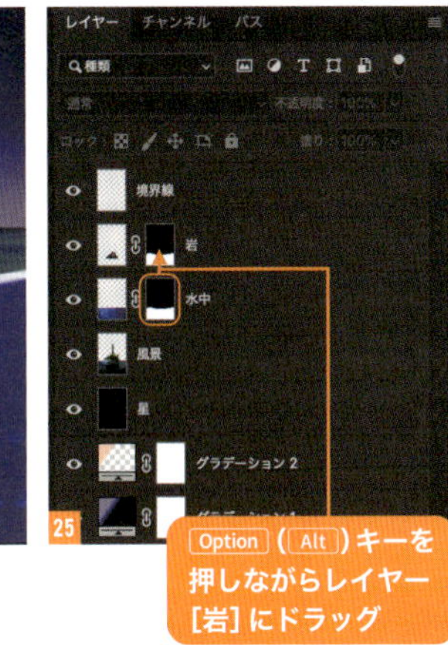

25

06 水中の色味に合わせてカラー補正し、不透明度を変えることで水中になじませる

レイヤー[岩]を垂直方向に反転し、位置を整えます26。灯台のある島の水中の状態をイメージしています。

このままの色味では水中にあるように見えないので[カラーバランス]を選択し、階調のバランス[シャドウ]をカラーレベル[-20：0：+30]27、階調のバランス[中間調]を[0:0:+50]28とし、シャドウにシアンとブルー、中間調にブルーを足しました。カラーバランスを調整したら、レイヤーの不透明度を[70%]とし海の色となじませます29。

[素材集.psd]からレイヤー[亀][魚]も移動させて配置します30。

同じ要領で[カラーバランス]と[不透明度]を変更しますが、配置する素材の距離感を意識してください。

最も奥に配置したレイヤー[岩]を基準に補正していきます。

レイヤー[亀]は一番手前にあるので各補正はかなり控えめに、少し奥に配置したレイヤー[魚]には控えめにといったように、配置する素材の位置に気を付けて補正します31。

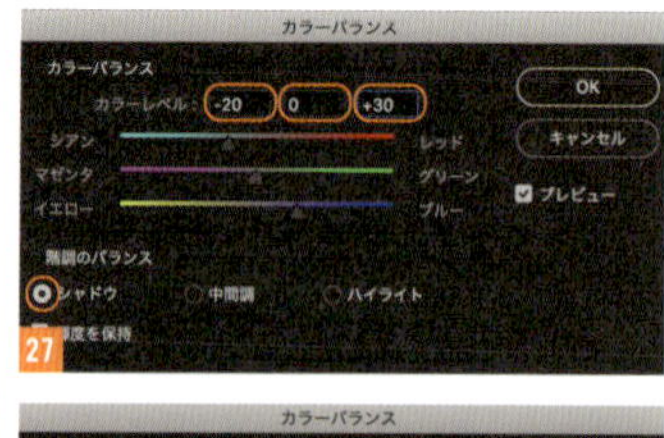

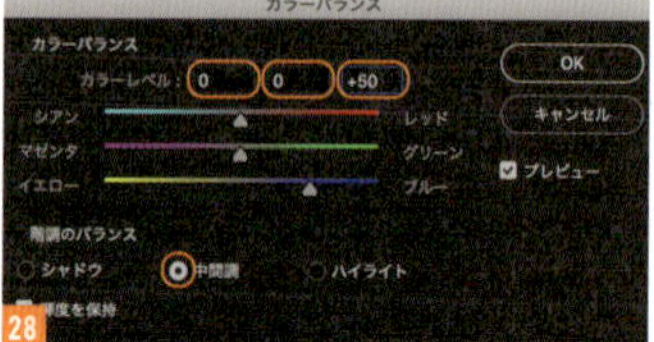

07 好みの位置に各素材を配置したら完成

レイヤー[風景]は[カラーバランス]を使ってイエロー系・レッド系をおさえました。

カラーレベル[-55：0：+65]としています32 33。

各素材を好みの位置に配置したら、再度全体の明るさやカラーバランスを整えます34。

[ブラシツール]で雲を描き込んだり、レイヤーの描画モード[オーバーレイ]を使って光の演出をしたり、といった加工をして完成させました35。

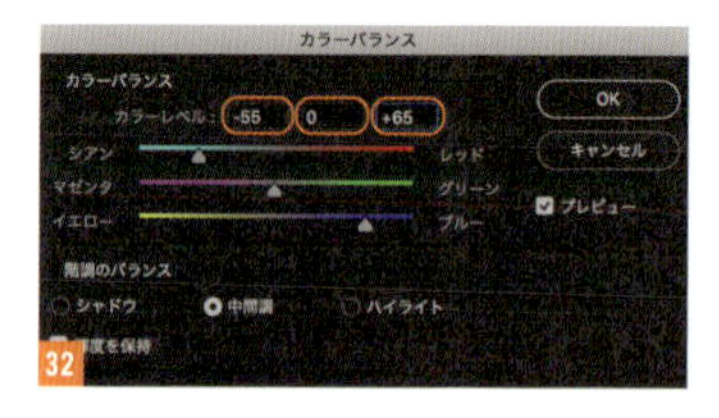

Chapter 03

人物のレタッチ

丁寧なレタッチは広告のクオリティをより高いものにしてくれます。
肌や唇をなめらかにしたり、髪の色を変えたりといったパーツごとの定番レタッチと、ポートレートの写真に加工を加え、高級感や深みを演出する手法を紹介します。

Photoshop Recipe

Recipe

042

光沢感のないマットな写真に仕上げる

ファッション誌で見かけるような、光沢を抑えたマットな質感の写真を作ります。

Photo retouching

元画像

01 トーンカーブの新規調整レイヤーを追加する

素材[人物.psd]を開きます。[レイヤー]→[新規調整レイヤー]→[トーンカーブ]を選択します 01。
トーンカーブの新規調整レイヤーが追加されました 02。

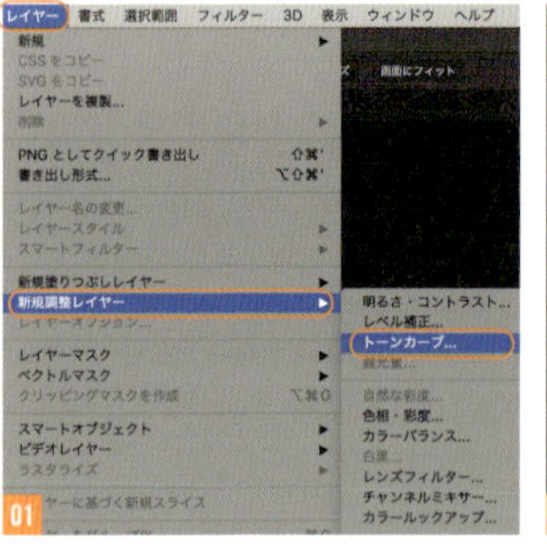

Point

新規調整レイヤーはレイヤーパネル下部の調整レイヤー作成ボタン(塗りつぶしまたは調整レイヤーを新規作成)からも同様に追加できます。使いやすい方を選ぶとよいでしょう。

02 トーンカーブを使って浅い階調に補正する

レイヤー[トーンカーブ1]のレイヤーサムネールをダブルクリックすると、トーンカーブのダイアログボックスが表示されます03。

トーンカーブの左下のポインタを選択し上に移動します。[出力：50]としました04。

シャドウをハイライト側に移動させることで浅い階調になります05。

このままでは階調が浅くなりすぎているので、シャドウ側にポインタを設定し[入力：70][出力：70]とします06。

シャドウ側にポインタを追加したことで、浅い階調を保ったままコントラストのある加工ができました07。

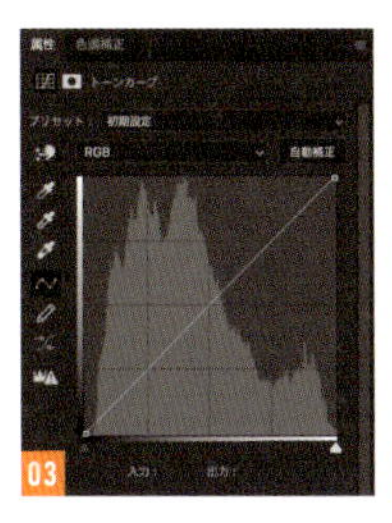

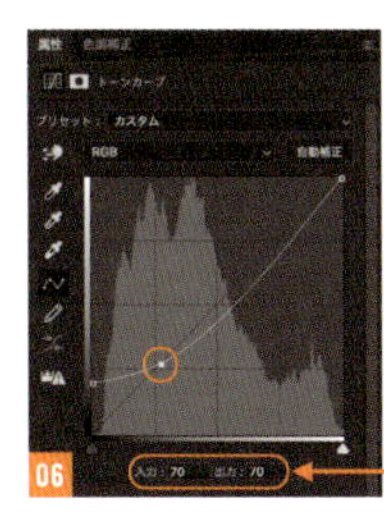

03 彩度を落としたら完成

[レイヤーパネル]→[塗りつぶしまたは調整レイヤーを新規作成]→[自然な彩度]を選択します08。

自然な彩度の新規調整レイヤーが追加されました09。

レイヤー[自然な彩度1]をダブルクリックし表示される属性パネルのダイアログボックスを[自然な彩度：-15]とします10。

光沢感を抑えたマットな質感の写真に仕上がりました11。

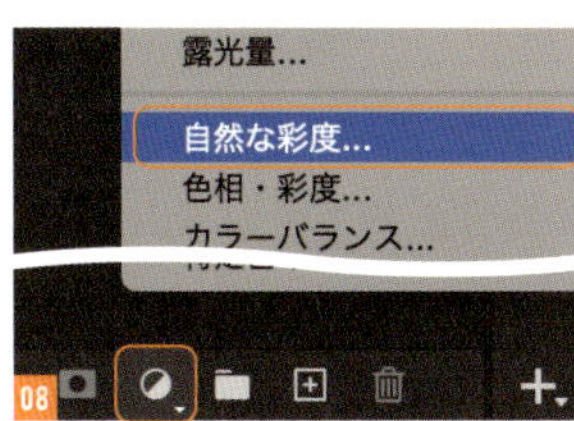

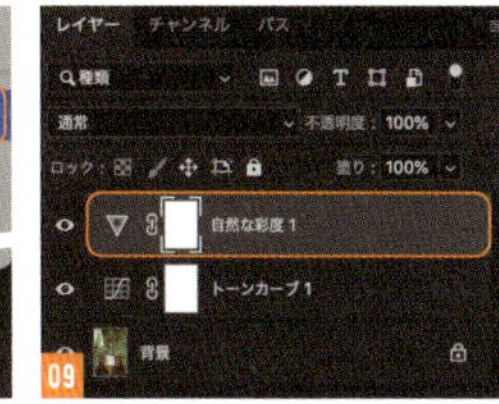

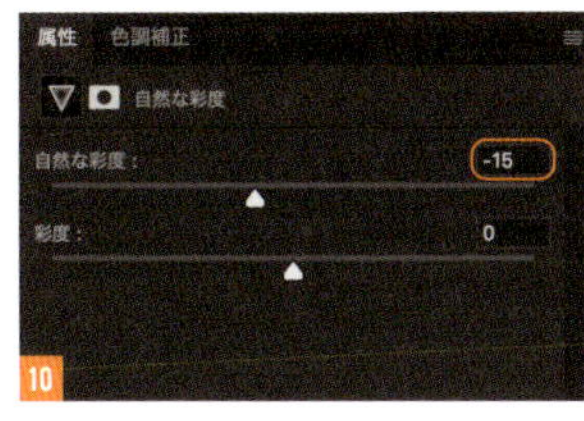

Column

[彩度]と[自然な彩度]について

[彩度]は画像全体の彩度を均一に調整します。[自然な彩度]は彩度の高いカラーへの影響が少なく、彩度の低いカラーに対して調整します。彩度が低い写真や、複数のカラーを持った写真を自然に補正したい時には[自然な彩度]が有効です。

元画像

彩度：100%
全体の彩度が均一に上がる

自然な彩度：100%
彩度の高い花の赤への影響は少なく、葉の緑の彩度が上がる

Recipe

043

深みのある モノクロ写真にする

陰影を意識して補正することで、より深みのあるスタイリッシュなモノクロ写真に加工してみましょう。

Photo retouching

01　グラデーションマップを使いモノクロ画像を再現する

素材[人物.psd]を開きます。レイヤーパネル内の調整レイヤー作成ボタンから[グラデーションマップ]を選択します 01。

プリセットの[グラデーション名：黒、白]を選択します 02。

カラー写真がモノクロ写真になりました 03。

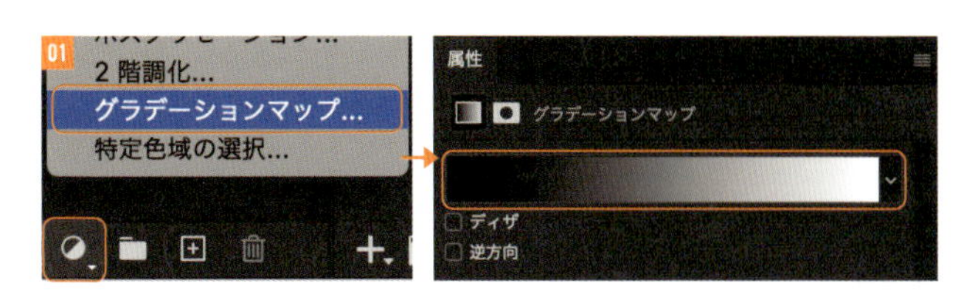

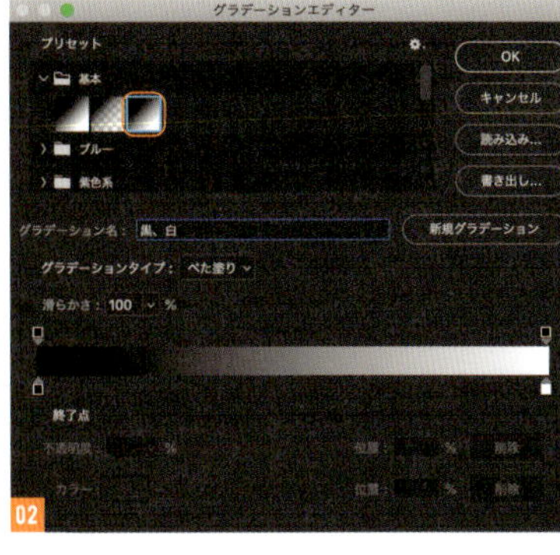

02　特定色域の選択を使い、深みのあるモノクロ写真に加工する

調整レイヤー作成ボタンから[特定色域の選択]を選択します 04。

[特定色域の選択パネル]の[カラー：白色系]を選択し[ブラック：-40%]とします 05。

顔のハイライトが飛ばない程度に調整しています。

同じように[カラー：中間色系]を[ブラック：-15%] 06 にし全体の明るさを調整し、[カラー：ブラック系]を[ブラック：10%] 07 とし、黒を引き締めました。

単純に[イメージ]→[グレースケール]からモノクロに加工した画像に比べて 08、引き締まった深みのある写真に仕上がりました 09。

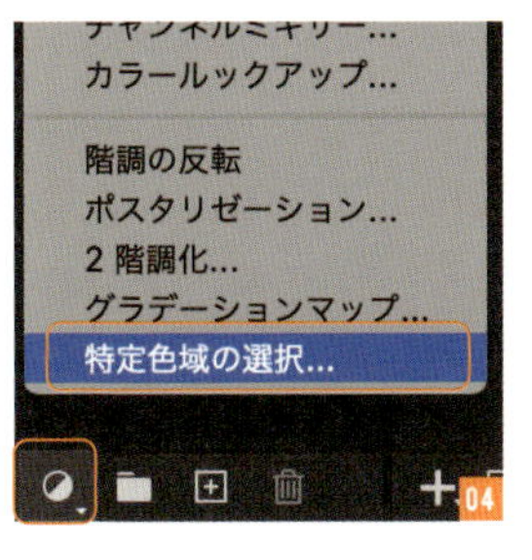

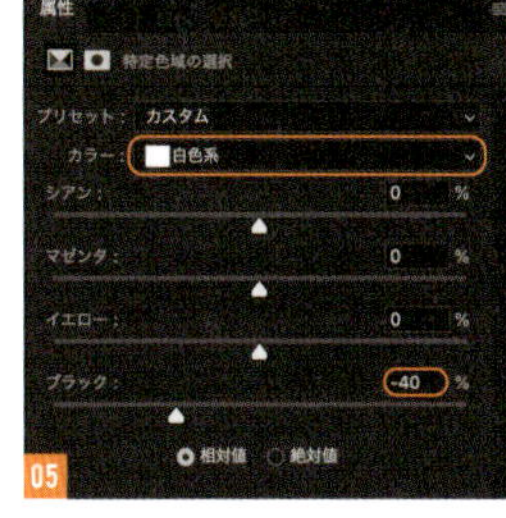

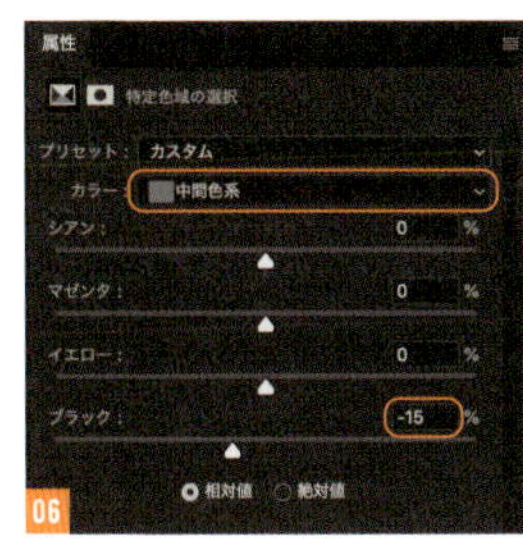

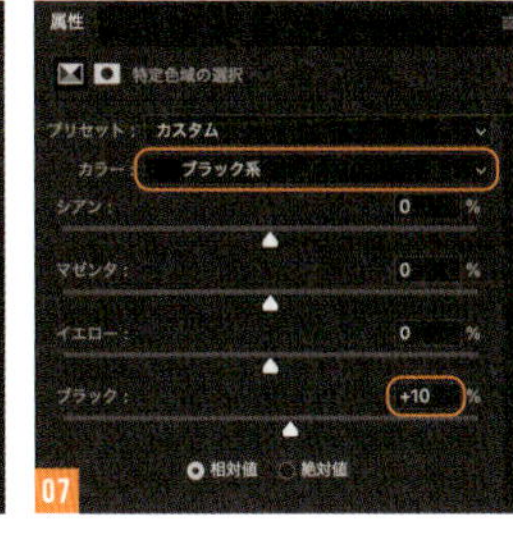

Recipe

044

HDR風のシャープで男らしい補正をする

ポートレート写真にHDR風の加工を加え、男性的でシャープな印象に仕上げます。

Photo retouching

01 ベースとなる写真の コントラストを高く補正する

素材[人物.psd]を開き、[イメージ]→[色調補正]→[レベル補正]を選択します01。

入力レベルを[シャドウ:15][中間調:1.00][ハイライト:235]に設定します02。

引き締まった印象のコントラストの高い写真が用意できました03。この時、コントラストを高くしすぎると最終的にギラついた印象になってしまうので、目的に合わせて補正しましょう。

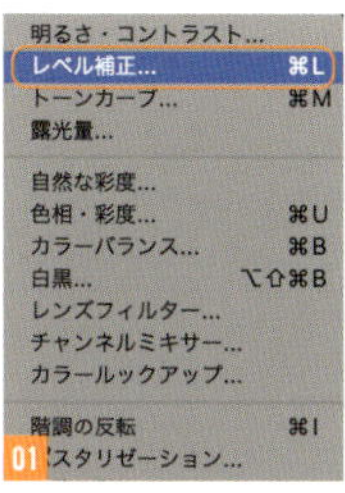
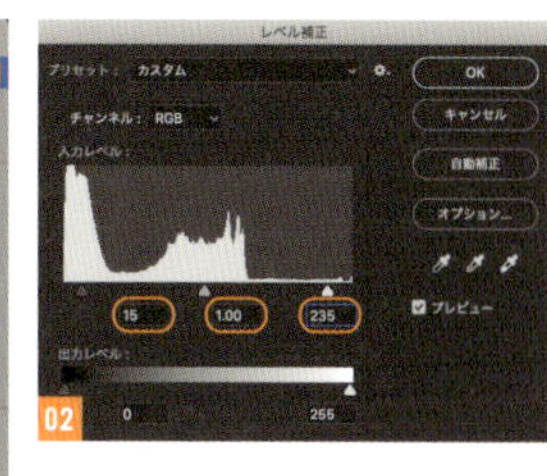

02 彩度を落として 渋い印象に補正する

[イメージ]→[色調補正]→[色相・彩度]を選択します04。

[彩度:-35]とします05。彩度を落とすことで、渋く色あせた印象になりました06。

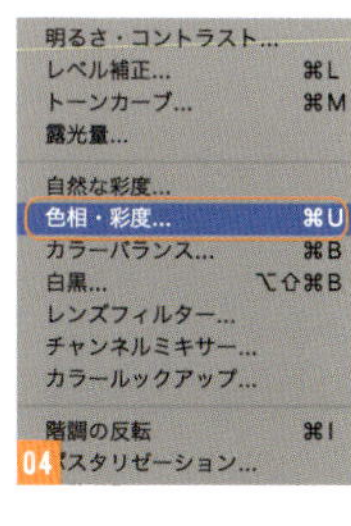
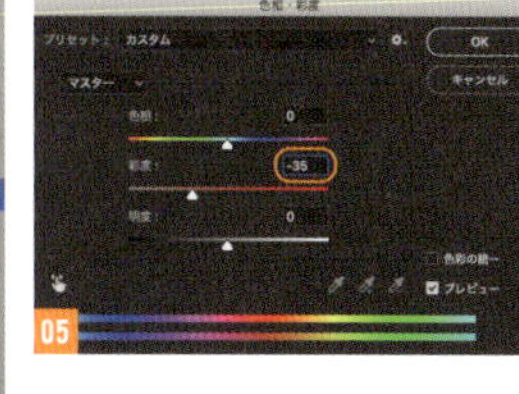

03 HDR風のシャープで ハードな雰囲気を加える

レイヤーを複製し、レイヤー名[HDR]とします07。レイヤー[HDR]を選択し[フィルター]→[その他]→[ハイパス]を選択します08。人物のシルエットがシャープに見えるあたりを目安に半径を調整します。ここでは[半径:9.0 pixel]としました09。

レイヤー[HDR]を選択し、レイヤーの描画モードを[オーバーレイ]とします10。

全体がHDR風なシャープな印象に仕上がりました11。

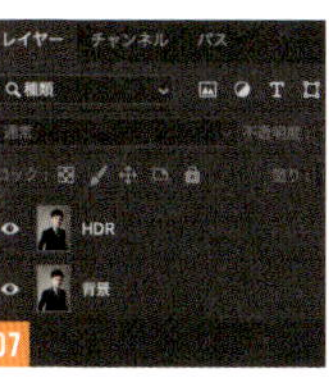
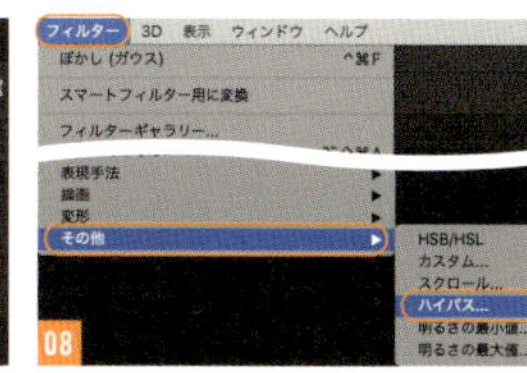
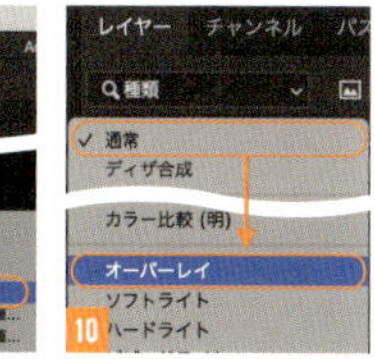
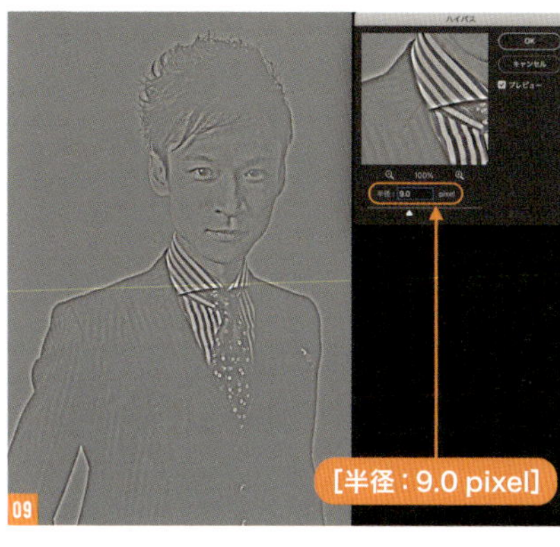

04 仕上げにお好みでアンシャープ マスクをかけて完成

今回の作例では、モデルのヘアスタイルを生かしてよりシャープに表現したいのでレイヤー[背景]を選択し[フィルター]→[シャープ]→[アンシャープマスク]を選択します12。[量:75%][半径:1.5 pixel]に設定します13。

髪の毛や肌など、よりシャープな印象に仕上がりました14。

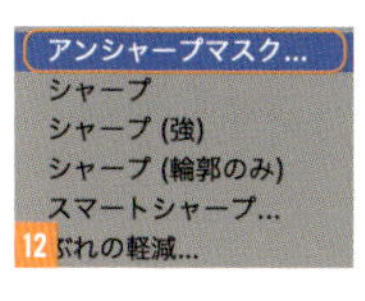

Recipe

045

健康的な肌色に補正する

人物写真を暖色系に補正することで健康的な肌色にしてみましょう。
ここでは、元画像の色味も意識して高級感のある補正を目指しました。

Photo retouching

元画像

01 明るく補正する

素材[人物.psd]を開き、レイヤー上で右クリックし[スマートオブジェクトに変換]を選択し、レイヤー名を[人物]とします01。

[イメージ]→[色調補正]→[トーンカーブ]を選択します02。

[チャンネル：RGB]が選択された状態で、中心にポインタを追加し、左上にカーブを描くように[出力：144][入力：115]と設定します03。

明るい印象に補正できました04。

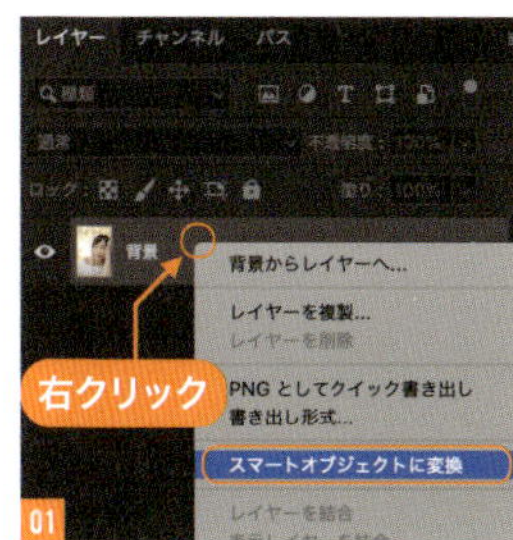

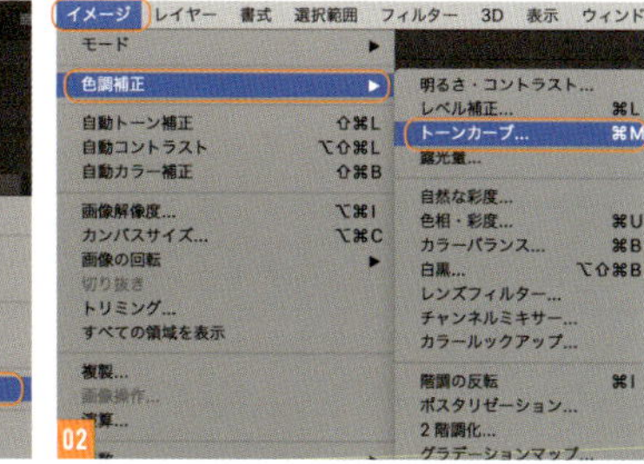

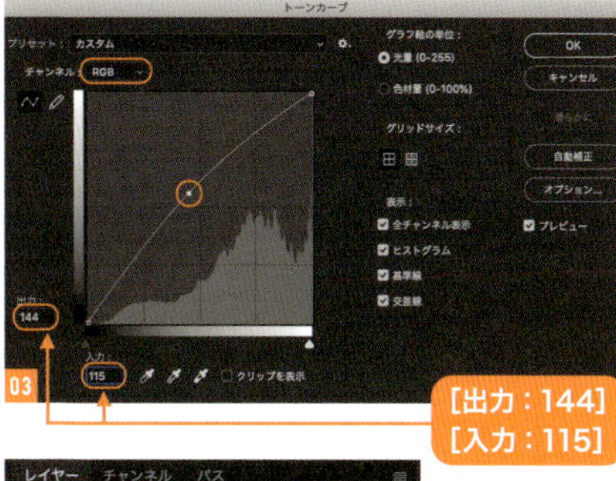

02 明るい色調に赤みを足し健康的な印象に補正する

レイヤーの[スマートフィルター]の下[トーンカーブ]部分05をダブルクリックし、再度トーンカーブのパネルを表示します。

肌の明るい部分に赤を足します。[チャンネル：レッド]を選択し、右上のポインタを左に動かし、ハイライトに赤みを足します。[出力：255][入力：242]としました06。

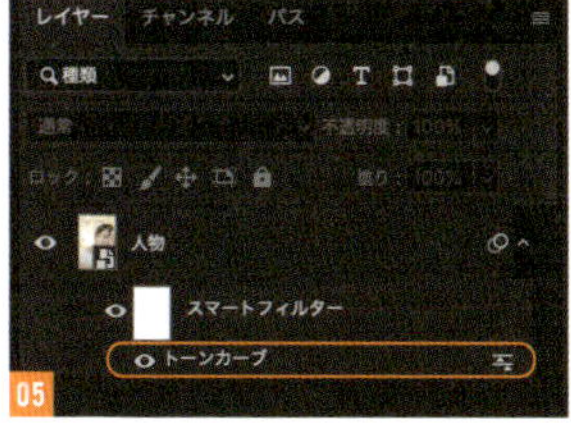

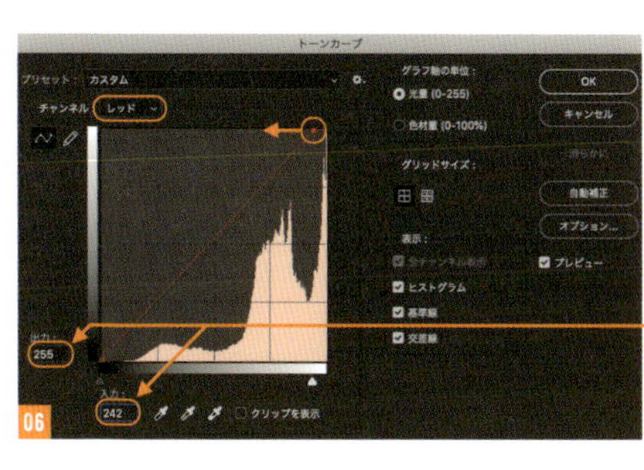

03 シャドウ部分のブルーを抑える

[チャンネル：ブルー]を選択し左下のポインタを右に動かします。

[出力：0][入力：12]とし首や肩の暗い部分にかかっていたブルーが抑えられました07。

暖色系に補正することで、全体が暖かい色味になり健康的な肌色に仕上がりました。高級感も増しています08。

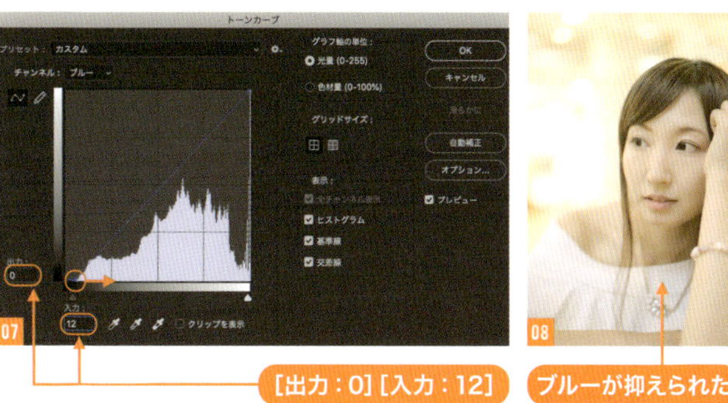

Point

画像に透明感を出したり、クリアな印象にしたい場合はブルーを足します。
ただし、人物の肌補正において、ブルーを足しすぎると肌がくすんで見えるので注意しましょう。

Recipe

046 逆光を取り入れたドラマチックな写真にする

フィルターの［逆光］を使いドラマチックで印象的な写真に加工してみましょう。

Photo retouching

01 逆光として使用する素材を作成する

素材[湖.psd]を開きます。上位に新規レイヤーを作成し、レイヤー名を[逆光]とします。

レイヤー[逆光]を選択し、描画色黒[#000000]を選択し[塗りつぶしツール]で画面全体を塗りつぶします。

[フィルター]→[描画]→[逆光]を選択します 01。

[明るさ：100%][レンズの種類：50-300mmズーム]を選択し、プレビュー内でドラッグし円形になるようにします 02。

円形の光が作成されます 03。レイヤー[逆光]を選択し[描画モード：スクリーン]にします 04。

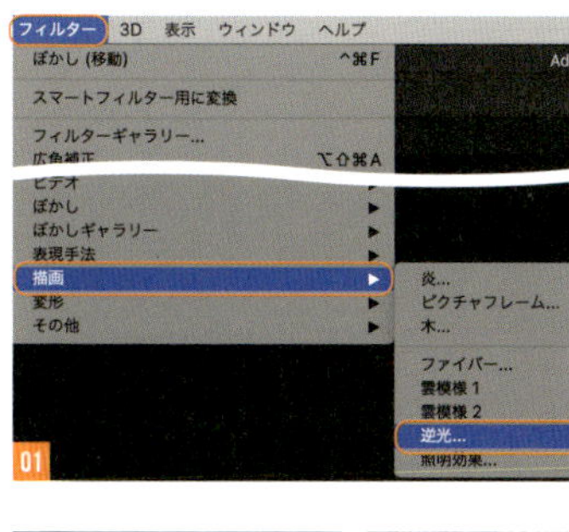

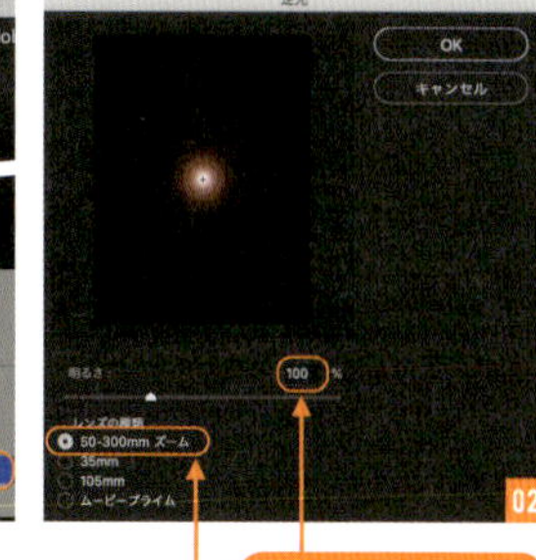

[明るさ：100%]

[レンズの種類：50-300mmズーム]

02 逆光のサイズを調整しなじませる

レイヤー[逆光]を選択し、[自由変形]で[500%]前後まで拡大します 05。中心を画面左上(ベース画像の夕日が確認できる位置あたり)に配置し、レイヤーの不透明度を[75%]とします 06 07。

[フィルター]→[ぼかし]→[ぼかし(ガウス)]を[半径：20 pixel]で適用します 08。

フィルター[逆光]のくっきりとした円形のラインが、ぼかすことで自然な印象になり、背景となじみました 09 10。

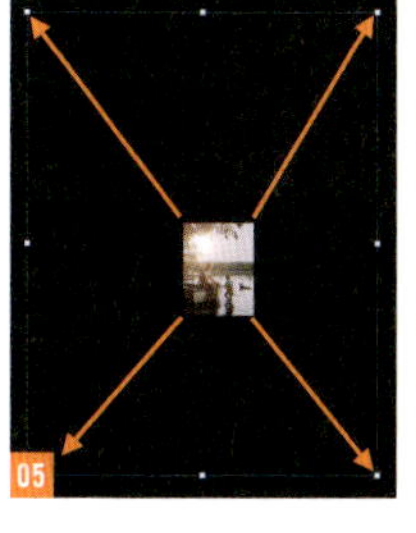

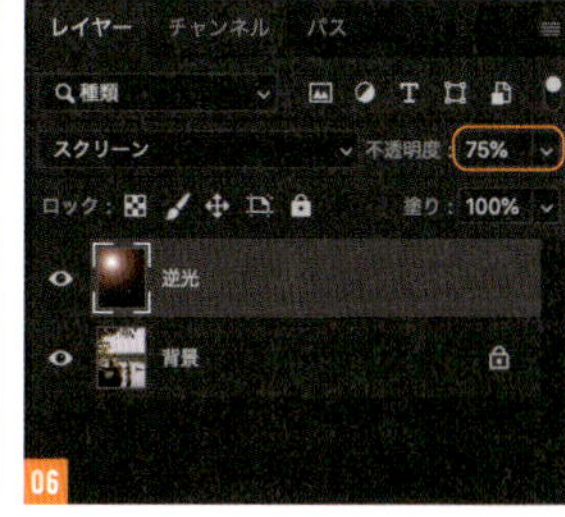

Recipe

047

唇を美しくする

健康的で艶のある唇の補正方法を紹介します。

Photo retouching

01 唇のしわを消す

素材[人物.psd]を開きます。[スポット修復ブラシツール]を選択し01、唇のしわを消します。
大きなしわや目立つ部分をなぞって修正します。
自然な印象を意識しましょう02。

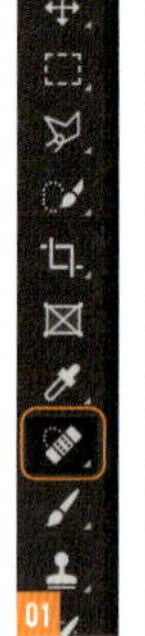

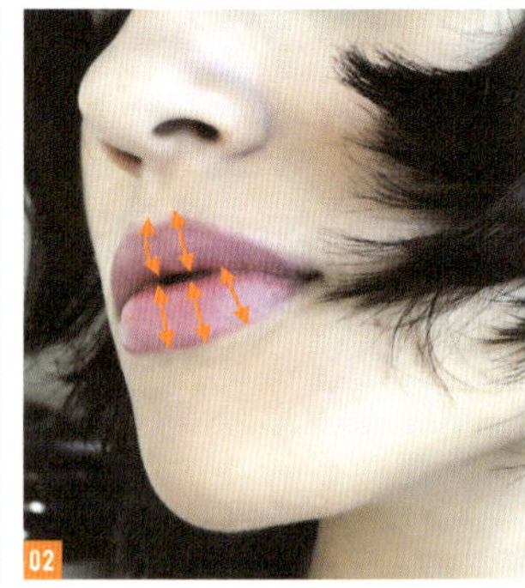

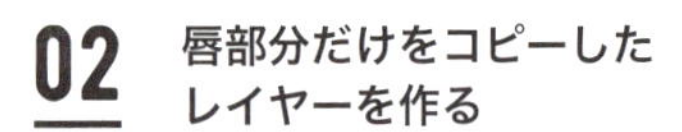

02 唇部分だけをコピーしたレイヤーを作る

[クイック選択ツール]を選択します03。
できるだけ綺麗に選択範囲を作成したいのでブラシのサイズの直径は10 pixel前後で作業します。
選択範囲が作成されました04。選択範囲が点滅している状態で[右クリック]→[選択範囲をコピーしたレイヤー]を選択します05。コピーしたレイヤー名を[唇]とします06。

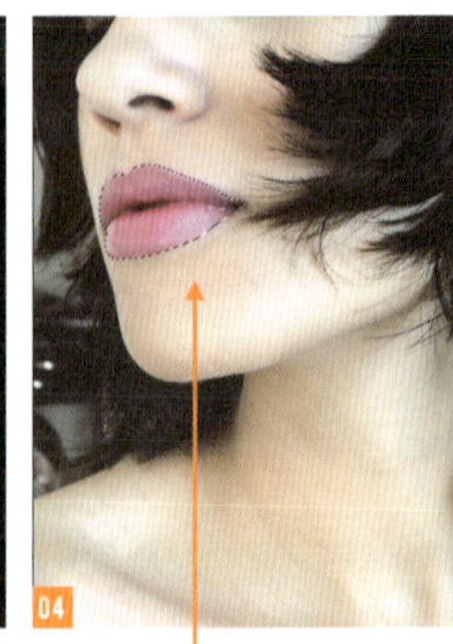

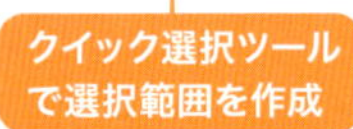

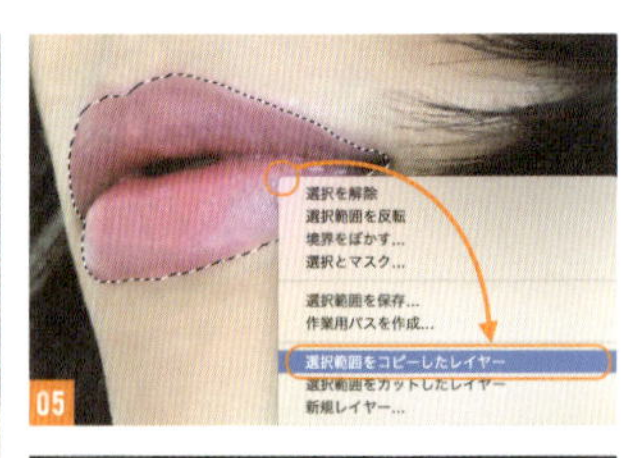

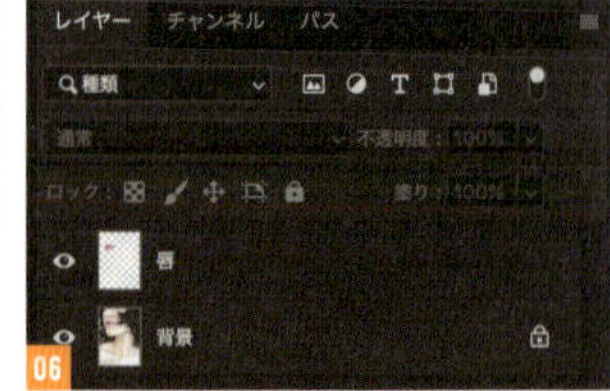

03 唇の色を補正する

レイヤー[唇]を選択した状態で[イメージ]→[色調補正]→[色相・彩度]を選択します 07。
今回は赤く彩度の高い色に補正したいので[色相：15][彩度：15]とします 08 09。

08

09

04 唇をぼかしてなめらかな印象に補正する

レイヤー[唇]を選択した状態で[フィルター]→[ぼかし]→[ぼかし（表面）]を選択します 10。
[半径：15 pixel][しきい値：10 レベル]にします 11。
[ぼかし（表面）]を使用することで[ぼかし（ガウス）]のように外側にぼけることなく、唇の表面をぼかすことができます 12。

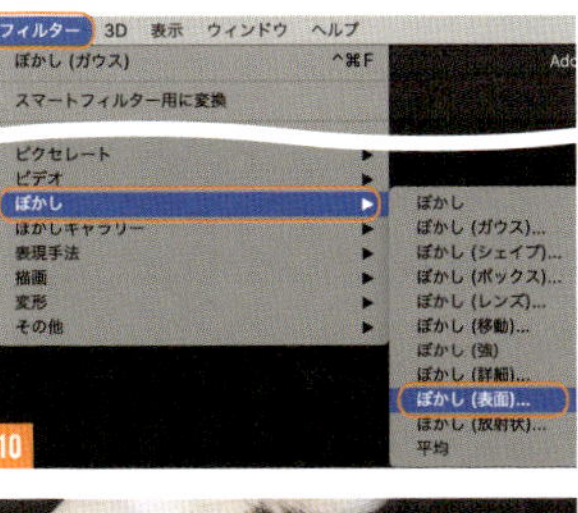

10

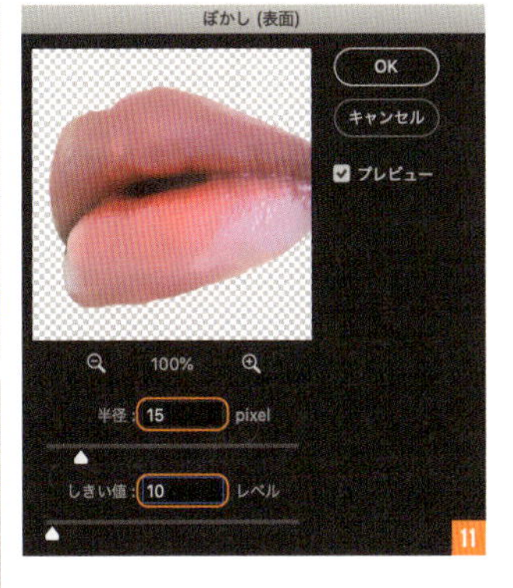

11

12

05 ハイライトを加え、艶のある唇にして完成

レイヤー最上位に新規レイヤーを作成します。レイヤー名を[ハイライト]とし、描画モードを[オーバーレイ]とします 13。
[ブラシツール]を選択し描画色白[#ffffff]を選択します 14。
レイヤー[ハイライト]を選択した状態で、元々ハイライトが当たっている部分に書き足すように[ブラシツール]で塗っていきます。この時、ブラシサイズとブラシの不透明度を調整しながら書き足しましょう 15。
書き足した光が強い場合はレイヤーの不透明度を下げましょう。ここではレイヤーの不透明度を[60%]としました。
自然な印象で潤いのある唇に補正することができました 16。

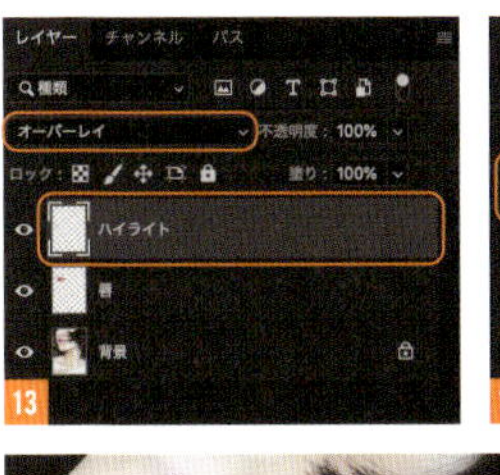

13

15

16

Recipe

048

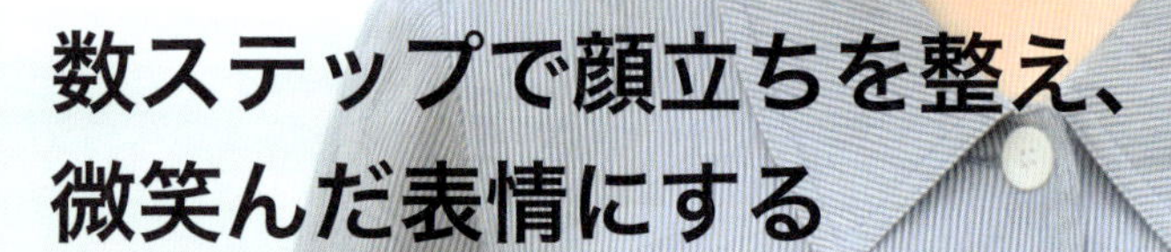

数ステップで顔立ちを整え、微笑んだ表情にする

ゆがみツールの顔認識機能で簡単に顔立ちを変えることができます。
人物補正で使える手軽で強力な機能を紹介します。

01 ゆがみパネルを開く

素材[人物.psd]を開き、[フィルター]→[ゆがみ]を選択します01。
ここでは[ゆがみ]パネル右側の[顔立ちを調整]を使って顔立ちを調整します02。

02 顔の輪郭を整える

顎を細く小顔にしていきます。顔の形状を［顎の高さ：100］［顎の輪郭：-46］［顔の幅：-55］とします03。

03 口を整える

微笑んだ表情にしたいので［笑顔：15］とします。次に顔の輪郭を細くしたので、口を小さく整えます。
［上唇：-20］［下唇：25］［口の幅：-30］［口の高さ：-52］とします04。

04 鼻を整える

鼻も輪郭に合わせて、小さく整えます。
［鼻の高さ：25］［鼻の幅：-75］とします05。

05 目の大きさを整えて完成

画面右側の目（人物の左目）を基準に、画面左側の目を整えます。
左側の目を［目の高さ：30］［目の幅：30］とし、全体の調整として［目の間隔：-10］としました06 07。

03

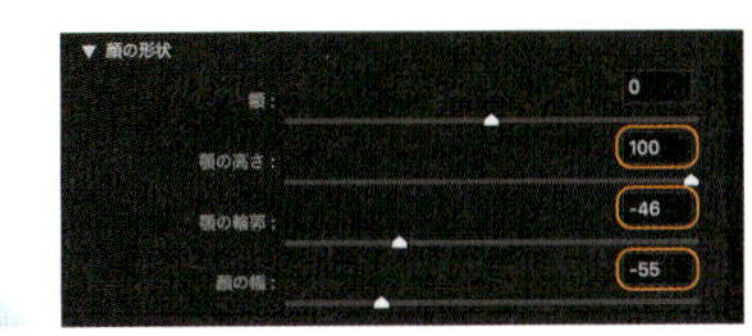

04

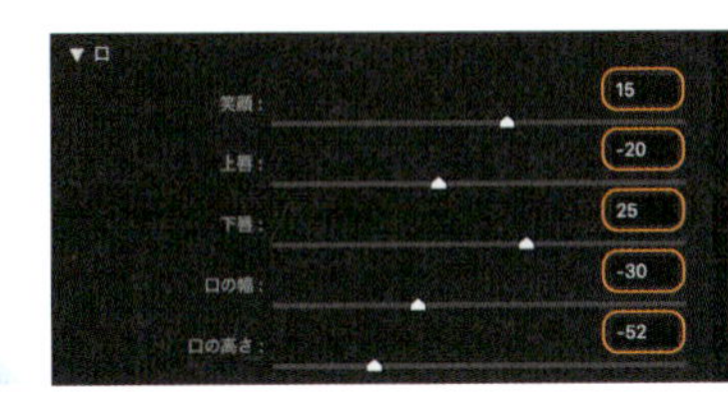

05

06

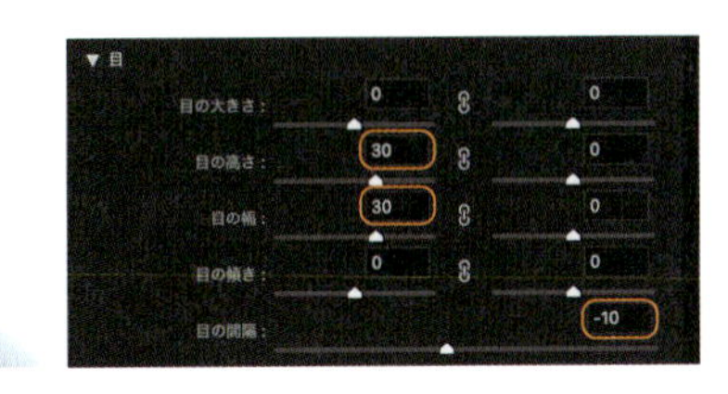

07

Point

作例では、パネル内［顔立ちを調整］の数値を入力し調整していますが、パネル左のツールバー内［顔ツール］を選択すると、顔の各パーツにカーソルを合わせクリックしてドラッグするだけで、各パーツの大きさや角度を変え顔立ちを変えることもできます。
スライダーでの修正に比べ細かな作業は難しいですが、直感的な修正ができます。強力なツールですが、やりすぎると違和感のある顔になってしまうので、ほどほどに補正しましょう。

Recipe

049

女性を柔らかく魅力的にする

シャープな画像とぼかした画像を重ね合わせることで、ふんわりとした女性らしい雰囲気のある写真に加工することができます。

Photo retouching

元画像

01 ベースとなるレイヤーを用意する

素材[人物.psd]を開き、レイヤー上で右クリックし[スマートオブジェクトに変換]を選択します 01。

スマートオブジェクトに変換したレイヤーを複製します。上位のレイヤーをレイヤー名[フィルター]下位のレイヤーをレイヤー名[ベース]としました 02。

レイヤー[フィルター]をいったん非表示にします。レイヤー[ベース]を選択し、[フィルター]→[シャープ]→[アンシャープマスク]を選択し、[量：100%][半径：2.0pixel][しきい値：0レベル]とします 03。

ベースとなるシャープな写真が用意できました 04。

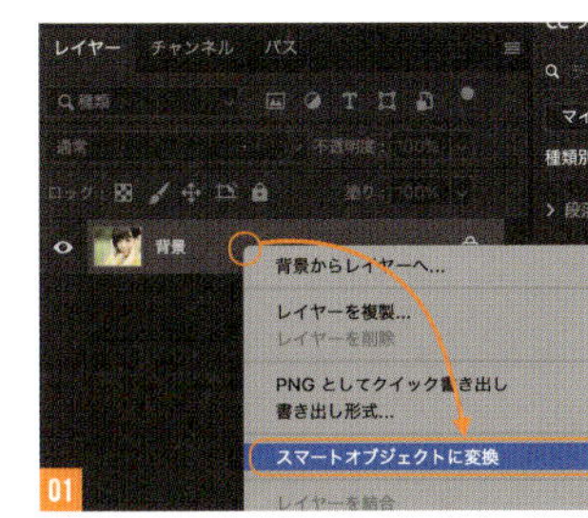

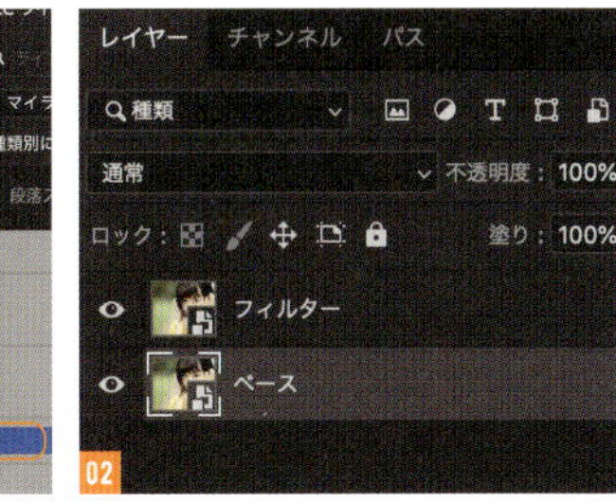

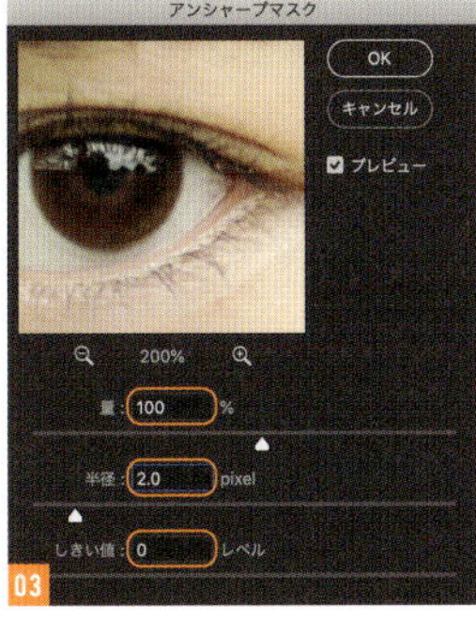

02 明るさや明瞭度を変え柔らかな印象に調整する

レイヤー[フィルター]を表示させ、選択します 05。

[フィルター]→[Camera Rawフィルター]を選択します 06。

まず明るさを調整します。[露光量：+0.30]とします。

影部分のコントラストも抑え、柔らかな印象にしたいので、[黒レベル：+30]とします。

次に[明瞭度：-100]とし、柔らかな印象を作り出します 07。

レイヤー[フィルター]を選択し[不透明度：70%]とします 08。これにより下位のレイヤー[ベース]のシャープさを残しつつ、レイヤー[フィルター]のふんわりとした印象が合わさり、ぼけすぎることがなくなり柔らかで魅力的な写真になります 09。

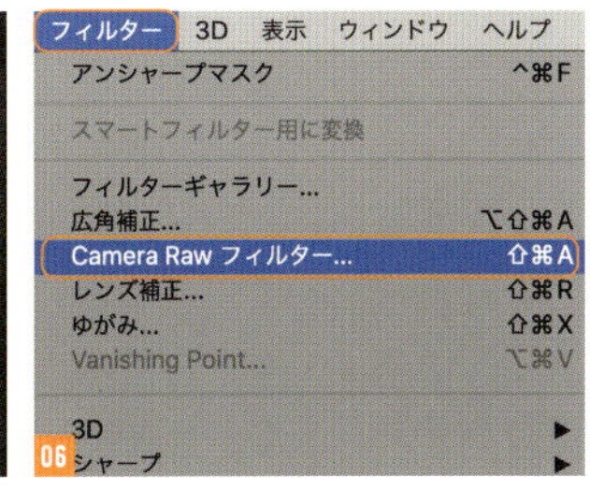

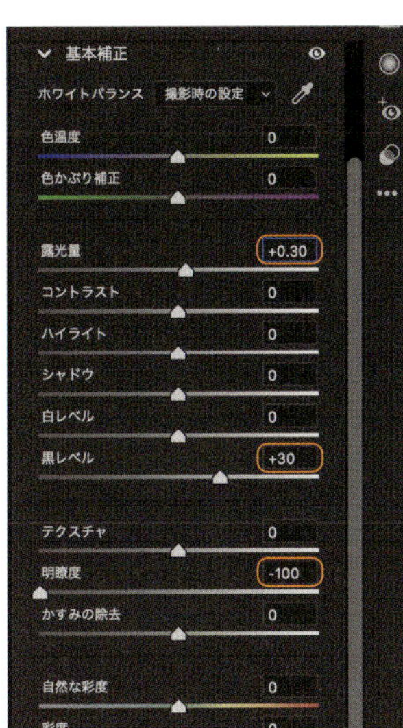

Point

別の画像を使用する場合は、明るさやレイヤーの不透明度を画像に合わせて調整しましょう。

Recipe

050

パペットワープを使ってポーズを変える

パペットワープを使い人物のポーズを変えてみましょう。

Photo retouching

01 人物を切り抜く

素材[人物.psd]を開きます。レイヤーを複製し、複製されたレイヤー名を[人物]とし[ペンツール]や[自動選択ツール]などを使い人物のみを選択し、切り抜きます 01。

02 背景のグラデーションを作成する

ツールパネルの[グラデーションツール]を選択し 02、元画像の背景色からグラデーションを作成します。
オプションバーの[クリックでグラデーションを編集]を選択し 03、[グラデーションエディター]ウィンドウを開きます 04。

03 グラデーションエディターの配色をする

まずは、プリセットで[グラデーション名：描画色から背景色へ]などの、2色のグラデーションになっているものを選びます。背景カラーから色を得るために、左下[位置:0%]の[カラー分岐点]を選択し、終了点内のカラーをクリックすると、[カラーピッカー]ウィンドウが表示されます。

この状態でカンバス内の背景で明るい部分をスポイトツールで選択します。なお、カーソルは自動的にスポイトツールに変更されています。ここでは画面左上あたりの色[#fdf7f1]を選択しました05。
[グラデーションエディター]ウィンドウに戻り、右側のカラー分岐点[位置：100%]を選択し、[カラーピッカー]ウィンドウをひらき、今度はカンバスの内の暗い部分をスポイトツールで選びます。ここでは[#e7d5c6]としました06。

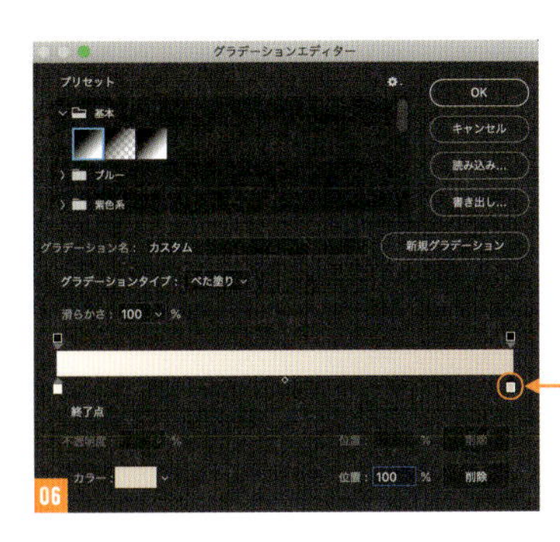

06

04 背景を塗りつぶす

新規レイヤーを作成し、レイヤー[人物]の下位に配置します。
元写真では左上から右下に向かって光が当たっているので、[グラデーションツール]を選択し、左上から右下に向かって塗りつぶします07。レイヤー名は[背景]とします。
人物と背景が分かれた2つのレイヤーができました08。

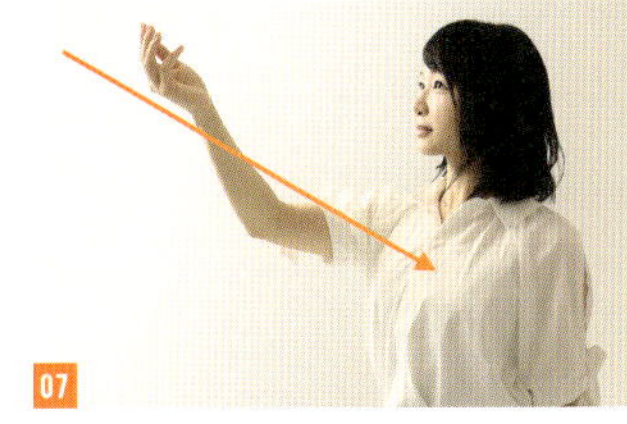
07

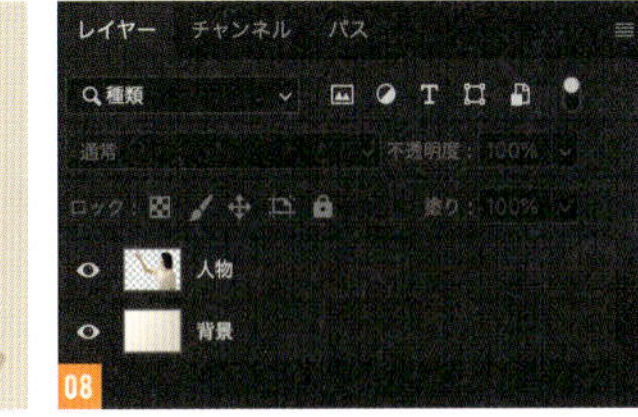

08

Point

グラデーションをかける時にオプションバーの逆方向にチェックが入っているとグラデーションのかかり方が逆方向になるので注意しましょう。

05 パペットワープを使って人物のポーズを変える

レイヤー[人物]を選択し[編集]→[パペットワープ]を選択します09。
メッシュが表示されたら、関節となる部分にピン(変形ピン)を追加していきます10。
[手首、肘、脇、頭、首、腰]に変形ピンを設定しました11。
変形ピンを動かし、目線を左上にし、手を下げたポーズにしてみました12。
仕上げに素材[ハミングバード.psd]から素材を配置して完成です13。

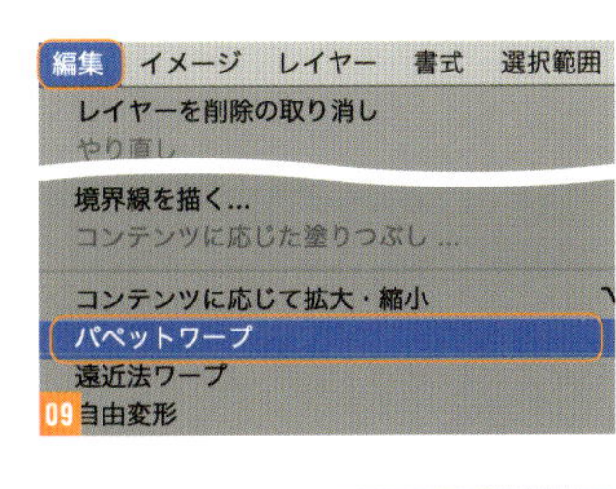

09

10

11

12

13

Point

変形ピンを設定する場所が重要です。変形ピンは極端に動かすと歪みができますので、自然な動きを意識して変形させましょう。
なお、ピンを消去したい場合は[Option]([Alt])キーを押すとカーソルがハサミアイコンに変わりピンを選択することで消去できます。

Recipe

051

髪の色を変える

髪の毛先や動物の体毛などの複雑なものを切り抜いて修正・加工する場合において、いかに綺麗に選択範囲を作成できるかが制作物の品質に直結します。手間はかかりますが、できる限り丁寧に選択範囲を作成し、調整していきましょう。

Photo retouching

01 おおまかな髪の毛部分を選択する

素材[人物.psd]を開きます。[クイック選択ツール]を選択します 01。
大まかな髪の毛を選択していきます。ブラシサイズは細かな部分で[5pixel]前後、面積の多い部分は[15pixel]前後で作業していきます 02。

元画像

01

02

02 境界線調整ブラシを使って髪の輪郭を選択する

[クイック選択ツール]が選択されている状態で、オプションバーの[選択とマスク]を選択します 03。
専用のウィンドウに切り替わります 04。
[境界線調整ブラシツール]を選択します 05。
髪の毛の輪郭をブラシでなぞっていくと、自動で境界線が補正されていきます 06。
不必要な部分が追加されてしまった場合は[ブラシ]で Option (Alt) キーを押しながらなぞることで消すことができます。髪の毛が消えすぎてしまった場合は[境界線調整ブラシツール]を[ブラシ] 07 に変更し、なぞることで通常の[ブラシ]を使う感覚で選択範囲を追加できます。

03

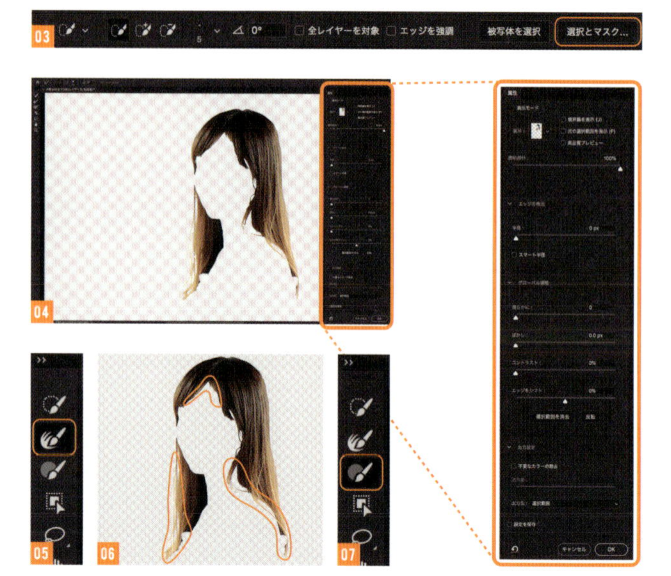
04 05 06 07

メニューの［表示モード］内の［表示：白黒］08 にし、境界線が選択されているかを確認します 09。選択が甘ければ、［表示］を［オニオンスキン］に切り替えて再度調整していきます（初期は［オニオンスキン］が選択されています）。

ある程度整ったところで［OK］を選択します。選択範囲が作成されました 10。

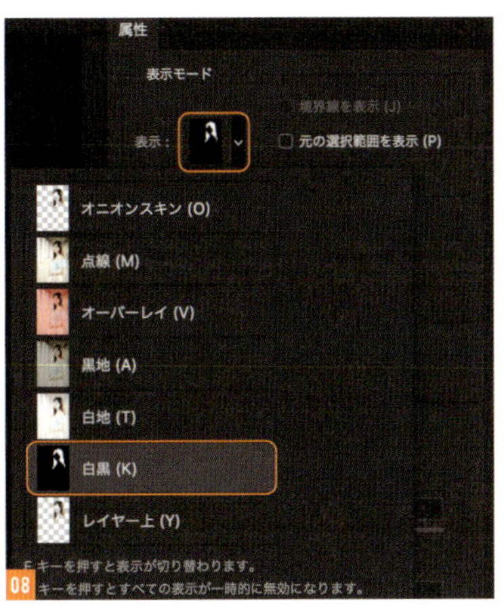

08

09

10

03 濃い赤の髪色にする

選択範囲が選択されている状態で［レイヤー］→［新規調整レイヤー］→［色相・彩度］を選択します 11。

［色相・彩度 1］というレイヤーが追加されるので、レイヤー名を［髪色］とし、レイヤーサムネールをダブルクリックします 12。

［色彩の統一］にチェックを入れ［色相：0］［彩度：50］［明度：0］とします 13。

赤色の髪色になりました 14。

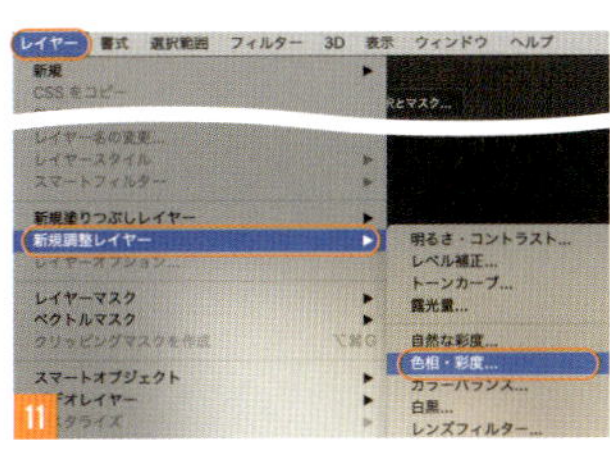

11

12

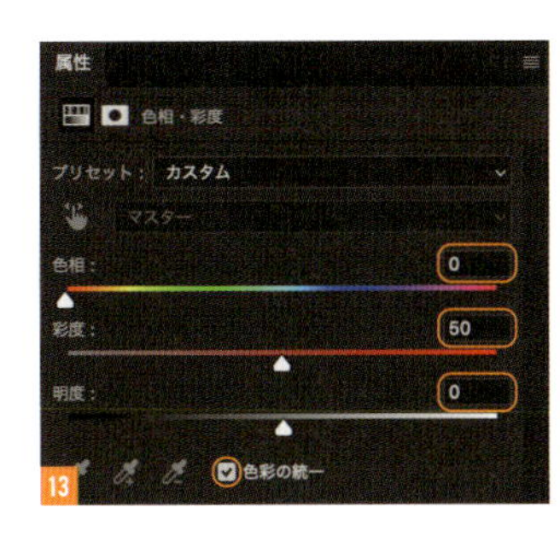

13

14

04 生え際や首元の髪の毛など細かな調整をする

レイヤー［髪色］のレイヤーマスクサムネールを選択し［ブラシツール］を選択します。

拡大表示して、ブラシサイズと不透明度を調整しながら作業していきます 15。

頬や首元の髪の影になっている部分は、赤色が重なっている箇所が多いのでブラシを黒とし、マスクしていきます 16。

生え際や細い髪の毛は［ブラシサイズ：1 px］［不透明度：100%］と設定し、白でマスクします 17。

そのままだと線を引いたように見えるので、［ぼかしツール］を使って線をぼかしなじませます 18。

15

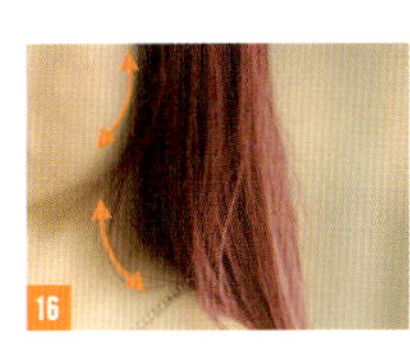
16

17

18

05 好みの髪色にしたら完成

肌の色などとバランスをとりながら髪色を調整したら完成です 19。

19

肌にタトゥーを合成させる

人の肌にイラストを合成し、タトゥーのように見せます。
ワープツールを使い、腕の形に合わせて変形します。

Photo retouching

01 タトゥーを配置する範囲のパスを作成する

素材[人物.psd] を開きます。[ペンツール] を選択し、タトゥーを配置する範囲のパスを作成します 01。
パスパネルを開き、パス名を [腕] とします 02。

01

02

02 イラストを配置し、パスツールで腕の形に合わせて変形する

素材[バラ.psd]を開き、配置します 03。パスパネルの[パスサムネール] 04 上で ⌘（Ctrl）キーを押しながらクリックし、選択範囲を作成します 05。選択範囲が作成されたら、レイヤー[バラ]を選択し、レイヤーパネル内下部の[レイヤーマスクを追加]を選択 06、マスクを作成します 07。
なお、[レイヤーマスクのレイヤーへのリンク]は外しておくとよいでしょう。
[自由変形]を選択し、大まかなサイズや角度を調整します 08。
そのまま[右クリック]→[ワープ]を選択します 09。腕の形に合わせワープで変形します 10。

03

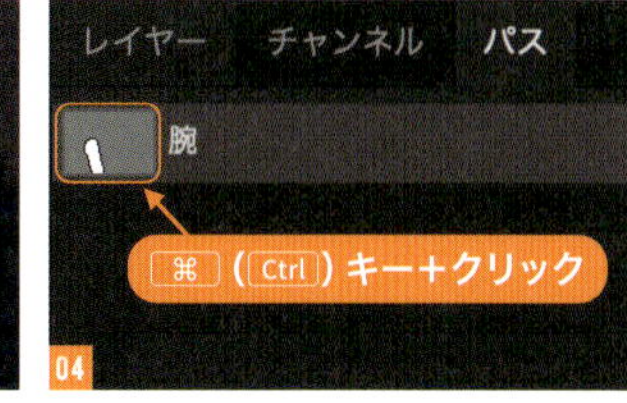

04

05

06

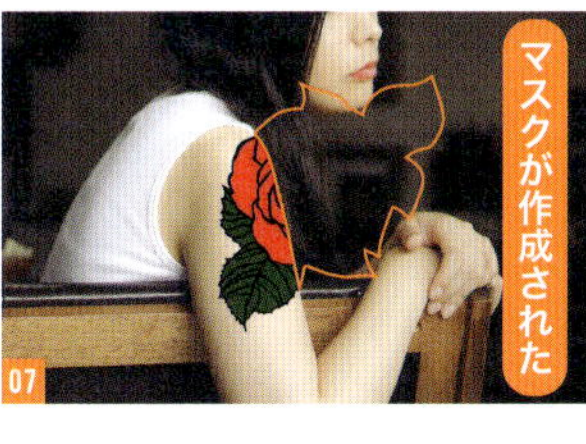

07

08

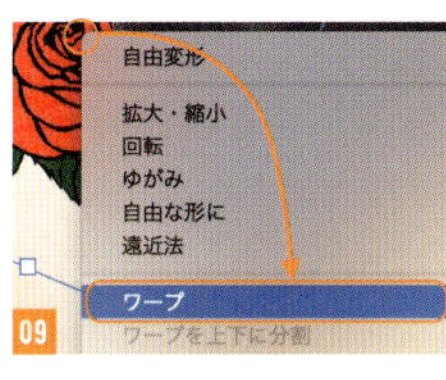

09

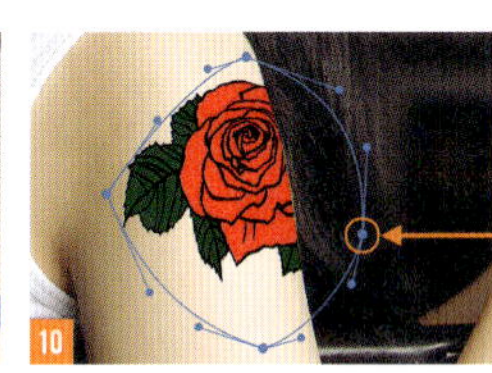
10

03 イラストに質感を加える

[フィルター]→[フィルターギャラリー]を選択します 11。
パネル内[テクスチャ：粒状]を選択し[密度：65][コントラスト：50]とします 12。
続いて[フィルター]→[ぼかし]→[ぼかし（ガウス）]を[半径：0.6pixel]で適用します 13。
不透明度を[80%]とし描画モードを[乗算]とします 14。

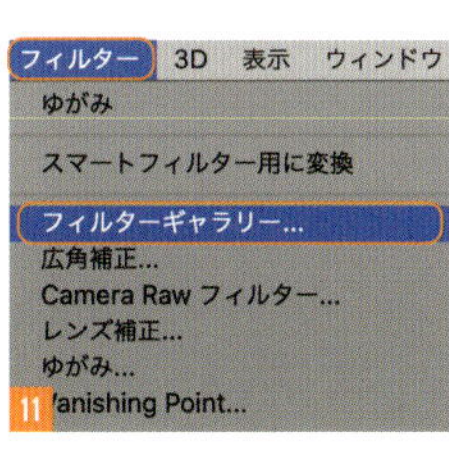

11

12

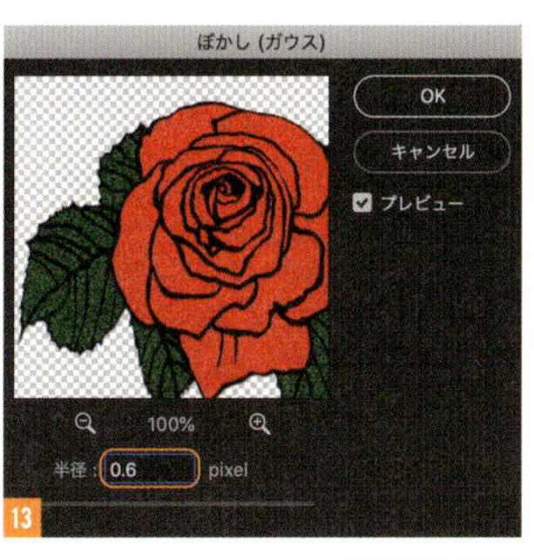

13

14

04 他の素材を追加し、バランスを整えて完成

素材[バラ.psd]から素材を移動し配置し、手順02と同じ要領で、レイヤーマスクを使い、[自由変形]→[ワープ]の流れで素材を配置していきます 15。
最後に、光が当たっている方向を意識して、各素材に[レベル補正]を適用します。光が強く当たっている右側の素材は明るく、影の部分にある素材は暗く補正し完成です。

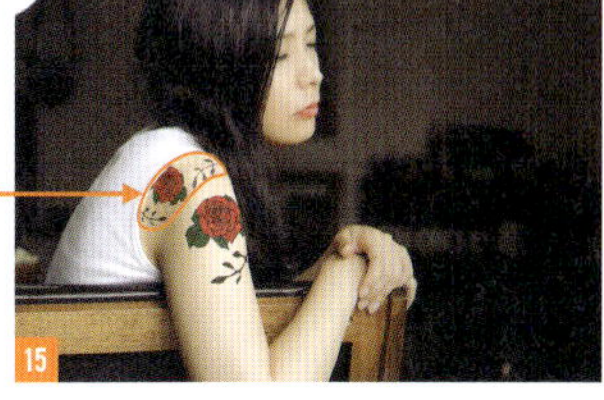

15

Recipe

053

髪を整える

跳ねた髪の毛や顔にかかった髪の毛をブラシを使って修正しすっきりした印象にします。

Photo retouching

元画像

01 スポット修復ブラシで跳ねた髪の毛を消していく

素材[人物.psd]を開きます。跳ねたの髪の毛を1本ずつ消していきます 01。

[スポット修復ブラシ]を選択します 02。画像を拡大表示して1本ずつ丁寧になぞり、消していきます 03。

ブラシサイズを[10 pixel]前後で調整しながら作業しましょう。一筆書きで、できるだけ細くなぞると、より綺麗に消すことができます。

消し忘れ部分があれば、再度拡大し作業してください。

手間に感じるかもしれませんが、繰り返し行うことで全体の雰囲気が崩れにくくなります 04。

拡大表示した状態で作業すると全体が把握できないので、定期的に画面を引き全体をチェックしましょう。

01

02

03

外に出ている1本の髪をなぞる

04

02 目の周りにかかっている髪の毛も消していく

同じように［スポット修復ブラシ］を使って顔にかかっている髪の毛も消していきます 05 。額部分は綺麗に消すことが難しいので大まかでかまいません 06 。

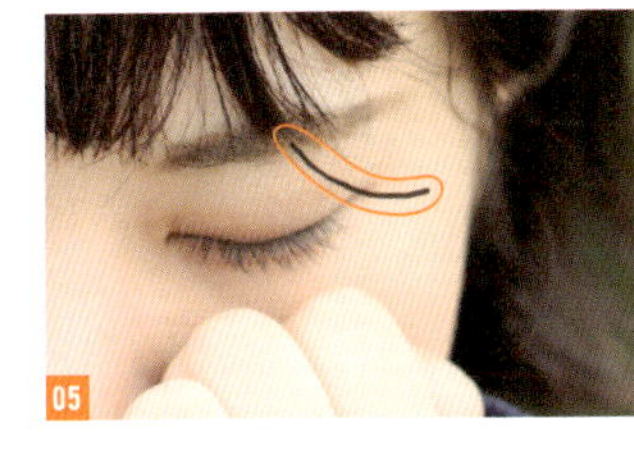
05

06

03 ブラシを使って顔にかかっている髪の毛を整えていく

肌色のブラシで髪の毛を消していきます。最上位に新規レイヤーを作成します。レイヤー名を［額］とします 07 。

ブラシを選択し［ソフト円ブラシ］を選択します。ブラシサイズは修正部分に合わせて調整してください 08 。

［ブラシツール］が選択された状態で Option （ Alt ）キーを押すと、カーソルがブラシからスポイトに変わるので塗りたい部分に近い肌から色を選択してください。 Option （ Alt ）キーを離すと［ブラシツール］に戻ります。

ブラシで描き込む際は不透明度を低くし、塗り重ねると自然な印象が出しやすいです。

スポイトとブラシを切り替えながら肌色を塗っていきます。塗りすぎた場合は［消しゴムツール］で調整しましょう 09 。

レイヤー［額］を［不透明度：70%］としなじませます 10 。

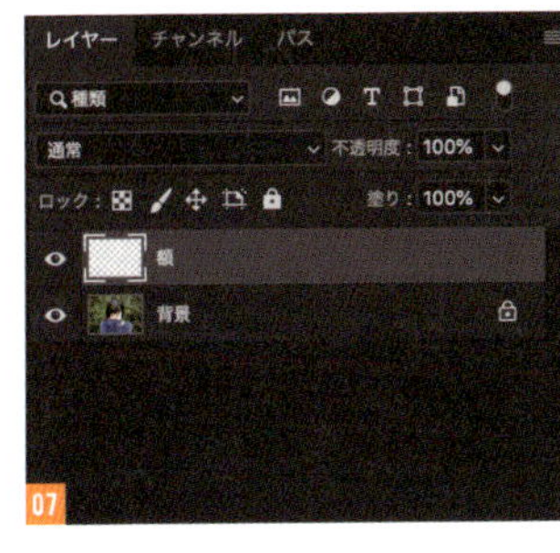

07

08

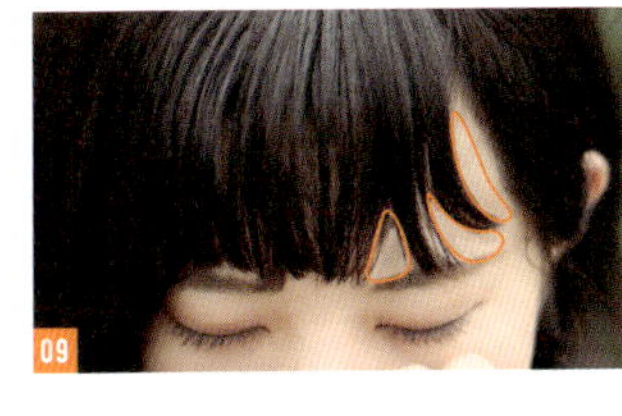
09

10

04 まつ毛をはっきりさせたら完成

新規レイヤー［右眉］を作成し、手順03と同じ要領で右眉にかかっている髪の毛を［ブラシツール］と［消しゴムツール］を使い整えます。

次に新規レイヤー［まつ毛］を最上位に作成します 11 。

レイヤー［まつ毛］の描画モードを［ソフトライト］にします 12 。

まつ毛にそって描画色黒［#000000］で塗ります。根元から毛先にかけて塗るようにすると自然な印象に仕上がります。レイヤー［まつ毛］を［不透明度：70%］にしたら完成です 13 。

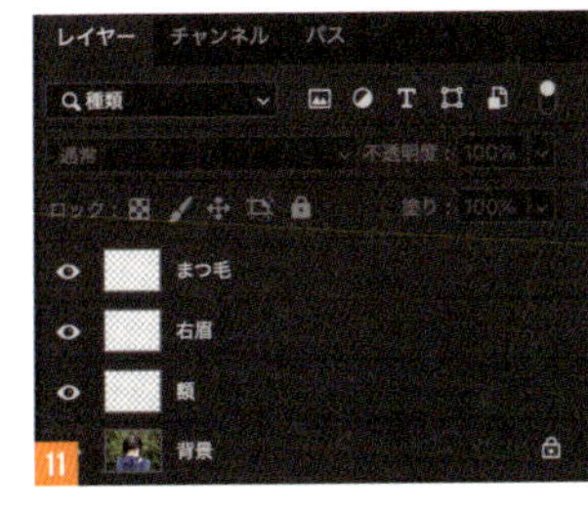

11

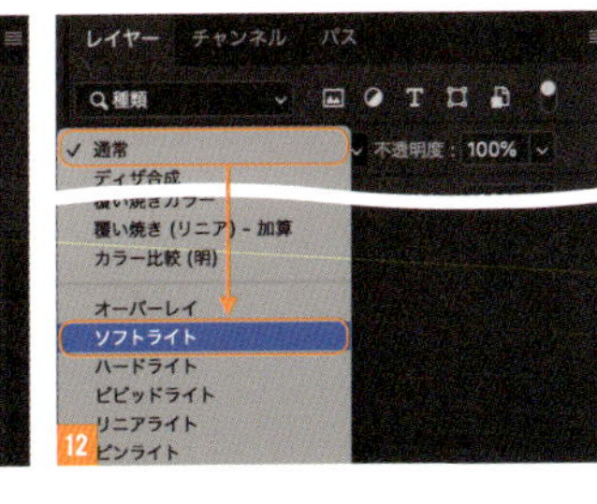

12

13

Recipe

054 体の一部を透明化する

1枚の画像だけで、人物の一部が透明になったように加工します。

Photo retouching

01 レイヤーを複製する

素材[人物.psd]を開きます。
レイヤー[背景]を複製し、上位レイヤーを[人物]、下位レイヤーを[背景]とします。いったんレイヤー[人物]を非表示にします 01。
レイヤー[背景]を選択します。[ツールパネル]の[スポット修復ブラシツール]を選択します 02。
オプションバーの設定を[ブラシサイズ：250px]、[種類：コンテンツに応じる]とします 03。

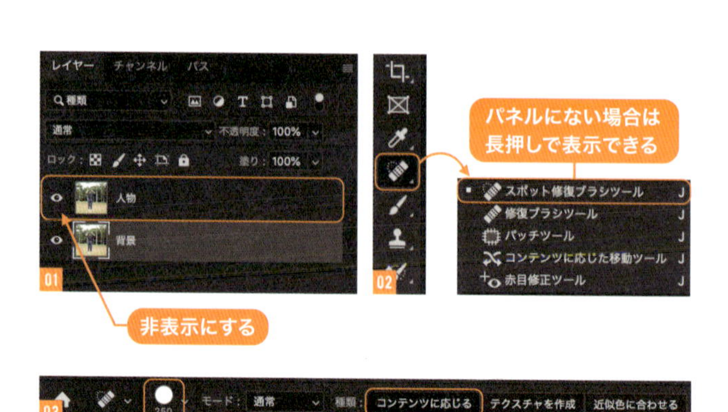

02 スポット修正ブラシを使い人物のいない画像を作成

04のように人物を選択すると、05のように適用されます。
画像に目立つズレや違和感がある場合は、部分的に再度[スポット修復ブラシツール]で選択しなじませます。

03 人物にマスクを適用する

レイヤー[人物]を選択し、レイヤーパネル上の[レイヤーマスクを追加]を選択します06。
レイヤーマスクサムネールが選択された状態で、人物の胸から下あたりの選択範囲を作成します07。
[塗りつぶしツール]を選択し[描画色：#000000]で塗りつぶします08。

04 マスクの位置を調整する

レイヤー[人物]の、鎖マーク(レイヤーマスクのレイヤーへのリンク)を外します09。
レイヤーマスクサムネールを選択し、マスクを好みの位置へ移動させて完成です。
作例では、マスクを[-15°]回転させています10。
作例ではマスクの境界にラインを引き、テキスト[使用フォント：Futura PT、スタイル：Light※]で装飾して完成としました。

※Adobe Fontsのフォント。Adobe FontsについてはP.249下段のPointを参照してください。

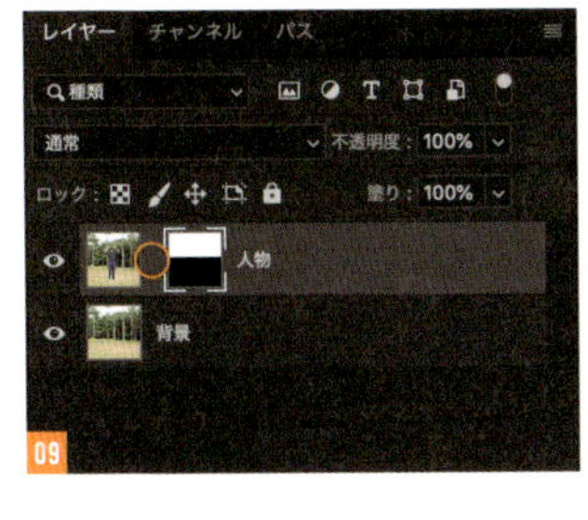

Point

レイヤーマスクの鎖マークを外すことで、マスクだけを移動、変形させることが可能です。なお、複数の画像をまとめたグループにもレイヤーマスクを適用することが可能であり、鎖マークをオン・オフと変更することもできます。複数の画像に一括してマスクしたい場合などに有効です。

Recipe

055

トイカメラで撮ったような写真にする

コントラストを調整することで、トイカメラで撮影したような写真に加工することができます。

Photo retouching

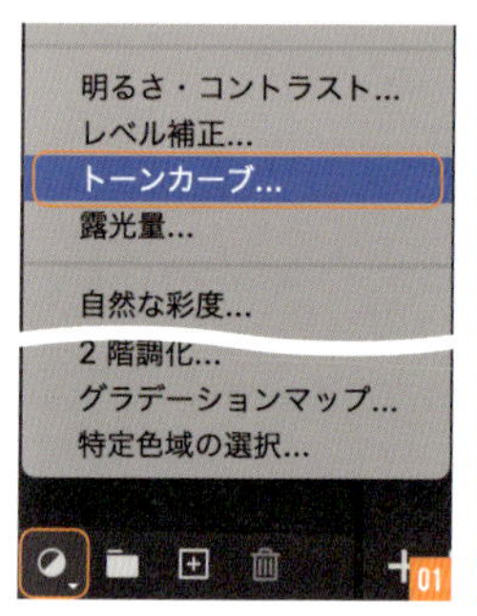

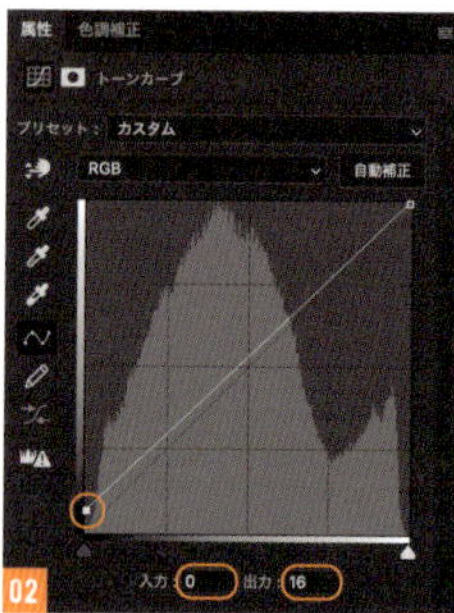

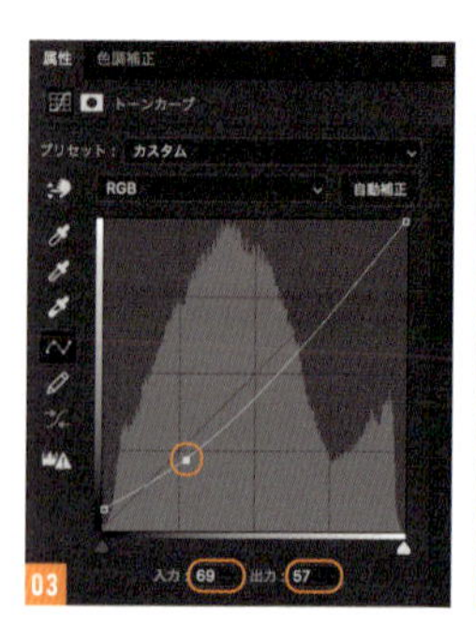

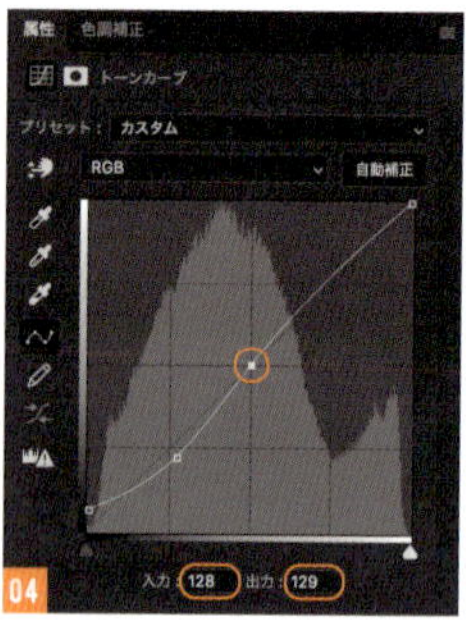

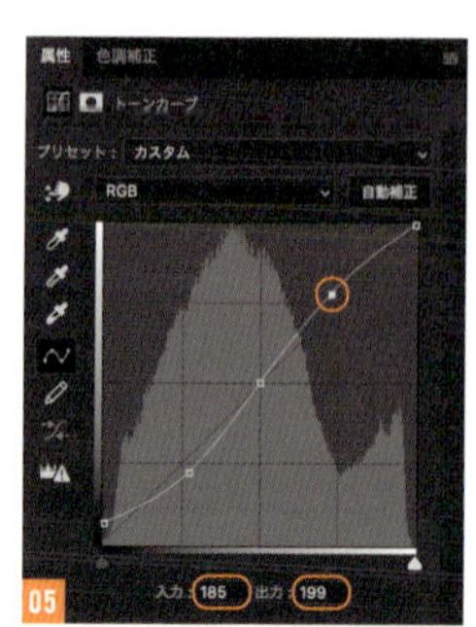

01 トーンカーブを使って、コントラストを調整する

素材[人物.psd]を開きます。レイヤーパネルの調整レイヤー作成ボタンから[トーンカーブ]を選択します01。[属性]パネルのトーンカーブが開いたら、左下のポインタを[入力：0][出力：16]とします02。
ポインタを3つ追加し、左から[入力：69][出力：57]03、[入力：128][出力：129]04、[入力：185][出力：199]05とします。コントラストを高く調整することができました06。

02 トーンカーブを使って、レッドを調整する

トーンカーブのチャンネルをRGBから［レッド］に変更します。ポインタを3つ追加し、左上から［入力：74］［出力：57］07、［入力：128］［出力：126］08、［入力:179］［出力:196］09とします。レッドを調整することができました10。

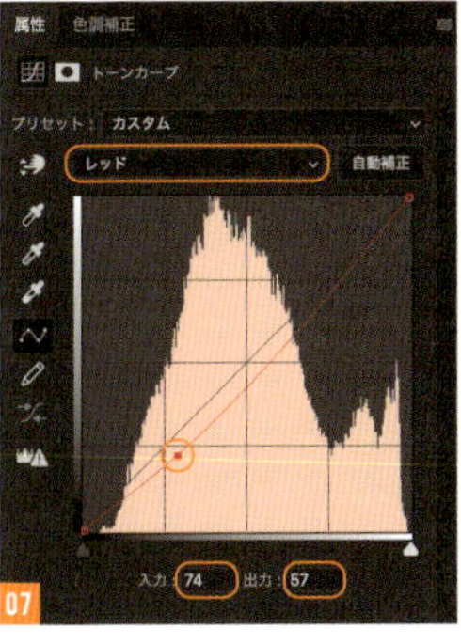

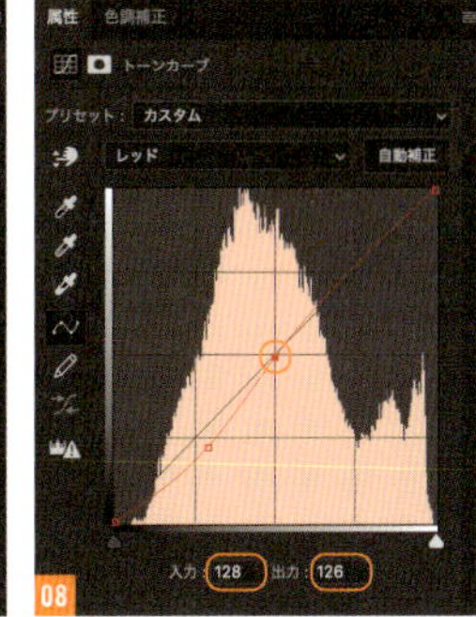

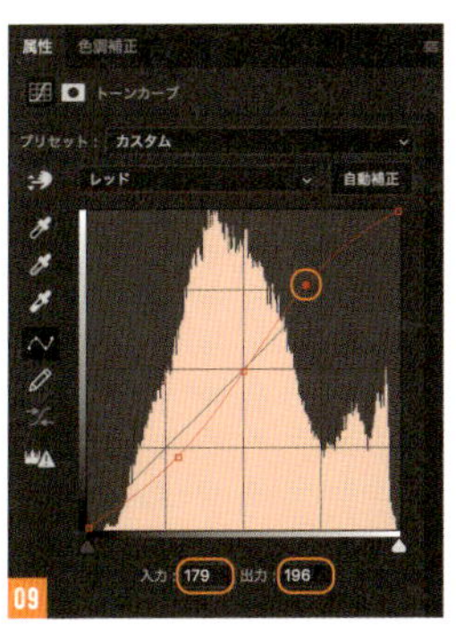

03 トーンカーブを使って、グリーンを調整する

トーンカーブのチャンネルを［グリーン］に変更します。ポインタを3つ追加し、左上から［入力：70］［出力：57］11、［入力：128］［出力：128］12、［入力：184］［出力：203］13とします。グリーンを調整することができました14。

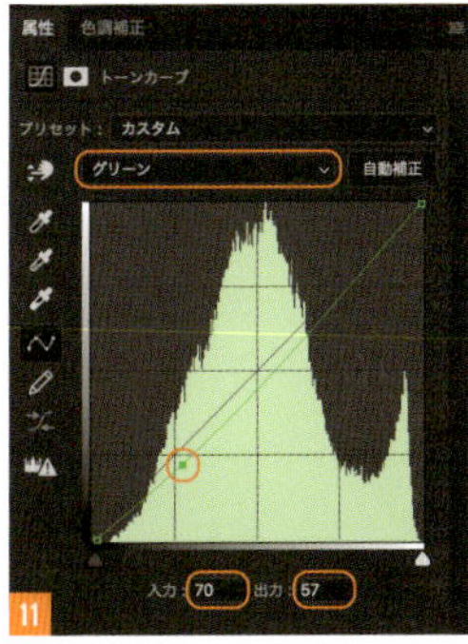

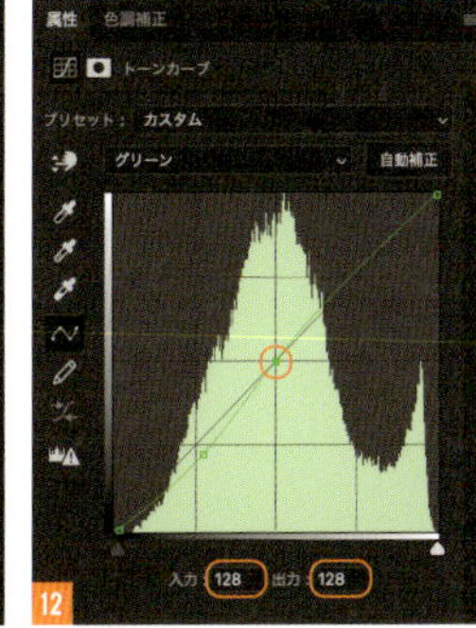

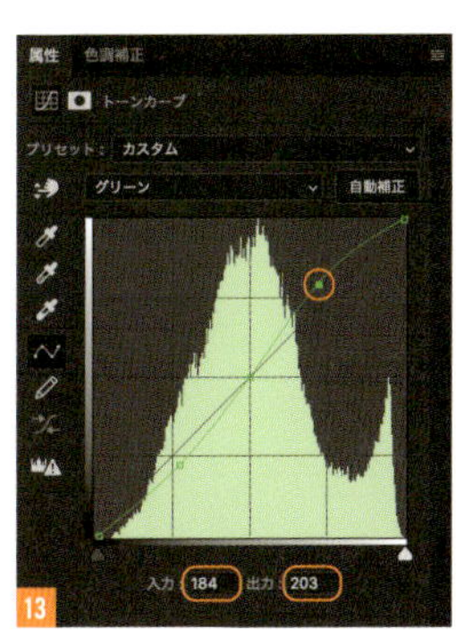

04 トーンカーブを使って、ブルーを調整する

トーンカーブのチャンネルを［ブルー］に変更します。ポインタを３つ追加し、左上から［入力：62］［出力：77］15、［入力：125］［出力：127］16、［入力：200］［出力：188］17とします。ブルーを強調することができました18。

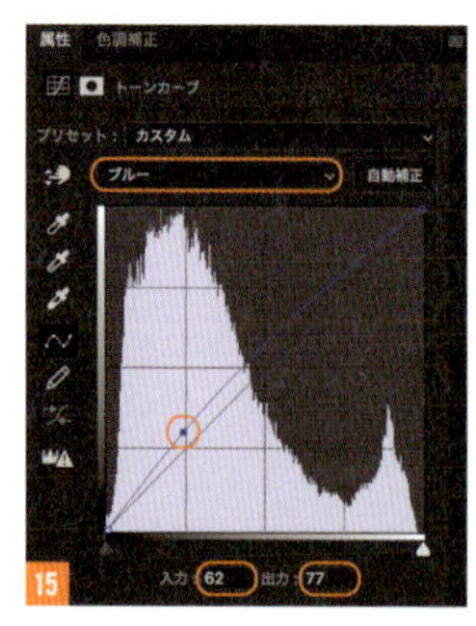

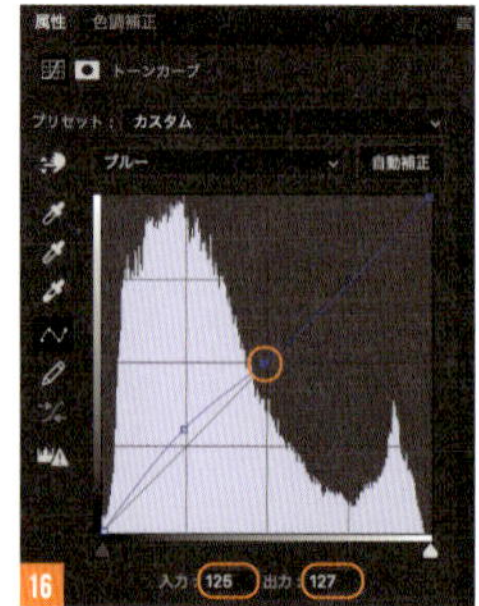

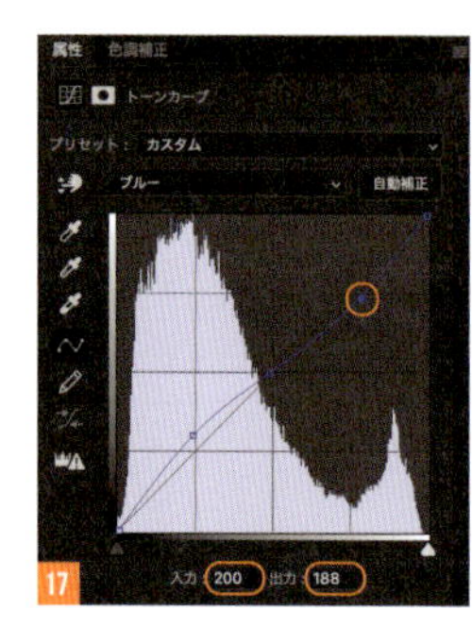

05 グラデーションを使って、四隅に紫色を追加する

レイヤーパネルの調整レイヤー作成ボタンから［グラデーション］を選択します。

［グラデーション］で塗りつぶしのウィンドウが開いたら、グラデーションのカラー部分をクリックします19。

［グラデーションエディター］ウィンドウが開くので、左のカラー分岐点を［#762f8a］とします20。

［グラデーションで塗りつぶし］ウィンドウを［スタイル：円形］にし、逆方向にチェックを入れます21。

写真の四隅が紫色になりました22。レイヤー［グラデーション1］の描画モードをソフトライトに変更します23。

トイカメラで撮影したような色合いに調整することができました24。

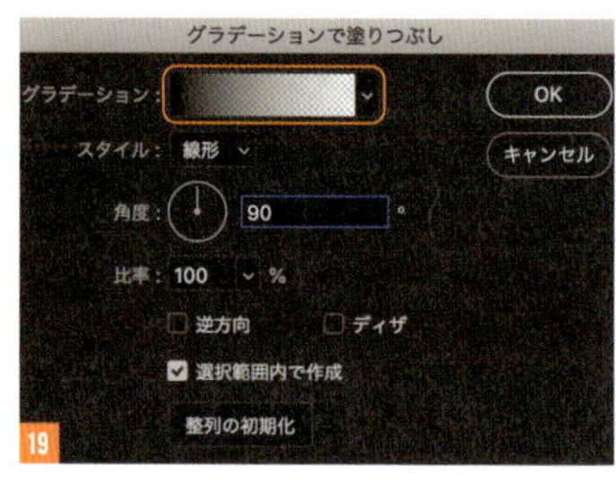

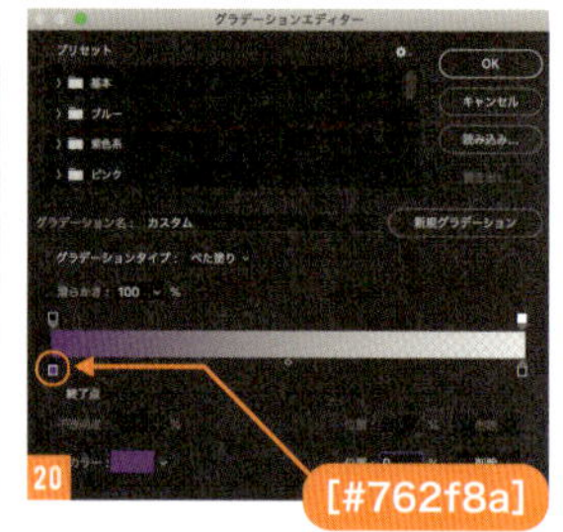

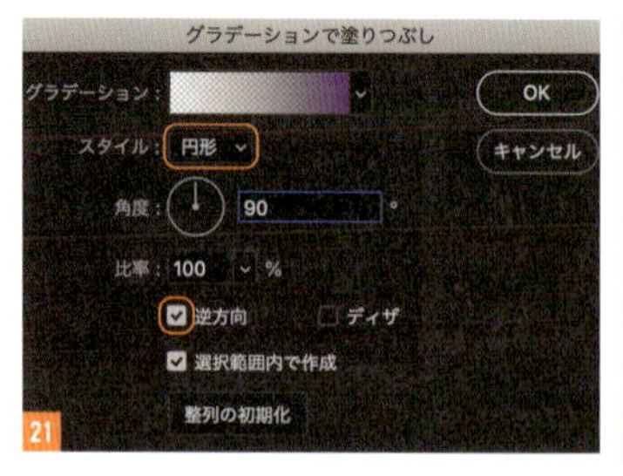

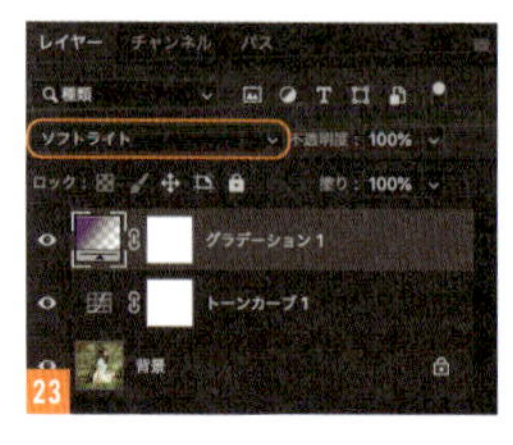

Recipe

056

肌のしわを減らす

スポット修復ツールとコピースタンプツールを使って自然な印象で、肌のしわを減らしてみましょう。

Photo retouching

01 シミやホクロ、薄いしわなどを消していく

素材[人物.psd]を開きます。ツールパネルから[スポット修復ツール]を選択します01。
しみやホクロ、薄いしわなどをなぞり消していきます02。この時、対象より若干大きめのブラシサイズにしましょう。小さなホクロや毛穴などはなぞらずに、点を打つように消していきましょう。

02 コピースタンプツールを使って、肌の質感をなじませる

[コピースタンプツール]を選択します03。コピー元となる部分を選択するため、修正したい部分に近い肌の色や質感の部分(基本的にすぐ隣など近い部分が多い)をOption(Alt)キーを押しながら選択し、対象となる部分を描画していきます04。この時、ブラシサイズと不透明度を調整しながら描画していきましょう。

03 全体を整えたら完成

手順01、02を繰り返します。[スポット修復ツール]でできた歪みを[コピースタンプツール]で修復したり、その逆もあります。最後に指のしわも整えたら完成です05。

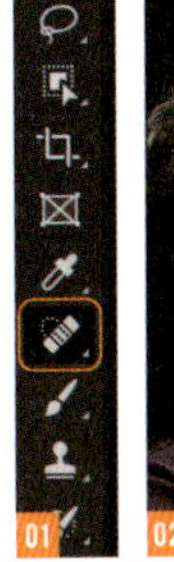

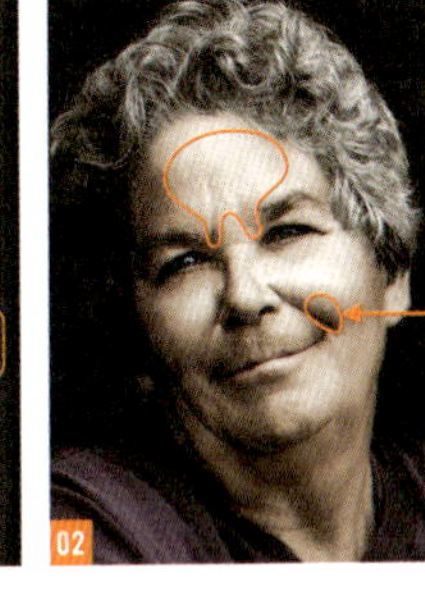

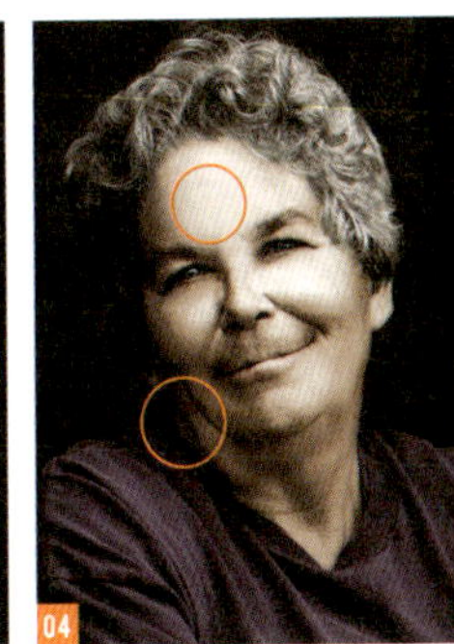

Point

毛穴など細かな部分は画面を拡大して作業しますが、定期的に画面を引き、画面全体を見ながら作業すると自然な印象に近づきます。極端にしわを消す加工は不自然に見える場合があるので、元画像と比較しながら作業しましょう。

Column

フィルターギャラリーを使う

[フィルター]→[フィルターギャラリー]を使うと画像に様々な効果を適用することができます。重ねて適用することもできるので、多種多様な表現も可能です。どのような効果が得られるのか、一部を紹介します。

※スケッチのフィルターは[描画色][背景色]が適用されます。ここでは描画色白[#ffffff]、背景色黒[#000000]を使用しています。

Chapter 04

かわいいレタッチ

アンティークな質感やガーリーなテイストな補正、実用的な作例を集めました。かわいい雰囲気でよりクオリティーの高いイメージを目指します。
様々なジャンルに応用できる手法ですので、覚えておくと幅広い制作に役立ちます。

Photoshop Recipe

Recipe

057

ビンの中に風景を合成

ビンの中に動物などを合成して、ミニチュアのような作品を制作してみましょう。

元画像

01 ビンの透明感を出す

素材[ビン.psd]を開きます。なお、あらかじめ背景を切り抜いたビンのレイヤーを作成しています。
レイヤー[ビン]を選択し[レベル補正]を、入力レベル[0:1.00:235]としハイライトを強くして透明感を出します。この時点ではビンの右側が白飛びしているので、出力レベルを[0:245]とし、白飛びしてしまったビンの輪郭を戻します 01 02。
[カラーバランス]を階調のバランス[ハイライト]にチェックを入れ[カラーレベル]を[0:0:+10]とし、青みを足します 03。
次に、階調のバランス[シャドウ]にチェックを入れ[+10:0:0]とし、土に赤みを足しました 04 05。

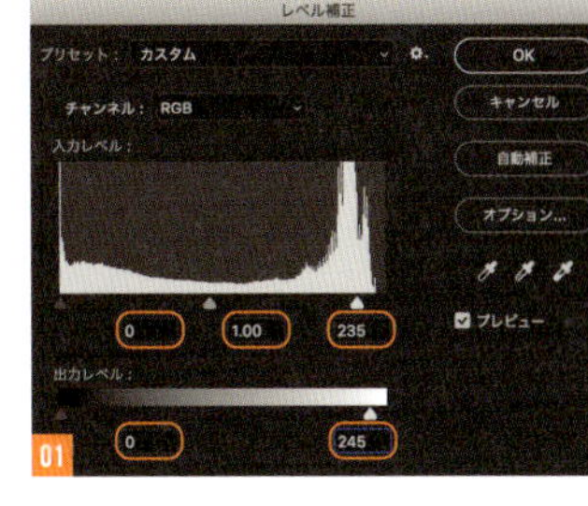

01

02

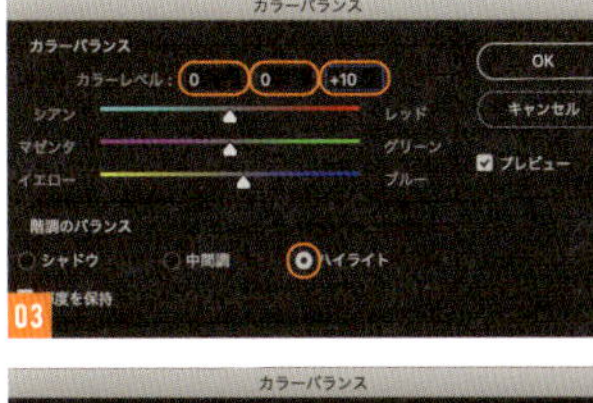

03

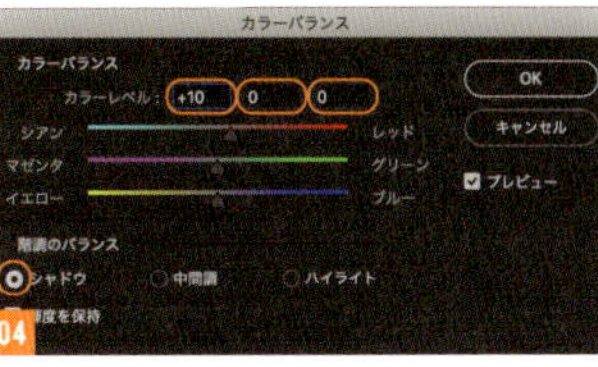

04

05

02 ビンの内側に配置する素材用にパスを作成する

[ペンツール]を選択し、ビンの内側にパスを作成します。06 を参考に素材を配置した際に手前になる部分、奥になる部分を考えながら作成しましょう。[パス]パネルを開き、できあがっている作業用パスの名前を[ビンの内側]としておきます 07。

06

07

03 地面となる花畑を作成する

素材[素材集.psd]から[花畑]を移動し、最上位に配置します 08。
手順02で作成したパス[ビンの内側]のパスサムネールを ⌘ (Ctrl) キーを押しながらクリックし、選択範囲を作成します 09。
選択範囲が作成できたら、レイヤー[花畑]を選択し、レイヤーパネルから[レイヤーマスクを追加]を選択します 10。このままでは、花畑の奥が直線で不自然な印象なので、[レイヤーマスクサムネール]を選択し、[ブラシツール]を選択、描画色黒[#000000]でマスクを修正します。11 を参考にマスクを修正しましょう。
形が整ったら、[レイヤーマスクサムネール]を選択した状態で[ぼかしツール]を選択し、境界線をぼかします。

08

09

10

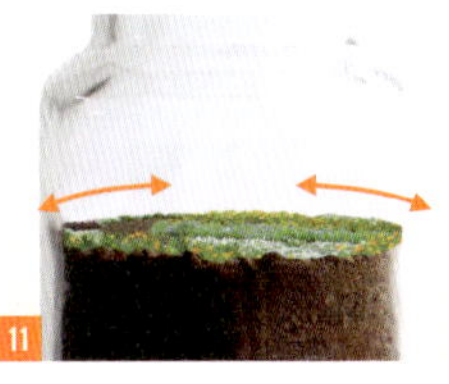
11

Point

[ブラシツール][ぼかしツール]ともに直線的にブラシを使わず、ブラシの種類や不透明度を変え、自然に見えるよう意識して加工しましょう。

04 画面上部に葉っぱを追加する

手順03と同じ要領でレイヤー[葉っぱ]を移動し、手順02で作成したパスから選択範囲を作成し、マスクを追加します 12。こちらも同様に[レイヤーマスクサムネール]を選択し[ブラシ]を選択、描画色黒[#000000]でマスクを修正します。
ビンの中にあるように見せるためには、マスクを追加する際にビンの両サイドを[ブラシツール]を使い、半透明にするようなイメージで描くことです。ブラシの不透明度とサイズをこまめに調整して描画しましょう 13。

05 動物や木の画像を配置する

素材[素材集.psd]からレイヤー[子鹿]を移動し配置します。花畑に立っているように見せるためにレイヤーパネルから[レイヤーマスクを追加]します。子鹿の足元をブラシで整え、花や草の形にそってマスクを追加すると自然な印象になります 14 15。
同じ要領で素材[素材集.psd]の各素材を好みの位置に配置します 16。

06 ビンの光と影を描き足したら完成

最上位に新規レイヤーを作成します。レイヤー名は[ビンの光]とします。レイヤーの描画モードを[オーバーレイ]とし[ブラシツール]で光を描いていきます。
ビンのコルクキャップを見ると右から光が当たっていることがわかります。そこで、ビンの右側を中心にブラシで光を描き足しました 17。
レイヤー[背景]の上位に新規レイヤーを作成し、レイヤー名[ビンの影]とします。
[ブラシツール]を選択し 18 を参考に影を描き足します。影はビンと床の接地面に最も濃い影ができ、離れるほどに薄い影となります。

Recipe

058

被写界深度を調整した主役を際立たせるコラージュ

浅い被写界深度で主役を強調させるコラージュ作品の作り方を解説します。

Photo retouching

01 各素材の位置に注意して配置する

素材[風景.psd]を開きます。素材[素材集.psd]を開き素材[人物][犬][キノコ]を移動し配置します。

背景と各素材の遠近感が自然に見えるように気を付けながら、おさまりのよい位置を探し配置します 01。

元画像

01

02 各素材をグループ化し、ブラシで影を追加する

素材[人物][犬][キノコ]をグループ化し、グループ名を[キャラクター]とします。

グループ内の最下位に新規レイヤーを追加し、レイヤー名を[影]とします02。

なお、グループがわかりやすいようにグループのカラーをレッドにしています。

レイヤー[影]を選択します。描画色黒[#000000]を選択し、左上に太陽があると想定して、ブラシで女の子の足元と、犬とキノコの右側に影を描画しました03。

レイヤーの不透明度を[65%]とし、草原となじませます04。

02

03

04

03 草原に合わせてマスクを追加する

グループ[キャラクター]を選択し[レイヤーマスクを追加]します05 06。

レイヤーマスクサムネールを選択した状態で、[ブラシ]を選択し、ブラシプリセットにある[草]を選択します07(もし[草]が見つからない場合は右ページ下段のPointをご参照ください)。描画色と背景色はともに黒[#000000]としておきます08。

草原に埋もれているように、マスクを追加します。ブラシサイズは[30〜130px]前後で調整しながらマスクを追加していきます09。手順02で描画した影部分も忘れずにマスクしましょう。

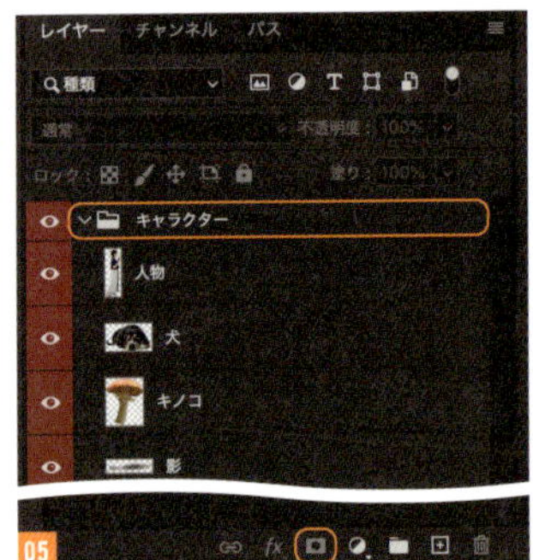

05

06

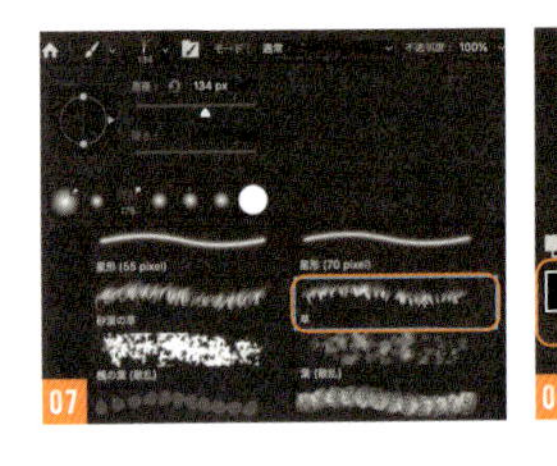
07 08

09

04 照明効果で人物の光を整える

レイヤー[人物]を選択し[右クリック]→[スマートオブジェクトに変換]を選択します。

[フィルター]→[描画]→[照明効果]を選択します10。

[属性]パネルの上部で[スポット]を選択し、プレビューウィンドウに表示されているスポットライトの形を円形にし、女性の左側にドラッグします11。

[属性]パネルの設定は[照度:45][ホットスポット:20][露光量:30][光沢:-100][メタリック:-100][環境光:35]としました12。

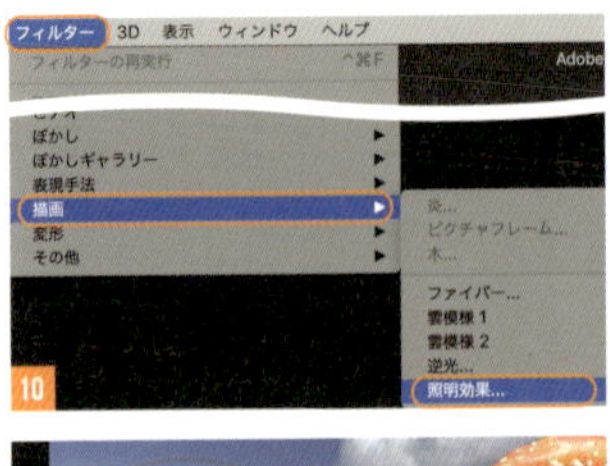

10

11

スポットライトを円形にする

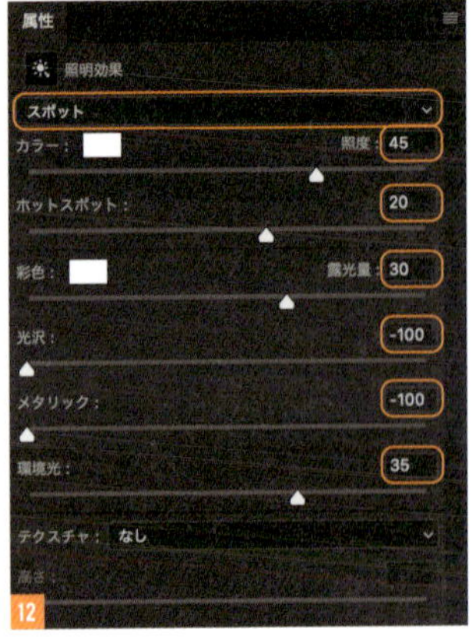

12

05 背景にぼかしを加える

レイヤー[背景]を選択し[スマートオブジェクトに変換]します。
[フィルター]→[ぼかしギャラリー]→[虹彩絞りぼかし]を選択します 13。
人物と犬の顔にピントが合っているように見せたいので 14 のようにぼかしの範囲を整え、[ぼかし：12px]としました。

06 キノコの光を整え、ぼかしを加える

レイヤー[キノコ]を選択し[スマートオブジェクトに変換]とします。
手順04と同じ要領で[フィルター]→[描画]→[照明効果]を選択し、スポットライトをキノコの左上にドラッグします 15。
[属性]パネルの設定は[照度：20][ホットスポット：20][露光量：0][光沢：-100][メタリック：-100][環境光：25]としました 16。
次に、[フィルター]→[ぼかし]→[ぼかし(ガウス)]を選択し[ぼかし：7px]で適用しました 17。

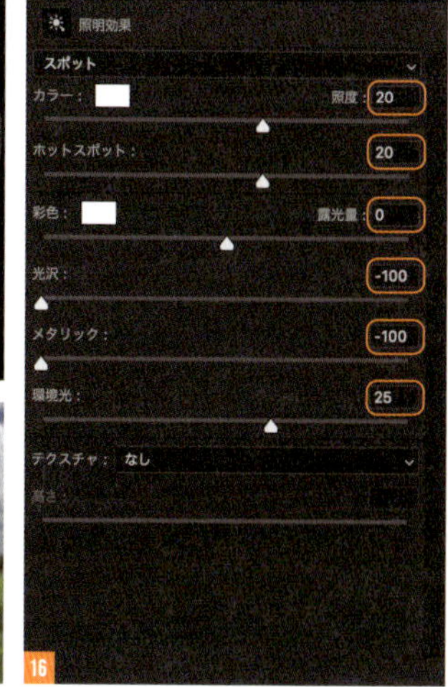

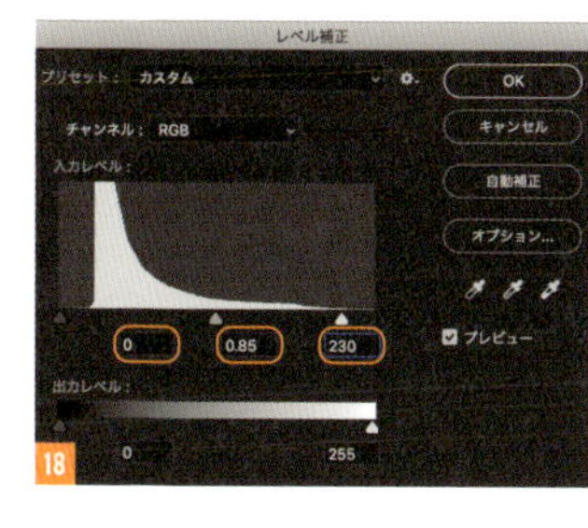

07 犬のコントラストを調整したら完成

レイヤー[犬]を選択し[スマートオブジェクトに変換]とします。
[イメージ]→[色調補正]→[レベル補正]を選択します。
入力レベルを[0：0.85：230]とし、コントラストを高くしました 18。
浅い被写界深度によって、主役が際立つ作品にすることができました 19。

Point

[草]のブラシが見つからない場合は、[ウィンドウ]→[ブラシ]で表示される、[ブラシパネル]のオプションから[レガシーブラシ]を選択し、[レガシーブラシ]を表示させます。[レガシーブラシ]→[初期設定ブラシ]→[草]で選択することができます。

Point

フィルターの[照明効果]や[ぼかしギャラリー]を使う際は、適用するレイヤーを[スマートオブジェクト]に変換しておくことで、フィルターのかけ直しや、微調整をすることが可能です。

Little Red Riding Hood

POP-UP BOOK

Recipe

059 ペーパークラフト風コラージュ

素材にラフな境界を足し、影を付けることでペーパークラフトやペーパーコラージュのような雰囲気のある作品を制作してみましょう。

Photo retouching

01 ペンツールを使い シェイプを作成する

素材[背景.psd]を開きます。
[ペンツール]を選択し[ツールモードを選択]を[シェイプ]とします。ここでは[塗り]を茶系の描画色[#655f53]としました 01。
草むらのイメージでラフに 02 のようにジグザグなシェイプを作成します。レイヤー名を[地面1]とします。

02 レイヤーを複製し、ずらして配置する

レイヤー[地面1]を複製し、レイヤー名[地面2]とし、下位に配置します 03。レイヤー[地面2]の[レイヤーサムネール]をダブルクリックすると[カラーピッカー]ウィンドウが表示されるので、描画色白[#ffffff]とします 04。
[移動ツール]を選択します 05。[地面2]を選択し、少し上に移動します 06。

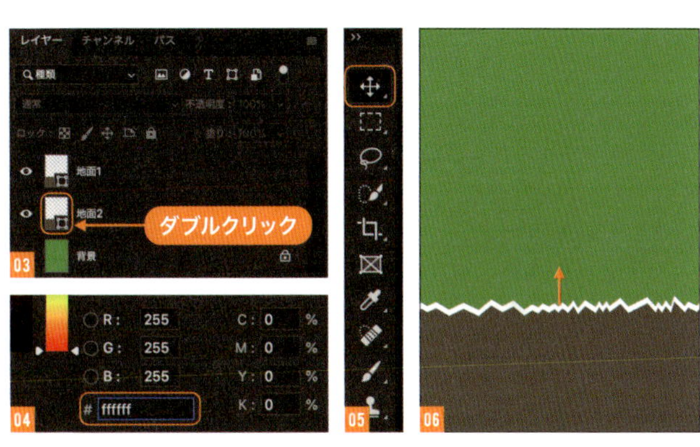

03 [レイヤースタイル]で影を付け、立体感のある素材を作成する

レイヤー[地面2]を選択し、レイヤー名の右側でダブルクリックすると[レイヤースタイル]パネルが表示されます 07。
初期状態では[レイヤー効果]が選択されているので[ドロップシャドウ]を選択します。自動的にチェックボックスにもチェックが付きます。[角度：45°][サイズ：30px]とします 08。
シェイプに白い境界線と影が付き、立体的なシェイプができました 09。

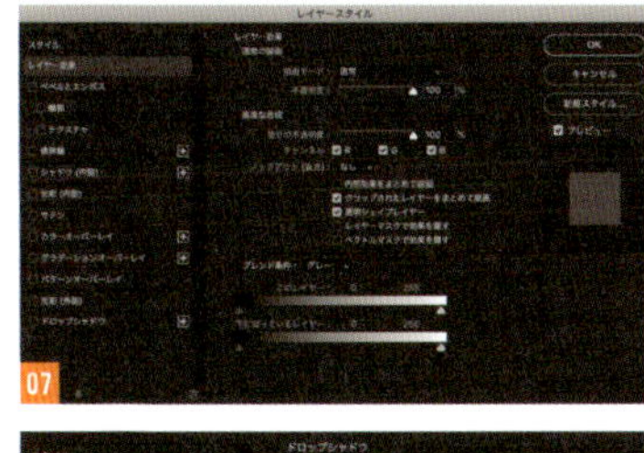

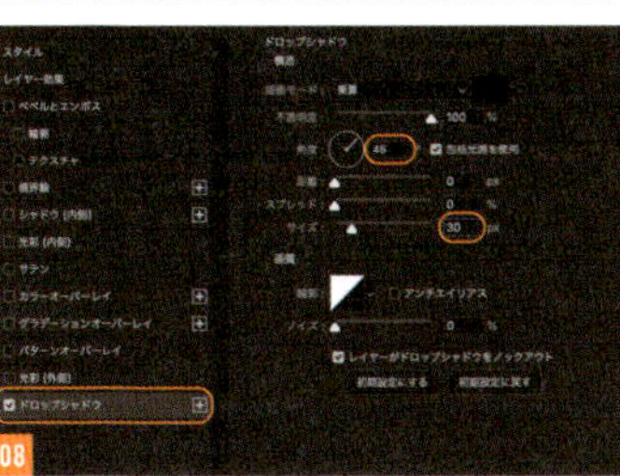

04 木の葉のシルエットを作成する

次に複雑な形状のシェイプをラフな境界線で作成してみましょう。
手順01と同じ要領で、葉のシルエットを作成します。[描画色：#e5bd41]とし、10を参考に、先程よりパスを多くして扇形に作成しました。レイヤー名は[葉1]とし、背景の上位のレイヤー階層にします。
手順02のように、白い境界線を作成したいのですが、ラフな雰囲気が出ないので、レイヤー[葉1]の下位に、手順01と同じ要領でラフなシェイプを作成します11。レイヤー名は[葉2]とします。
手順03と同じ要領で[レイヤースタイル]を使い[ドロップシャドウ]を適用することもできますが、レイヤースタイルはコピーすることができるので、レイヤー[地面2]の上で[右クリック]→[レイヤースタイルをコピー]を選択します12。
次にレイヤー[葉2]を選択し[右クリック]→[レイヤースタイルをペースト]とします。
同じレイヤースタイルがコピーされました13。

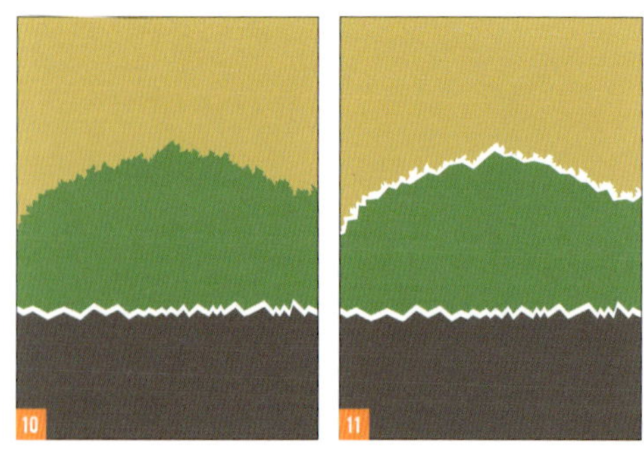

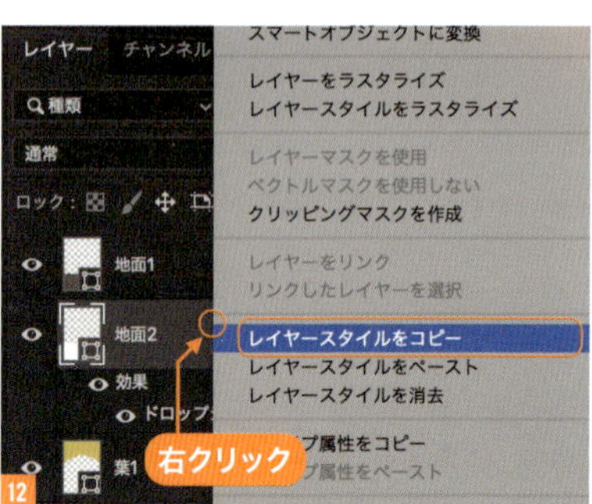

05 女の子や動物の素材を配置する

素材[素材集.psd]から、全素材を移動させ配置します14。
手順04と同じ要領で[下位レイヤーに白でラフなシェイプを作成]→[それぞれの名称のレイヤー名の末尾に2を付けわかりやすくしておく]→[レイヤースタイル(ドロップシャドウ)をコピー&ペースト]を各素材に適用します15。

Point

レイヤー[カゴ]の持ち手部分を切り抜くには、レイヤー名[カゴ2]と名前を付けた白い境界線とシャドウのレイヤーを選択した状態で、ツールパネルから[ペンツール]を選択し、オプションバーの[パスの操作]を[前面シェイプを削除]16と設定し、抜きたい部分のシェイプを作成すると持ち手部分を切り抜くことができます17。
なお、[パスの操作]は初期設定では[新規レイヤー]となっています。用途に応じて変更していきましょう。

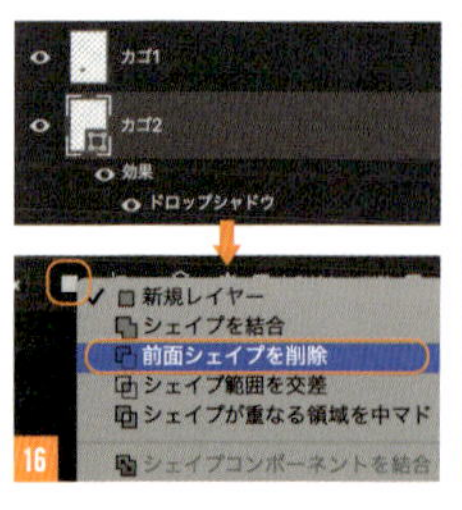

06 グループにマスクを追加し、女の子にカゴを持たせる

レイヤーパネルの［新規グループを作成］を選択します 18。
レイヤー［カゴ1］［カゴ2］をドラッグしグループ内に移動します。グループ名は［カゴ］とします 19。
グループ［カゴ］を女の子の手元に移動して配置します 20。グループ［カゴ］を選択した状態で［移動ツール］を選択しドラッグすると、グループ内をまとめて移動することができます。また、十字キーで位置の微調整も可能です。
グループ［カゴ］を選択し、レイヤーマスクを追加します 21。
［ブラシツール］や［なげなわツール］を使って女の子の手と重なっている部分をマスクします 22。

Point

レイヤー［カゴ1］［カゴ2］をグループ化することで移動や配置、マスクをかける際にまとめて作業することができ便利になります。

07 グループにマスクを追加し、女の子にカゴを持たせる

シェイプで木をつくったり、リンゴを複製したりしながら画面を構成します 23。
すべては手順01～04を繰り返すことで可能です。

08 古紙を使いアンティーク調の質感を追加して完成

素材［テクスチャ.psd］を開き最上位に移動させます。
レイヤーの描画モードを［乗算］とし、質感を足したら完成です 24。
作例では古いポップアップ絵本の表紙をイメージして文字を乗せてみました。

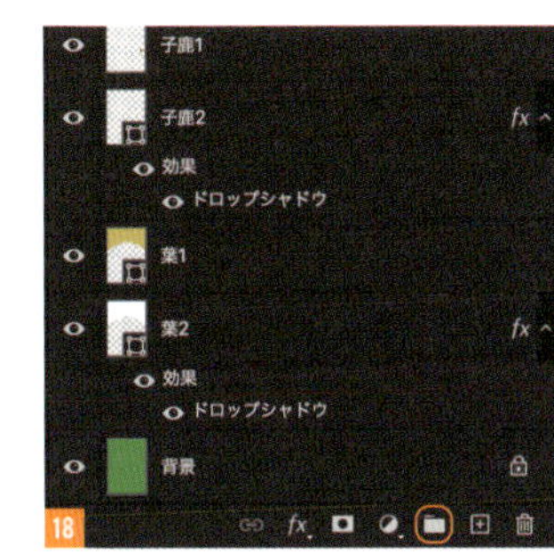

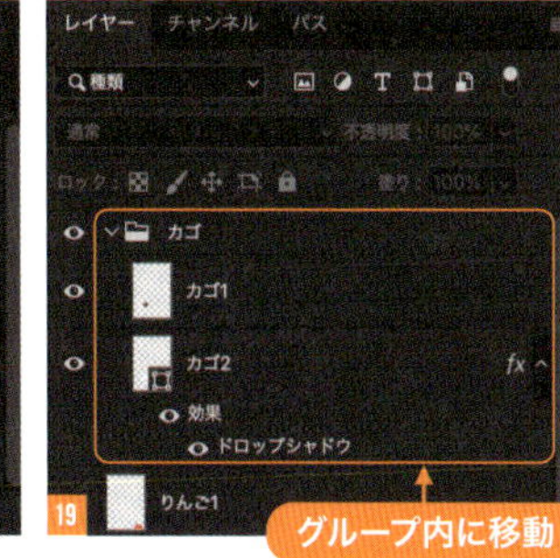

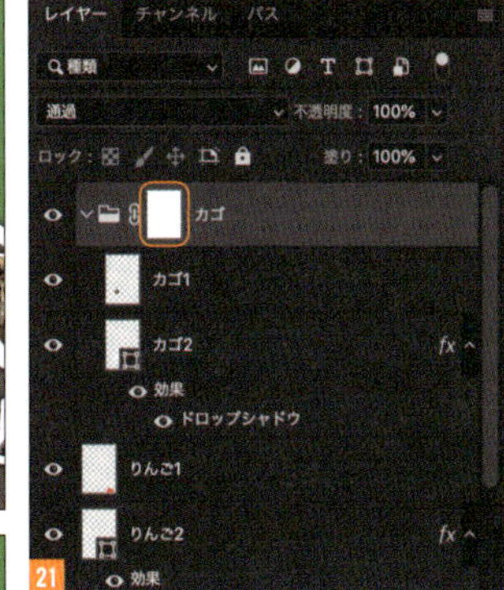

Recipe

060

コンクリートに描かれた落書き

コンクリートにペンキで描かれたような落書きも表現することができます。レイヤースタイルを使ったかすれの表現を見ていきましょう。

Photo retouching

01 レイヤー名をダブルクリックしレイヤースタイルを表示する

素材[風景.psd]を開きます。あらかじめ人物や雨、傘、虹を使ってコラージュしています 01 。レイヤーパネルは 02 のような状態です。レイヤー[雨]のレイヤー名の右側でダブルクリックし[レイヤースタイル]を表示します。

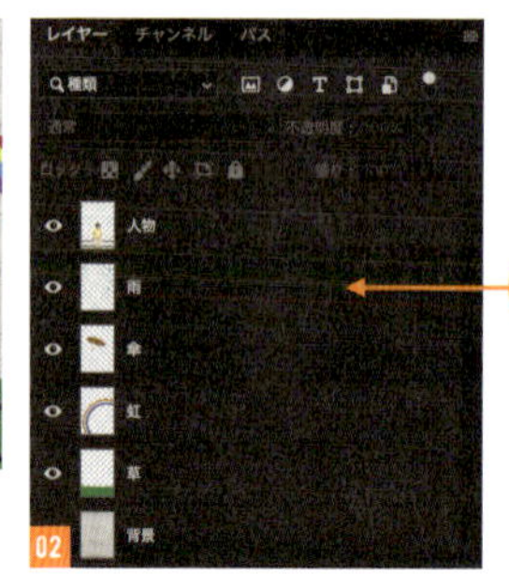

02 レイヤースタイルを使って素材をコンクリートになじませる

[レイヤー効果] を選択し [ブレンド条件] の [下になっているレイヤー] を [140：218] とします 03。右側の調整ポイントの少し左で Option (Alt) キーを押しながらクリックすると、調整ポイントが分割されるので、ドラッグし [140：197/218] とします 04 05。

03 各レイヤーにレイヤースタイルを適用する

手順01、02と同じ要領で、レイヤー[虹] を選択し、[レイヤー効果] [ブレンド条件] の [下になっているレイヤー] を [180/200：210/215] とし、レイヤーの不透明度を [80%] とします 06。

レイヤー[傘] は [下になっているレイヤー] を [135/163：197/218] 07、レイヤー[草] は [下になっているレイヤー] を [140：197/218] 08 とします 09。

Point

[ブレンド条件] で調整ポイントを分割し、2つの調整ポイントを作成した場合、間は階調のグラデーションが作成され背景になめらかになじみます。それぞれの調整ポイントの外側がマスクされる仕組みです。

作例のレイヤー[雨] では、下になっているレイヤーに対して、階調シャドウ側の [0 (最小) ～140] と、ハイライト側[218～255 (最大)] がマスクされ、[197～218] はグラデーションでなめらかになじんでいます。

下になっているレイヤーに対して、調整ポイントを動かしながら最も自然に見えるポイントを探しましょう。

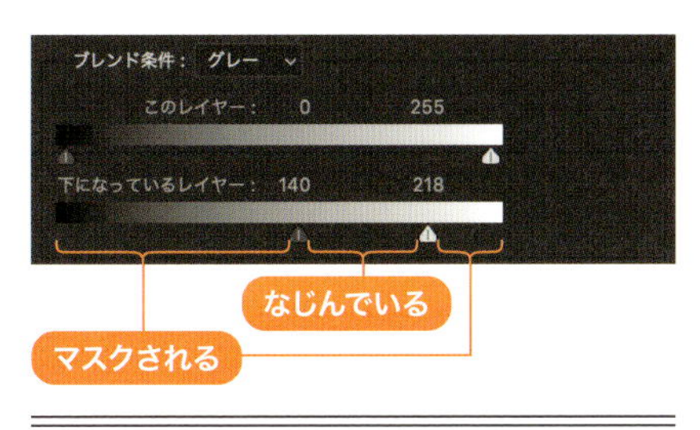

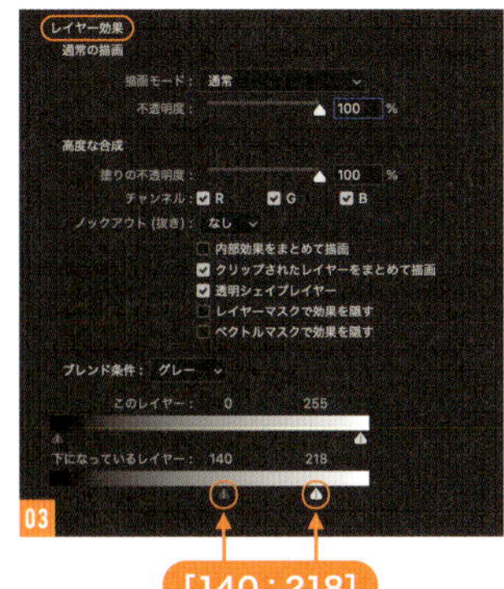

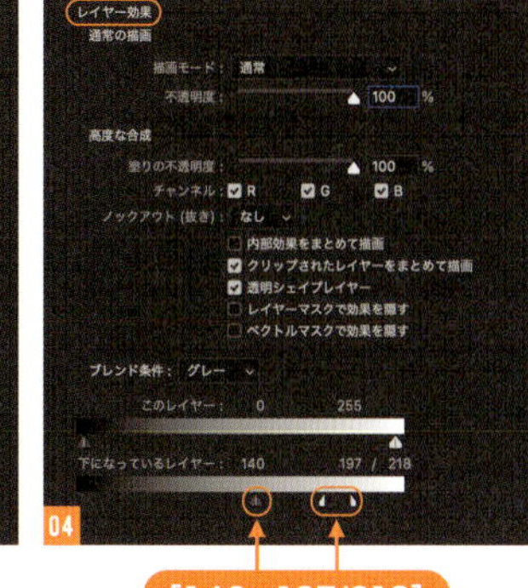

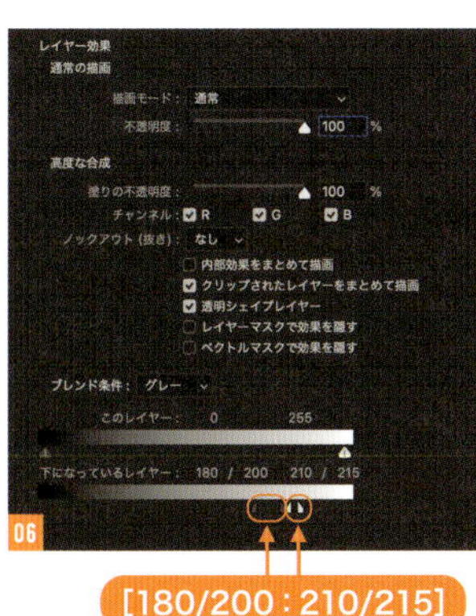

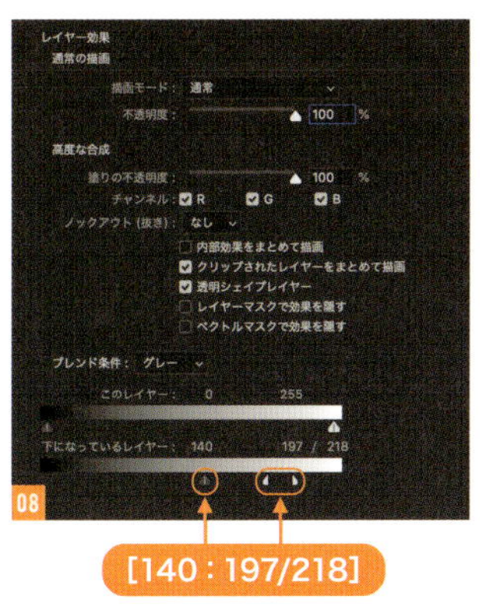

04 レイヤー虹にマスクをかけて完成

傘と虹が重なっているので、レイヤー[虹]に傘のシルエットでマスクを作成します。

⌘(Ctrl)キーを押しながらレイヤー[傘]のレイヤーサムネールをクリックし、選択範囲を作成します 10。

[選択範囲]→[選択範囲を反転]を選択し 11、レイヤー[虹]を選択した状態で、レイヤーパネルの[レイヤーマスクの追加]を選択します 12。

傘のシルエットでマスクが作成されました 13。

作例では文字をのせて完成としました 14。

10

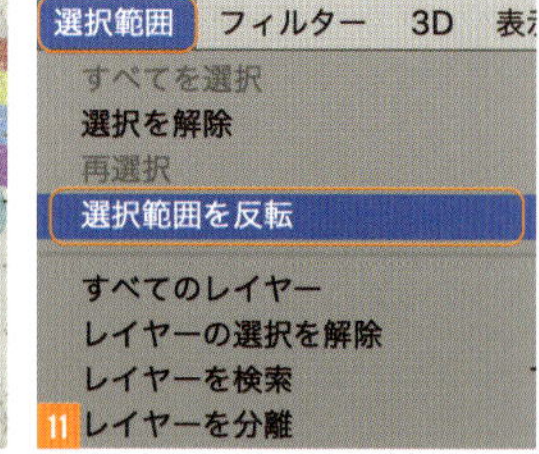

11

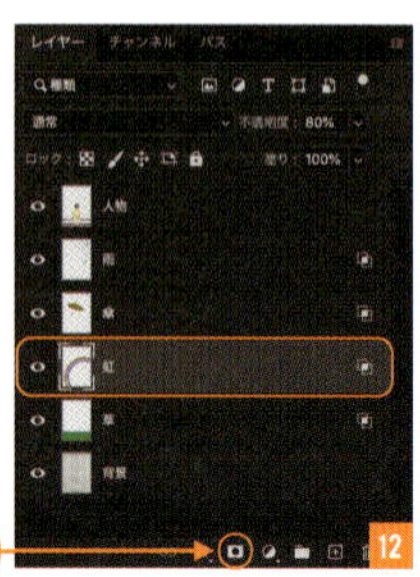

12

13

14

Column

写真素材を探す、撮影する際のポイント

平面的なフォトコラージュ作品を制作する場合、切り抜いた時のシルエットや素材の持つ色や質感に注目して素材を集めます。集めた素材を同じようにシルエット、色、質感を大切にしながら作品全体を組み立てるように制作します。

筆者の場合は右図のように好きなものを立体感を気にせず自由にペタペタと貼り付けるイメージで制作しています。

一方、リアルな風景などの合成を行う場合は、パースを意識して素材を集めたり、撮影する必要があります。

右図のようにベースとなる写真素材や主役となる素材と比較しながら、追加する素材は見上げたアングルなのか、見下ろしたアングルなのか、手前に配置するのか、奥に配置するのかといったことに気を付けながら写真素材を集めます。

Recipe

061

ピンクでかわいいガーリーな写真にする

複数の補正やグラデーションの重ね合わせ、レイヤーの描画モードを使い、単調な補正では再現できない雰囲気のあるガーリーな写真を制作してみましょう。

Photo retouching

01 トーンカーブを使い、写真にマットな質感とマゼンタ寄りの補正を行う

素材[人物.psd]を開きます。レイヤーパネルの調整レイヤー作成ボタンから[トーンカーブ]を選択します 01。

左下のポインタを[入力：0][出力：21]、ポインタを追加し[入力：21][出力：33]とします 02。

[グリーン]を選択し2つのポインタを追加し[入力：71][出力：53]と[入力：135][出力：122]とします 03。

マットな質感になり、グリーンを抑えることでマゼンタが強調されました 04。

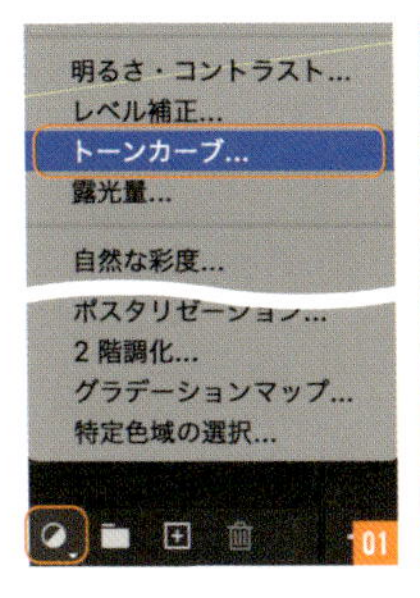

01

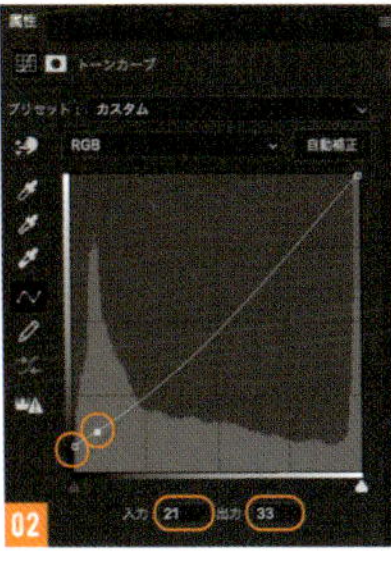
02

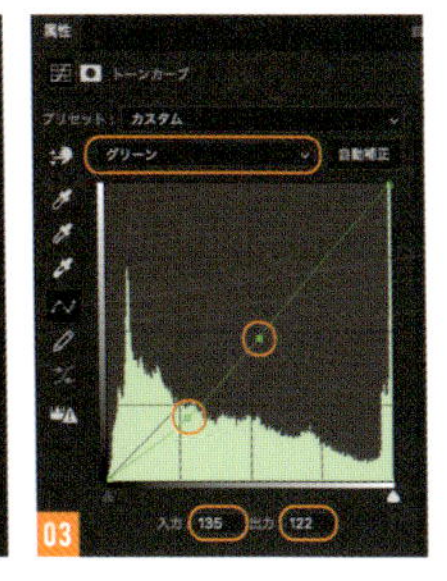
03

04

02 グラデーションマップを使い全体に淡いピンクと黄色を加える

レイヤーパネルの調整レイヤー作成ボタンから[グラデーションマップ]を選択し、最上位に配置します。

[属性]パネルの[クリックでグラデーションを編集]を選択し[グラデーションエディター]ウィンドウを開きます。

カラー分岐点を選択し、左を[#f4ead3]、右を[#dfa4bd]とします。不透明度の分岐点は[100%]とします（プリセットの[描画色から背景色へ]を選択しカラーのみ編集するとスムーズです）05。

06のようにグラデーションマップが適用されたら、レイヤーの描画モードを[ソフトライト]にします07。

05 06 07

03 べた塗りを[乗算]で重ね、統一感や深みを出していく

レイヤーパネルの調整レイヤー作成ボタンから[べた塗り]を選択し、最上位に配置します。

レイヤーサムネールをダブルクリックし[カラーピッカー（べた塗りのカラー）]を開き、[#cea96b]とします08。

レイヤー[べた塗り]の描画モードを[乗算]にし、レイヤーの不透明度を[10%]とします09。

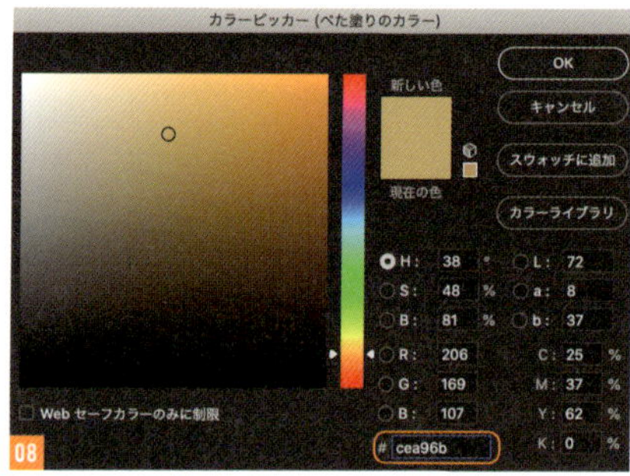

08

09

04 全体に白のグラデーションを重ね、淡く仕上げる

描画色白[#ffffff]とした状態で、レイヤーパネルの調整レイヤー作成ボタンから[グラデーション]を選択し、最上位に配置します。
自動的に[グラデーションで塗りつぶし]パネルが表示されるので[グラデーション]をクリックし、[グラデーションエディター]ウィンドウを表示します。プリセットの[描画色から透明に]を選択します 10。[OK]を選択し[グラデーションで塗りつぶし]パネルに戻り[スタイル：線形][角度：-90°][比率：100%]とします 11。
なお、[グラデーションで塗りつぶし]パネルを表示中は、カンバス上でドラッグすることでグラデーションの位置を調整することができます。調整し終わったグラデーション1のレイヤーの不透明度を[20%]とします 12。

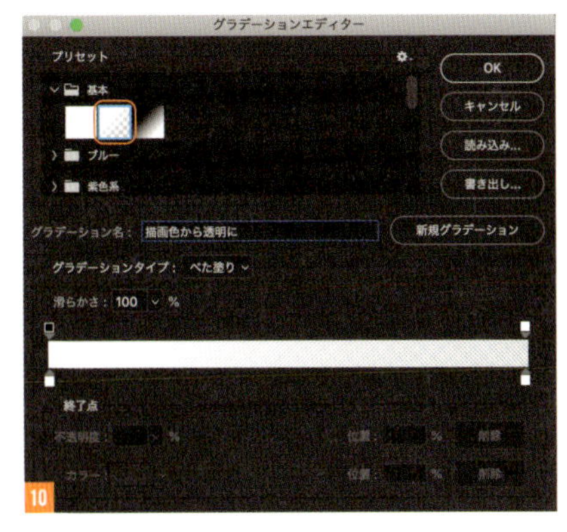

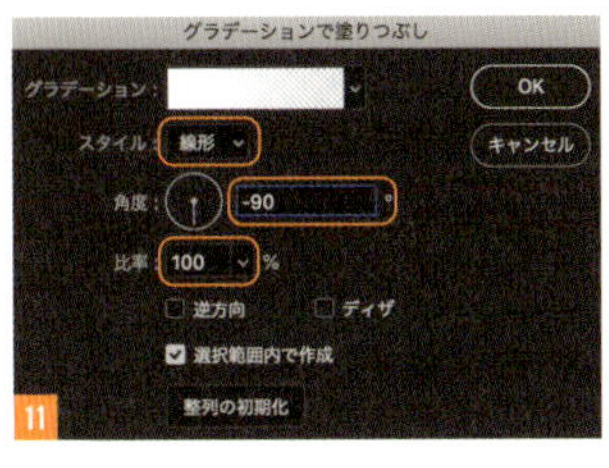

05 特定色域の選択で全体のカラーを整えて完成

レイヤーパネルの調整レイヤー作成ボタンから[特定色域の選択]を選択し、最上位に配置します。
[相対値]を選択し[カラー：イエロー系]を選択し[シアン：-100%][イエロー：-100%]とします 13。
[カラー：白色系]を選択し[イエロー：+50%]とします 14。
[カラー：中間色系]を選択し[マゼンタ：+10%][イエロー：-20%]とします 15。
複数の調整レイヤーを重ねることで、雰囲気と深みのあるガーリーな写真に仕上がりました 16。

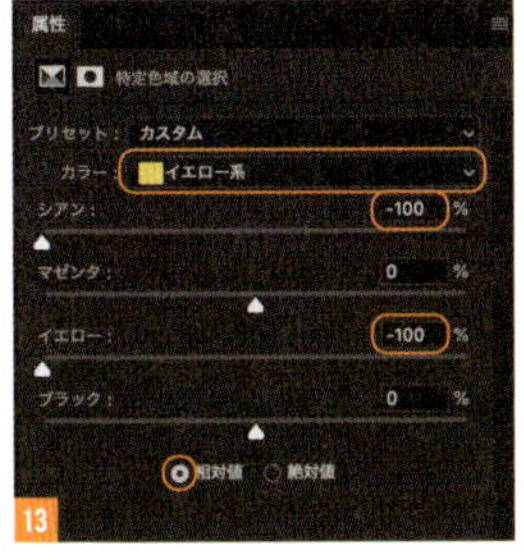

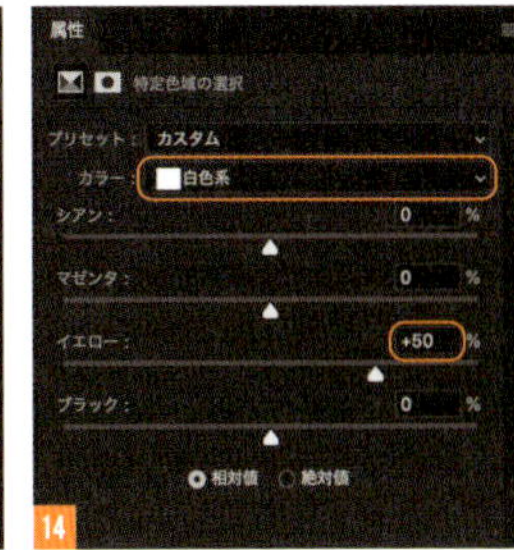

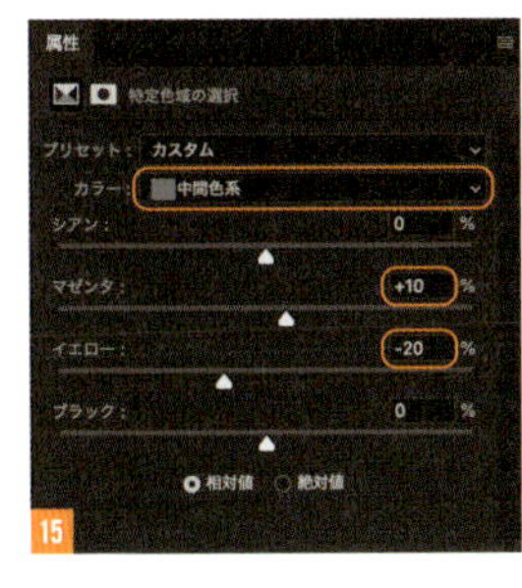

Point

[相対値]を選択すると、現在の色の成分に対して%が変化します。
[絶対値]を選択すると、指定した%の分だけ増減します。

絶対値にチェックした場合の色味

Recipe

062

アンティーク風の写真にする

しわや破れ、折り目のついたビンテージ感のある写真に加工してみましょう。

Photo retouching

元画像

01 雲模様からしわ感のあるテクスチャを作成する

素材［花.psd］を開きます。上位に新規レイヤーを作成し、レイヤー名［しわ］とします 01。
描画色黒［#000000］、背景色白［#ffffff］を選択します（［描画色と背景色を初期設定に戻す］を選択しても指定の色になります）02。
レイヤー［しわ］を選択し［フィルター］→［描画］→［雲模様 1］を適用 03、続けて［フィルター］→［描画］→［雲模様 2］を適用します 04。
さらに［フィルター］→［表現手法］→［エンボス］を選択し［角度：90°］［高さ：13pixel］［量：75％］で適用します 05。
しわのある紙のようなテクスチャができました 06。
レイヤーの描画モードを［オーバーレイ］とし、テクスチャを背景になじませます 07。

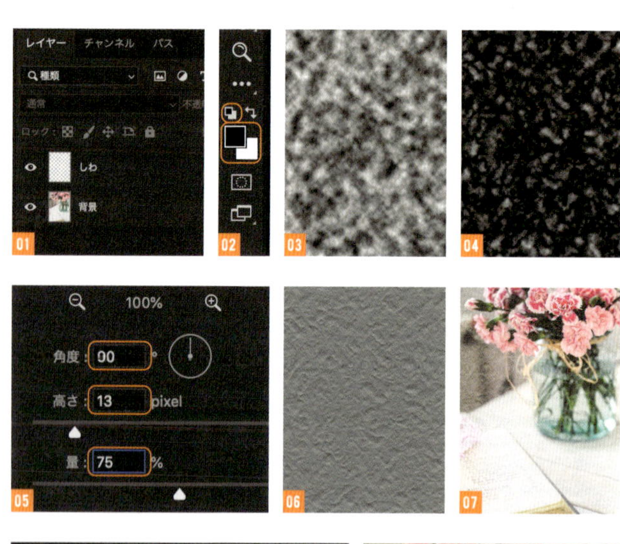

02 使用感のある紙のテクスチャを重ねる

素材［紙.psd］を開き、レイヤー［しわ］の下位に配置します 08。レイヤー名は［紙］とし、描画モードを［乗算］にします 09。

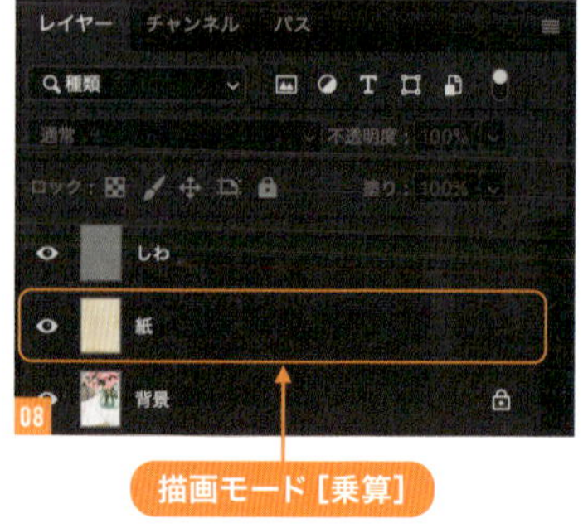

03 グラデーションを使って紙の折り目を再現する

最上位に新規レイヤーを作成し、レイヤー名を[折れ線]とします 10。

[グラデーションツール]を選択し、オプションバー内のグラデーションエディターの設定を[白～透明]のグラデーション(プリセット名：描画色から透明に)とし、グラデーションの種類は[線形][モード：通常]とします 11。

カンバスの左半分を[選択ツール]で選択します 12。

選択範囲の右側から左に向かってドラッグし、グラデーションを作成します 13。

選択範囲を反転し、グラデーションを[黒～透明]にし、今度は選択範囲の左側から右に向かってドラッグし、グラデーションを作成します 14。

白と黒のグラデーションの幅は同じくらいになるようにしましょう。

レイヤーの描画モードを[オーバーレイ]にし、不透明度を[40%]とします 15。

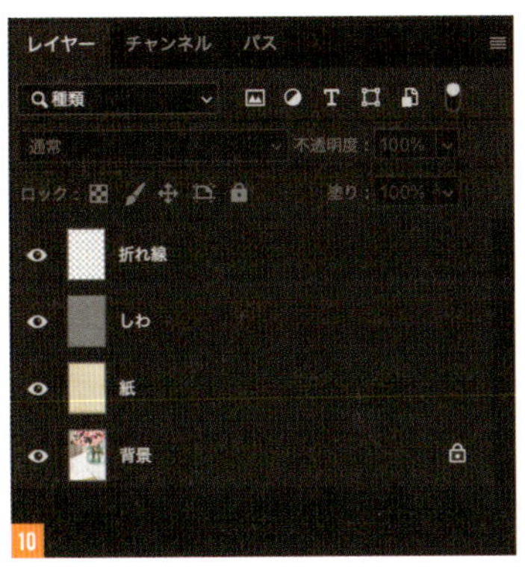

04 折れ線を複製し、四隅に破れたような加工を加える

レイヤー[折れ線]を複製し、角度やサイズを変えながら配置します 16。

すべてのレイヤーをグループ化します。グループ名[エフェクト]とします。レイヤーパネル内の[レイヤーマスクを追加]を選択します 17。グループ外の下位に新規レイヤー[背景]を作成し[塗りつぶしツール]で白く塗りつぶします 18。

最後に四隅に破れたような加工を加えます。グループ[エフェクト]のレイヤーマスクサムネールを選択し[ブラシツール]を選択します。ブラシの種類はプリセットの[チョーク：60px]を選択し 19、ブラシパネル内のシェイプを選択し[角度のジッター：30%] 20 とすることで破れた感じが描画しやすくなります。

四隅をブラシの塗りでマスクしたら、角や折り線部分は少し内側までマスクするようにするとさらにリアルな破れた感じが出せます。

作例では古いスタンプ風の画像を重ねて完成としました 21。

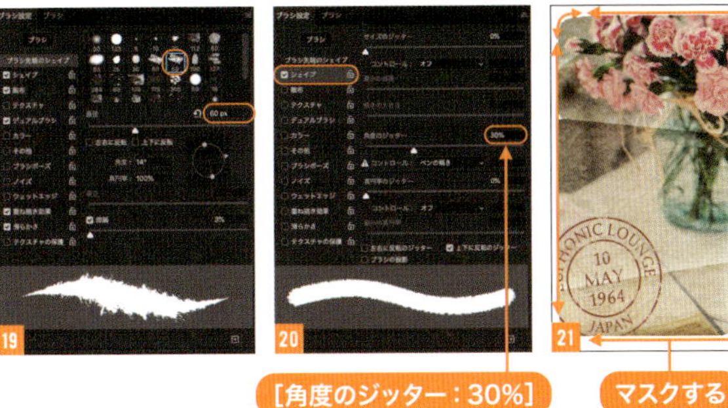

Recipe

063

キラキラしたパーツで装飾する

ブラシでキラキラした装飾を作ってみましょう。オリジナルのブラシとして登録しておくと、様々なシーンで活用できます。

Photo retouching

01 粒状でランダムに拡散するブラシを作成する

素材[人物.psd]を開きます。[ブラシツール]を選択した状態で[ウィンドウ]→[ブラシ]を選択し[ブラシ]パネルを開きます 01 02。

プリセットにある[ソフト円ブラシ]を選択します。[ブラシ先端のシェイプ]を選択し[直径：20px][間隔：200%]とします 03。

次に[シェイプ]を選択し[サイズのジッター：100%]とします 04。

[散布]を選択し[散布：1000%]とします 05。

大小さまざまな点が散布されるブラシが作成できました。作成したブラシは今後も使用できるよう登録しておくと便利です。ブラシパネル内右下の[新規ブラシを作成]を選択し、好みのブラシ名を付けておきましょう。

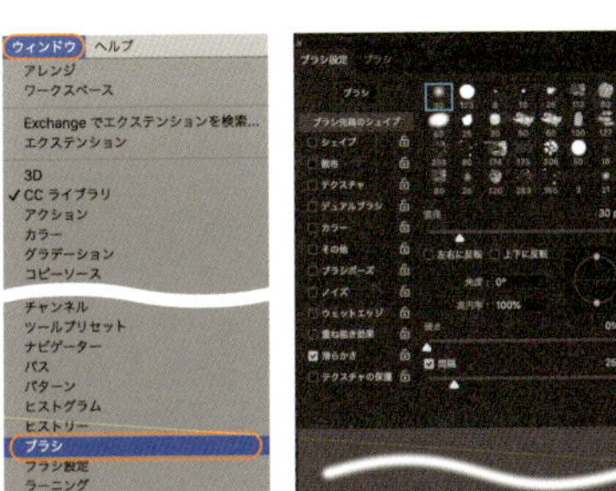

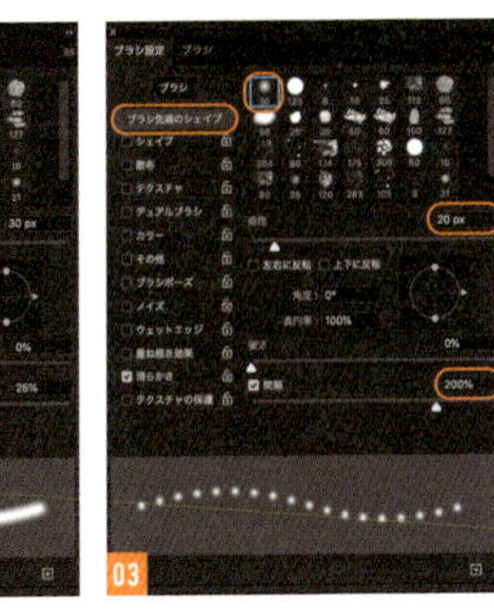

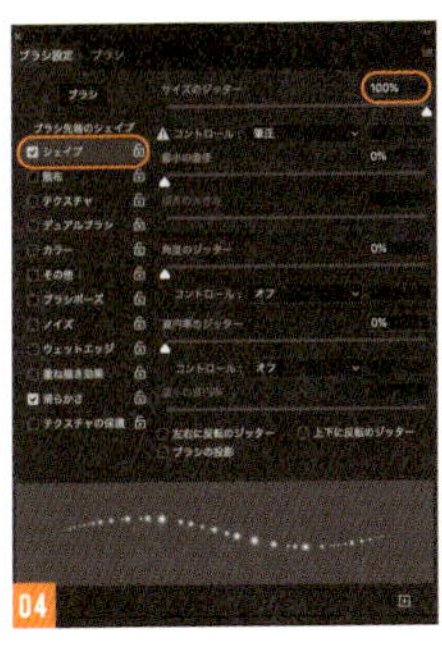

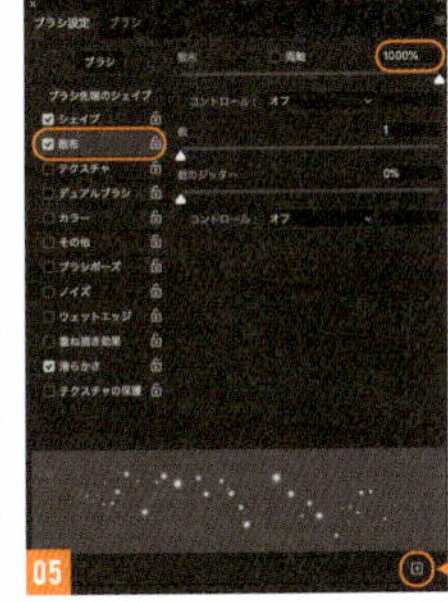

新規ブラシを作成

02 作成したブラシで光の粒を描画する

新規レイヤーを作成し、レイヤー名[光の粒]とし最上位に配置します。

手順01で作成したブラシで光の粒を描画します 06。

タンポポの綿毛の流れを意識して、ブラシサイズを変更しながらラインを描きました。

03 レイヤースタイルを使って、さらに外側に光る様に加工する

レイヤー[光の粒]を選択し、レイヤー名の右側でダブルクリックし[レイヤースタイル]パネルを表示します。[光彩(外側)]を選択します。[不透明度：100%]、背景となじむように黄色系の色[#fefa90][サイズ：15px][範囲：50%]と設定し完成です 07 08。

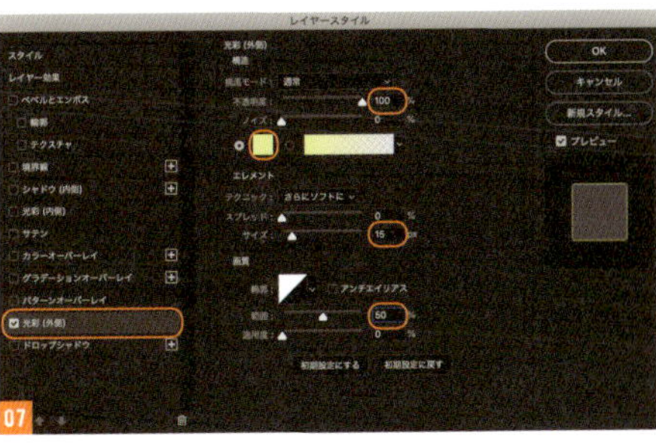

EYEWEAR SUMMER COLLECTION

Recipe

064

写真に印刷物風のドット加工をする

写真に印刷物風のドット加工を追加しアナログな質感に加工してみましょう。

Photo retouching

01 人物に印刷物風の加工を加える

素材[人物.psd]を開きます。レイヤーをコピーし上位レイヤーを[カラーハーフトーン]、下位レイヤーを[人物]とします 01。
[フィルター]→[ピクセレート]→[カラーハーフトーン]を選択します 02。
[最大半径：4pixel]チャンネルを各[45]とします 03。
印刷物風のドット加工が作られました 04。

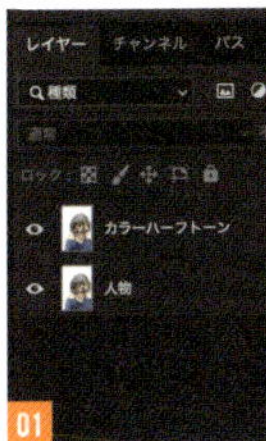

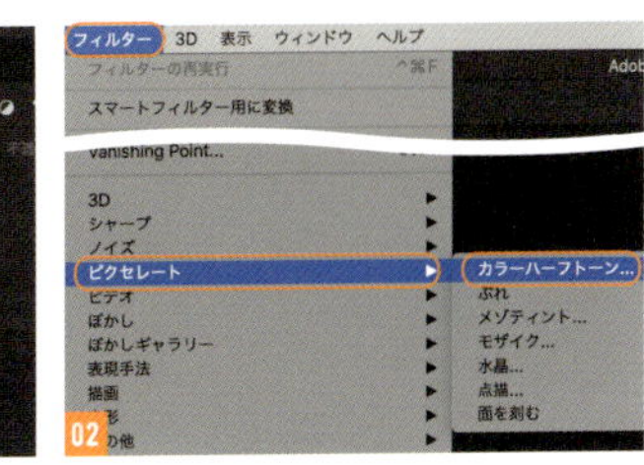

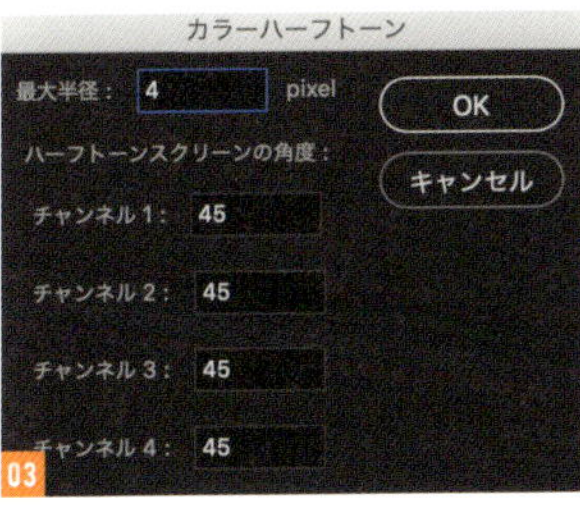

02 グラデーションマップを使って 2色の画像に加工する

レイヤーパネル内の調整レイヤー作成ボタンから[グラデーションマップ]を選択し 05、最上位に配置します。
[グラデーションマップ]パネル内の[グラデーション]をクリックし 06、[グラデーションエディター]ウィンドウを表示します 07。
パネル内のパープル系[#fc00f9]からイエロー系[#fff100]の色のグラデーションを作ります。
パープル系とイエロー系の2色の画像になりました 08。

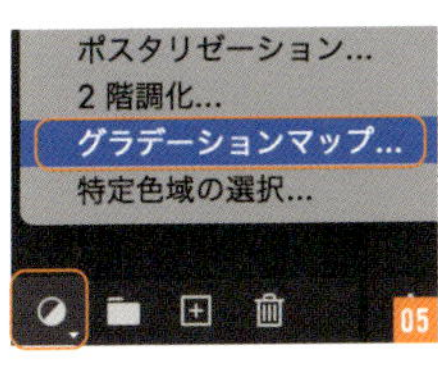

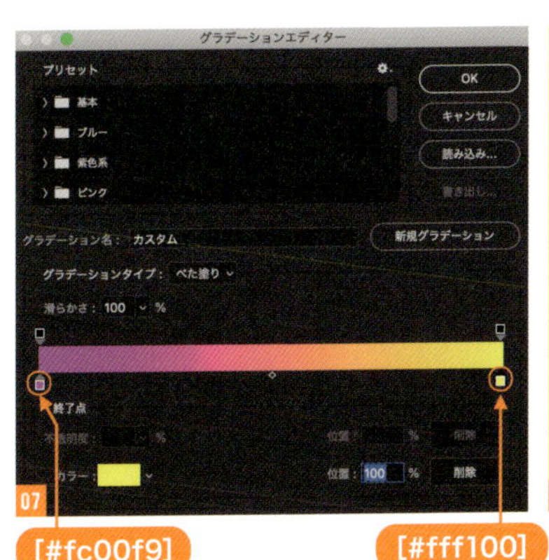

03 カラーハーフトーンのドットの重なり具合を調整する

ドット感が強い画像を制作したい場合はここで完成です 09。
レイヤー[カラーハーフトーン]を選択し、不透明度を[30%]とします。
不透明度を変更する前 09 に比べ元のドット感を生かした画像に加工できました 10。

Recipe

065

コミック風に加工する

人物写真をアメコミ風のポップなイメージに加工します。

Photo retouching

01 画像を白黒に変換し、全体を均一な明るさに補正する

素材[人物.psd]を開きます。レイヤーを選択し[右クリック]→[スマートオブジェクトに変換]を選択します。レイヤーを3つに複製し、レイヤー名は上から[輪郭][ドット][人物]とします 01。レイヤー[人物]を選択し、他のレイヤーは非表示にしておきます。[イメージ]→[色調補正]→[白黒]を選択し、[初期設定]のまま適用します 02。[イメージ]→[色調補正]→[シャドウ・ハイライト]を選択します。
シャドウ[量:68%][階調:38%][半径:49px]
ハイライト[量:37%][階調:50%][半径6px]
調整[カラー:0][中間調:+19]とし 03、全体が均一に明るくなるように補正を行います 04。

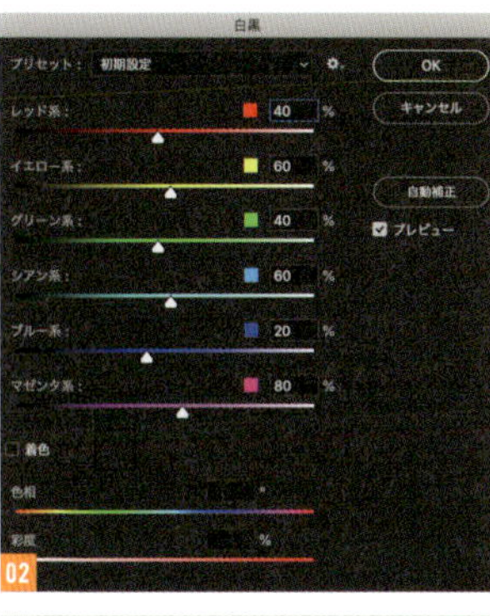

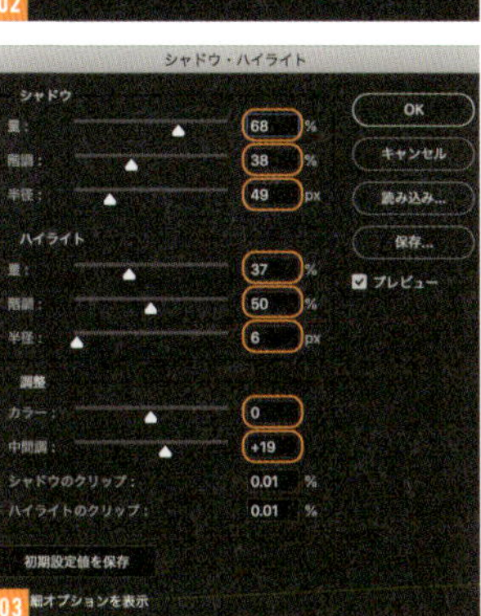

02 ポスタリゼーションを使ってイラスト調に加工する

[フィルター]→[ぼかし]→[ぼかし(ガウス)]を選択し[半径:1.5 pixel]で適用します 05。
[イメージ]→[色調補正]→[ポスタリゼーション]を選択し[階調数:4]で適用します 06。
[ぼかし(ガウス)]をかけておくことで、[ポスタリゼーション]をかけた際になめらかな表現になります 07。

03 画像に印刷物のドット感を追加する

レイヤー[ドット]を表示し選択します。
手順01と同じように、[白黒]を適用します。
[フィルター]→[ピクセレート]→[カラーハーフトーン]を選択します。[最大半径:5pixel]チャンネルを各[50]とします 08。
[フィルター]→[ぼかし]→[ぼかし(移動)]で[角度:45°][距離:8pixel]を適用し、印刷物のような質感を再現します 09。
レイヤーの描画モードを[ソフトライト]にし、なじませます 10。

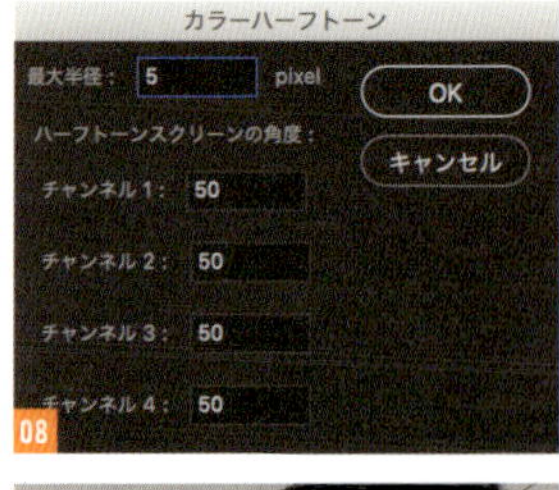

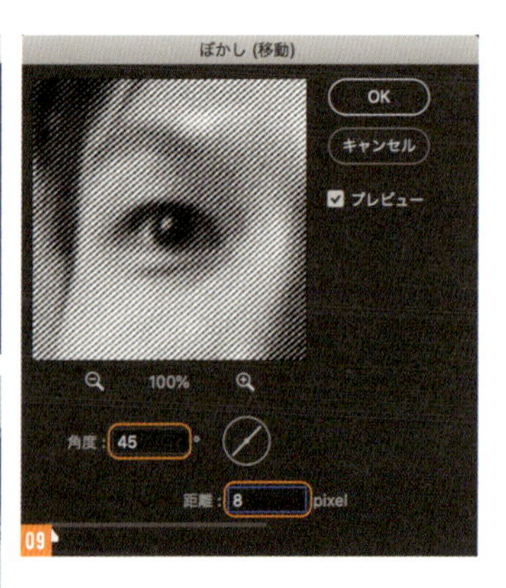

04 輪郭を強調する

レイヤー[輪郭]を表示し、選択します。
[フィルター]→[表現手法]→[輪郭検出]を選択します 11 12。
輪郭を強調するために[レベル補正]で入力レベル[0:0.20:210]とします 13。
レイヤーの描画モードを[乗算]にします 14。

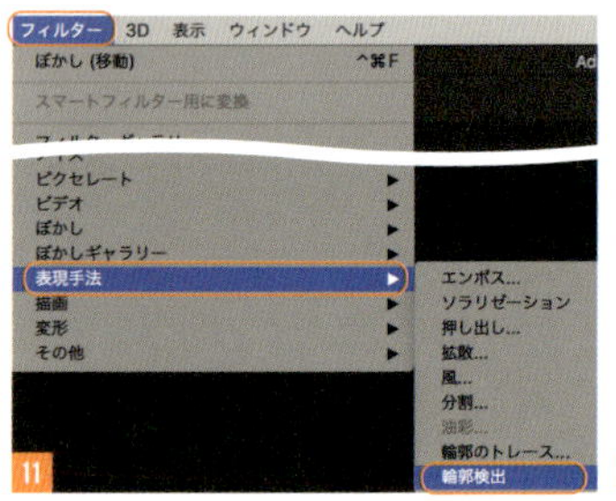

05 べた塗りしたレイヤーを重ね色味を統一する

レイヤーパネルの調整レイヤー作成ボタンから[べた塗り]を選択し最上位に配置します 15。
レイヤーサムネールをダブルクリックし、べた塗りのカラーを[#00b4ff]とします。
レイヤーの描画モードを[ソフトライト]とし、人物の加工が完成です 16。

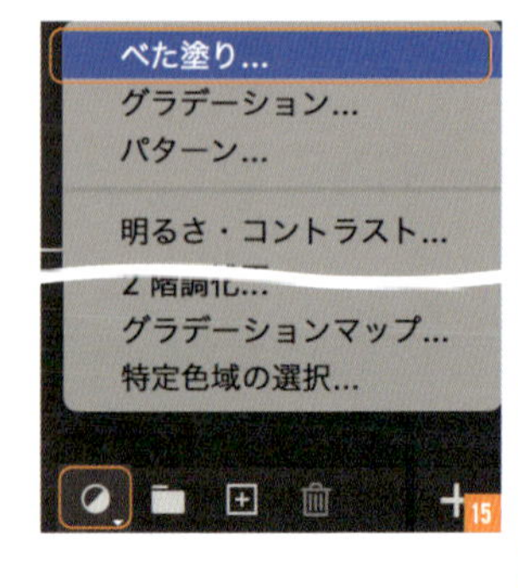

06 アメコミ風の装飾をレイアウトし人物の形でマスクを追加する

素材[装飾.psd]を開き、レイヤー[ドット青]を最上位に配置し、描画モードを[ソフトライト]とします 17 。

[ペンツール]を使い人物以外のパスを作成し、[右クリック]→[選択範囲を作成]を選択します。

選択範囲を作成した状態でレイヤー[ドット青]を選択し、レイヤーパネル内の[レイヤーマスクを追加]を適用します 18 19 。

レイヤー[集中線]を移動し、レイヤー[ドット青]の上位に配置します。

レイヤー[ドット青]のレイヤーマスクサムネールを Option （ Alt ）キーを押しながらレイヤー[集中線]にドラッグし、レイヤーマスクを複製します 20 。

同じようにレイヤー[line2]を移動し最上位に配置し、レイヤーマスクサムネールを複製します 21 。

17

18

19

20

21

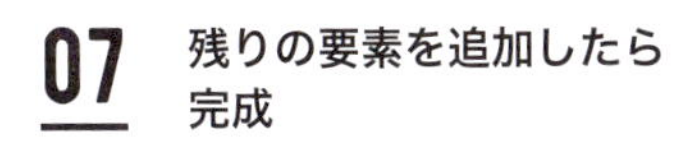

07 残りの要素を追加したら完成

レイヤー[ドット紫]をレイヤー[line02]の下位に配置します 22 。

レイヤー[line02]の上位にレイヤー[ドット黄色]を移動させます。

さらに上位にレイヤー[line][bang][！][what]の順に配置して完成です 23 。

22

23

Recipe

066

シャボン玉が浮かぶ風景

背景写真を使用して、本物そっくりのシャボン玉を作ることができます。

Photo retouching

01 背景画像を切り取り別レイヤーにする

素材[人物.psd]を開きます。ツールパネルで[長方形選択ツール]を選択し、Shift キーを押しながら花と背景の緑を含むように正方形の選択範囲を作成します 01。
選択範囲を作成した状態で[右クリック]→[選択範囲をコピーしたレイヤー]を選択し、レイヤー名を[シャボン玉]とします 02。

01

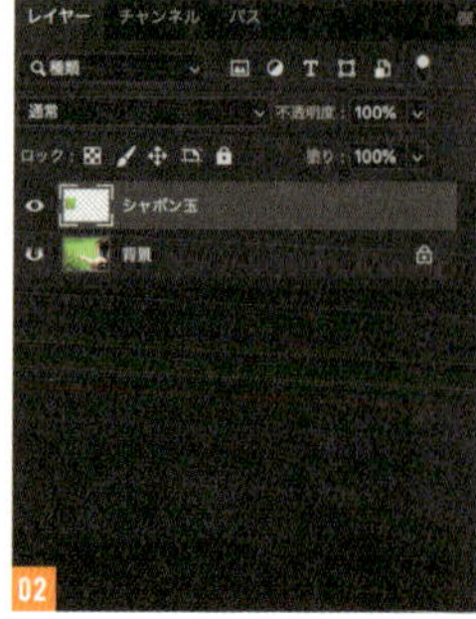

02

02 シャボン玉のように加工する

⌘（Ctrl）キーを押しながら、レイヤー[シャボン玉]のサムネールをクリックし、選択範囲を作成します 03。
選択範囲を作成した状態で[フィルター]→[変形]→[極座標]を選択します 04。
[直交座標を極座標に]にチェックを入れて適用します 05 06。

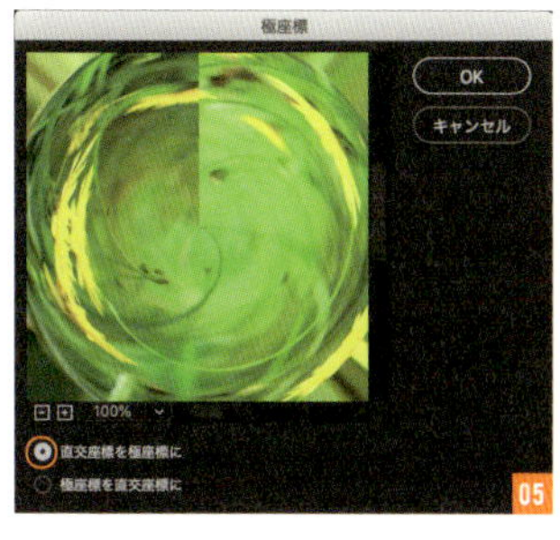

03 指先ツールで極座標でできたラインをなじませ、シャボン玉の形で切り抜く

中央に縦のラインが入るので、[指先ツール]を選択し 07、[ブラシサイズ：50px][強さ：50%]とし、ラインの左から右に、右から左に、と交差するようになぞり、なじませます 08。
[楕円形選択ツール]を選択し Shift キーを押しながら、正円の選択範囲を作成します 09。
[右クリック]→[選択範囲を反転]を選択し Delete キーで正円の外を削除します 10。

正円の外が削除された

04 球面加工を追加し中心が透明になるようにマスクを追加する

⌘（Ctrl）キーを押しながら、レイヤー[シャボン玉]のサムネールをクリックし選択範囲を作成します。
[フィルター]→[変形]→[球面]を選択し 11、[量：100%][モード：標準]で適用します 12。

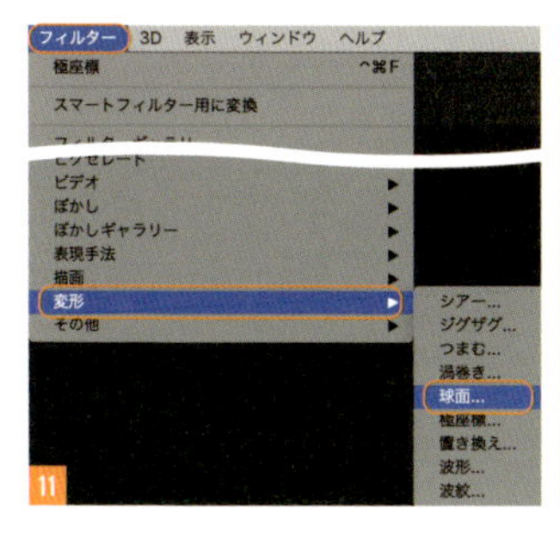

選択範囲が作成された状態で、レイヤーパネル内の［レイヤーマスクの追加］を選択します 13。
レイヤー［シャボン玉］のレイヤーマスクサムネールを選択します 14。
［グラデーションツール］を選択し、描画色黒［#000000］にします。オプションバーの設定は、グラデーションをプリセットの［描画色から透明に］［円形グラデーション］を選択します 15。
シャボン玉の中央から外側（シャボン玉からはみ出るくらい）に向かってグラデーションでマスクを追加します 16。中心にマスクがかかることで、中心が透明のシャボン玉となりました。

04 シャボン玉の明るさを調整し、虹色を追加する

レイヤー［シャボン玉］を選択し［イメージ］→［色調補正］→［レベル補正］を選択します。
入力レベル［0：1.30：190］で適用します 17。
レイヤー［シャボン玉］のレイヤー名の右側でダブルクリックし［レイヤースタイル］パネルを表示します。
［グラデーションオーバーレイ］を選択し［描画モード：ソフトライト］［不透明度：100%］［グラデーション：スペクトル（プリセット）］［スタイル：円形］［角度：90°］［比率：150%］と設定します 18 19。

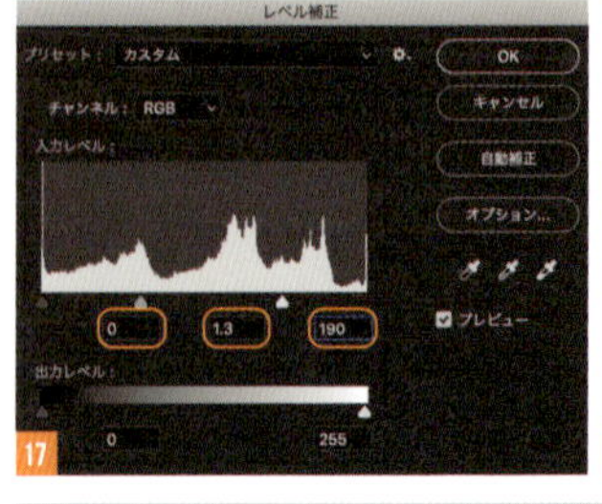

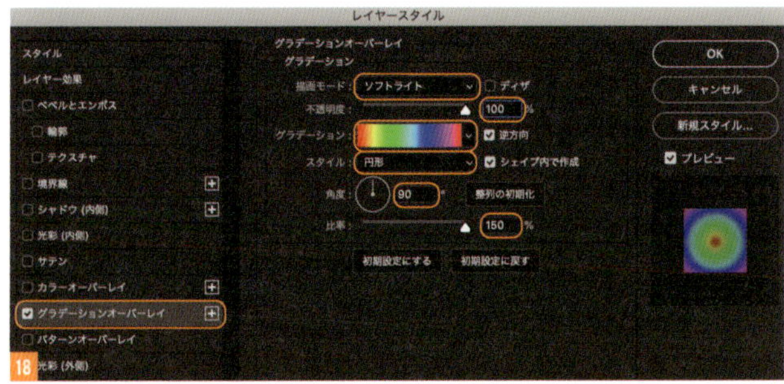

05 シャボン玉を複製し、レイアウトしたら完成

シャボン玉を複製し、［自由変形］を使いサイズを変えてレイアウトしていきます 20。
手前に大きく配置したシャボン玉や、奥に配置したシャボン玉は［フィルター］→［ぼかし］→［ぼかし（ガウス）］を［半径：3px］程度に設定し、完成です 21 22。

Point

［編集］→［変形］→［ワープ］でゆがみを加えると、さらにシャボン玉のやわらかい質感も表現することができます。

Recipe

067

植物や花で作るロゴ

植物や花でロゴを作る手順の一例を紹介します。

Photo retouching

元画像

01 目安となる文字に植物の画像を重ねていく

素材[背景.psd]を開きます。[flower]の文字を目安として植物を配置していきましょう 01。

素材[素材集.psd]を開き、レイヤー[葉っぱ]を移動し、[flower]の[l]の上に配置します 02。

[自由変形]や[パペットワープ(P.138、パペットワープを使ってポーズを変える参照)]を使い文字のベースとなる部分を作成します 03。

02 [flower]の[o]を花で表し下地に白い花でボリュームを出す

レイヤー[花(0)]を移動させ[o]の上に配置します。

レイヤー[花(ベース)]を移動させ配置します 04。

[自由変形]を使い、[拡大縮小]や[回転]し、レイアウトします。

下地に白い花を選んだのは、文字のボリュームを出しつつ、次の手順で配置するカラフルな花の色を引き立てるためです。

03 バランスを見ながら花を配置する

花の素材を配置します。頭文字「f」に大きな花を配置したり、密度の高い箇所、低い箇所を作りました。葉っぱのみの部分も残しメリハリを意識して配置しています 05。

ポイントに鳥を配置して完成としました 06。

Recipe

068

キノコをランプのように光らせる

オーバーレイのレイヤーを複数重ねて、ファンタスティックに光るキノコを制作します。

Photo retouching

01 画面四隅にグラデーションを追加する

素材[キノコ.psd]を開きます。描画色黒[#000000]を選択し、レイヤーパネル内の[グラデーション]を選択します01。

[グラデーションで塗りつぶし]パネルが開いたら、グラデーションをプリセットの[描画色から透明に]とし、[スタイル:円形][角度:90°][比率:70%][逆方向]にチェックを入れます02。

画面四隅を暗くしておくことで、以降の手順で追加する光の乗りがよくなります03。

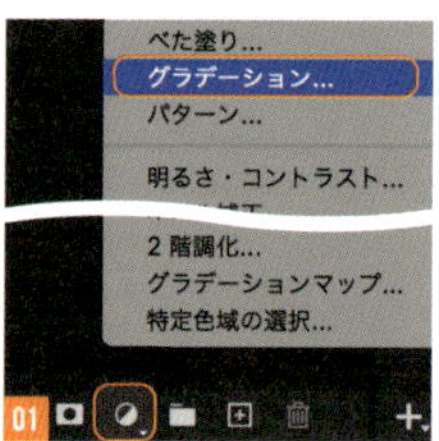

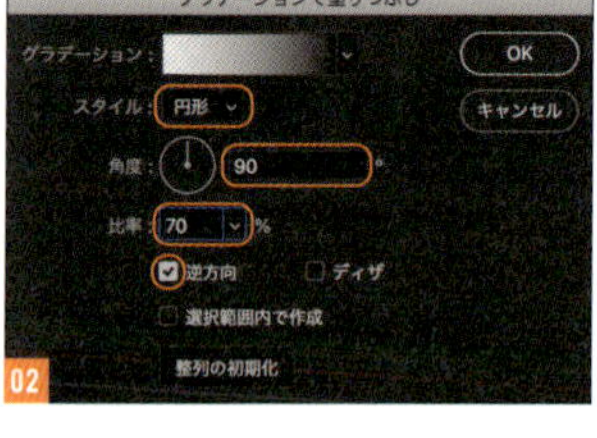

02 キノコの中心に光を追加する

新規レイヤーを最上位に作成し、レイヤー名[中心の光]とします。[楕円形選択ツール]を選択し、キノコの中心に円形の選択範囲を作成します04。

[塗りつぶしツール]を選択し描画色白[#ffffff]で塗りつぶします05。

[フィルター]→[ぼかし]→[ぼかし(ガウス)]を[半径:10.0 pixel]で適用します06。

レイヤーの描画モードを[オーバーレイ]とします07。

03 キノコに色付きの光を追加する

手順02と同じ要領で、色付きの大きな光を作成します。新規レイヤー［色付きの光］を作成し、レイヤー［中心の光］の下位に配置します。
［楕円形選択ツール］で円形の選択範囲を作成し描画色［#ffca1f］で塗りつぶします 08。
選択範囲を解除し、［フィルター］→［ぼかし］→［ぼかし（ガウス）］を［半径：30 pixel］で適用、レイヤーの描画モードを［オーバーレイ］とします 09。
作成した2つのレイヤー［中心の光］［色付きの光］をグループ化しグループ名［キノコの光］とします 10。
グループのカラーをイエローにしています。

04 光を複製する

グループ［キノコの光］を複製し、残りの3つのキノコに重ねます。キノコのサイズに合わせて［編集］→［自由変形］を使ってサイズを調整します 11。

05 全体に光を描画する

レイヤー［グラデーション 1］の上位（4つのグループの下位）に新規レイヤー［全体の光（白）］を作成します。
レイヤーの描画モードを［オーバーレイ］とします。
［ブラシツール］を選択し描画色白［#ffffff］［ソフト円ブラシ］を選択し、ブラシサイズをキノコの中心や、カサの形に合わせて光を描画します。キノコから木に落ちる光も想定し描画します 12 13。
ブラシサイズを［15～50px］ブラシの不透明度を［30%～100%］と調整しながら描画しました。

06 全体に色付きの光を描画する

手順05と同じ要領で描画色［#ffca1f］とし、大きな光を意識して描画します。ブラシサイズはキノコなど小さな面を［30px］前後、木に落ちる光は［100px］前後とし、不透明度を［30%］前後として塗り重ねて描画しました 14。
最上位に新規レイヤー［光の粒］を作成し、「P.172、キラキラしたパーツで装飾する」で作成したブラシを使ってキノコの周りに光の粒を装飾して完成です 15。

01 各素材を読み込み、バランスに注意して配置する

[ファイル]→[新規]を選択し、ドキュメントのサイズを[幅：2500px][高さ1760px]と設定します 01。
素材[dog.psd]を開き中央に配置します 02。
新規レイヤーを作り[なげなわツール]を選択し、体のラインを意識して選択範囲を作成します 03 04。
[塗りつぶしツール]を選択し、描画色黒[#000000]で塗りつぶします 05 06。

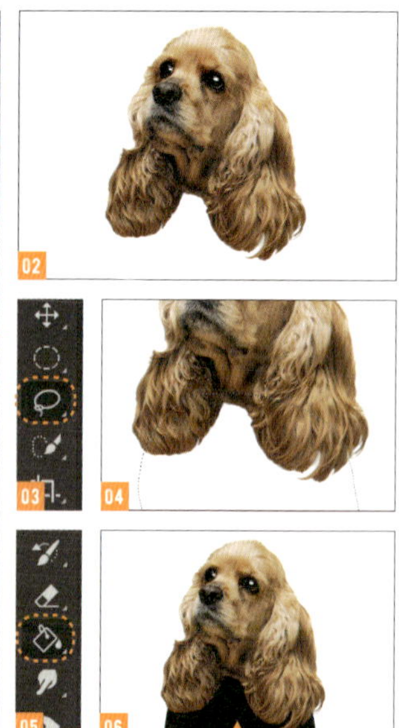

02　帽子を合成する

素材[帽子.psd]を開きドキュメントに配置し、マスクを追加します 07 08。

レイヤー[帽子]にブラシでマスクしていきます。レイヤー[帽子]の「レイヤーの表示/非表示」を切り替えながら、下にあるレイヤー[dog]の位置を確認しつつ犬が帽子をかぶっているように調整して作業を進めます。

大まかなマスクを追加したところでいったん作業を止めます 09。

帽子をより安定した位置に調整したいので[レイヤーマスクのレイヤーへのリンク]を解除し 10、[編集]→[自由変形]を選択し位置を調整します 11。

帽子の位置を決めたら、レイヤー[帽子]のマスクを再度追加、削除していきます 12。

Point

ブラシの不透明度を調整し、帽子の影のグラデーションを意識しながらマスクをかけていくと、自然な印象に仕上がります。

03　眼鏡を合成する

素材[眼鏡.psd]を開きドキュメントに配置します 13。

[編集]→[自由変形]を選択し、バウンディングボックスが表示されたら[右クリック]→[自由な形に]を選択します 14。

犬の顔の角度に合わせて、犬の左目側が手前、右目側が奥になるということを意識しながら変形していきます 15。

眼鏡の角度が決まったら、レイヤー[眼鏡]にマスクを追加します 16。鼻先などの不要な部分にもマスクを追加していきます 17。

04 眼鏡にレンズが入っているように加工する

レイヤー[眼鏡]、ツールパネルの[自動選択ツール]を選択、眼鏡の内側の選択範囲を作成します 18 。
レイヤー[眼鏡] の下に新規レイヤーを作成し [レンズ] と名前を付けます 19 。[塗りつぶしツール]を選択し、白で塗りつぶします 20 。
レイヤー[眼鏡] にマスクを追加した要領でレイヤー[レンズ] にもブラシを使い、鼻の形に気を付けながらマスクを追加します 21 。
マスクを追加できたらレイヤー[レンズ] を [不透明度：25%] とし、レンズの透明感を再現します 22 。

18

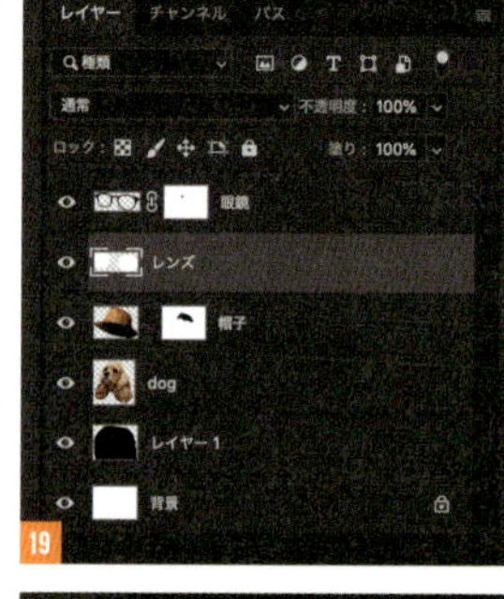

19

20

22

21

05 背景を合成し配置する

素材[本棚.psd] を開き、最下位に配置し位置を調整します 23 。
キャラクターとの遠近感を出したいので [フィルター] →[ぼかし] →[ぼかし (ガウス)] を選択し、[半径：4.0pixel] で適用します 24 25 。

23

24

25

本棚がぼけた

06 帽子の色を調整し、光の当たり方を変える

全体的に茶色で地味な印象になっているので、帽子を赤色に変えメリハリを付けます。レイヤー[帽子]を選択し[レイヤー]→[新規調整レイヤー]→[色相・彩度] を選択します。この時[下のレイヤーを使用してクリッピングマスクを作成] にチェックを入れます 26 。
[色相：-22] に設定し、帽子を赤色に変更します 27 28 。

26
28

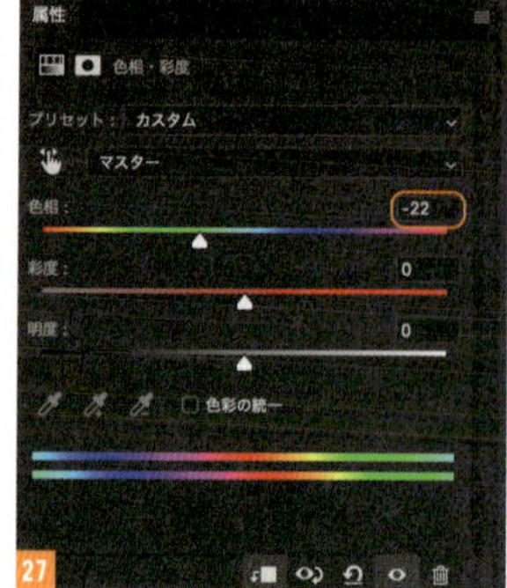

27

帽子への光のあたり方を変えたいので、レイヤー[帽子]を選択し[フィルター]→[描画]→[照明効果]を選択します。左上から光が当たっているイメージで、[ライトコントロール]の円を動かし、位置を決めます29。
表示されるメニューを30のように設定します。
陰影が付き帽子に立体感が出ました31。

29

31

30

07 仕上げに四隅を暗くし、中心に目線が行くような効果を加える

最上位にレイヤー[四隅の影]を追加します32。
[グラデーションツール]を選択し、描画色黒[#000000]を選択した状態で、画面上部のオプションバーを[円形グラデーション]に設定、[逆方向]にチェックを入れます。グラデーションを選択し[グラデーションエディター]ウィンドウを表示します33。
[グラデーション名：描画色から透明に]を選択します34。
レイヤー[四隅の影]を選択した状態で、画面中心から、画面の右上に向かってグラデーションを描きます35。
描画モードを[ソフトライト]に設定します36。
四隅が暗くなることで中央のキャラクターに目線が行き印象的な仕上がりになりました37。

32

33

34

35

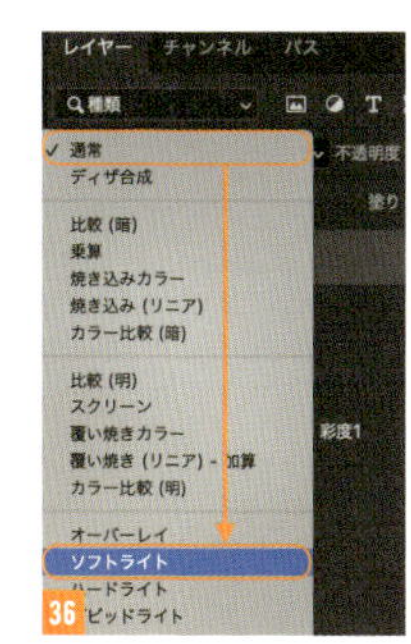

36

37

元画像

Recipe
070 写真の立体感に合わせて文字をデザインする

レイヤーマスクを使い、写真に合わせて文字を立体的に配置する方法を紹介します。

Photo retouching

01 人物を切り抜く

素材[人物.psd]を開きます。
[ペンツール]を選択します。人物の輪郭でパスを作成します01。
[ペンツール]を選択した状態で、カンバス上で[右クリック]→[選択範囲を作成]、[ぼかしの半径:0pixel]で[OK]を押します02。
[選択ツール]とレイヤー[背景]を選択し、カンバス上で[右クリック]→[選択範囲をコピーしたレイヤー]を選択します03。
作成されたレイヤー名は[シルエット]としておきます。

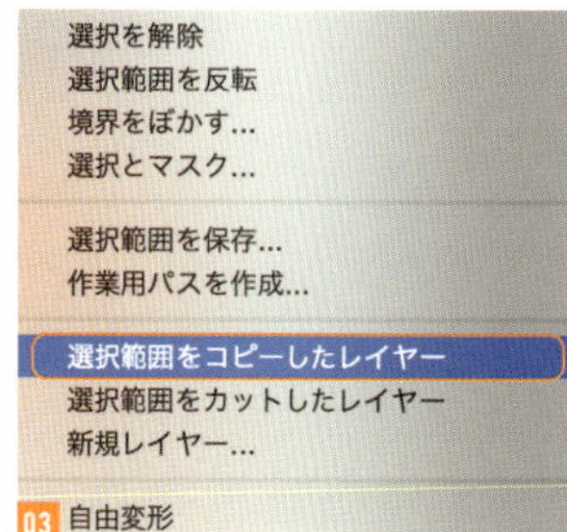

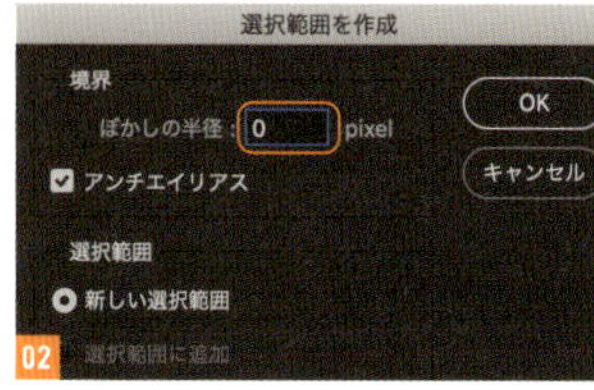

Point

選択された状態で⌘(Ctrl)+Jでも[選択範囲をコピーしたレイヤー]を作成することができます。

02 テキストを入力する

横書き文字ツールを選択します04。
[LET'S GO ON A TRIP]と入力します05。
[フォント:小塚ゴシック Pro][フォントスタイル:L][サイズ:149pt][行送り:175pt][カラー:#fff08c]とします。
「LET'S」は[トラッキング:50]06、「GO ON A TRIP」は[トラッキング:-20]07としています。
テキストレイヤーは最上位に配置します08。

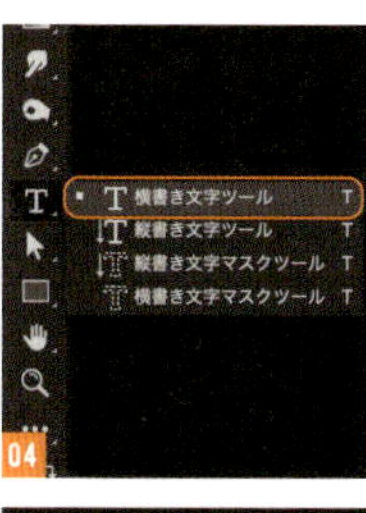

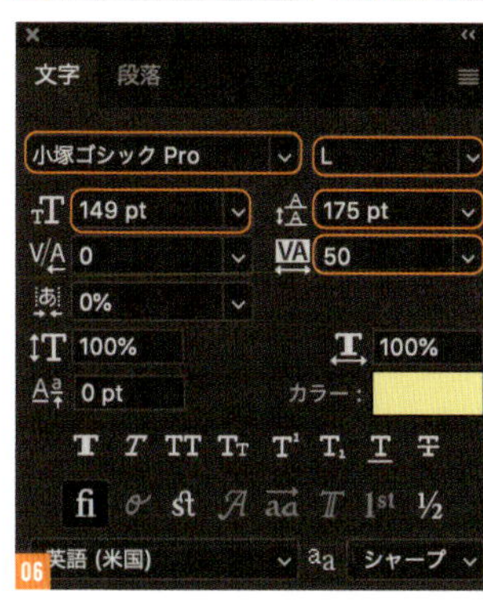

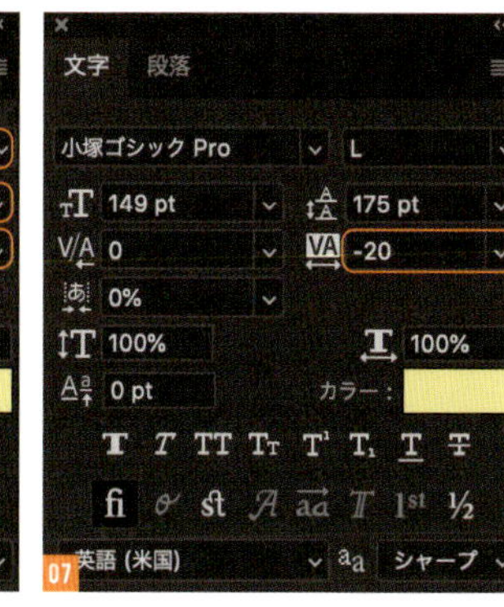

03 テキストにマスクを追加する

レイヤー[LET'S GO ON A TRIP]を選択し、レイヤーパネル内の[レイヤーマスクを追加]を適用します09。
作成された[レイヤーマスクサムネール]を選択します10。
[ブラシツール]を選択し、描画色黒[#000000]でマスクを追加します。
11のように人物の手前と奥に文字が重なるようにマスクします。「帽子の手前と後ろ」「左の人物の脇の部分」「右の人物の右足」のように立体的にマスクしましょう。

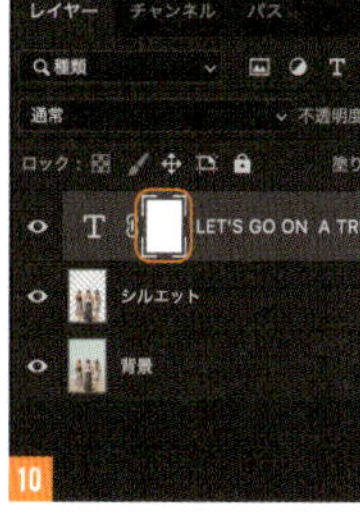

04 テキストに影を作る

レイヤー[LET'S GO ON A TRIP]を複製し、下位に配置します。
複製したレイヤー[LET'S GO ON A TRIP のコピー]を選択し、レイヤーを選択したまま[右クリック]→[テキストをラスタライズ]を選択します。さらに[レイヤーマスクサムネール]を選択し[右クリック]→[レイヤーマスクを適用]を選択します12。
[イメージ]→[色調補正]→[レベル補正]を選択し[出力レベル：0：0]とします13。

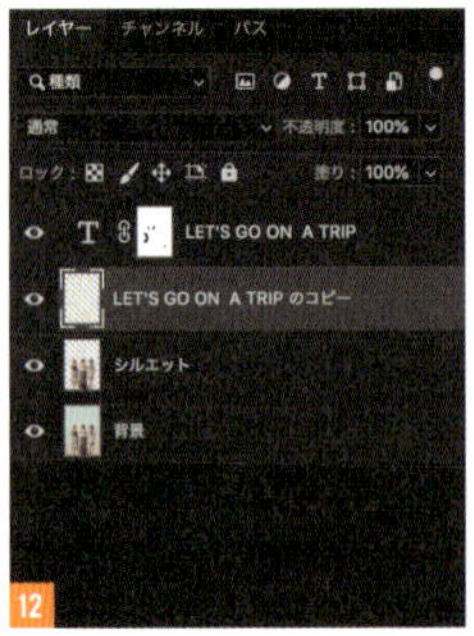

12

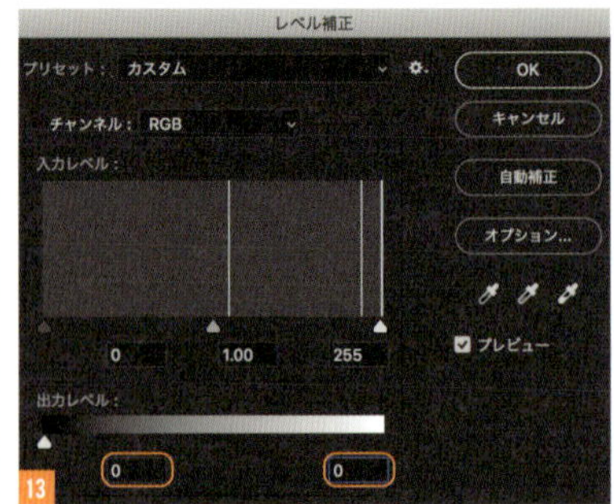

13

05 人物のシルエット内にだけテキストの影を適用する

レイヤー[シルエット]を[⌘(Ctrl)+クリック]し選択範囲を作成します14。
[LET'S GO ON A TRIP のコピー]を選択し、レイヤーパネル内の[レイヤーマスクを追加]を選択します15。
[レイヤーサムネール]と[レイヤーマスクサムネール]の間にある鎖アイコン（レイヤーマスクのレイヤーへのリンク）を外した状態で16、[移動ツール]を選択し、少し下方向にずらします17。
人物上にだけ影が適用されます。

14

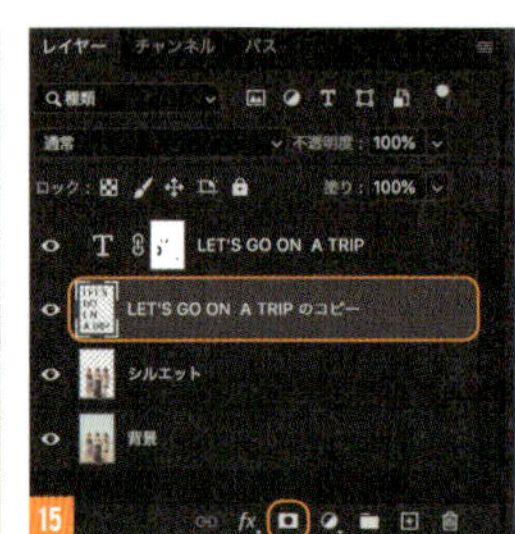

15

16

17

06 影をぼかし、なじませたら完成

[LET'S GO ON A TRIPのコピー]を選択し、[フィルター]→[ぼかし]→[ぼかし（ガウス）]を[半径：7.0pixel]で適用します18。レイヤーの不透明度を[30%]とします19。
最後にレイヤー[LET'S GO ON A TRIP]も不透明度を[85%]としました20。

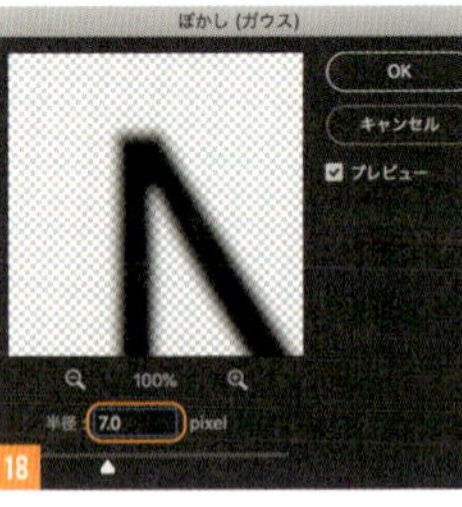

18

19

20

Chapter 05

カッコいいレタッチ

男性的でスタイリッシュな表現や加工のアイデアを集めました。
前半はフィルターを加工したテクスチャ作りや、コントラストの高い光の演出といった基本ツールを応用した手法をそろえています。後半はコラージュ作品を用いて実際の制作手法を紹介します。

Photoshop Recipe

Recipe

071

雨の表現

リアルな雨の表現を簡単な手順で再現することができます。

Photo retouching

元画像

01 新規レイヤーを作成し黒で塗りつぶす

素材[人物.psd]を開きます。上位に新規レイヤーを作成し、レイヤー名を[雨]とします。[塗りつぶしツール]を選択し、描画色黒[#000000]で塗りつぶします 01。

02 雨の元となる白い粒を作成する

[フィルター]→[フィルターギャラリー]を選択し[スケッチ]→[ちりめんじわ]を選択します。[密度：10][描画レベル0][背景レベル：0]で適用します 02 03。
[レベル補正]を選択し、入力レベルを[90:1.00:150]とします 04 05。
レイヤーの描画モードを[スクリーン]とします。細かな白い粒ができました 06。

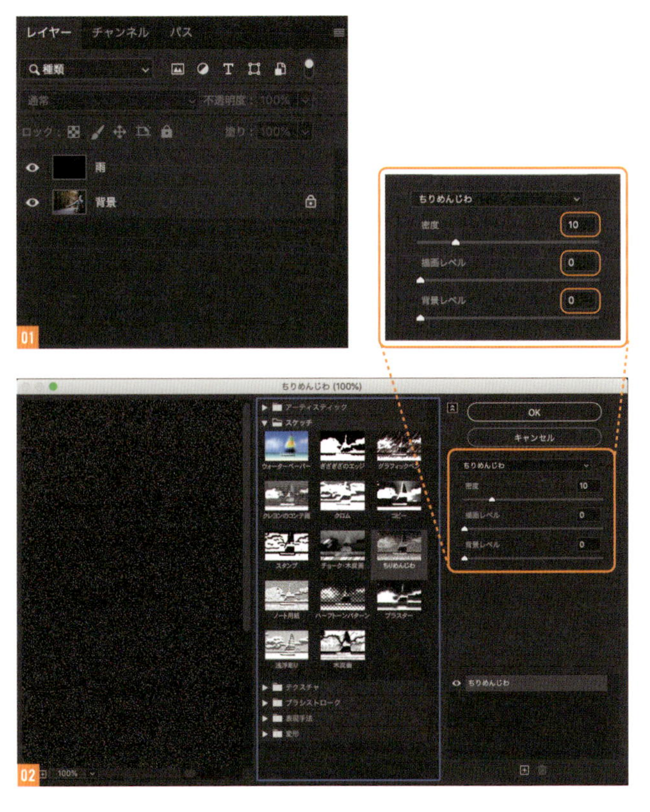

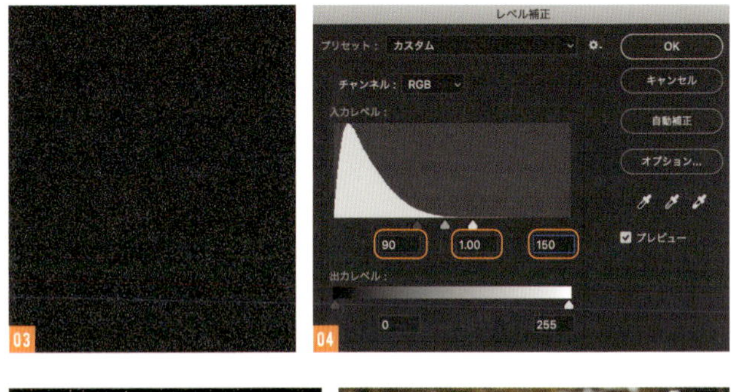

03 ぼかし（移動）を使って雨を再現する

[フィルター]→[ぼかし]→[ぼかし（移動）]を選択し[角度：-75°][距離：85pixel]とします07。[レベル補正]を選択し、入力レベルを[6：1.69：167]とします08。

四隅に濃い線ができるので09[自由変形]を使い、四隅が見えないように横幅(W)高さ(H)を[105%]拡大します10 11。

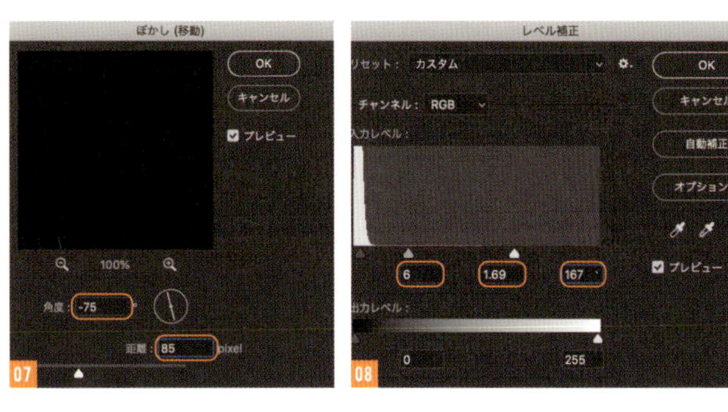

04 人物に雨があたっている様子を再現する

最上位に新規レイヤーを作成し、レイヤー名[雨のしぶき]とします。

[ブラシツール]を選択し、ブラシのプリセットから[はね]を選択します12。描画色白[#ffffff]とし、雨があたっている部分に描き込みます。この際ブラシでなぞらず、点で置くように描画しましょう。ブラシサイズや不透明度を調整し、ムラ感を加えると、よりリアルに再現できます13。

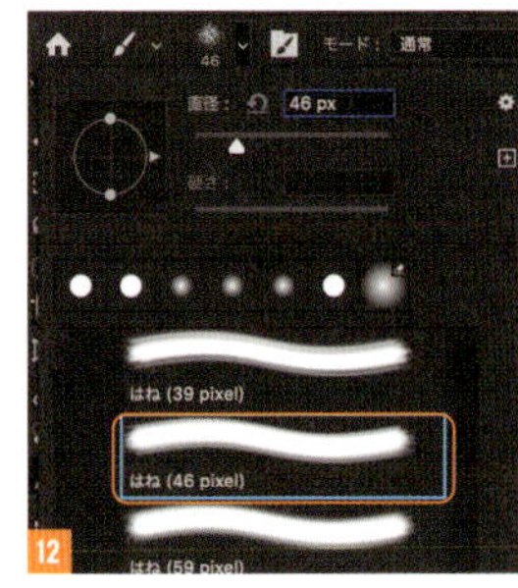

05 カラーバランスで寒色系にしたら完成

[イメージ]→[色調補正]→[カラーバランス]を選択し[階調：中間調][カラーレベル：-30：0：46]とします。シアン、ブルーを強めて雨の冷たい印象が増したら完成です14。

Recipe

072

Double Exposureを使った印象的なグラフィック

最新の合成テクニックとして注目されている人物と風景を重ね独特な印象を与える
Double Exposure（二重露光）を解説します。

Photo retouching

01 人物と風景写真を重ねる

素材[人物.psd]と[風景.psd]を開き、素材[風景.psd]を[人物.psd]の上位に重ねます01。

[風景]のレイヤーを選択し、レイヤーの描画モードを[スクリーン]にします02。

[スクリーン]は下位レイヤーの白には影響を与えないため、色のある人物レイヤー部分のみに重なったように表現できました03。

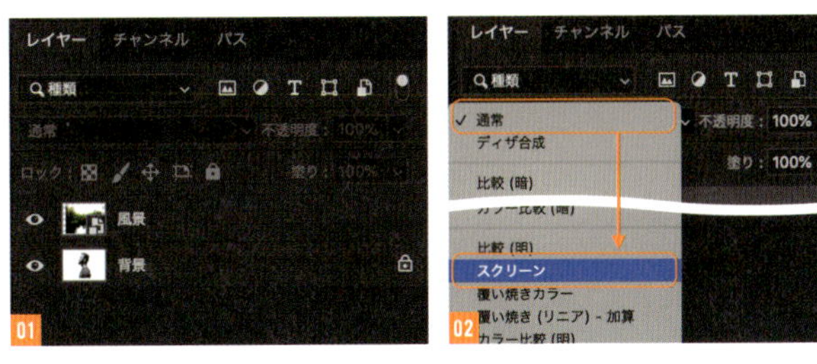

02 風景にマスクを適用しブラシで不要な部分を整える

レイヤー[風景]を選択し[レイヤーマスクを追加]を選択します04。

作成されたレイヤーマスクサムネールを選択します05。

[ブラシツール]を選択し、人物の顔周りに重なっている風景と、体部分にマスクをかけていきます06。

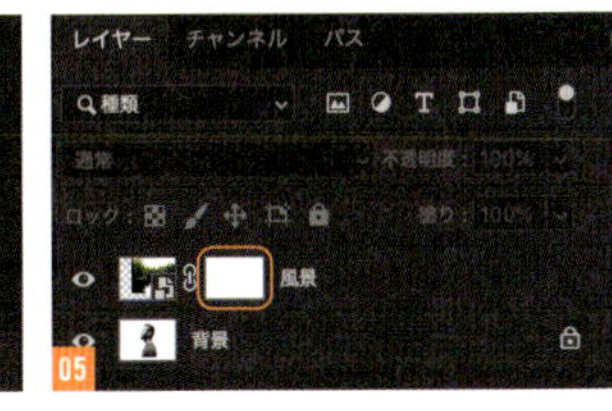

Point

ブラシは[ソフト円ブラシ]に設定、目や鼻、体はブラシの不透明度を100%とし、髭などあいまいな部分は不透明度を下げたりと調整しながら作業するときれいになじませることができます。

03 体部分にも同じように風景を重ねる

レイヤー[風景]を複製し、レイヤー名を[風景2]とし、レイヤーマスクサムネール上で[右クリック]し[レイヤーマスクを削除]します07。

レイヤー[風景2]を選択し[編集]→[変形]→[垂直方向に反転]を選択し08、反転した画像の位置を整えます09。

手順02と同じように、レイヤー[風景2]にレイヤーマスクをかけ、不要な部分をマスクしていきます10。

描画モード[スクリーン]によって画像が複雑に重なっているので、マスクは何度もやり直しながらイメージに近づけます。

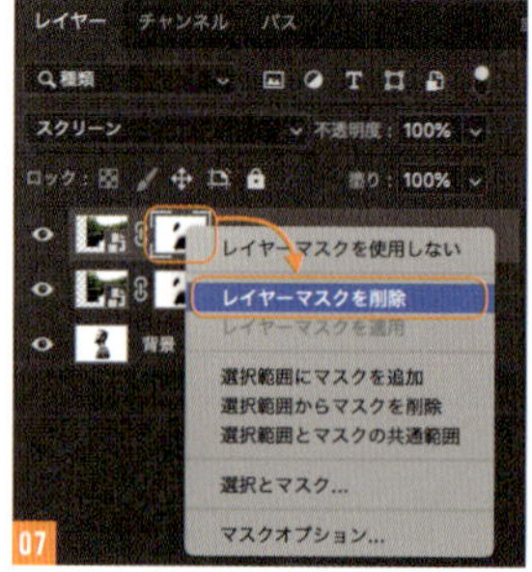

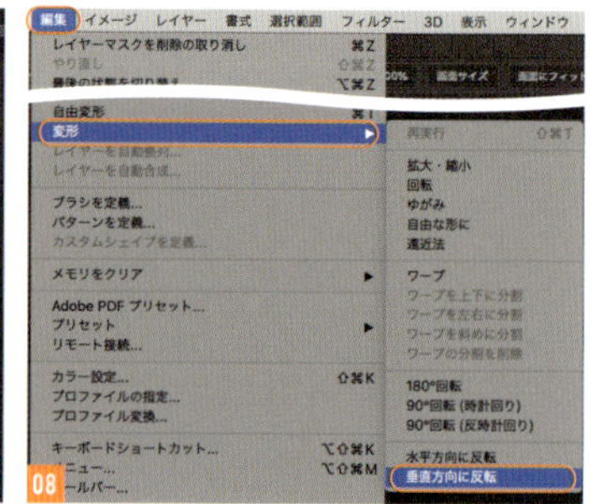

04 好みで色補正や装飾を追加する

レイヤーパネルの調整レイヤー作成ボタンから[白黒]を選択し11、最上位レイヤーに配置します12。

素材[鳥.psd]を開き、人物の頭の上に配置し完成です13。

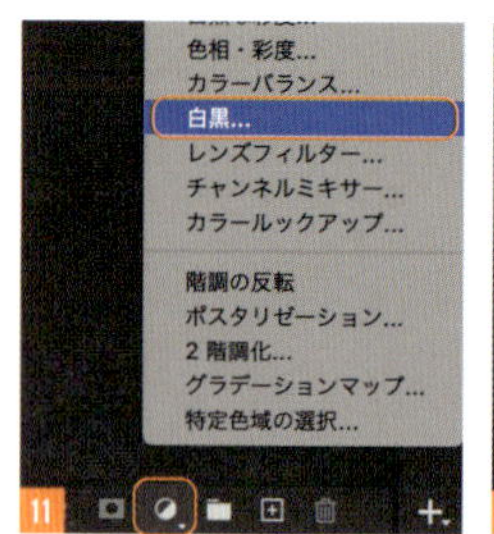

Recipe

073

都市の写真をクールに変える

レイヤーの重ね合わせや光の演出を使って、都市をきらびやかでクールなイメージに加工します。

Photo retouching

01 水面に反射したビル群を作成する

素材[都市.psd]を開きます。レイヤー[背景]をダブルクリックし、レイヤー名[都市]とします。上位に複製し、レイヤー名[映り込み]とします 01。

レイヤー[映り込み]を選択し[編集]→[変形]→[垂直方向に反転]します 02。

レイヤー[映り込み]の不透明度を[50%]前後にし、水面に反射したように見える位置へ移動します 03。

02 マスクを作成し水面にのみビル群を映す

[長方形選択ツール]を使い、水面部分を選択します04。レイヤーパネル内の[レイヤーマスクを追加]を選択し、レイヤーの不透明度を[100%]に戻します05。レイヤー[映り込み]のレイヤーマスクサムネールを選択します。
[グラデーションツール]を選択し、描画色を黒[#000000]とします。
オプションバーの設定を[描画色から透明に][線形グラデーション]とします06。
カンバス外の下方向から水面の7割くらいを目安に上方向に向かってマスクを追加します07。

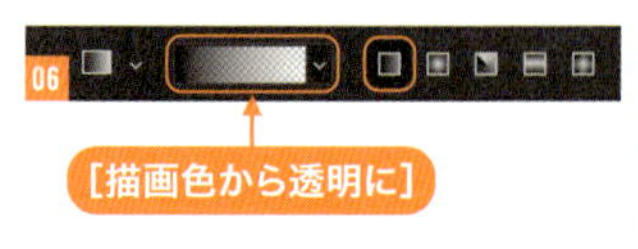

03 画面全体にグラデーションをかけ、オーバーレイを使って明るくする

描画色白[#ffffff]、背景色青[#0030ff]にします。レイヤーパネルの調整レイヤー作成ボタンから[グラデーション]を選択します08。
[グラデーションで塗りつぶし]パネルが表示されたら、グラデーションをプリセットの[描画色から背景色へ]とし[スタイル:線形][角度:90°][比率:100%]とし[選択範囲内で作成]にチェックを入れます09。カンバス上でやや上にドラッグし10のようにグラデーションを作成します。
レイヤー[グラデーション1]を選択し、描画モードを[オーバーレイ]とし、不透明度を[50%]にします11。

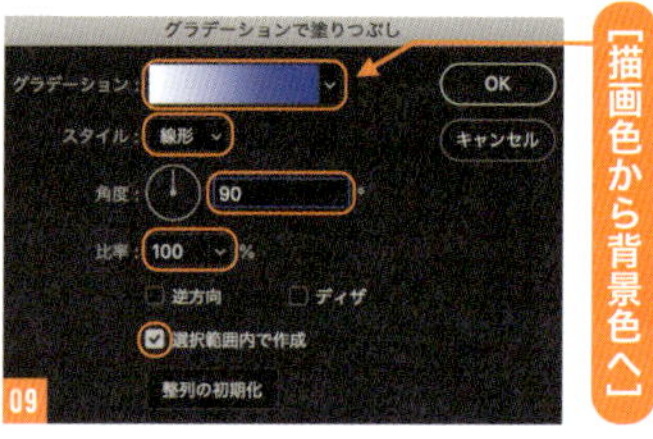

04 階調を反転しオーバーレイにしてきらびやかな印象にする

すべてのレイヤーを選択し[右クリック]→[レイヤーを結合]を適用します12。
結合し1つのレイヤーとなったら、レイヤー名を[都市]とし、さらにレイヤーを上位に複製し[都市2]とします13。
レイヤー[都市2]を選択し[イメージ]→[色調補正]→[白黒]を選択し[初期設定]で適用します。
[イメージ]→[色調補正]→[階調の反転]を選択します14。
レイヤーの描画モードを[オーバーレイ]とし、不透明度を[40%]とします15。

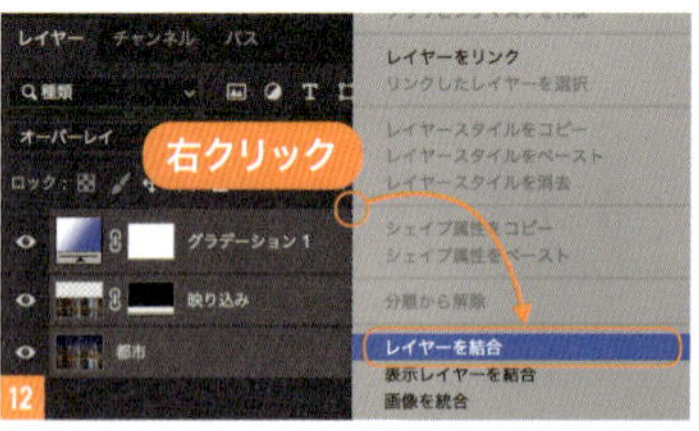

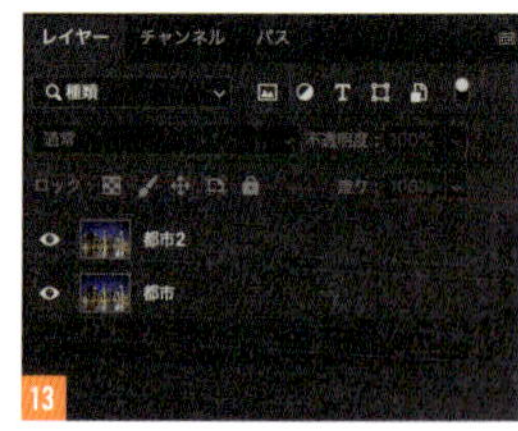

05 特定色域の選択で全体の明度・彩度を整える

レイヤーパネルの調整レイヤー作成ボタンから［特定色域の選択］を選択します16。
［属性］パネルの［絶対値］にチェックを入れます。［カラー：イエロー系］を［シアン：-30%］17、［カラー：ブルー系］を［ブラック：+25%］18、［カラー：白色系］を［ブラック：-40%］19、［カラー：中間色系］を［シアン：+5%］［イエロー：-5%］20、［カラー：ブラック系］を［ブラック：12%］とします21。
ビルの白やイエローの光をシャープに強調し、空や水面のブルーを引き締めるような補正を意識しています22。

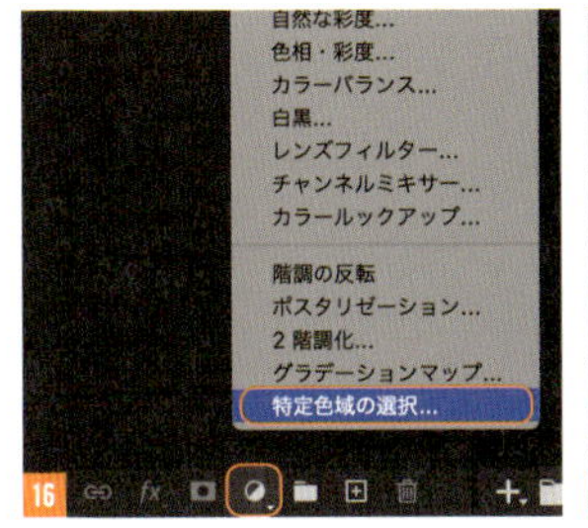

16

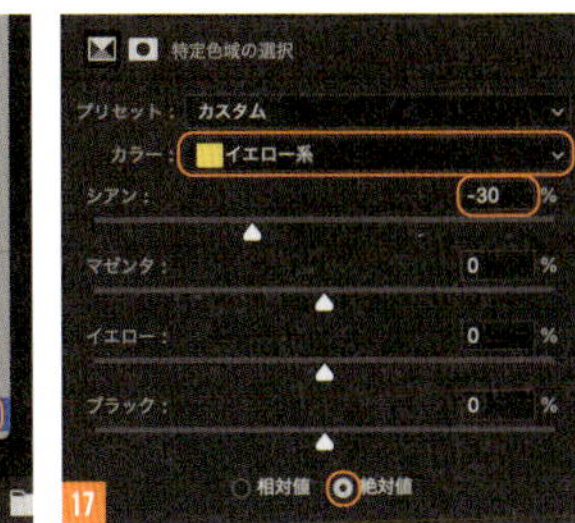

17

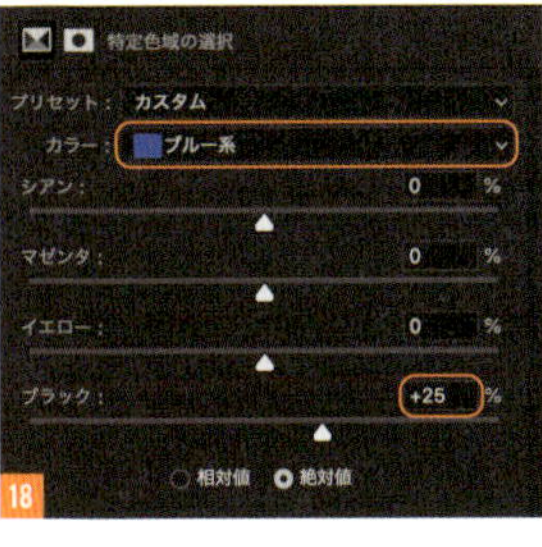

18

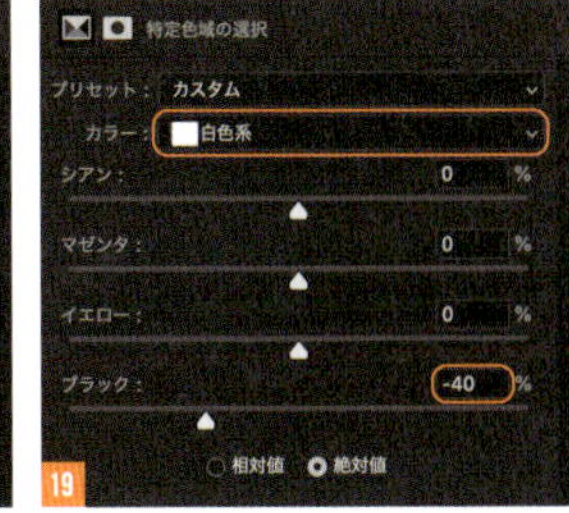

19

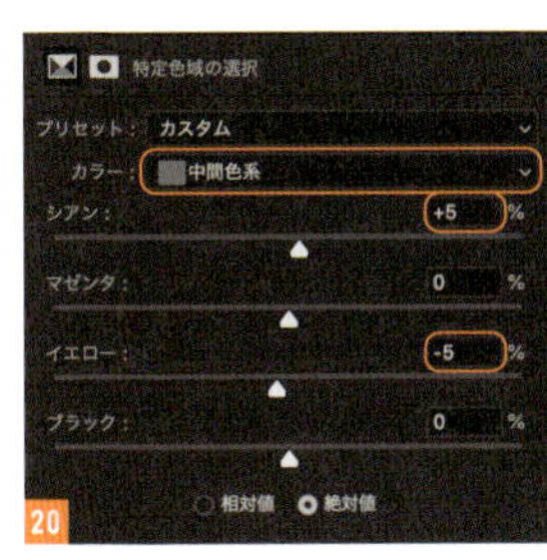

20

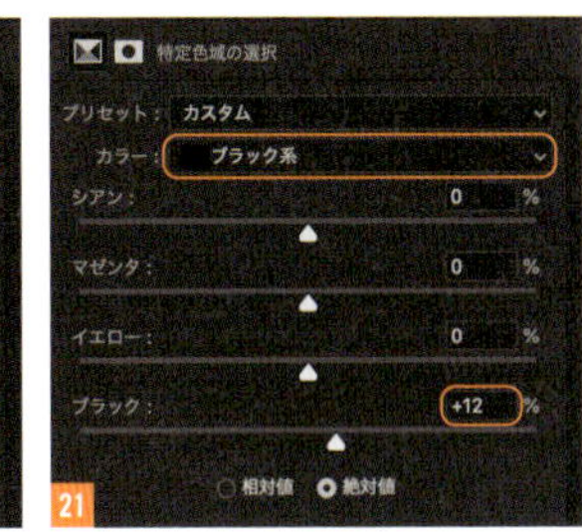

21

22

06 ブラシツールでポイントとなる光を描き足して完成

最上位に新規レイヤー［光］を作成し、描画モードを［オーバーレイ］とします。
描画色白［#ffffff］を選択し［ブラシツール］で光を描き足します。ブラシサイズや不透明度を調整しながら、元から強く光っている部分を、さらに光らせるようなイメージで描くとよいでしょう。
水面に映り込んだ光も描画したら完成です23。

23

Recipe

074 カミナリの表現

雲模様フィルターを使って、稲妻を作成してみましょう。

Photo retouching

元画像

01 雲模様を使って雷のようなラインを作成する

素材[風景.psd]を開きます。描画色、背景色を初期設定の白黒にした状態で、新規レイヤーを作成し、レイヤー名を[雷]とします。[フィルター]→[描画]→[雲模様1]を選択します 01。
続けて[フィルター]→[描画]→[雲模様2]を適用します。[イメージ]→[色調補正]→[階調の反転]を選択します 02 03。

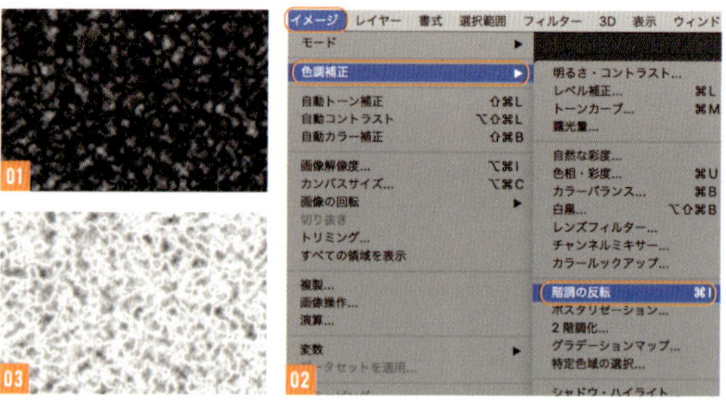

02 レベル補正を使ってはっきりとした線に補正する

[イメージ]→[色調補正]→[レベル補正]を選択します。入力レベル[210：0.15：255]とします 04 05。
レイヤー[雷]の描画モードを[スクリーン]とします 06。

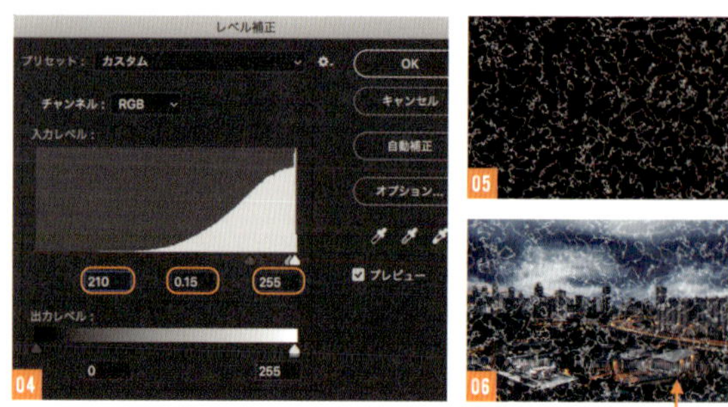

雷のようなラインになった

03 背景の雰囲気に合わせて雷を青く着色する

[イメージ]→[色調補正]→[色相・彩度]を選択し[色彩の統一]にチェックを入れ[色相：+220][彩度：100][明度：0]とします 07。

ラインを青く着色できました 08。

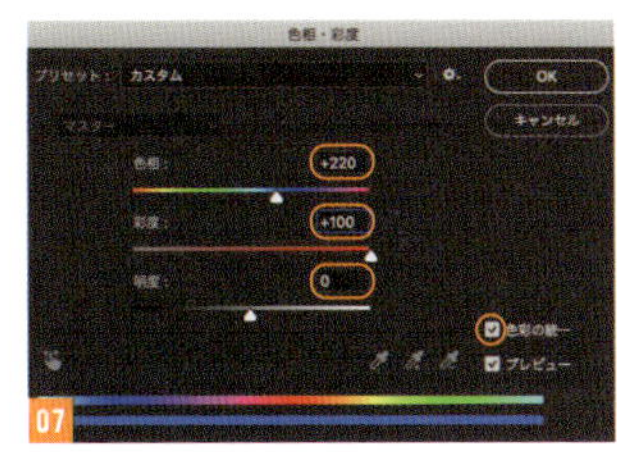

07

08

04 雷として使うパーツを選び、切り抜き、再形成する

[なげなわツール]を選択し、雷として使用するパーツを選択します。[右クリック]→[選択範囲をコピーしたレイヤー]を選択します 09。

同じ要領でいくつかのレイヤーを作成します 10。

[自由変形]を使い、レイヤーを回転や反転するなどして、雷の形を作ります 11。

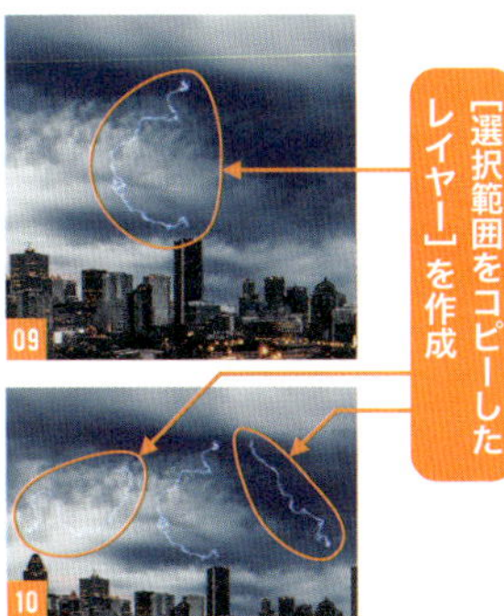

09

10

11

05 雷のレイアウトを決める

複数の雷を作成できたら、雷をレイアウトします。

ランダムに配置するのではなく、雲の隙間から雷が見えているように配置します 12。

レイアウトが決まったら、各雷のレイヤーはグループ化します。グループ名は[雷]としました 13。

12

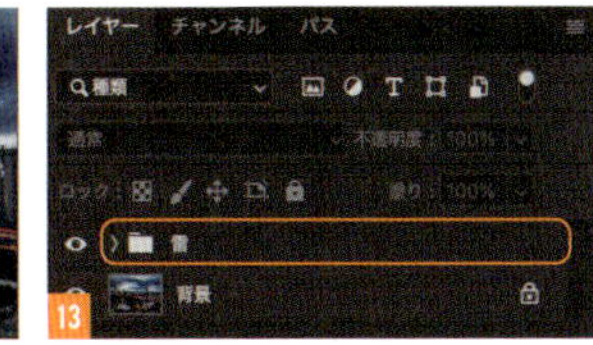

13

雲の隙間から雷が見えるようにする

06 風景にマスクを追加し、ビルの後ろで発生しているように見せる

[ペンツール]を使いビルの輪郭〜空を選択し、選択範囲を作成します 14。選択範囲を作成した状態で、グループ[雷]を選択し、レイヤーパネル内の[レイヤーマスクの追加]を選択します。ビルの後ろで雷が発生しているように見せることができました 15。

14

15

ビルの前面の雷が消えて、ビルの後ろで発生しているように見える

07 雷に光を足して完成

最上位に新規レイヤーを作成し、レイヤー名を[光]とします。レイヤーの描画モードを[オーバーレイ]とします。

[ブラシツール]を選択し、描画色白[#ffffff]にし、雷の始点部分をメインに、雷付近の雲の切れ間を描画し光らせます 16。

さらに新規レイヤーを作成し、レイヤー名[光2]とし描画モード[オーバーレイ]として、中央3本の雷に沿って光を足し、上部にも全体的に光を足して完成です 17。

16

17

Recipe

075

焚き火のように月を囲む

素材の色と質感を合わせて不思議な世界観を作ります。

Photo retouching

01 月を意識して パスを作成する

素材[ベースイメージ.psd]を開きます。あらかじめレイヤー[背景]と切り抜き済みのレイヤー[月]を配置しています 01。
いったんレイヤー[月]を非表示にします。
[ペンツール]を選択し、02 のようにパスを作成します。
手前の岩より奥に月を配置することを意識してパスを作成します。

02 焚き火の位置に月が収まるように マスクを作成する

[ペンツール]が選択された状態のまま、カンバス上で[右クリック]→[選択範囲を作成]とします 03。
レイヤー[月]を表示し、選択します。レイヤーパネル上で[レイヤーマスクを追加]を選択します 04。
マスクが適用できました 05。

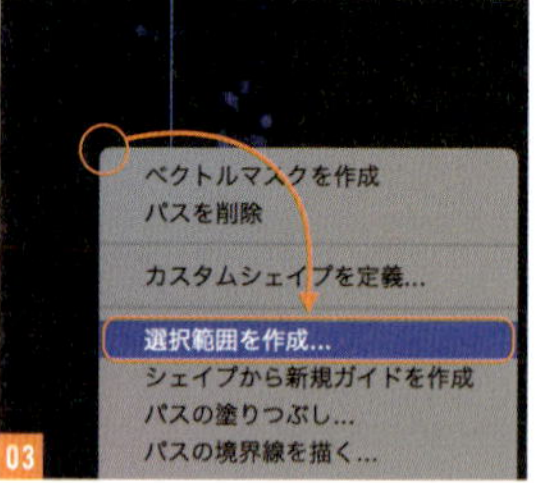

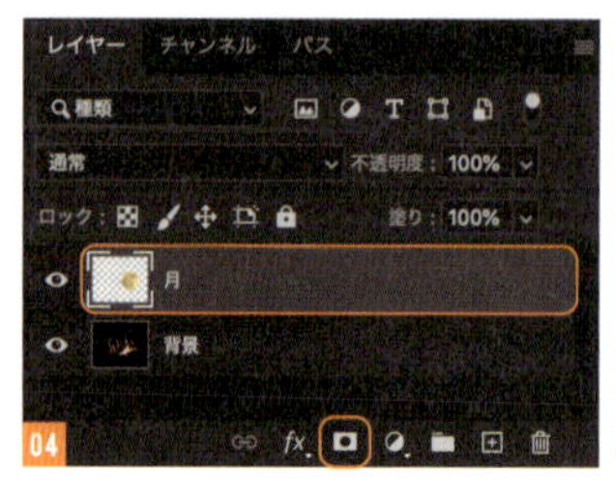

03 月の質感を背景と合わせ、背景の色味を月に合わせる

背景より月の画質が高い状態なので、あえて月の画質を落とす事で質感を合わせます。
レイヤー[月]を選択し、[フィルター]→[ぼかし]→[ぼかし(ガウス)]を選択し、[半径：1.5pixel]で適用します 06。
レイヤー[背景]を選択し、[イメージ]→[色調補正]→[色相・彩度]を選択します。画像の赤みのある光部分だけを補正したいので、[レッド系]を選択します。[色相：+20][彩度：+20]とします 07 08。

04 全体の色味を統一し、月の輪郭を光らせて立体感を出す

レイヤーパネル上で[塗りつぶしまたは調整レイヤーを新規作成]→[レンズフィルター]を選択し最上位に調整レイヤーを作成します 09。
[フィルター：Warming Filter (85)][適用量：40%][輝度を保持：チェック]とします 10。
全体がオレンジに統一されます 11。
レイヤー[月]を選択し、[レイヤー]→[レイヤースタイル]→[光彩(内側)]を選択します 12。
レイヤースタイルパネルが表示されたら 13 のように設定します。月の輪郭に光が追加されました 14。

05 全体の光を描画して完成

最上位に新規レイヤー[光]を作成します。レイヤーを[描画モード：オーバーレイ]とします。
[描画色：#ffdd3f]を選択し、[ブラシツール][ソフト円ブラシ]を使って、光を追加していきます。ブラシサイズは[100～200px]くらいの大き目のサイズで調整しながら、元々光が当たっている部分に光を足すような感覚で、ストロークせずに、トントンと光を置いていく感覚で作業します 15。塗りすぎた場合は[消しゴムツール]で削除し調整してください。なお、レイヤー[光]の描画モードを[通常]にすると 16 のようになります。
描画モードをオーバーレイに戻し、全体を確認したら完成です。

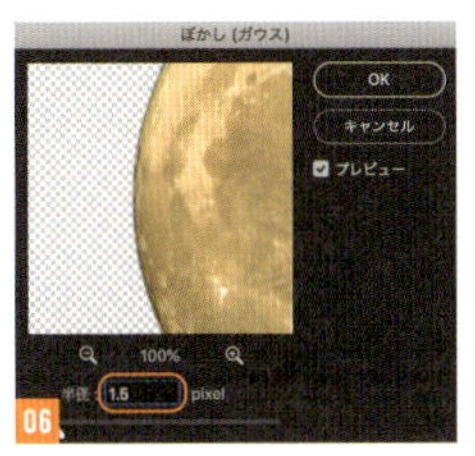

06

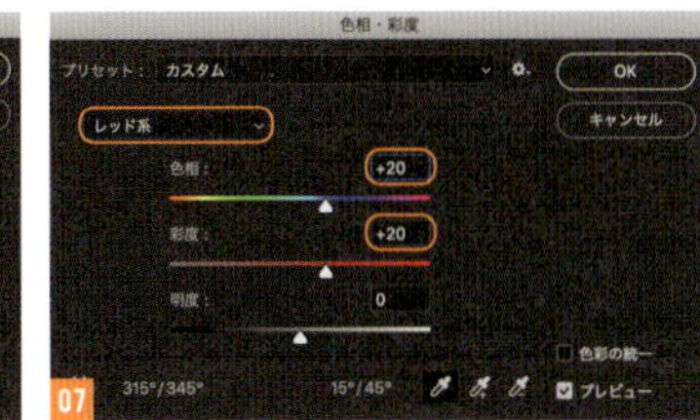

07

08

赤みが調整された

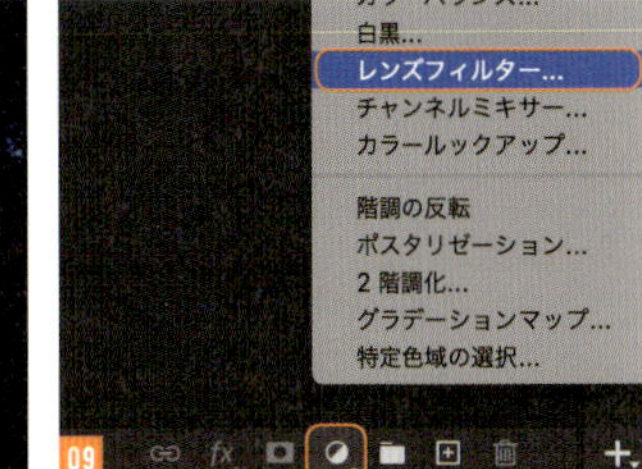

09

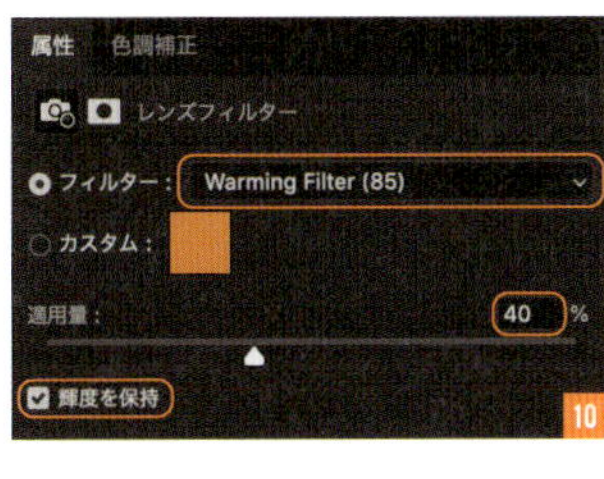

10

11

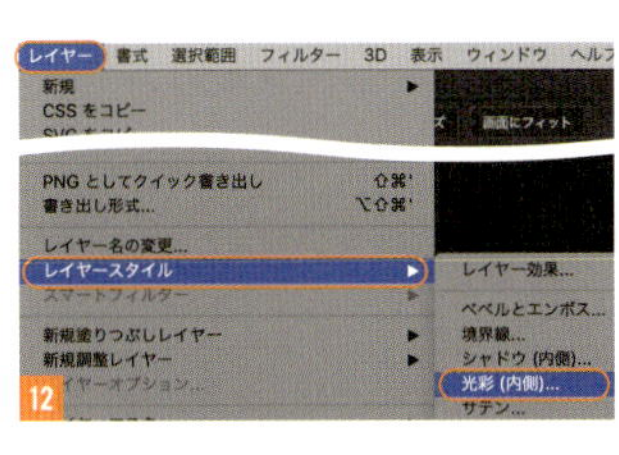

12

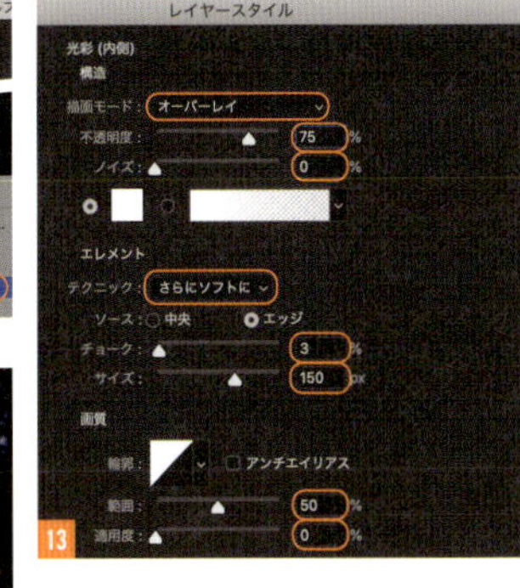

13

14

輪郭に光彩が追加された

15

16

Recipe

076 ゴールドやシルバーといった金属の質感に加工

画像をゴールド・シルバーといった金属の質感に加工します。

Photo retouching

01 画像の明度をフラットに整える

素材[バジル.psd]を開きます。
あらかじめバジルとプレートを切り抜いたレイヤー[バジル]と[背景]を用意しています 01。
いくつかのフィルターを重ね、編集していくのでレイヤー[バジル]はスマートオブジェクト化しています(右ページのPoint参照)。
レイヤー[バジル]を選択し[イメージ]→[色調補正]→[シャドウ・ハイライト]を選択します 02。
シャドウとハイライトをできるだけフラットな明るさに加工します。もし、項目数が少ない場合は[詳細オプションを表示]にチェックを入れるとよいでしょう 03。シャドウやハイライトが調整されフラットな印象の画像になりました 04。

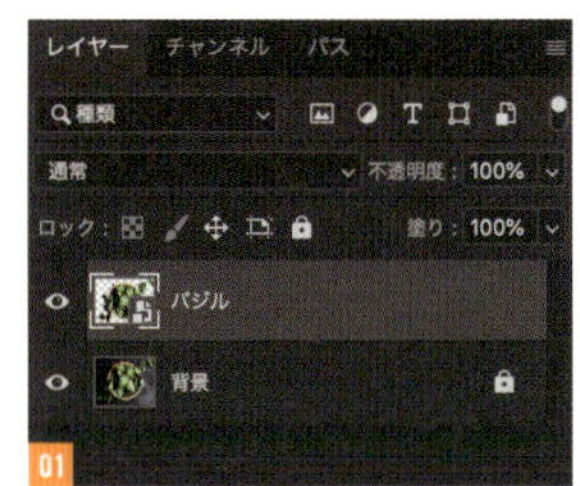

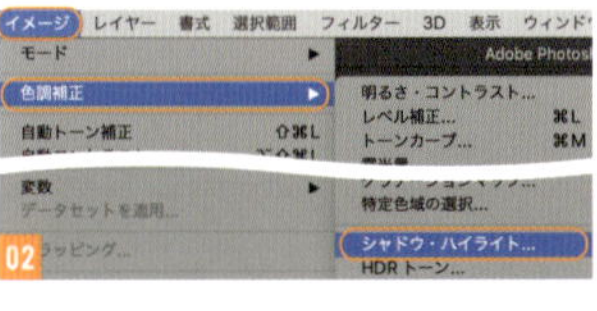

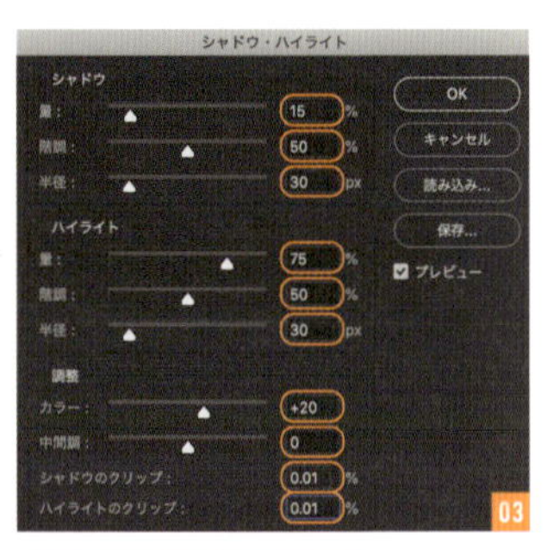

02 画像を単色に加工する

レイヤー[バジル]を選択し、[イメージ]→[色調補正]→[白黒]を選択します05。
カラーはデフォルトのまま、[着色]にチェックを入れ、カラーを選択し、表示された[カラーピッカー]の色を[#735b22]とします06。
[カラーピッカー]、[白黒]のOKを選択すると、単色でマットな質感に着色されたことが確認できます07。

03 ゴールドの金属の質感を作成する

レイヤー[バジル]を選択し上位に複製し、レイヤー名[質感]とします。
[描画モード：覆い焼きカラー]とします08 09。
このままではゴールドの色味が強すぎるので落ちつかせます。
レイヤー[質感]の[スマートフィルター]→[白黒]をダブルクリックします。
[白黒]パネルが表示されるので、[着色]のチェックを外します10。
自然な印象のゴールドに加工できました。
さらに柔らかい印象にしたい場合は、[フィルター]→[ぼかし]→[ぼかし(ガウス)]を好みで適用します。
作例では[半径：5pixel]で適用しました11 12。
ゴールドの質感にしたい場合はこれで完成です。

04 シルバーの質感に加工する

レイヤー[バジル]の[スマートフィルター]→[白黒]をダブルクリックします。
手順10と同じように、[白黒]パネルが表示されるので、[着色]のチェックを外すと、着色がなくなりシルバーに加工できます13。

Point

スマートオブジェクトにするにはレイヤーを選択し、右クリック→[スマートオブジェクトに変換]を選択します。スマートオブジェクトにすると、元の画像を保持でき、作業を行ったフィルターを個別に確認できます。

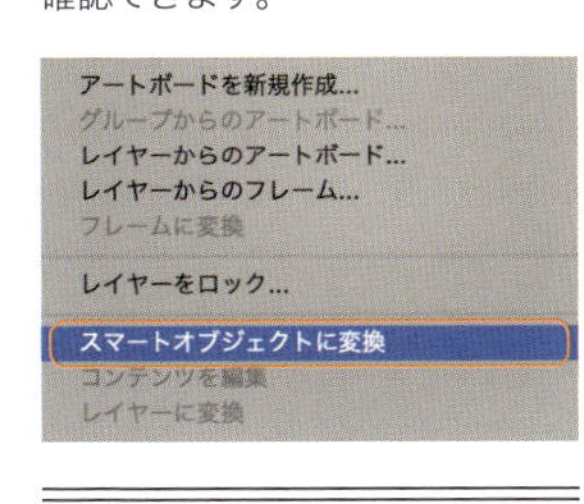

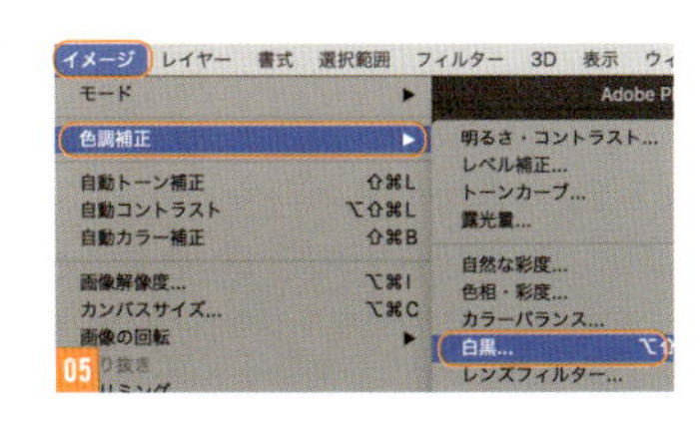

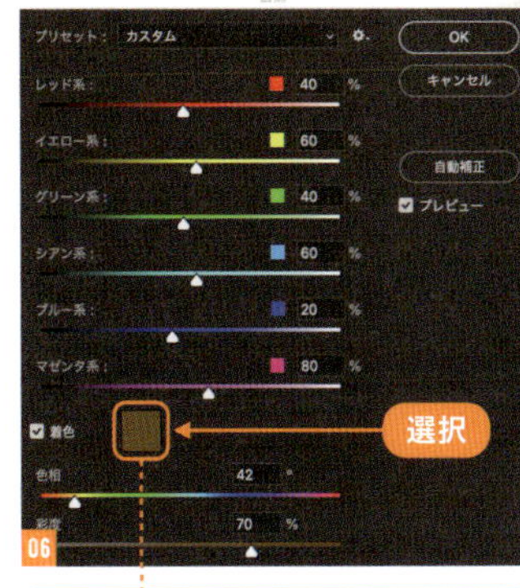

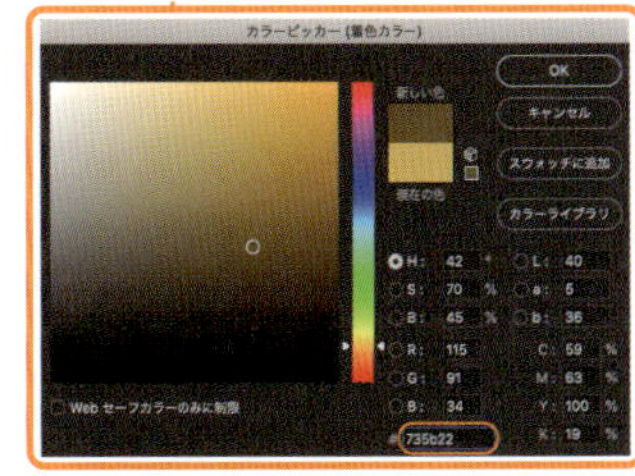

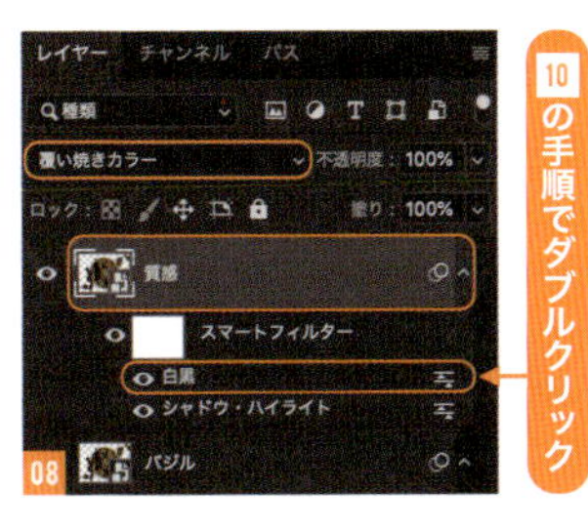

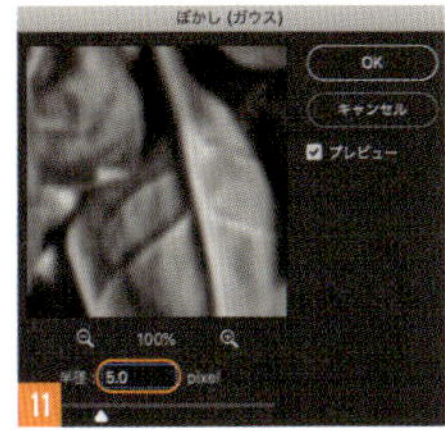

Recipe

077

モノクロムービーのような写真を作る

写真をレトロなモノクロムービーのような画像に加工し、テレビと合成する方法を紹介します。

Photo retouching

元画像

01 写真を白黒にし、ぼかしを加える

素材[人物.psd]を開きます。[イメージ]→[色調補正]→[白黒]を[プリセット：初期設定]のまま適用します 01。[フィルター]→[ぼかし]→[ぼかし(移動)]を選択し[角度：-90°][距離：6pixel]で適用します 02。

01

02

02 ノイズを作成し重ねる

上位に新規レイヤー[ノイズ]を作成します。
[塗りつぶしツール]を選択し、描画色黒[#000000]で塗りつぶします。描画色白[#ffffff]に切り替えます。
[フィルター]→[フィルターギャラリー]を選択します。[テクスチャ]フォルダ内の[粒状]を選択し、[密度：85][コントラスト：80][粒子の種類：ソフト]とします 03。そのままパネル右下の[新しいエフェクトレイヤー]を選択し追加します。
[スケッチ]フォルダ内の[ハーフトーンパターン]を選択し[サイズ：5][コントラスト：10][パターンタイプ：点]とします。古いフィルムのごみやノイズを再現しました 04。
さらに[新しいエフェクトレイヤー]を選択し[テクスチャ]フォルダ内の[粒状]を選択し[密度：85][コントラスト：80][粒子の種類：縦]とします 05。
[OK]で適用し、レイヤーの描画モードを[乗算]とします 06。

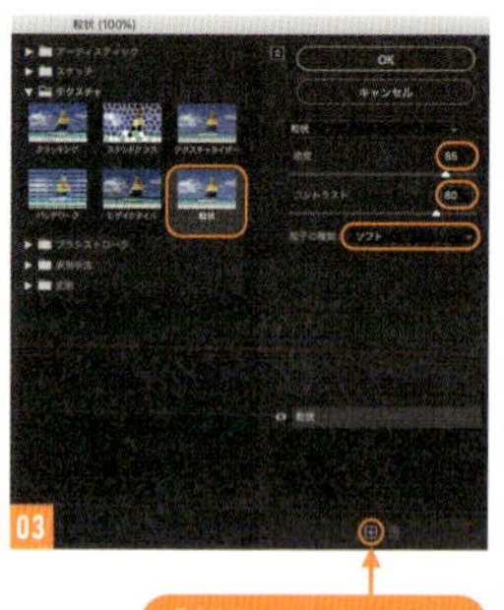
03

[新しいエフェクトレイヤー]を選択

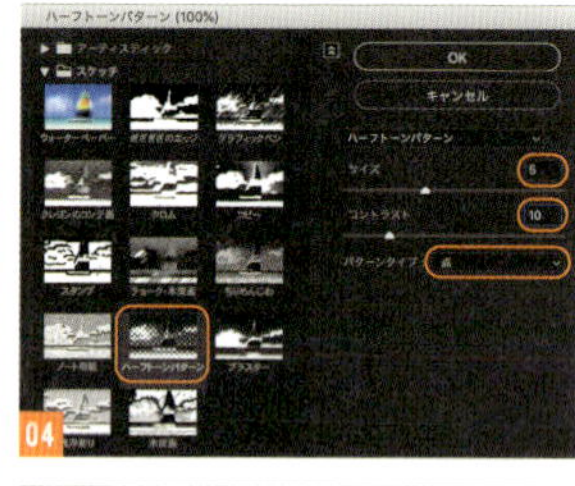
04

05

06

03 制作した画像をテレビ画面と合成する

素材[TV.psd]を開きます。あらかじめテレビ画面内は切り抜いています。
手順01〜02で制作した白黒画像は結合し、レイヤー[TV]の下位に移動します 07。

07

08

04 テレビ画面内に立体感を加える

レイヤー[TV]を選択します。[自動選択ツール]を選択し画面の内側の選択範囲を作成します。
最上位に新規レイヤー[TV画面]を作成し[塗りつぶしツール]で選択範囲内を塗りつぶします(何色でもかまいません。ここでは白で塗りつぶしました) 08。
レイヤー[TV画面]を選択し、レイヤー名の右側でダブルクリックし[レイヤースタイル]パネルを表示します。
[境界線]を選択し[サイズ:20px][位置:中央][描画モード:通常][不透明度:100%]とします 09。
[シャドウ(内側)]を選択し[描画モード:通常][不透明度:100%][角度:30°][距離:0px][チョーク:0%][サイズ:250px]とします 10 11。
レイヤーの塗りを[0%]とします。画面内に枠と影が付き、立体感がでました 12。

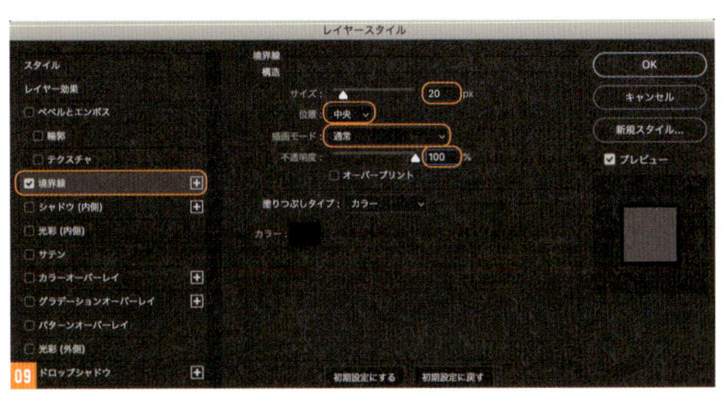

09

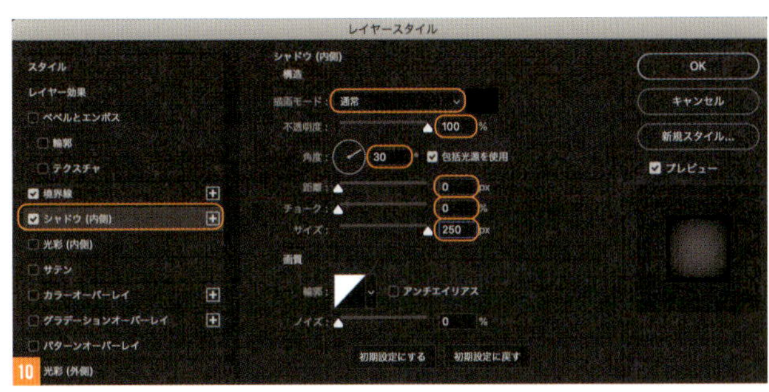

10

11

12

05 画面の左上、右下に陰影を付けて完成

レイヤー[TV画面]の下位に新規レイヤー[光]を描画モード[オーバーレイ]で作成し、下位に新規レイヤー[影]を描画モード[ソフトライト]で作成します。
レイヤー[光]は描画色白[#ffffff]で画面左上に、レイヤー[影]は描画色黒[#000000]で画面右下に 13 のように[ブラシツール]を使い描画します。このままでは陰影が強いので、どちらのレイヤーもレイヤーの不透明度を[50%]とし、なじませます 14。作例では、レトロ感のある文字を使って装飾し完成としました。

13

14

Recipe

078

ビルの谷間に漂う霧を作成する

雲模様を地形に合わせて変形し、リアルな霧を表現します。

Photo retouching

元画像

01 雲模様を作成する

素材[都市.psd]を開きます。新規レイヤー[霧]を作成し、最上位に配置します。

描画色、背景色を初期設定の黒、白にし[フィルター]→[描画]→[雲模様1]を選択します 01。

レイヤー[霧]の描画モードを[スクリーン]とします 02。

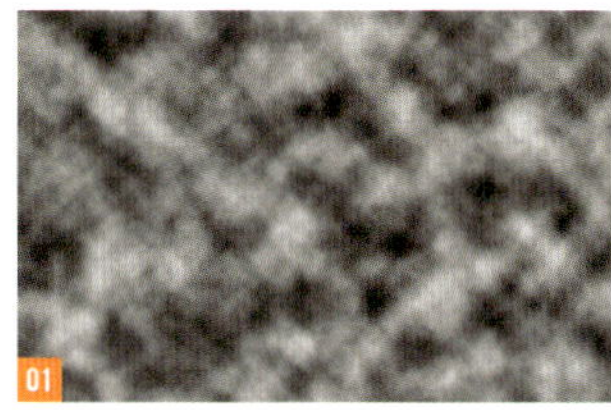

01

02

02 雲模様を地形に合わせて変形し、マスクをかける

[編集]→[変形]→[自由な形に]を選択します 03。

ハンドルをドラッグし都市の立体感に合わせて 04 のように変形します 05。

レイヤー[霧]を選択し、レイヤーパネル内の[レイヤーマスクの追加]を選択します。

レイヤーマスクサムネールを選択します。[ブラシツール]を選択し、描画色黒[#000000]で霧にマスクをかけていきます。

一定の高さにまで霧があると仮定して、霧から突き出したビル部分にマスクをかけます 06 07。

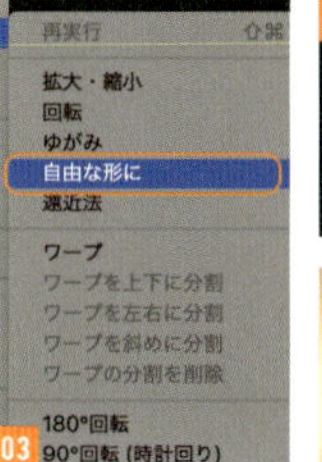

03

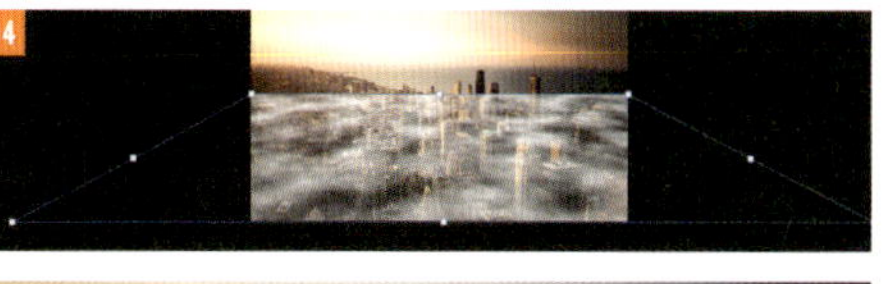

04

05

06

07

03 風景の色に合わせて霧の明るさとカラーを調整する

レイヤー[霧]を選択し[イメージ]→[色調補正]→[カラーバランス]を選択し、[階調のバランス：ハイライト]にチェックを入れ[カラーレベル：+25：0：-30]とします 08。

[イメージ]→[色調補正]→[レベル補正]を選択し、入力レベル[0：0.80：255]とします 09。

作例ではレイヤーの不透明度を[80%]とし完成としました 10。

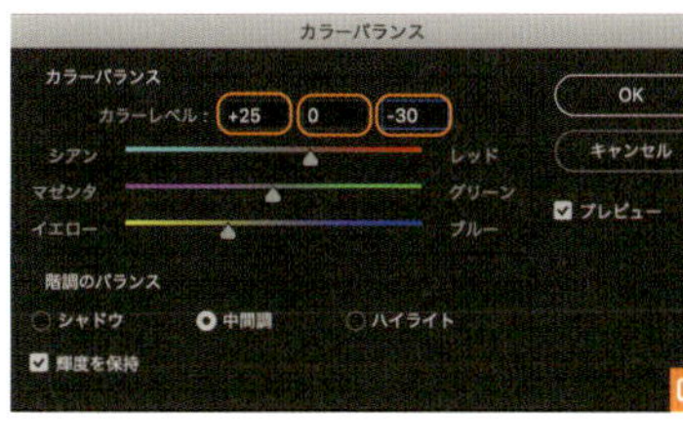

08

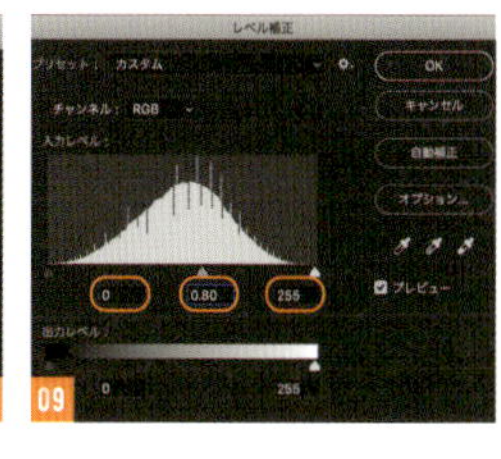

09

10

Point

フィルター[雲模様]はランダムに作成されるため、最終手順では[レベル補正]やレイヤーの不透明度などで微調整を行ってください。

05

Recipe

079

ジャンクパーツで飛行船を作る

ジャンクパーツを組み合わせてSFジャンルのスチームパンク風な飛行船を制作します。

Photo retouching

元画像

01 新規ドキュメントを作成し素材を配置していく

[ファイル]→[新規]を選択し[幅：1500pixel 高さ：1500pixel]の新規ドキュメントを作成します。ドキュメント名は[飛行船]とします。

素材[飛行船パーツ.psd]を開きます 01。各素材をドキュメント[飛行船]に移動し組み立てていきます。

レイヤー[飛行船]と[サビ]を配置します。

レイヤー[サビ]を上位に配置し、カンバス上で[飛行船]に重ねます。

⌘（Ctrl）キーを押しながらレイヤー[飛行船]のレイヤーサムネールをクリックし、選択範囲を作成します 02。

レイヤー[サビ]を選択し、レイヤーパネル内の[レイヤーマスクを追加]を選択します 03。

01

02

03

02 サビのテクスチャにワープを加えて飛行船の形でなじませる

レイヤー[サビ]を選択します。[レイヤーマスクのレイヤーへのリンク]の鎖アイコンは外しておきます（変形時にマスクも一緒に変形されてしまうため）04。

[編集]→[変形]→[ワープ]を選択し[ワープ：膨張]を選択します 05。コントロールポイントを上にドラッグするか、オプションバーで[カーブ：100%]とします 06。

バウンディングボックスが表示された状態のまま[右クリック]→[自由変形]を選択すると、[ワープ]から[自由変形]へと切り替わるので、07のように縮小します。

変形が終わったら、外していたリンクの鎖アイコンを付けておきます。

レイヤーの描画モードを[焼き込みカラー]としなじませます 08。

[サビ]と[飛行船]の2つのレイヤーはグループ化し、グループ名[船体]としておきます。

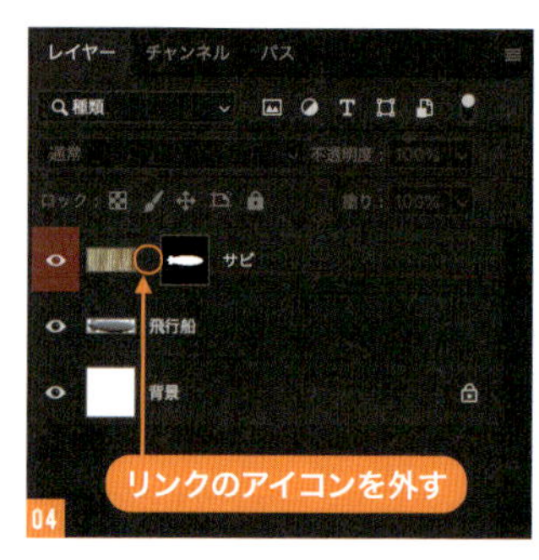

04

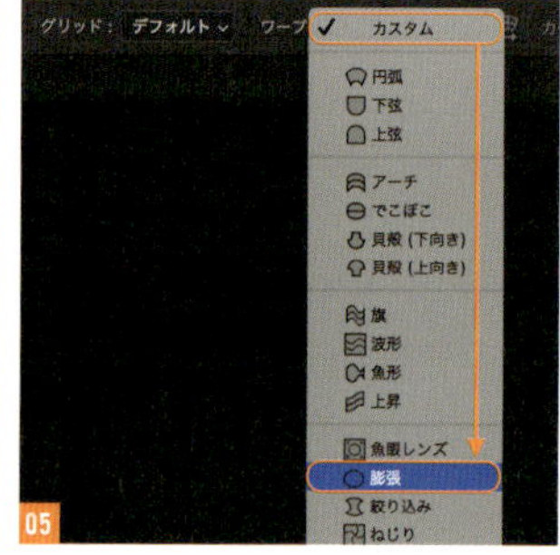

05

06

07

08

03 飛行船に窓やパーツを組み合わせる

レイヤー[窓1][窓2]を[船体]より上位に配置します 09。

レイヤー[窓2]を選択し、レイヤーパネル上で Option（Alt）キーを押しながらドラッグし、全部で5個になるように複製します 10。

レイヤー[パーツ1～5]を配置します 11。

レイヤー[パーツ3][パーツ4]は[船体]より下位に、その他は上位に配置しています。

09

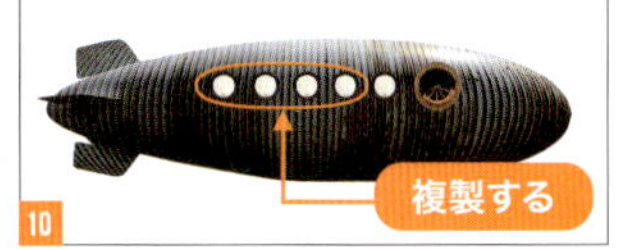

10

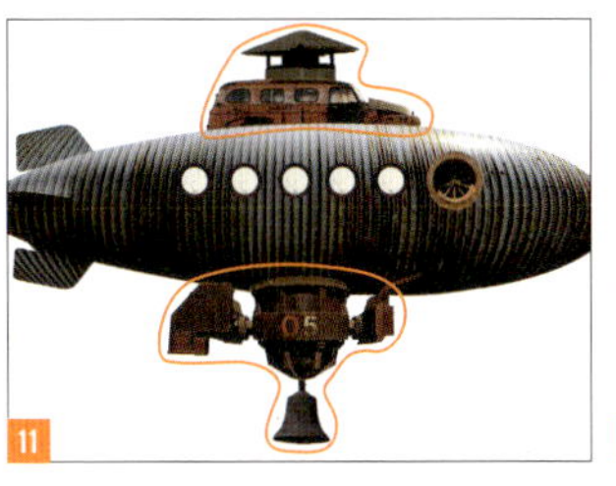

11

12

04 1つのパーツを複製して形を作っていく

レイヤー[パーツ6]を最上位に配置します 12。

Option（Alt）キーを押しながらドラッグし複製し[自由変形]を使い[-90°]回転させ、[70%]前後に縮小します 13。

再度、レイヤー[パーツ6]を複製し、右上に煙突のイメージで配置しました 14。

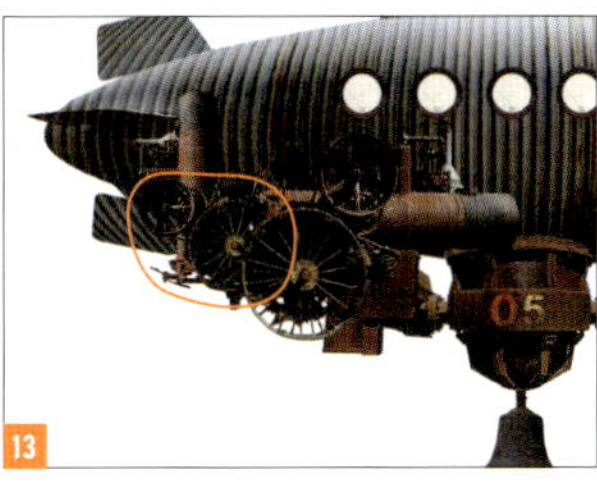

13

14

05 残りのパーツを配置する

レイヤー[パーツ7][パーツ8][パーツ9]を飛行船の後方に配置します。

[パーツ10]を煙突の先端に配置します。レイヤー[葉]を飛行船の前方に配置し、複製して後方にも配置します 15。

完成したら背景以外のすべてのレイヤーをグループ化し、グループ名[飛行船]とします 16。

15

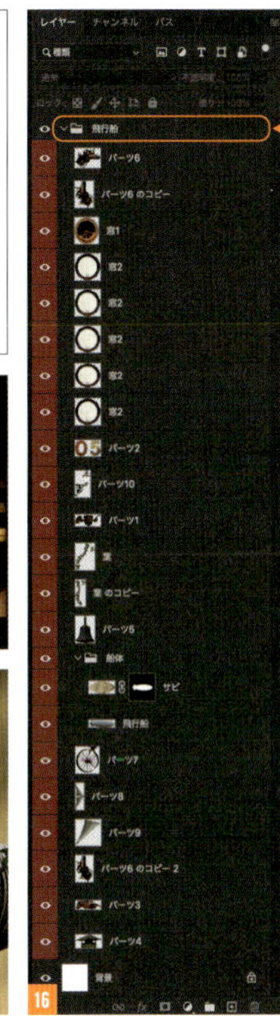

16

06 背景と合成し、光を追加する

素材[背景.psd]を開き、グループ[飛行船]を移動し、配置します 17。

グループ内の最上位に新規レイヤーを作成し、レイヤー名[光1]とします。レイヤーの描画モードを[オーバーレイ]とします。

[ブラシツール]を選択し、描画色白[#ffffff]で窓とランプの中心部分を描画します 18。

17

18

さらに上位に新規レイヤーを作成し、レイヤー名を［光2］とします。 こちらも描画モードを［オーバーレイ］とします。描画色［#ffaa00］とし、窓とランプの光を描画します19。

光を強めたいので、レイヤー［光2］を複製し、レイヤーの不透明度を［50％］とします20。レイヤー名は［光3］とします。

19

20

07 飛行船を複製し、ぼかしを加え遠近感を出す

グループ［飛行船］を複製します。複製したグループを［右クリック］→［グループを結合］します。結合したレイヤーはレイヤー名［飛行船2］とします21。

レイヤー［飛行船2］を22のように配置し［フィルター］→［ぼかし］→［ぼかし（ガウス）］を選択し、［半径：4.5pixel］で適用します23。

［レベル補正］を入力レベル［10：0.85：190］出力レベル［0：80］で適用します24。

レイヤーの不透明度を［90％］とします25。

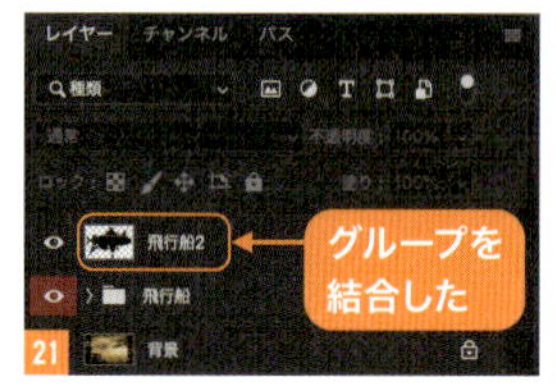

21

22

23

25

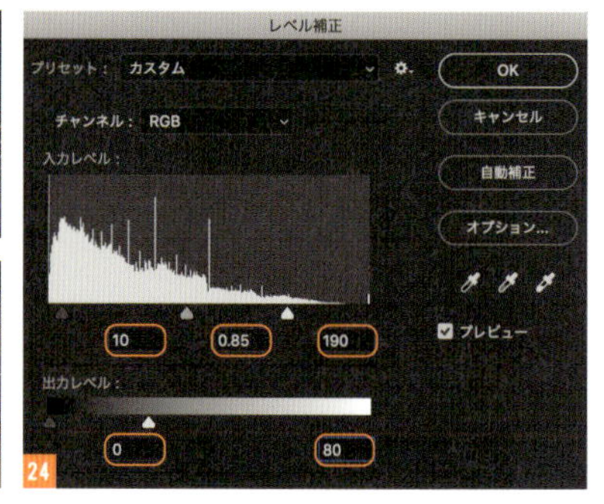

24

08 暗くなった窓の光を足す

レイヤー［飛行船2］の上位に新規レイヤー［光（ぼけ）1］を作成します。

描画モードを［オーバーレイ］とし［ブラシツール］を選択し、描画色白［#ffffff］で窓を描画し光らせます26。

さらにレイヤー［光（ぼけ）1］を上位に複製し［光（ぼけ）2］とします27 28。

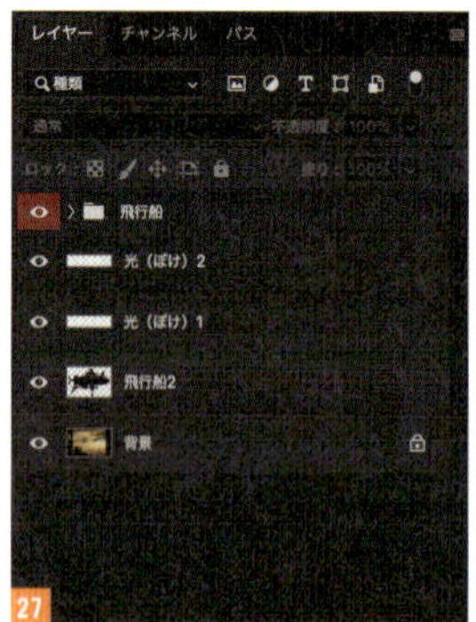

27

26

28

09 煙突に煙を足して完成

「P.108、リアルな煙を作る」の要領で煙を追加し完成です。

作例ではさらに奥に飛行船を追加しました29。

29

Recipe

080

文字を背景になじませる

レイヤースタイルを使って簡単にレンガと文字を合成することができます。

Photo retouching

01 テキストツールを使って、テキストを入力する

素材[背景.psd]を開きます。ツールパネルから[横書き文字ツール]を選択します 01。
オプションバーで好きな[フォント][サイズ][カラー]を選択します。
ここでは[フォント:Impact][サイズ:125.92pt][カラー:#0c0749]を使用しました 02。
テキストを「CRACK」と入力します。入力したテキストを壁の割れ目に合わせて回転させます 03。

02 レイヤースタイルを使って、テキストを背景になじませる

レイヤー[CRACK]のレイヤー名の右側でダブルクリックします 04。
レイヤースタイルパネルが開いたら、[レイヤー効果]が選択された状態で、ブレンド条件の項目にある[下になっているレイヤー]のポイントを移動させ[73/122:185/249]とします 05。ポイントの横で、Option(Alt)キーを押しながらドラッグするとポイントを分割することができます。
テキストと背景をなじませることができました 06。

03 レイヤーマスクを使って、ひび割れ部分のテキストを消し、よりリアルに表現する

テキストレイヤー[CRACK]を選択します。レイヤーパネル内の[レイヤーマスクを追加]を選択し、レイヤーマスクを追加します 07。
レイヤーマスクサムネールを選択し、ひび割れのふち部分のテキストを[ブラシツール]を使い、描画色黒[#000000]で描画し、よりリアルに仕上げます 08。

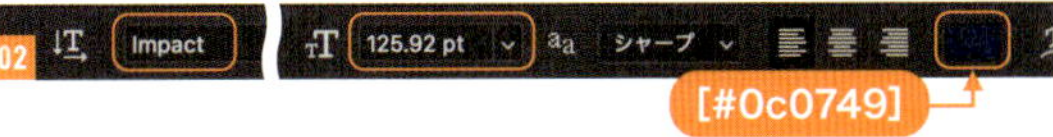

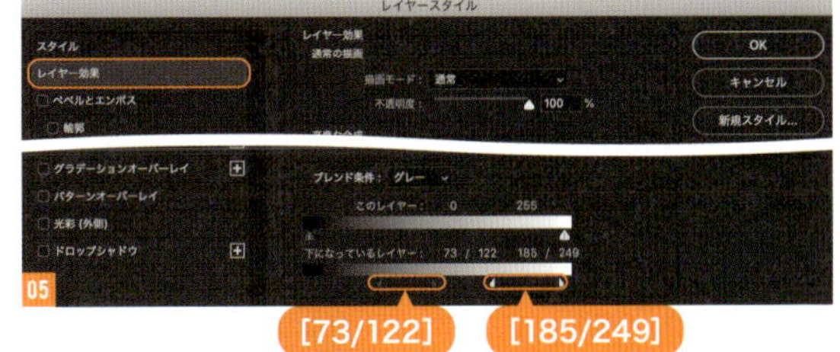

Recipe

081

扉をはさんで手前と奥で異なる世界を表現する

建物の中が氷の世界になっているような不思議な風景を制作します。

Photo retouching

01 建物の窓を選択し削除する

素材[風景psd] を開きます。レイヤー[背景] を[右クリック] →[背景からレイヤーへ] を選択し、レイヤー名[建物] とします。
[ペンツール] を使い、中央と右左の窓部分のパスを作成し [右クリック] →[選択範囲を作成] します 01。
Delete キーで削除します 02。選択範囲を解除しておきます。

元画像

01

02

02 建物の中に氷の風景を配置する

素材[氷の風景.psd]を開き、レイヤー[建物]の下位に配置します 03。

レイヤー[建物]の下位に配置

03 建物に陰影を付け立体感を出す

レイヤー[建物]の上位に、新規レイヤー[柱の影]を作成します。
[ブラシツール]を選択し 04 のように描画色黒[#000000]で塗りつぶし、レイヤーの不透明度を[30%]とします 05。

04 奥から手前に射し込む光を表現する

最上位に新規レイヤー[光]を作成し、レイヤーの描画モードを[オーバーレイ]とします。
レイヤー[建物]のレイヤーサムネールを[⌘]([Ctrl])キーを押しながらクリックし、選択範囲を作成します 06。
選択範囲を作成したまま、レイヤー[光]を選択しレイヤーパネル内の[レイヤーマスクを追加]を選択します 07。この設定で、窓の外側(建物部分)にのみ描画できる状態ができました。
[ブラシツール]を選択し描画色白[#ffffff]とします。
窓のガラス部分は別に光らせるので、ここでは、奥から手前に射す光と、建物のふち部分に光を足すように描画します 08。段差部分は多少大袈裟にくっきりと描画すると、より立体的に見えます。

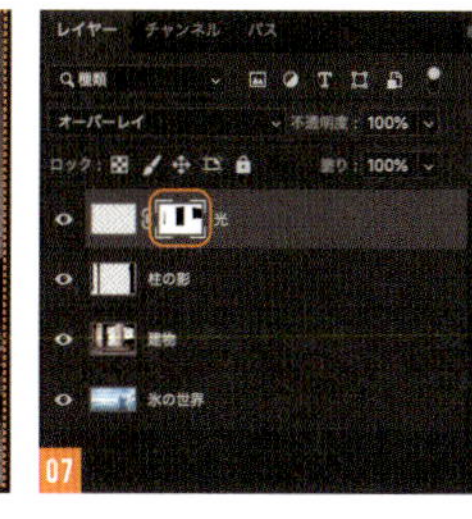

05 窓ガラスに光を足す

最上位に新規レイヤー[窓の光]を作成します。窓の選択範囲を作成し、白[#ffffff]で塗りつぶします 09。
レイヤーの描画モードを[オーバーレイ]とします。光が足りないのでレイヤー[窓の光]を複製し[窓の光2]とし2重のレイヤーで光を足します 10。

09

10

06 ペンギンを配置し、グループ化し上位に光描画用のクリッピングマスクを作成する

素材[素材集.psd]から[ペンギン1][ペンギン2]を移動し最上位に配置します 11。
2つのレイヤーはグループ化し、グループ名[ペンギン]とします。グループ外の上位に新規レイヤー[ペンギンの光]を作成します。
レイヤー[ペンギンの光]を選択し[右クリック]→[クリッピングマスクを作成]を選択します。
これで、下位グループの[ペンギン]内のみに描画することができるようになります(わかりやすいようにレイヤーのカラーをイエローとしています) 12。

11

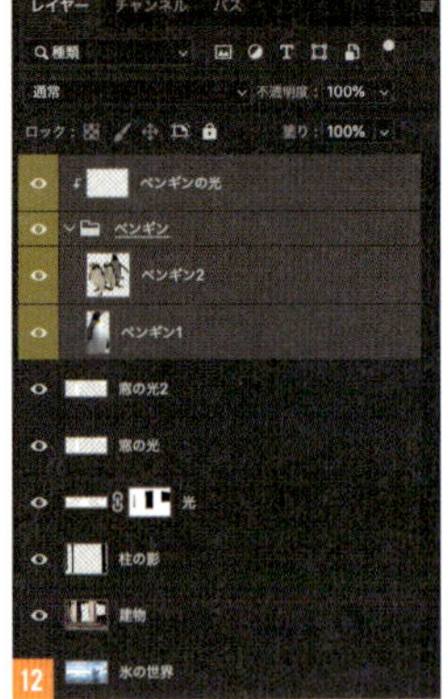

12

07 ペンギンの背後(建物の奥)から光が当たっているように光を描画する

レイヤー[ペンギンの光]を選択し[ブラシツール]を選択、描画色白[#ffffff]とします。ペンギンの背後から光が当たっているように光を描画します 13。
レイヤー[ペンギン1]は手前に立っているので[ぼかし(ガウス)][半径：4.0plxel]で適用し、距離感を出します 14。

13

14

08 ライトを追加し影を加える

素材[素材集.psd] からレイヤー[ランプ1] [ランプ2] を移動させ扉の両サイドに配置します15。
レイヤー[ランプ1] を選択し、レイヤーパネル内[レイヤースタイルの追加]→[ドロップシャドウ]を選択します16。
[不透明度：50%] [角度：75°] [距離：43px] [スプレッド：0%] [サイズ：9px] と設定します17。
レイヤー[ランプ1] を選択した状態で [右クリック]→[レイヤースタイルのコピー]を選択します。
レイヤー[ランプ2] を選択し [右クリック] →[レイヤースタイルのペースト] とし、同じレイヤースタイルを適用します。

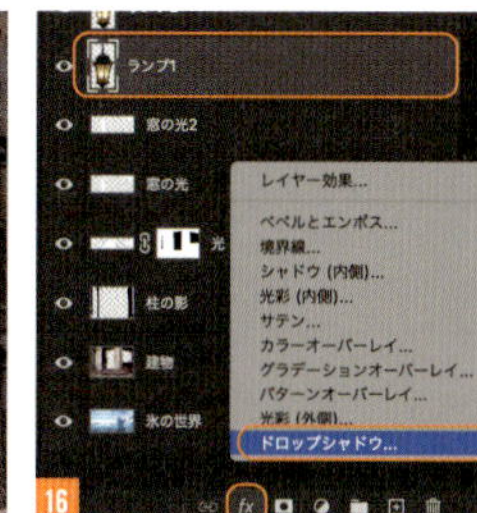

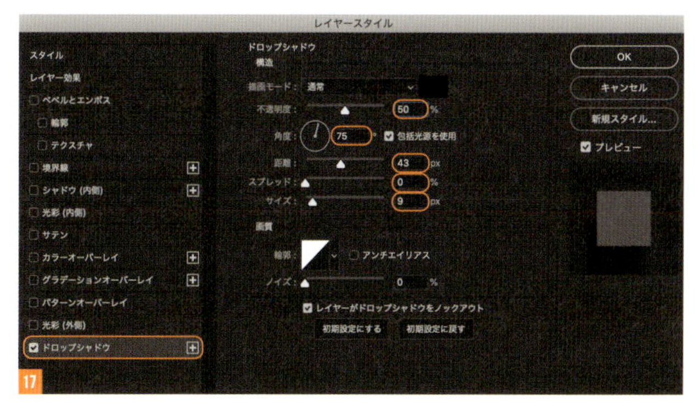

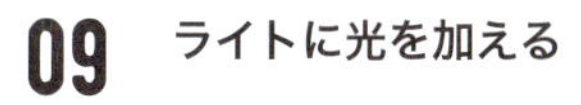

09 ライトに光を加える

上位に新規レイヤー[ライトの光] を追加し、描画モード [オーバーレイ] とします。
[楕円形選択ツール] で18のように選択範囲を作成し [塗りつぶしツール] を選択して黄色[#f3e5a9] で塗りつぶします19。
選択範囲を解除したうえでレイヤー[ライトの光] を選択し [ぼかし (ガウス)] を [半径：20pixel] で適用します。
ぼんやりとした光が再現できました20。反対側のライトも複製して配置します21。

10 その他の素材を配置して完成

レイヤー[シロクマ] は窓からのぞいているようにレイヤーマスクを使って配置します。
レイヤー[North Pole] は標識に重ね [ペンギン3] は奥の氷の上に配置しました22。

Recipe

082 水と一体化したドレスの表現

水しぶきと服が一体化したような表現をしてみましょう。服の形状に合わせて水しぶきを変形し、つながって見えるように色補正するという手順を繰り返し、ドレスの形を作っていきます。

Photo retouching

01 人物を配置し、なじませる

素材[背景.psd]を開きます。素材[人物.psd]を開き移動させ配置します01。
レイヤー[人物]を選択し、レイヤーパネル内の[レイヤーマスクの追加]を選択します02。
レイヤーマスクサムネールを選択し[ブラシツール]を使って水に浸かっている足元にマスクをかけます。
この時ブラシの不透明度を調整しながら、うっすらと水の中の足も見えるようにしましょう03。
人物を配置できました04。

01

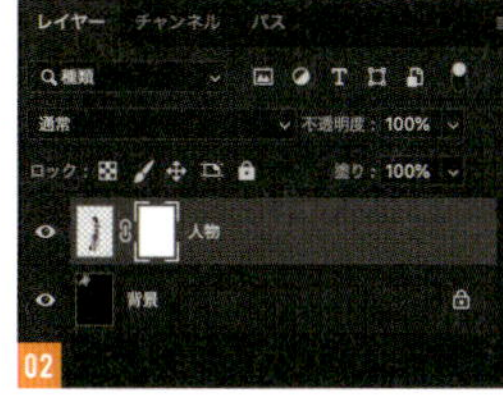

02

03

04

02 水しぶきの画像を変形し配置する

素材[しぶき.psd]を開き[しぶき1]を移動させます。
[編集]→[変形]→[ワープ]を選択します05。
服の形に合わせて水しぶきのシルエットと流れに注意しながら06のように[ワープ]を設定します。

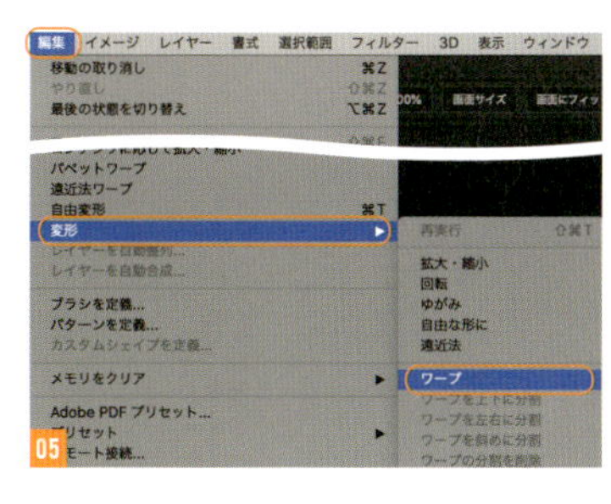

05

06

03 人物のシルエットでマスクを作成する

⌘（Ctrl）キーを押しながらレイヤー[人物]のレイヤーサムネールを[クリック]し、選択範囲を作成します。
[選択範囲を反転]し、レイヤーパネル内の[レイヤーマスクの追加]を選択します 07。

07

04 服と水しぶきをなじませる

レイヤー[しぶき1]の[レイヤーマスクサムネール]を選択します。
[ブラシツール]を選択し、描画色白[#ffffff]とし、マスクを調整していきます。
人物の腰から右に落ちている影を残して、水しぶきとなじませます 08。
レイヤー[しぶき1]のレイヤーサムネールを選択し[レベル補正]の入力レベルを[0：1.15：255]、出力レベルを[40：255]とします 09。
[カラーバランス]を選択し、[階調のバランス：中間調]をカラーレベル[+20：-10：0]とし人物に近い色味にします 10 11。

08

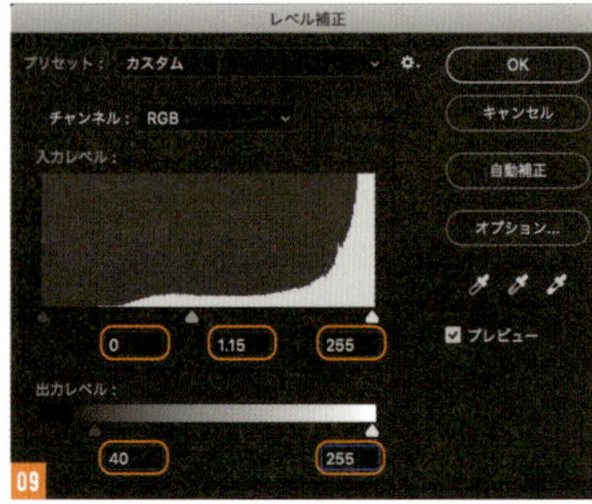

09

11

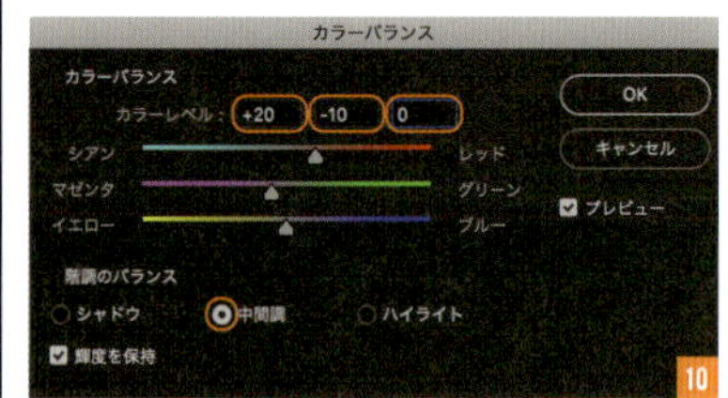

10

05 水しぶきを追加していく

水しぶきを追加し、手順02〜04を繰り返してドレスの形を作っていきます。
素材[しぶき.psd]から[しぶき2]を移動します。
先程と反対側にしぶきを追加したいので、12 のように[ワープ]を適用します。
手順03と同じ要領で人物のシルエットにマスクを追加、削除します 13。
手順04と同じ要領で[ブラシツール]でマスクを整えます 14。
[カラーバランス]を手順04と同じ数値で適用し、[レベル補正]を入力レベル[0：1.5：255]、出力レベルを[60：255]とし適用します 15。

12

13

14

15

06 作成した水しぶきを複製し追加していく

右足にかかっている服にしぶきを合成します。レイヤー[しぶき 1] を複製し 16 のように [ワープ] を設定します。
レイヤーパネル内の [レイヤーマスクを追加] を選択し [ブラシツール] でマスクを追加、削除しなじませます 17。
[レベル補正] を出力レベル [50：195] とします。[カラーバランス] を中間調[+15：-15：0] とし、人物に近い色味にします 18。
ここまでの手順で、服と水しぶきの合成ができます 19。

16

17

18

19

07 手順02〜06の手法で水しぶきを配置する

人物の左ひざ右側の生地部分を削除します。レイヤー[人物] のレイヤーマスクサムネールにマスクを追加しました 20。
素材[しぶき.psd]の[しぶき 3〜6]を移動させて、手順 02〜06 の手法、[ワープ] [レベル補正] [カラーバランス] [マスク] を使ってレイアウトしていきます 21。
最後にレイヤー最上位に「P.102、斜光の表現」の手法で作成した斜光を追加して完成としました 22。

20

21

22

Column

構図を考える

構図やデザインを考える際、自身の感覚だけでなく、黄金比や分割法などのルールに沿って考えることも重要です。
Photoshop には画像のトリミングをする際に [切り抜きツール] のオプションバーに黄金比や三分割法といったいくつかの分割法が登録されていますので活用してみましょう。
また、安定したように見えるグラフィックデザインや絵画は、なにかしらの構図のルールに沿って制作されていることが多いです。好きなデザインやアーティストの作品がどのような構図で制作されているのかを研究するのも面白く、実践的な学習法としておすすめします。

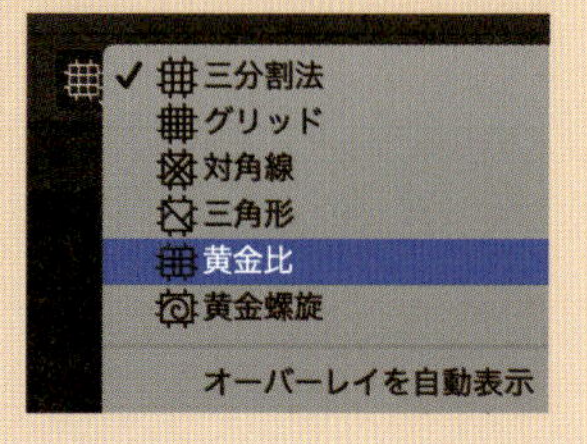

POLYGON STYLE

Recipe

083

写真をポリゴン風に加工する

操作を記録し、自動で実行してくれる［アクション］を使って、写真をポリゴン風に加工します。

Photo retouching

元画像

01 ガイドを設定する

素材[鳥.psd]を開きます。[表示]→[表示・非表示]→[グリッド]を選択します 01。
[Photoshop]→[環境設定]→[ガイド・グリッド・スライス]（Windowsは[編集]→[環境設定]→[ガイド・グリッド・スライス]）を選択します 02(Mac用) 02(Win用)。
[環境設定]パネル内の[グリッド]を[カラー：ブラック][グリッド線：25mm][分割数：12]と設定します 03。
[表示]→[スナップ先]→[ガイド]にチェックを入れます 04。
これで、ガイドに吸着する設定ができました 05。

02 選択範囲でコピーしたレイヤーにぼかしをかける

[多角形選択ツール]を選択します 06。
三角の選択範囲を作成します。ガイドに吸着させながら、くちばしの先端を始点とし三角の選択範囲を作成します 07。
3点目でダブルクリックすることで自動的に始点とつながった三角の選択範囲が作成されます。ある程度はみ出してもかまいません。
[フィルター]→[ぼかし]→[平均]を適用します 08。
選択範囲内の平均色で塗りつぶされたようになります 09。

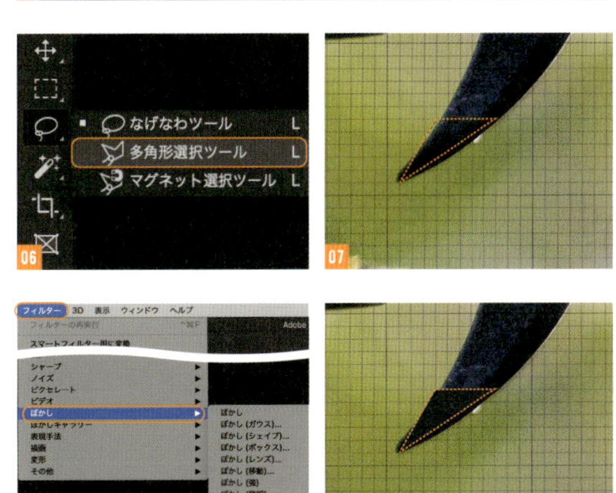

03 ぼかしたレイヤーを複製する

⌘（Ctrl）+J キー（[右クリック]→[選択範囲をコピーしたレイヤー]のショートカット）を押し、コピーしたレイヤーを作成します 10。

04 新規アクションを登録する

スムーズに作業を進めるために、[ぼかし→平均]～[選択範囲をコピーしたレイヤー]の手順をアクションに登録します。まずは、レイヤー[背景]を選択し[多角形選択ツール]でガイドに沿った選択範囲を作成します 11。

[ウィンドウ]→[アクション]を選択し[アクション]パネルを表示します 12。

パネル下位置の[新規アクションを作成]を選択します 13。

[新規アクション]のパネルが開いたら[アクション名：ポリゴン風加工][ファンクションキー：F3]とします 14(すでにファンクションキーに割り当てがある場合は、好みのキーを指定して下さい)。

05 手順02～03の作業をアクションに登録する

[記録]を選択します。[アクション]パネルの[記録を開始]ボタンが赤くなり記録が開始されます。

[ぼかし→平均]→ ⌘ (Ctrl) + J キーを押したら[アクション]パネルの[再生/記録を中止]ボタンを押します 15。

F3 キーを押すことで[ぼかし→平均]→[選択範囲をコピーしたレイヤー]が自動的に実行されるアクションが作成できました。

06 アクションを使ってポリゴン風加工を進める

作成したアクションを使い、「レイヤー[背景]を選択」→「多角形ツールで選択範囲を作成」→ F3 キーを繰り返し、ポリゴン風に加工していきます。目の周りなど密度の高い部分は小さな面で作業し 16、体は大きな面で作業します 17。

ポリゴン風に加工できたら、 ⌘ (Ctrl) + @ キー([グリッドの表示・非表示]のショートカット)を押し、グリッドを非表示にします。

07 背景を設定し装飾して完成

レイヤー[背景]の上位に新規レイヤーを作成し[塗りつぶしツール]を選択し描画色[#ffe2ae]で塗りつぶします 18。

さらに文字で装飾しました 19。

素材[テクスチャ.psd]を開き、最上位に移動し配置します。レイヤーの描画モードを[ソフトライト]とし 20、質感を加えて完成です 21。

11

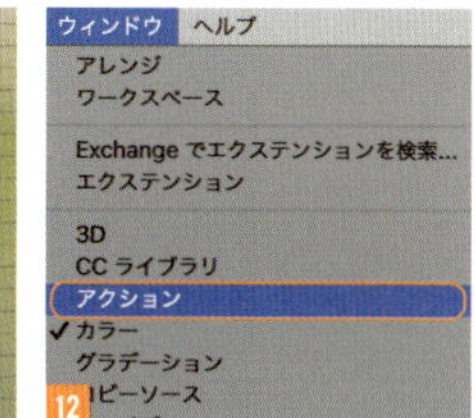

12

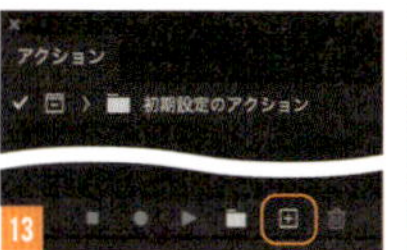

13

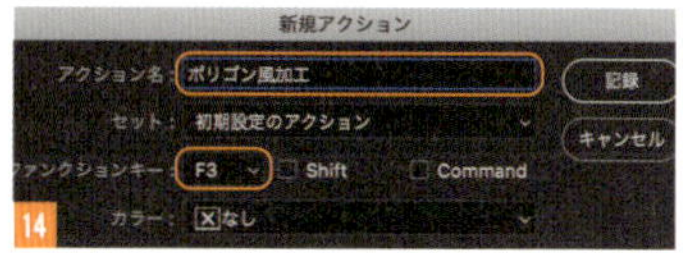

14

[新規アクションを作成]

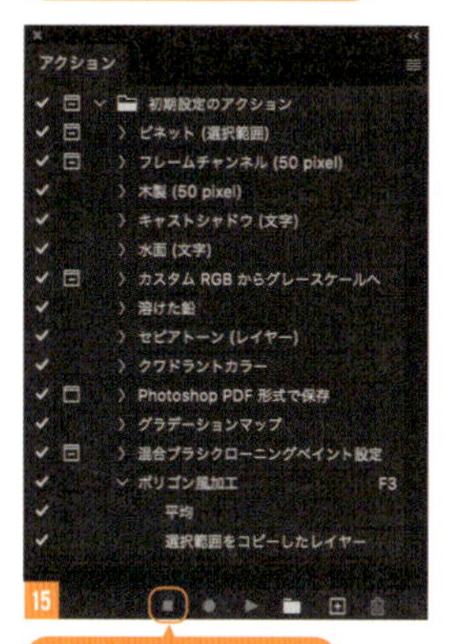

15

[再生/記録を中止]

16

17

18

19

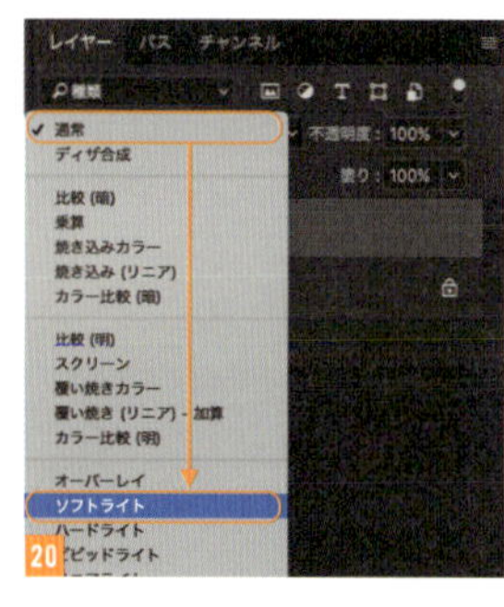

20

21

Chapter 06

ロゴやパーツのレタッチ

砂、氷、岩、金属などのリアルな質感を持ったロゴの加工方法やPhotoshopだけで作成できるデザインパーツを紹介します。
タイトルロゴや広告の装飾パーツ制作で役立つ作例を集めました。

元画像

Recipe 084

透明なバッジを作る

レイヤースタイルやグラデーションを上手に使い透明なバッジを作成します。

Photo retouching

01 画像を配置し、円形にマスクをする

素材[背景.psd]を開きます。素材[パーツ.psd]を開き、レイヤー[自転車]を移動させます01。

バッジとして使いたい部分の選択範囲を作成します。

[楕円形選択ツール]を選択します02。Shift キーを押しながらドラッグし、正円の選択範囲を作成します。

選択範囲を作成し、カンバス上でドラッグすることで選択範囲を移動することができます03。

レイヤーパネル上でレイヤー[自転車]を選択し、[レイヤーマスクを追加]します04 05。

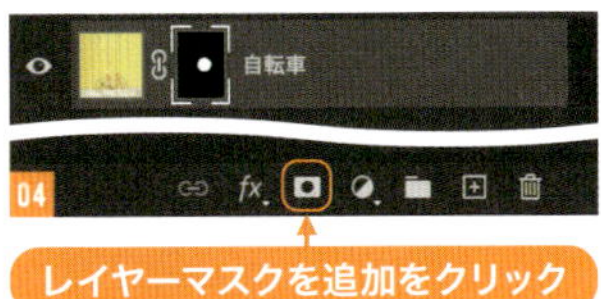

02 透明で立体感のあるパーツをレイヤースタイルで作成していく

レイヤー[自転車]の上位に、新規レイヤー[透明パーツ]を作成します。

レイヤー[自転車]のレイヤーマスクサムネールを ⌘ (Ctrl) キー+クリックし、選択範囲を作成します。

レイヤー[透明パーツ]を選択します。

[塗りつぶしツール]を選択し塗りつぶしたら、[塗り:0%]とします06。

レイヤー[透明パーツ]をダブルクリックし、[レイヤースタイル]パネルを表示します。

[シャドウ(内側)]を07のように設定します。

[光彩(内側)]を08のように設定します。

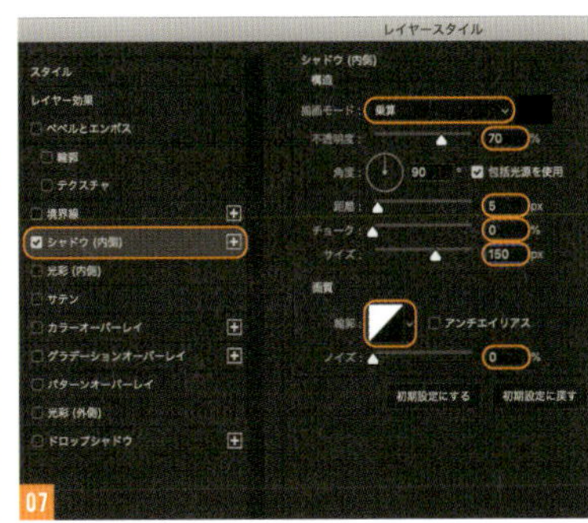

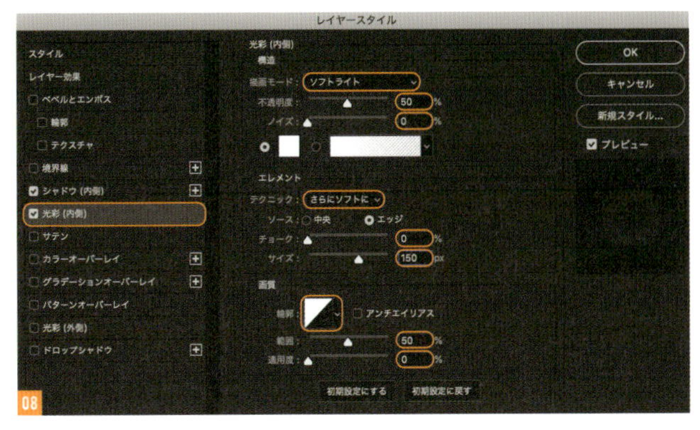

03 さらにレイヤースタイルの設定をしていく

[サテン] を 09 のように設定します。[輪郭] はプリセットの [リング] を使用します。

[グラデーションオーバーレイ] を 10 のように設定します。

[グラデーション] は 11 のように、左から

[0%の位置] は [不透明度分岐点：0%] [カラー分岐点：#ffffff]。

[90%の位置] は [不透明度分岐点：30%] [カラー：#000000]。

[95%の位置] は [不透明度分岐点：25%] [カラー：#ffffff]。

[100%の位置] は [不透明度分岐点：50%] [カラー：#000000] としています。

[ドロップシャドウ] を 12 のように設定します。

13 のようになりました。

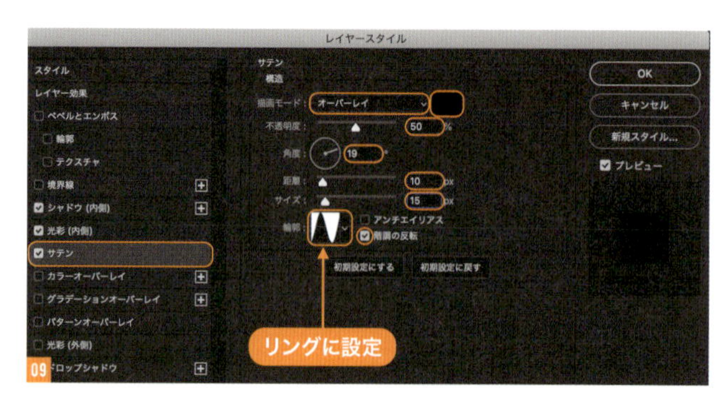

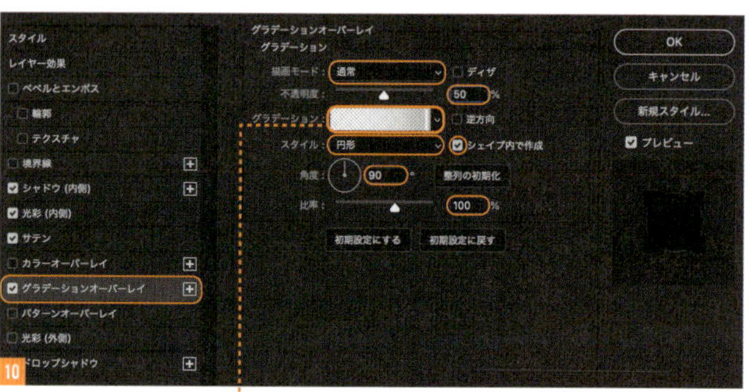

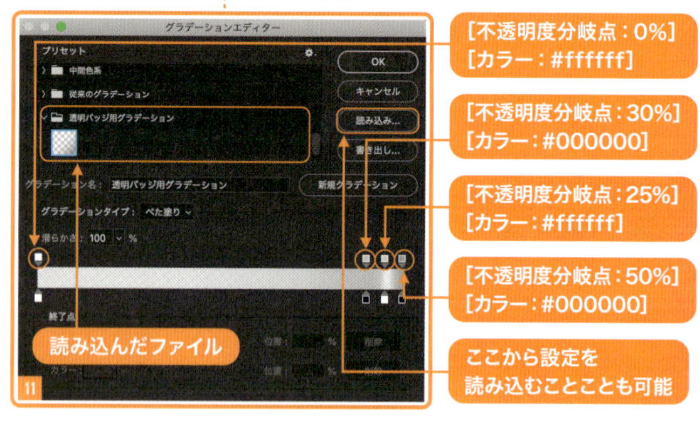

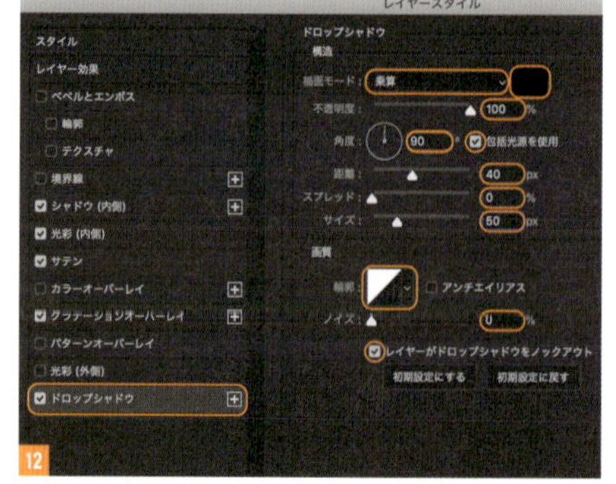

Point

素材[透明バッジ用グラデーション.grd] を [読み込み] ボタンから読み込んで確認することもできます。

中心が透明で外側にいくにつれて、黒・白・黒とグラデーションが作成され、立体的な表現となります。

Point

バッジの淵より少し内側に白いラインを作成し立体感を出しています。グラデーションを作成する際に、11 のように白いラインを黒で挟むことで、白いラインを強調するような仕組みになっています。

04 バッジに光を追加する

レイヤー[透明パーツ]の上位に、新規レイヤー[光]を作成します。
[楕円形選択ツール]で 14 のように選択範囲を作成します。
描画色白[#ffffff]とし、[グラデーションツール]を選択します。プリセットの[描画色から透明に]を選択します 15。
選択範囲の上端から下端までをドラッグしグラデーションを作成します 16。
レイヤー[光]を[塗り：50%]とします 17。

05 バッジの上下にも光を足す

上位に新規レイヤー[光_上下]を作成します。
レイヤー[自転車]の[レイヤーマスクサムネール]を ⌘ （Ctrl）キー＋クリックし、選択範囲を作成します。
[選択範囲]→[選択範囲を変更]→[縮小]を選択します。[縮小量：20pixel]で[OK]します 18 19。
レイヤー[光_上下]を選択します。
描画色白[#ffffff]とし、[グラデーションツール]を選択します。
バッジの上端から下に向かって1/4くらいドラッグしグラデーションを描きます。
反対もバッジの下端から上に向かって1/4くらいドラッグしグラデーションを描きます。
[描画モード：オーバーレイ]とします 20。
[フィルター]→[ぼかし]→[ぼかし（ガウス）]を選択し、[半径：5pixel]で適用します 21。
レイヤー[光_上下]を[不透明度：80%]として完成です 22。最終的なレイヤーは 23 のようになっています。
作例では同じ要領で複数のバッジを作成しました。

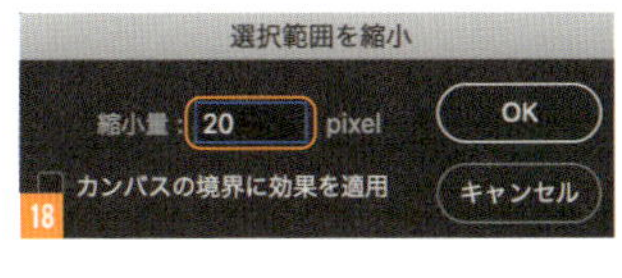

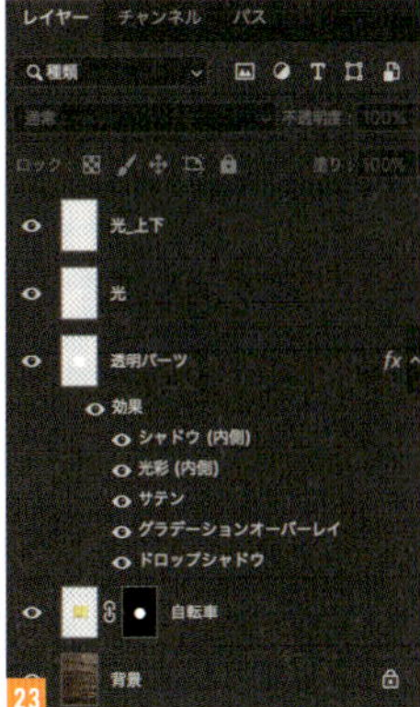

Recipe

085

ツタがからむロゴ

文字に木のテクスチャを重ね、ツタがからむコラージュを制作します。

Photo retouching

01 文字を配置し、木のテクスチャにマスクを作成する

素材[背景.psd][素材集.psd]を開きます。[素材集.psd]からレイヤー[R]を移動し、中央に配置します01。
レイヤー[木の板]を移動し、上位に配置し重ね02、レイヤー上で[右クリック]→[クリッピングマスクを作成]を適用します03。

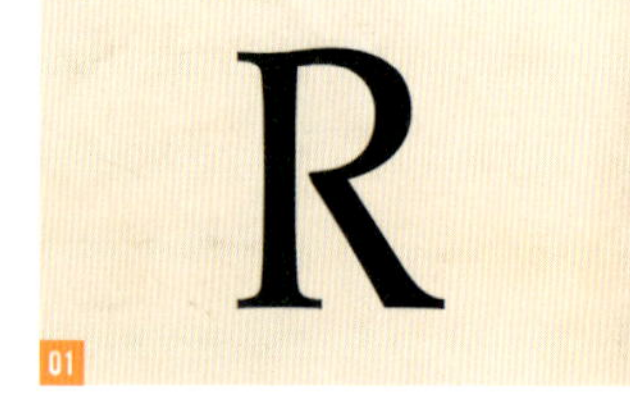
01

02

03

02 ツタを配置し影を付ける

レイヤー[ツタ]を移動し最上位に配置します 04。
レイヤー名の右側でダブルクリックし[レイヤースタイル]パネルを表示します。
[ドロップシャドウ]を選択し、構造を[描画モード：ソフトライト][カラー：#000000][不透明度：85%][角度：90°][距離：20px][スプレッド：0%][サイズ：7px]とします 05。
ツタに影が付きました 06。

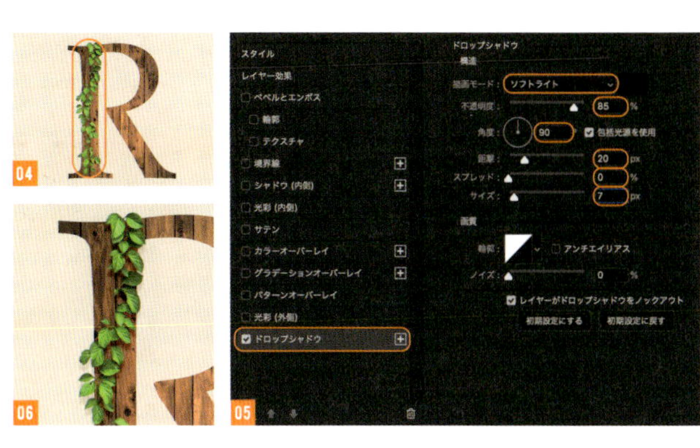

03 パペットワープを使って文字に沿ったツタを作成する

レイヤー[ツタ]を複製し、右側に配置します 07。
[R]の右側に沿って変形させてみましょう。[編集]→[パペットワープ]を選択します 08。
メッシュが表示されたら関節を設定するイメージで、クリックしてピンを追加します。
作例では5箇所のピンを追加しました 09。ピンを動かし文字に沿って変形します 10。
1箇所のピンを大きく動かすのではなく、全体を少しずつ変形しましょう。

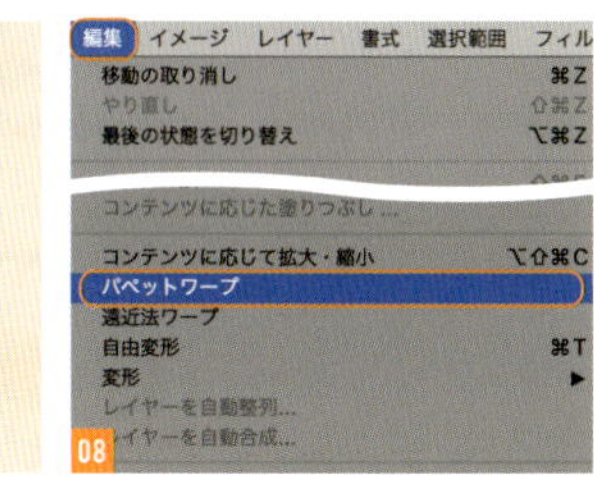

04 ツタを複製し、位置によって明度を調整し立体感を出す

手順03の要領でレイヤー[ツタ]を複製し配置します。レイヤー[R]の上位と下位に複製し、ツタが絡んだようにレイアウトします。
レイヤー[R]より下位のレイヤー(カンバス上ではRより後ろに配置するレイヤー)は[レベル補正]を使って、出力レベル[0：160]とし、暗くして立体感を出しています 11 12。

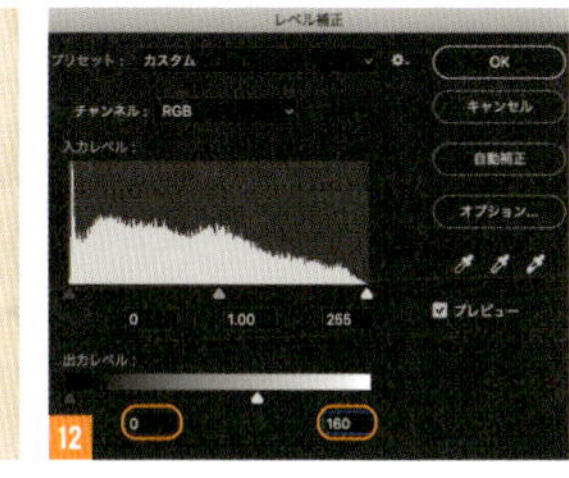

05 リスやうさぎを配置して完成

好みの場所にレイヤー[リス][うさぎ]を移動し配置したら完成です 13。

Recipe

086 ビーチに描かれた文字

レイヤースタイルだけを使って、まるで砂浜に描いたような文字を作ることができます。

Photo retouching

01 ランダムに文字を配置する

素材[ビーチ.psd]を開きます。
[横書き文字ツール]を選択します。
[カラー:#ffffff][フォント:小塚ゴシック][フォントスタイル:H]とし[OCEAN]と入力します01。
レイヤー[OCEAN]上で[右クリック]→[シェイプに変換]を適用します02。
[パスコンポーネント選択ツール]を選択し、1文字ずつ[自由変形]を適用し04のようにランダムに配置します。

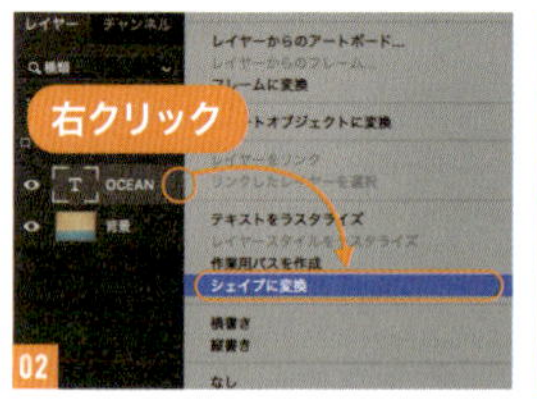

02 レイヤースタイルを設定する①

上位に新規レイヤー[砂文字]を作成します。
レイヤー名の右側でダブルクリックし[レイヤースタイル]パネルを表示します。
[ベベルとエンボス]を選択し、構造を[スタイル:ベベル(内側)][テクニック:滑らかに][深さ:100%][方向:上へ][サイズ:5px][ソフト:0px]とします。
陰影を[角度:120°][高度:30°][光沢輪郭:線形][ハイライトのモード:ソフトライト][カラー:#f9d3a6][不透明度:100%][シャドウのモード:焼き込み(リニア)][カラー:#5c310e][不透明度:100%]とします05。

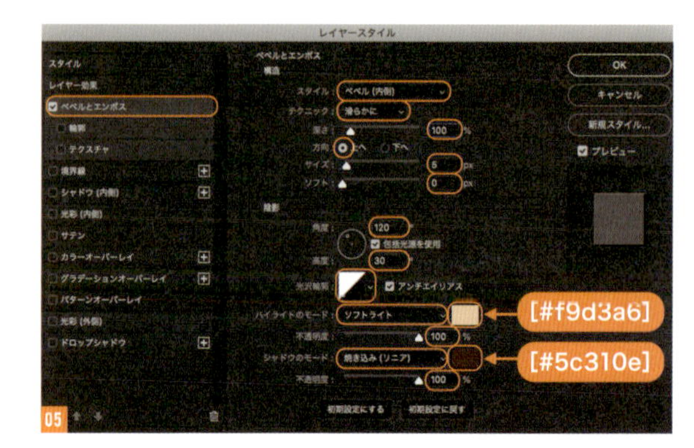

03 レイヤースタイルを設定する②

[ベベルとエンボス]の[輪郭]を選択し[輪郭:線形][範囲:50%]とします06。

[ベベルとエンボス]の[テクスチャ]を選択し[パターン:土][比率:100%][深さ:+50%]とします07。

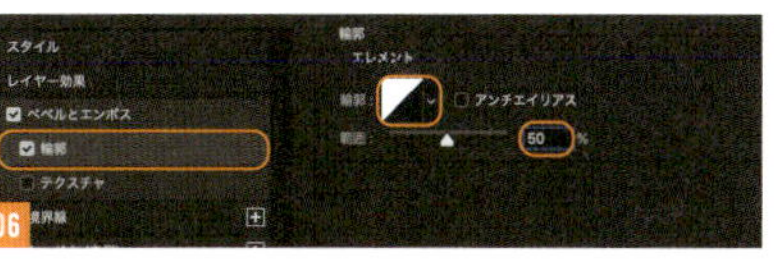

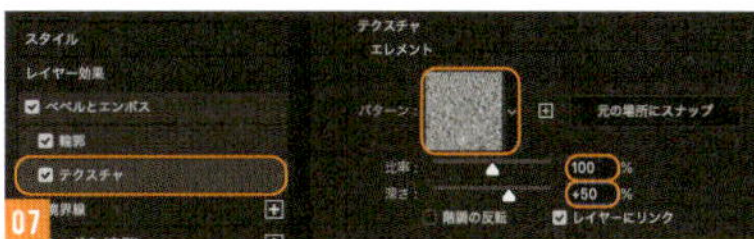

04 砂文字を作成する

レイヤー[砂文字]を選択し[塗り:0%]とします08。

[ブラシツール]を選択し[ブラシの種類:はね(39px)]とします09。

サイズと不透明度は調整しながら進めます。レイヤー[OCEAN]をガイドに、ブラシツールで描画します。

描画することで砂を盛ったような表現になります。文字は目安程度に、ラフな線でムラ感のある描画をします10。

ある程度描画できたら、レイヤー[OCEAN]は非表示か削除します。

Point

[パターン:土]は初期設定では表示されません。[ウィンドウ]→[パターン]を選択し表示されるパネル右上のオプションを選択、表示される[従来のパターンとその他]を選択します。

追加された[従来のパターンとその他]→[従来のパターン]→[岩]にある[土]を選択します。

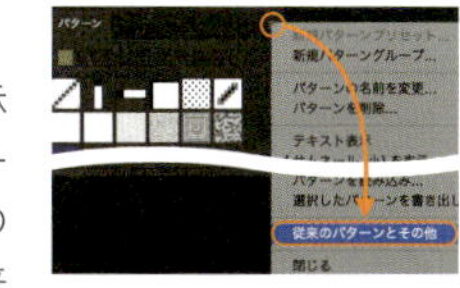

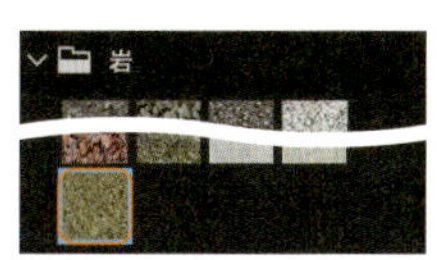

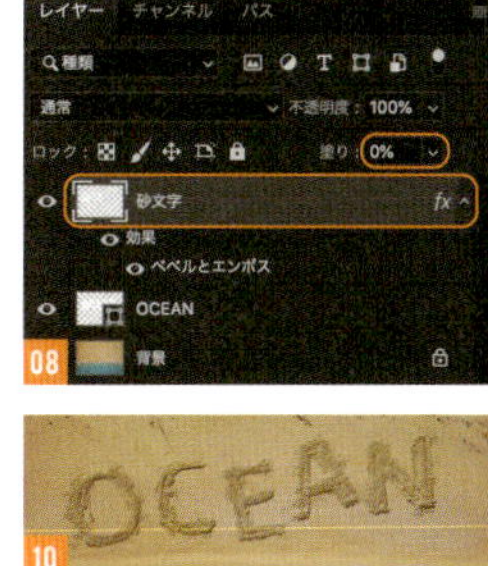

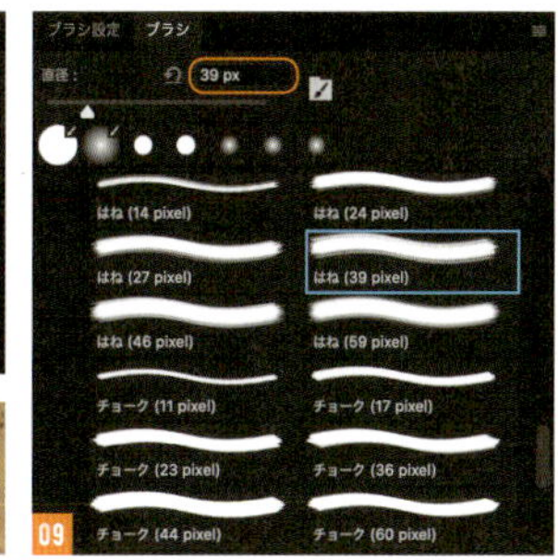

05 砂文字にくぼみを付ける

[消しゴムツール]を選択します。砂文字をなぞると、くぼんだような質感になります。

ブラシサイズ、不透明度を調整しながら、手順04〜05を繰り返し、リアルな砂文字の質感を作ります11。

Point

大きなブラシでおおまかな砂の質感を足し、細かいブラシで文字の輪郭をシャープに整えると雰囲気が出やすくなります。

06 砂文字に影を付けて完成

最上位に新規レイヤー[影]を作成します。[ブラシツール]を選択します。描画色黒[#000000]とし「OCEAN」の文字をなぞります12。

[レイヤースタイル]パネルを表示し[シャドウ(内側)]を選択します。

構造を[描画モード:通常][カラー:#4e1a17][不透明度:86%][角度:150°][距離:15px][チョーク:0%][サイズ:10px]とします13。

レイヤーを[塗り:0%]とすると、レイヤースタイルの[シャドウ(内側)]だけが適用します。これで完成です14。

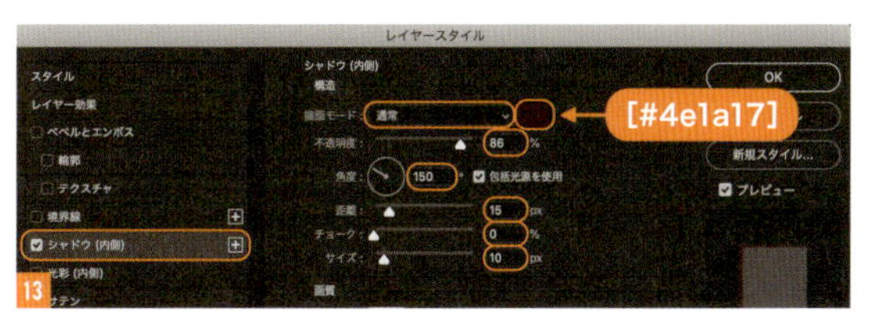

Recipe

087

動物と文字の合成

レイヤーマスクを使いこなし、シマウマの模様を自然に合成します。

Photo retouching

01 文字にシマウマ模様のテクスチャを重ねる

素材[背景.psd]を開き、背景と文字の2つのレイヤーを確認してください 01。

素材[シマウマパーツ.psd]を開き、レイヤー[模様1]を移動させ、レイヤー[文字]の上位に配置します。

カンバス上では、文字「Z」に重なるように配置します 02。

レイヤー[模様1]を選択し[右クリック]→[クリッピングマスクを作成]を選択します 03。

02 「B」以外の文字に同じようにテクスチャを重ねる

レイヤー[模様1]にクリッピングマスクが適用されていることを確認します 04。

レイヤー[模様1]を複製し[移動ツール]を使い「E」の文字に重ねます 05。

クリッピングマスクが適用されたレイヤーをコピーしたので自動的に効果も適用されます。

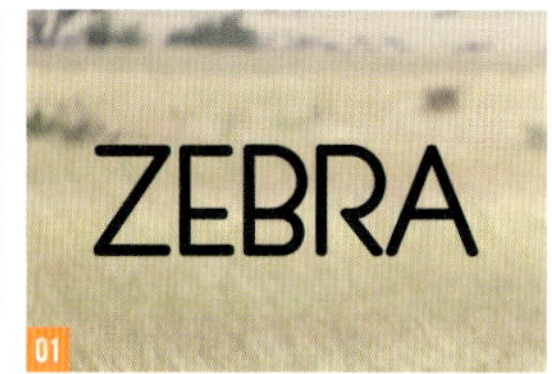

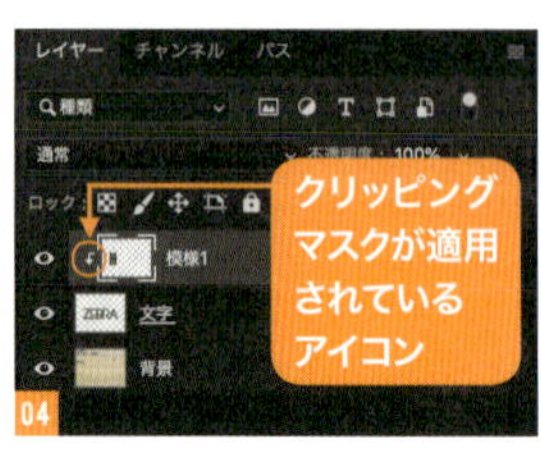

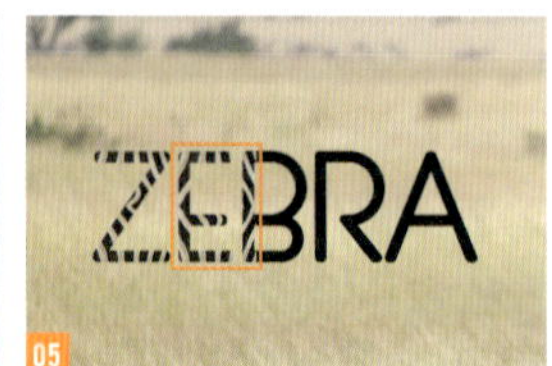

「B」にかぶっている部分は［選択ツール］で選択し削除します 06 。
同様の手法で、「R」「A」の文字にもテクスチャを重ねます 07 。

03 「B」にテクスチャとシマウマを重ねる

素材［シマウマパーツ.psd］からレイヤー［模様2］を移動させ配置し、同じ手法で文字にクリッピングマスクを適用します 08 。
レイヤー［シマウマ］も移動させ 09 のように配置します。

04 「B」の内側にかぶっているシマウマ部分をマスクする

レイヤー［シマウマ］を選択し、レイヤーパネル内の［レイヤーマスクの追加］を選択します 10 。
⌘（Ctrl）キーを押しながら、レイヤー［文字］のレイヤーサムネールをクリックし、選択範囲を作成します 11 。
［選択範囲］→［選択範囲の反転］を選択します（文字の内側が選択→文字の外側が選択へと変わります）。
レイヤー［シマウマ］のレイヤーマスクサムネールを選択し［ブラシツール］の描画色黒［#000000］で「B」の文字の内側をマスクします 12 。選択範囲は解除しておきます。

05 文字の模様とシマウマの模様をなじませる

レイヤー［シマウマ］のレイヤーマスクサムネールを選択し［ブラシツール］を選択します。
描画色黒［#000000］と白［#ffffff］を切り替えながらシマウマの模様がちょうど重なるポイントを探すようにマスクを整えます。同時にレイヤー［シマウマ］を表示・非表示と切り替えながら、作業するといいでしょう 13 。
うまく模様が重ならなければ、シマウマと模様の2つのレイヤーを移動させます。

06 「ZEBRA」の文字に立体感を加えて完成

レイヤー［文字］を選択します。レイヤー名の右側でダブルクリックし［レイヤースタイル］パネルを表示します。
［ベベルとエンボス］を 14 のように、［シャドウ（内側）］を 15 のように設定し、立体感を出して完成です 16 。

06

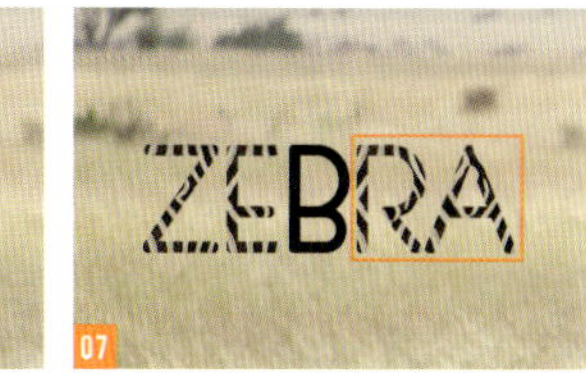

07

08

09

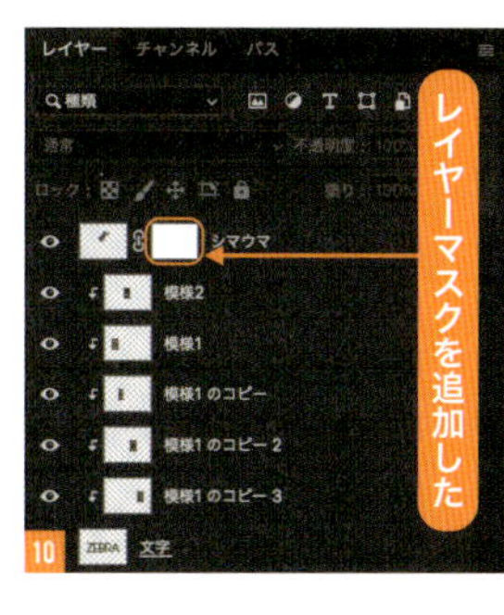

10

11

12

マスクをかけた

13

模様が重なるように調整する

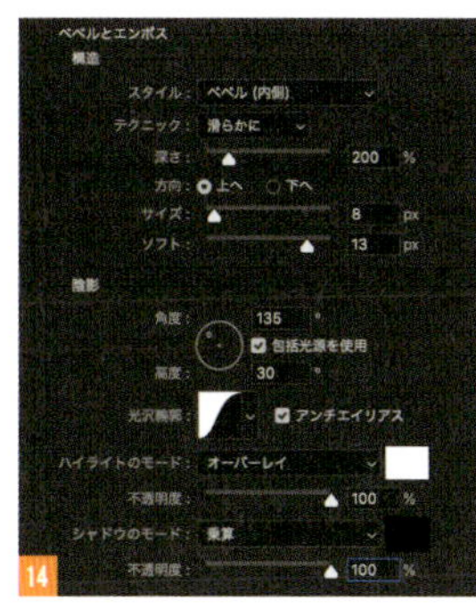

14

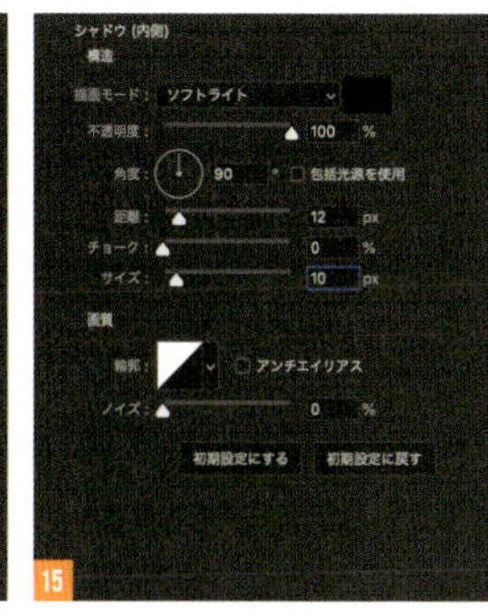

15

16

Shortcut

描画色と背景色を入れ替え：
X キー

Recipe

088

氷のようなロゴ

まるで氷を削り出したようなロゴを作ってみましょう。

Photo retouching

01 横書き文字ツールを使って、テキストを入力する

素材[氷.psd] を開きます。レイヤー[氷] は手順を見やすくするために非表示にしておきます。
ツールパネルから [横書き文字ツール] を選択します 01。
オプションバーで好みのフォント、サイズなどを選びます。作例では [フォント:小塚ゴシック] [フォントスタイル :H] [サイズ : 135pt] [カラー : #76bfde] としました 02。
大文字で「ICE」と入力します 03。

02 レイヤースタイルを使って、文字を立体的にする

レイヤー[ICE] の右側をダブルクリックし [レイヤースタイル] パネルを表示します。

[ベベルとエンボス]を選択し、構造を[スタイル：ベベル(内側)][テクニック:ジゼルハード][深さ:200%][方向:上へ][サイズ：100px][ソフト：0px]とします。
陰影を[角度：30°][高度：30°][光沢輪郭：線形][ハイライトのモード：スクリーン][カラー：#ffffff][不透明度:100%][シャドウのモード:ソフトライト][カラー:#000000][不透明度：100%]とします04。
文字が立体的になりました05。

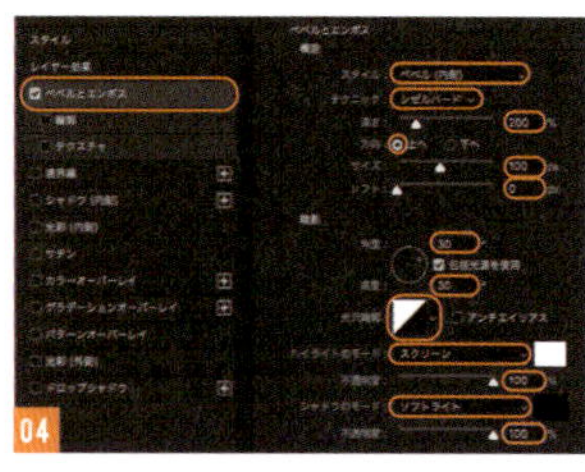

04

05

03 レイヤースタイルを使って、氷の霜を表現する

[レイヤースタイル]パネルの[光彩(内側)]を選択します。構造を[描画モード：スクリーン][不透明度：50%][ノイズ：0%][カラー：#ffffff]とします。
エレメントを[テクニック:さらにソフトに][ソース:エッジ][チョーク：0%][サイズ：20px]とします。
画質を[輪郭：線形][範囲：50%][適用度：0%]とします06。
文字の境界に白いグラデーションが追加され冷たい印象が増しました07。

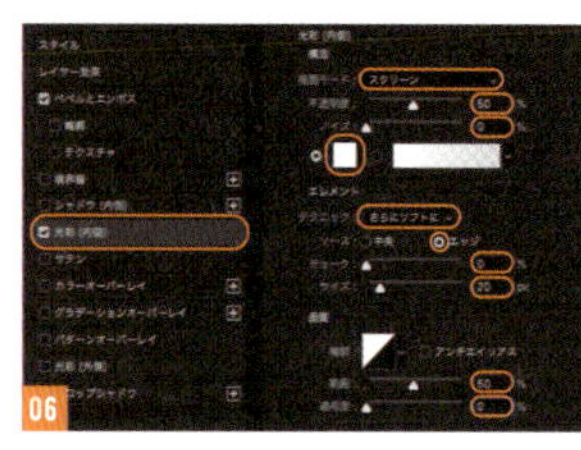

06

07

04 氷の写真を使って、氷の質感を演出する

レイヤー[氷]を表示し[ICE]の上位に配置します。
レイヤーの描画モードの[オーバーレイ]不透明度を[45%]とします08。
レイヤー[氷]を選択し[右クリック]→[クリッピングマスクを作成]を適用します09。

08

09

05 フィルターを使って、氷が削れたように表現する

レイヤー[ICE]を選択し、レイヤーサムネールを[⌘]([Ctrl])キーを押しながらクリックし選択範囲を作成します10。
レイヤーパネル内の[レイヤーマスクを追加]を選択します11。作成されたレイヤー[ICE]のレイヤーマスクサムネールを選択します12。
[フィルター]→[ピクセレート]→[水晶]を選択し13、[セルの大きさ：25]で適用します14 15。
作例では素材[背景.psd]と合成して完成としました。

10

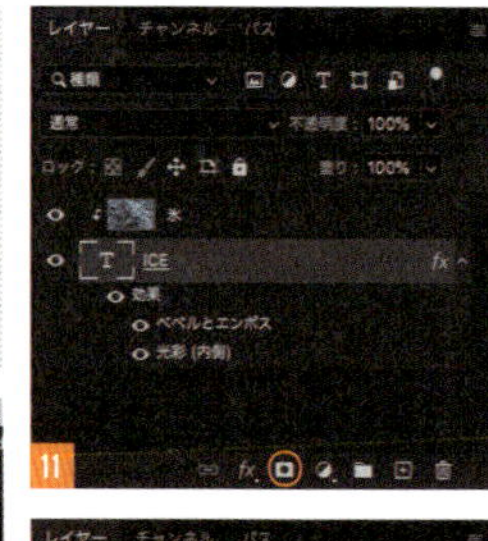

11

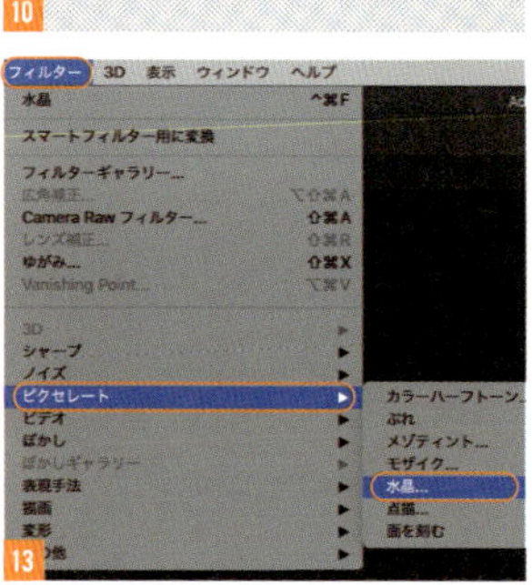

13

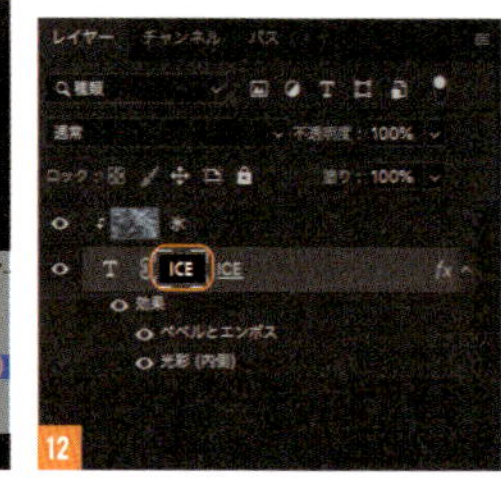

12

14

15

Recipe

089

溶けるロゴ

チョコレートが溶けたような
ロゴを制作してみましょう。

Photo retouching

01 横書き文字ツールを使って、テキストを入力する

素材[ケーキ.psd] を開きます。ツールパネルの [横書き文字ツール] を選択します。
[フォント:小塚ゴシック] [フォントスタイル:H] [サイズ:63pt] [テキストのカラー:#f7efe9] [ハートのカラー:#f6b0a7] とします 01。
「LO」「♥」「VE」の3つのテキストレイヤーを作成します 02。
ケーキの上にテキストが乗るように配置します 03。
3つのテキストレイヤーを選択し [右クリック] →[テキストをラスタライズ] を選択します 04。
3つのレイヤーが選択された状態で [右クリック] →[レイヤーを結合] し、レイヤー名を [LOVE] とします。

02 レイヤースタイルを使ってテキストを立体的にする

レイヤー[LOVE] のレイヤー名の右側でダブルクリックし [レイヤースタイル] パネルを表示します。[ベベルとエンボス] を選択します。構造を [スタイル:ベベル (内側)] [テクニック:ジゼルハード] [深さ:50%] [方向:下へ] [サイズ:20px] [ソフト:16px] とします。
陰影を [角度:-124°] [高度:36°] [光沢輪郭:線形] [ハイライトのモード:スクリーン] [カラー:#ffffff] [不透明度:100%] [シャドウのモード:乗算] [カラー:#cd5908] [不透明度:100%] とします 05。
テキストに立体感が付きました 06。

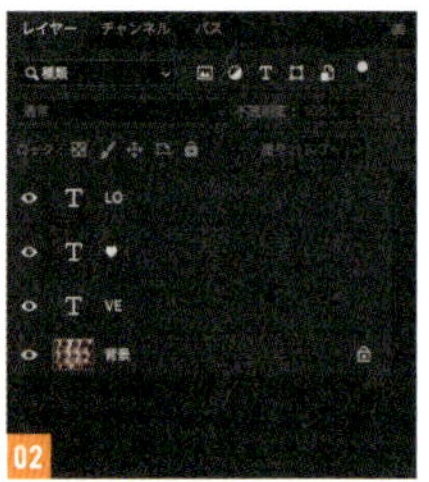

01

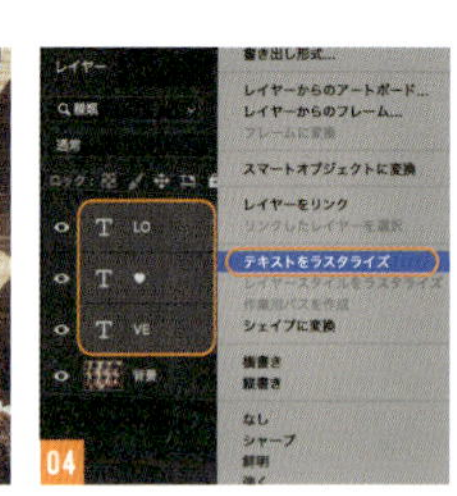

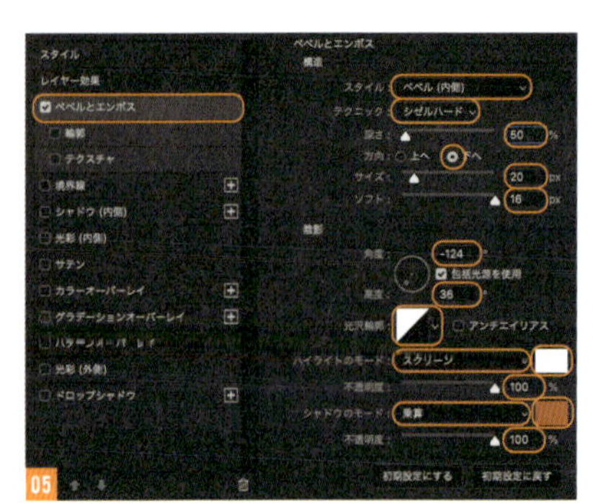

03 さらに立体感を追加する

[シャドウ(内側)]を選択します。
構造を[描画モード：乗算][カラー：#000000][不透明度：25%][角度：-124][距離：10px][チョーク：0px][サイズ：20px]とします。
画質を[輪郭：線形][ノイズ：0%]とします 07。
内側に影を追加できました 08。

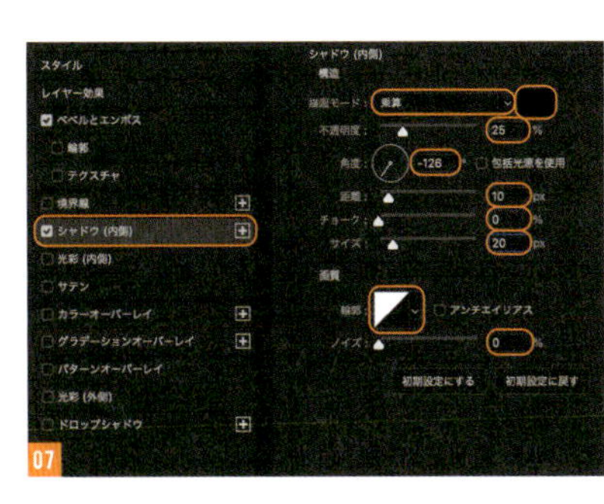
07

08

04 レイヤースタイルを使って影を追加する

[ドロップシャドウ]を選択します。
構造を[描画モード：通常][カラー：#312d3c(背景の影の色から抽出した色)][角度:75°][距離:30px][スプレッド：0%][サイズ：25px]とします。
画質を[輪郭：線形][ノイズ：0%]とします 09。
背景の光源に合わせた立体感と影ができました 10 11。

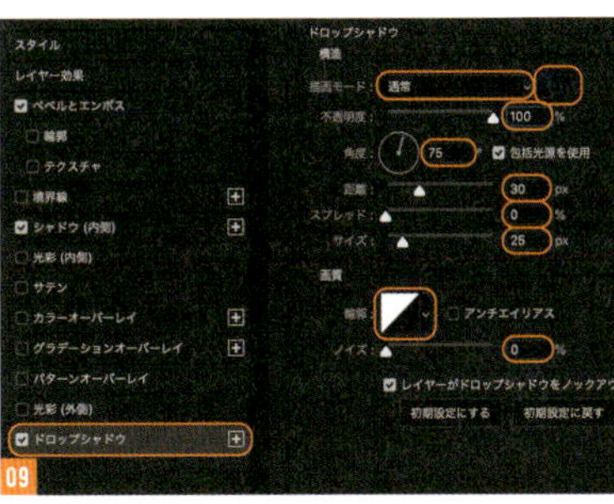
09

10

11

05 ブラシツールや消しゴムツールを使って、テキストの形を整える

ツールパネルから[ブラシツール]を選択します。
ブラシの種類を[ハード円ブラシ]とします。不透明度と流量は[100%]とします。
カラーはテキストと同色([テキストのカラー：#f7efe9][ハートのカラー：#f6b0a7])とします。
現在の文字をベースに[ブラシツール]や[消しゴムツール]で溶けたように表現します 12。

12

06 背景の色味と質感に近づけて完成

レイヤー[LOVE]を選択し[イメージ]→[色調補正]→[レンズフィルター]を選択し、フィルターオプションを[フィルター：フィルター暖色系(85)]とし[適用量：20%]とします 13。
[フィルター]→[ノイズ]→[ノイズを加える]を選択し、[量:3%][分布方法:均等に分布][グレースケールノイズ]とします 14。
背景の色味とノイズ感がそろい完成です 15。

13
15

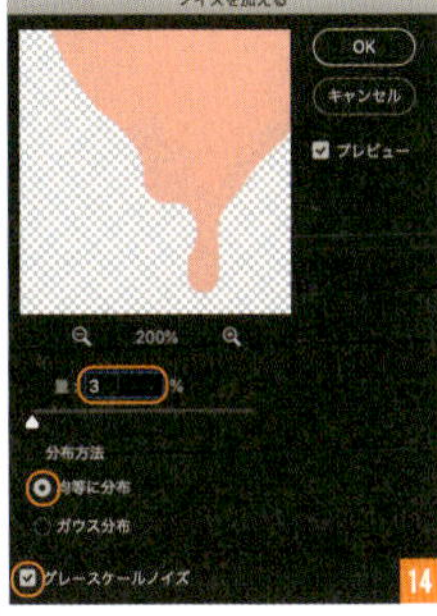
14

Recipe

090

窓ガラスについた水滴の表現

レイヤースタイルを使ってリアルな水滴の表現ができます。

Photo retouching

01 背景をぼかし、ガラスの質感を加える

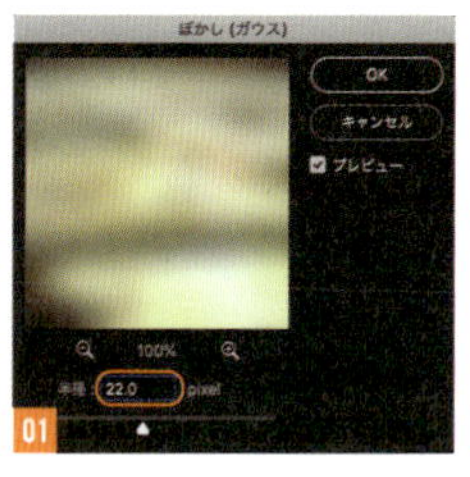

素材[風景.psd]を開きます。[フィルター]→[ぼかし]→[ぼかし(ガウス)]を[半径：22pixel]で適用します 01 02。

[フィルター]→[フィルターギャラリー]を選択し[変形]→[ガラス]を選択します。

[ゆがみ：1][滑らかさ：3][テクスチャ：霜付き][拡大・縮小：100%]とします 03。

風景にガラスの質感が適用されました 04。

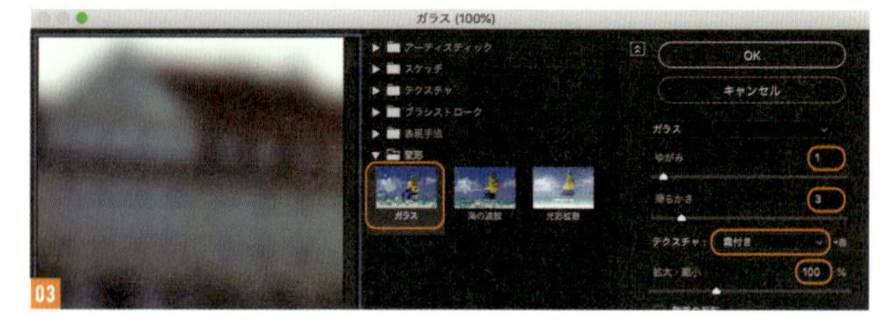

02 ブラシツールを使い水滴を描画する

上位に新規レイヤー[水滴]を作成します。

[ブラシツール]を選択し、描画色白[#ffffff]を選択し、水滴を描画します 05。

ブラシの種類は[ハード円ブラシ]を使うとくっきりとした水滴が出るのでおすすめです。水滴はランダムに、大小様々なサイズで描画します。作例では上から下へ流れを意識して描画しました。

03 レイヤーの塗りと描画モードを設定する

レイヤー[水滴]を選択し[塗り:0%]とし、レイヤーの描画モードを[覆い焼きカラー]とします06。レイヤー名の右側でダブルクリックし[レイヤースタイル]パネルを表示します。

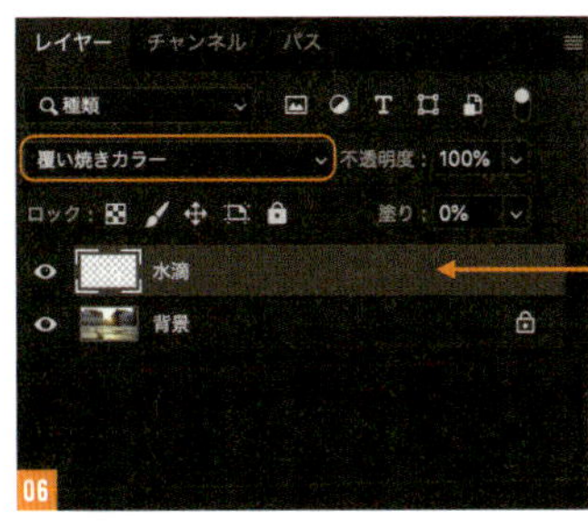

04 レイヤースタイルを使ってリアルな水滴を表現する

[ベベルとエンボス]を選択し07のように設定します08。
[光彩(内側)]を選択し09のように設定します。構造の光彩のカラーは背景の色に合わせて黄色系の[#f7e28d]としました10。
[サテン]を選択し11のように設定します。描画モードのカラーは[#ebaf57]とします12。
[ドロップシャドウ]を選択し13のように設定します。描画モードの塗りは黒[#000000]とします。リアルな水滴の表現ができました14。

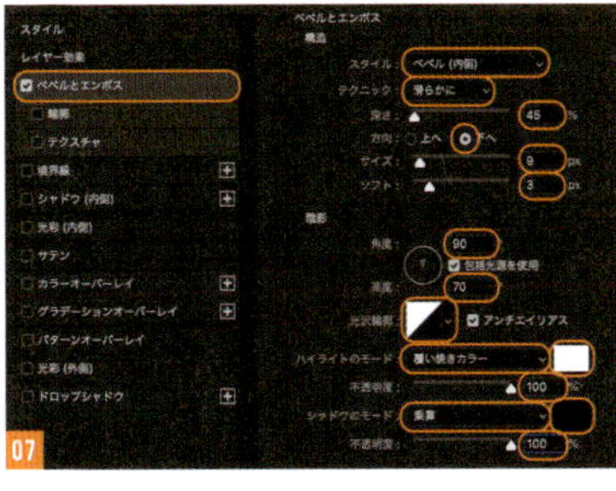

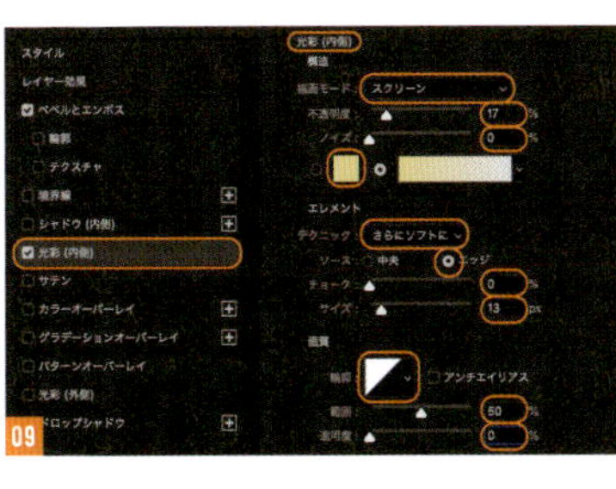

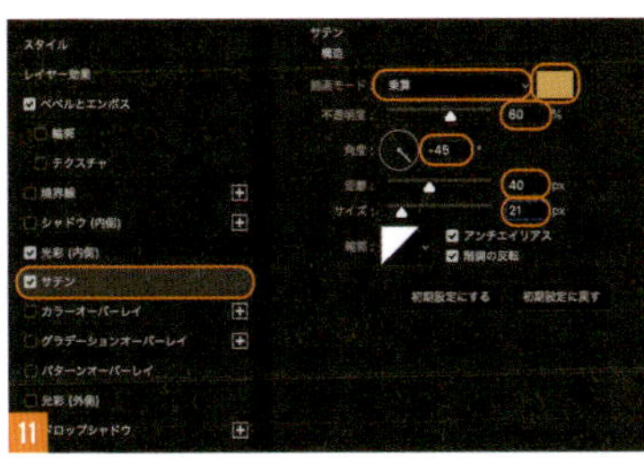

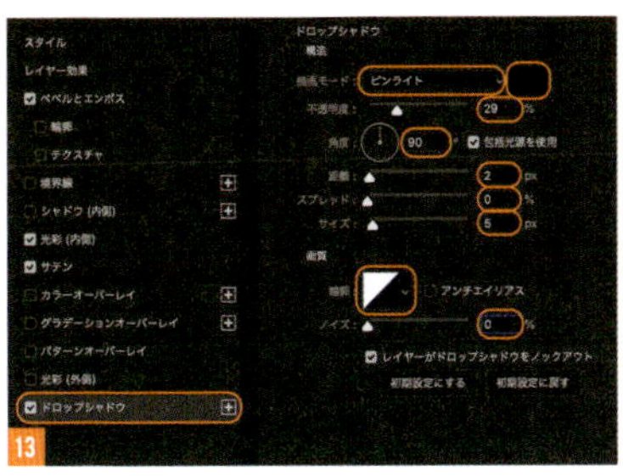

Point

レイヤースタイルの[光彩(内側)]と[サテン]の設定項目において、カラーを背景に合わせた暖色系を選択しています。背景が左下図のような青空の場合は、背景に合わせて右下図のような寒色系の色を選択しましょう。

Recipe

091

写真を使ったパターンを作る

写真を使ったシームレスなパターンの作成方法を紹介します。

Photo retouching

01 写真素材をドキュメントの中心に配置する

[ファイル]→[新規]→[幅：500pixel 高さ：500pixel]でドキュメントを作成します 01。
素材[ツバメ.psd]を開きます 02。
⌘（Ctrl）+Ａキーでカンバス全体の選択範囲を作成し⌘（Ctrl）+Ｃキーでコピーします。
01 で作成した新規ドキュメントを選択し、⌘（Ctrl）+Ｖキーでツバメの画像を貼りつけます 03。レイヤー名を[ツバメ]としておきます 04。

02 シームレスなパターンを作成する

レイヤー[ツバメ]を複製します 05。
複製したレイヤーを選択し、[フィルター]→[その他]→[スクロール]を選択します 06。
表示されるメニューを[水平方向：250pixel][垂直方向：250pixel]とし、[未定義領域]の[ラップアラウンド（巻き戻す）]にチェックを入れて適用します 07。
背景を透明にしたいので、最下位のレイヤー[背景]は削除します 08 09。

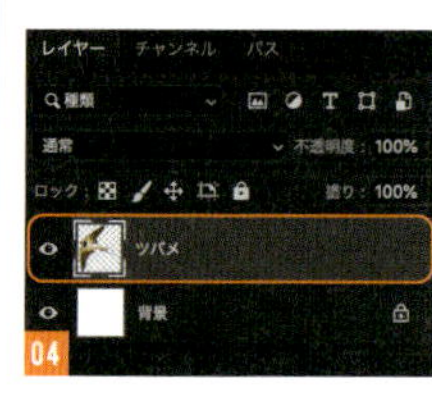

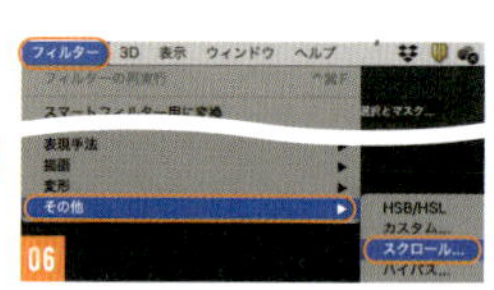

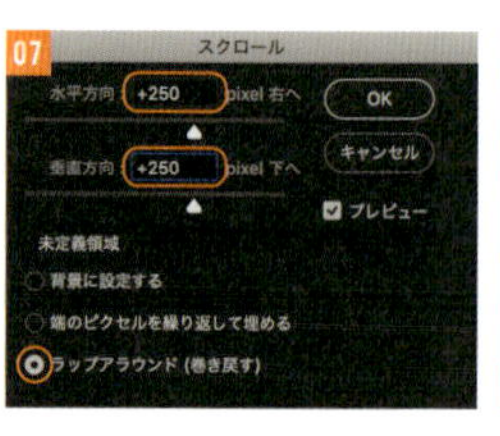

Point

[スクロール]フィルターで元画像が250pixelずつ右と下方向に移動し、ラップアラウンドにチェックを入れることで移動によりカンバスからはみ出した部分を反対側に表示されるようにしています。これによりシームレスなパターンが作成できます。

03 パターンを定義する

[編集]→[パターンを定義]を選択します10。パターンは一度定義するといろいろな場面で使えるので、わかりやすい名前をつけましょう。ここでは「ツバメパターン」と名前をつけました11。

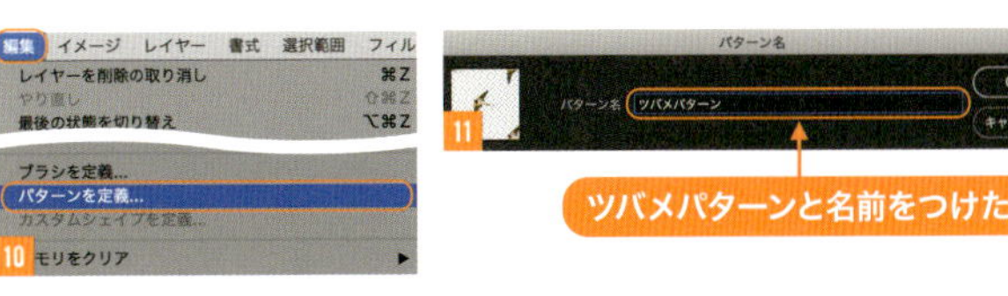

04 新しいドキュメントにパターンを反映する

素材[カンバス生地.psd]を開きます12。レイヤー[背景]をダブルクリックして、レイヤー名を[カンバス]としておきます13。
レイヤー[カンバス]の上位に新規レイヤー[ツバメパターン]を作成します14。
レイヤー[ツバメパターン]を選択した状態で[編集]→[塗りつぶし]を選択します15。
表示されるメニューを[内容：パターン]とし、カスタムパターンは[ツバメパターン]を選択します。登録したパターンが見つからない場合は[カスタムパターン]の項目をスクロールしてみるとよいでしょう16。[OK]を選択します17。
これで画面全体にツバメのパターンが反映されます。

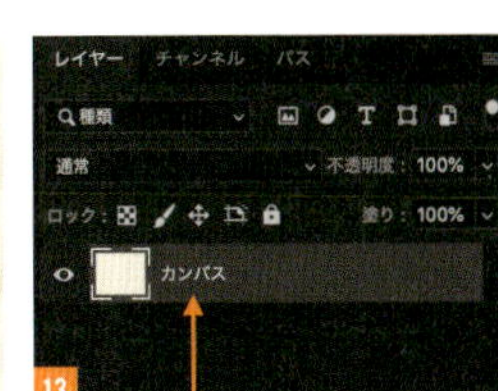

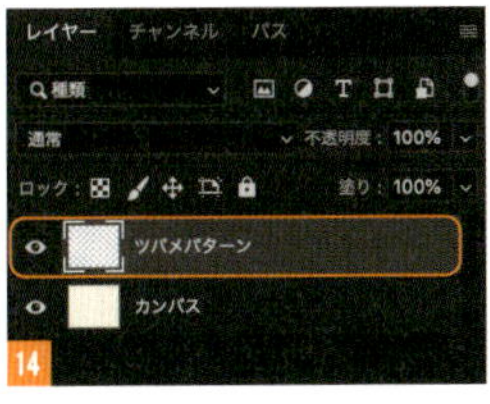

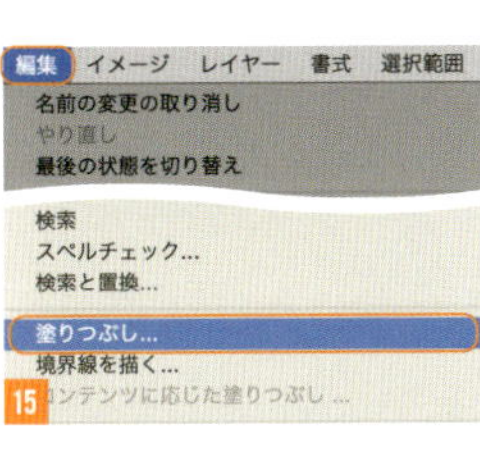

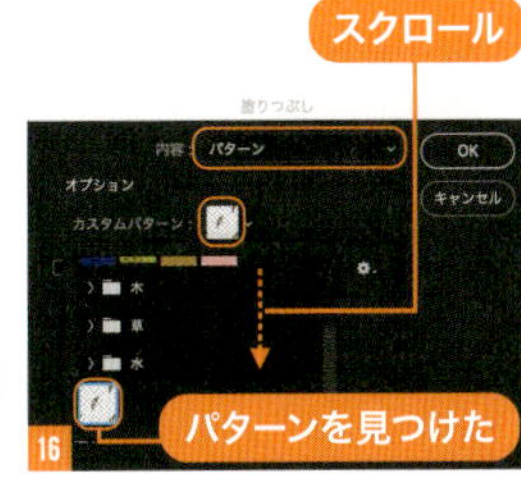

05 背景となじます

背景となじませるために、レイヤー[ツバメパターン]を[描画モード：焼き込み（リニア）]とし完成です18 19。
作例では、フォント[Futura PT]で「Swallow」と入力し装飾しました。
（フォント[Futura PT]はAdobe Fontsからダウンロードできます）

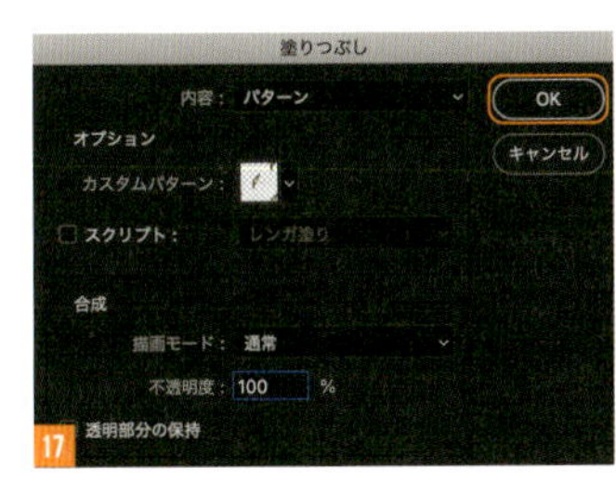

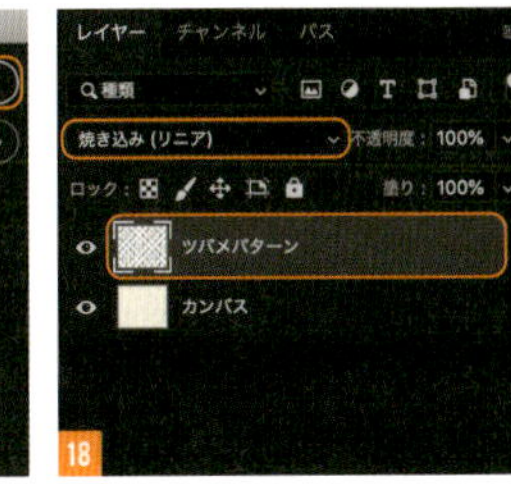

Point

Adobe FontsはAdobe社のCreative Cloudコンプリートプランや単体プランに付属しているサービスです。追加料金がかからずに15,000を超えるフォントを使用することができます。高品質なフォントがあり、商業利用も可能なことから、プロのデザイナーも利用しています。詳しくは「https://fonts.adobe.com/?locale=ja-JP」のサイトを参照してみるとよいでしょう。

Recipe

092 破れた写真の表現

ブラシツールと消しゴムツールを使って、写真の破れを表現します。

Photo retouching

01 画像をカットし、境界をブラシで整える

素材［写真.psd］を開きます。写真.psdは木目の背景に写真をのせた画像になります。
［なげなわツール］を選択し、選択範囲を作成します 01。Delete で削除します 02。

[消しゴムツール]を選択し[ブラシの種類:チョーク(60px)]を選択します 03。
ブラシパネルを開き[シェイプ]を選択します。[角度のジッター:30%]とします 04。
ブラシサイズを[20〜60px]くらいで調整しながらカットしたラインに沿ってなぞります 05。
ブラシパネルは[ウィンドウ]→[ブラシ]を選択すると表示できます。

02 破れた紙を追加する

新規レイヤー[破れた紙]をレイヤー[写真]の下位に作成します 06。
[ブラシツール]を選択し、手順01と同じ[ブラシの種類:チョーク(60px)]を選択し[ブラシ]パネルを開き[シェイプ]を選択します。[角度のジッター:30%]とします。
描画色を薄いグレー[#d8d8d8]とし、07のように描画します。写真の端がはみ出した場合は[消しゴムツール]で整えてください。

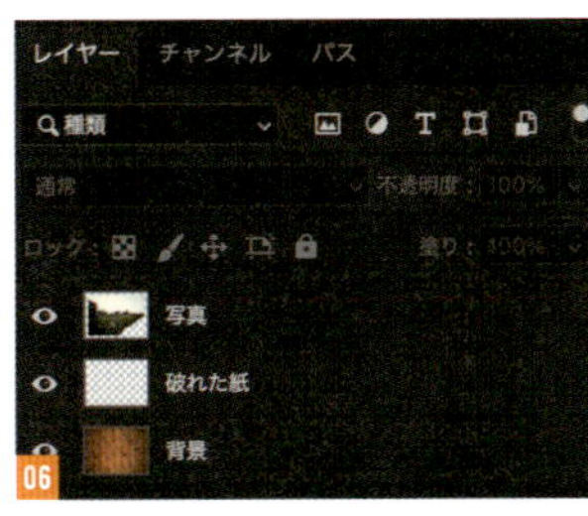

03 レイヤーを結合し影を付けて完成

レイヤー[写真][破れた紙]を選択し[右クリック]→[レイヤーを結合]します。
レイヤー名の右側でダブルクリックし[レイヤースタイル]パネルを表示します。
[ドロップシャドウ]を選択します。
構造を[描画モード:通常][カラー:#000000][不透明度:50%][角度:120°][距離:10px][スプレッド:0%][サイズ:10px]とします 08。
紙の破れを表現できました 09。

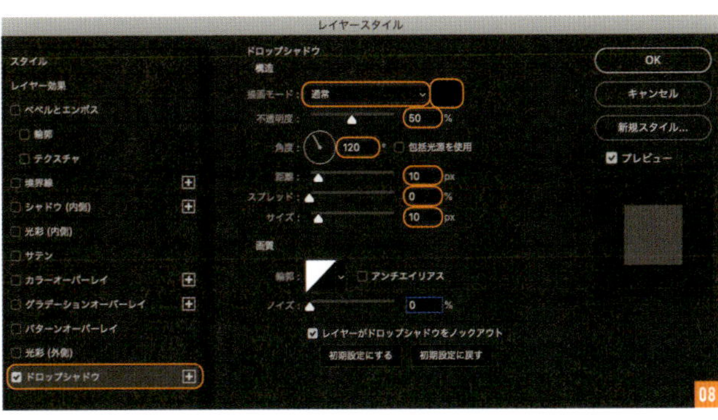

元画像

Recipe

093

彫刻のようなロゴ

ベベルとエンボスを使ってリアルな石で作られたロゴを制作します。

Photo retouching

01 文字を配置する

素材[背景.psd]を開きます。[横書き文字ツール]を選択し、カンバス中央に「STONE」と入力します 01 。
作例では[フォント：小塚ゴシック][フォントスタイル：H][フォントサイズ：110pt]で制作しています。

02 岩のテクスチャを重ね文字の形でマスクを適用する

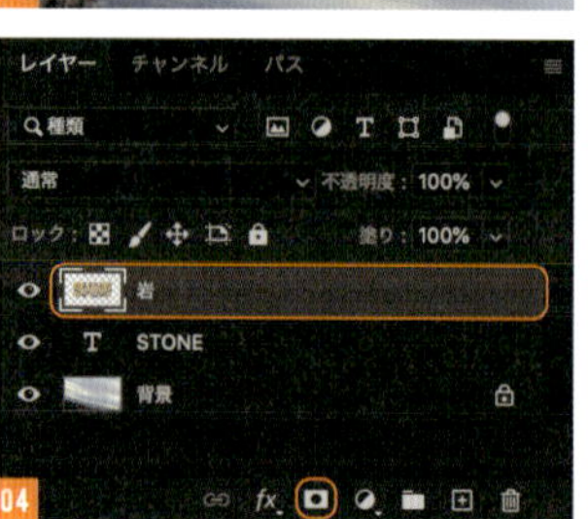

素材[岩.psd]を開き最上位に配置し、レイヤー名を[岩]とします。「STONE」の文字の上に重なる様に配置します 02 。
レイヤー[STONE]のテキストレイヤー(「T」マーク)の上で ⌘ (Ctrl) キーを押しながらクリックし、選択範囲を作成します 03 。
レイヤー[岩]を選択し、レイヤーパネル内の[レイヤーマスクを追加]を選択します 04 05 。
今後テキストレイヤー[STONE]は必要ないので削除します。

03 レイヤースタイルを使って立体感を加える

レイヤー[岩]のレイヤー名の右側でダブルクリックし[レイヤースタイル]パネルを表示します。[ベベルとエンボス]を選択します。

構造を[スタイル：ベベル(内側)][テクニック：シゼルハード][方向：上へ][サイズ：128px][ソフト：0px]とし、陰影を[角度：45°][高度：58°][光沢輪郭：線形][ハイライトのモード：スクリーン][カラー：#ffffff][不透明度：70%][シャドウのモード：通常][カラー：#000000][不透明度：70%]とします06。

立体的な陰影が加わりました07。

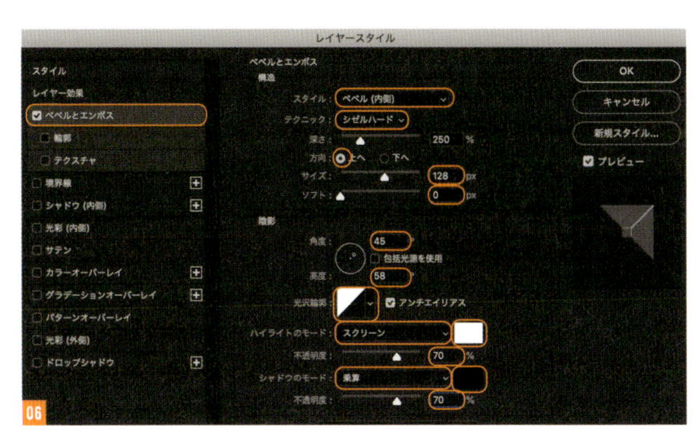

06

07

04 リアルな岩の質感を再現する

レイヤー[岩]のレイヤーマスクサムネールを選択します08。

[ブラシツール]を選択します。[ブラシの種類：ハード円ブラシ][硬さ：100%]とします。ブラシの直径は調整しながら進めます09。

描画色白[#ffffff]を選択し、それぞれの文字がつながっているように描画します。

手順03で適用した[ベベルとエンボス]の設定により自動的に岩のごつごつとした質感が適用されます10。

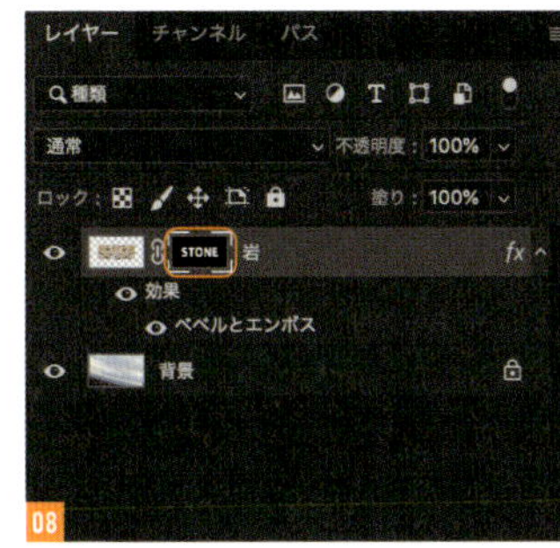

08

09

10

05 岩を削るようにレイヤーマスクを調整する

描画色黒[#000000]とし、実際に彫刻するようなイメージでマスクを追加していきます。

ブラシサイズを小さく[1px前後]で文字の上でクリックすると、へこんだような表現もできます11。

描画色を白黒と切り替えながら、白で岩を足し、黒で削るようなイメージで全体を整えたら完成です12。

11

12

Recipe

094 金のロゴ

金色に輝く高級感のあるロゴを作ってみましょう。

Photo retouching

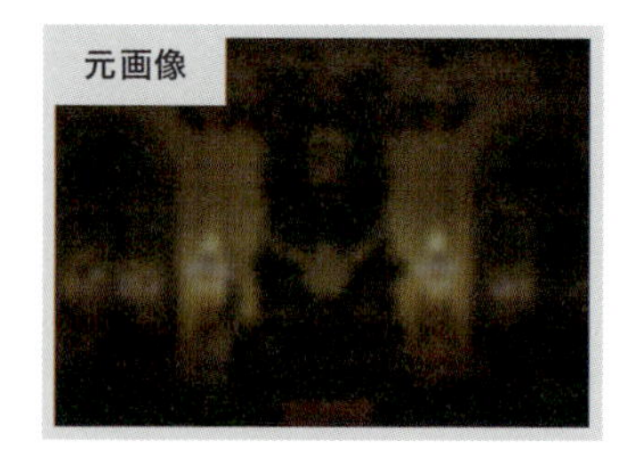

01 横書き文字ツールを使って、テキストを入力する

素材[背景.psd]を開きます。ツールパネルから[横書き文字ツール]を選択し、オプションバーで好みのフォントとサイズを選択し文字を入力します。作例では筆記体の書体で「Luxury」としています 01。

02 レイヤースタイルを使って、立体的にする

レイヤー[Luxury]のレイヤー名の右側をダブルクリックし[レイヤースタイル]パネルを表示します。[ベベルとエンボス]を選択します。
構造を[スタイル：ベベル（内側）][テクニック：ジゼルハード][深さ：126%][方向：上へ][サイズ：35px][ソフト：2px]とします。
陰影を[角度：0°][高度：30°][光沢輪郭：リング][ハイライトのモード：通常][カラー：#ffffff][不透明度：100%][シャドウのモード：焼き込み（リニア）][カラー：#000000][不透明度：80%]とします 02。
[輪郭]を選択し、エレメントを[輪郭：くぼみ-浅く][範囲：75%]とします 03。
テキストが立体的になりました 04。

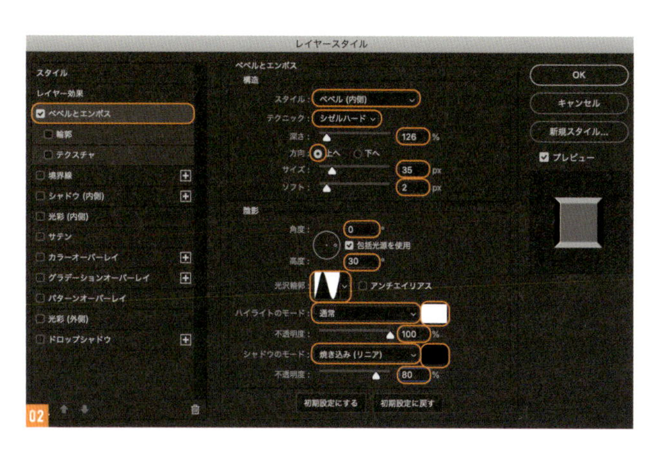

02

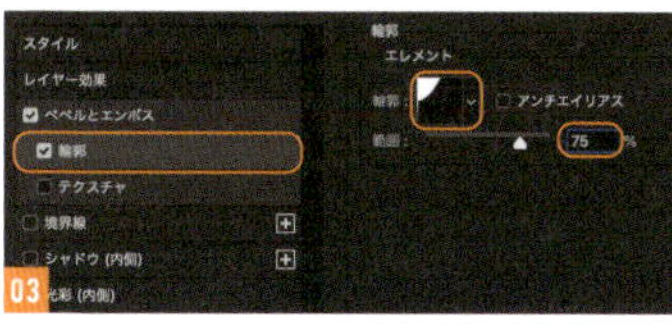

03

04

03 グラデーションオーバーレイを使い金色にする

続けて[グラデーションオーバーレイ]を選択します。グラデーションのカラー部分をクリックし[グラデーションエディター]ウィンドウを開きます。
カラー分岐点を追加し、左から順に[カラー：#ffcc01][位置：0%]、[カラー：#f8df7b][位置：50%]、[カラー：#ffd558][位置：70%]、[カラー：#ffd30e][位置：100%]とします 05。
[OK]をクリックします。
[レイヤースタイル]パネルの[グラデーションオーバーレイ]に戻り、グラデーションを[描画モード：通常][不透明度：100%][スタイル：線形][シェイプ内で作成][角度：90°][比率：100%]とします 06。
テキストが金色になりました 07。

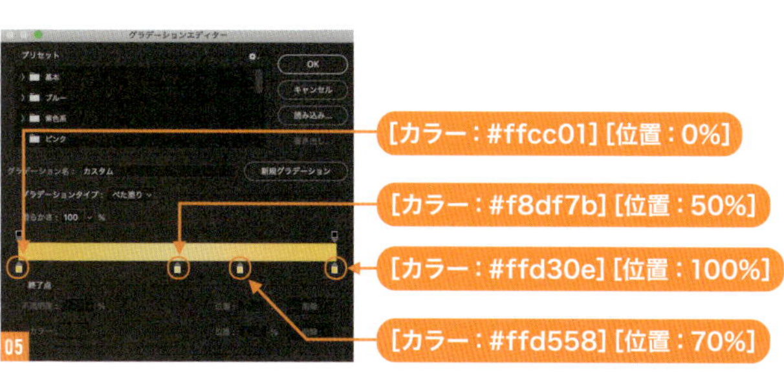

05

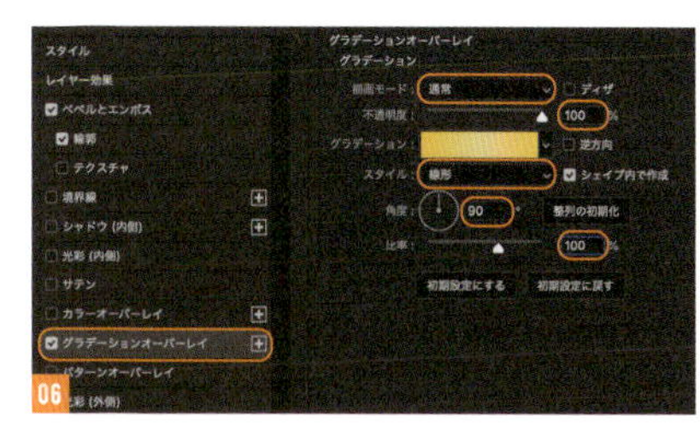

06

07

04 ロゴが発光したような表現を加える

レイヤースタイルの[光彩(外側)]を選択します。
構造を[描画モード：オーバーレイ][不透明度：100%][ノイズ:0%][カラー:#ffffff]とします。
エレメントを[テクニック：さらにソフトに][スプレッド：0%][サイズ：57px]とします。
画質の[輪郭：線形][範囲：50%][適用度：0%]とします 08。発光したような演出ができました 09。

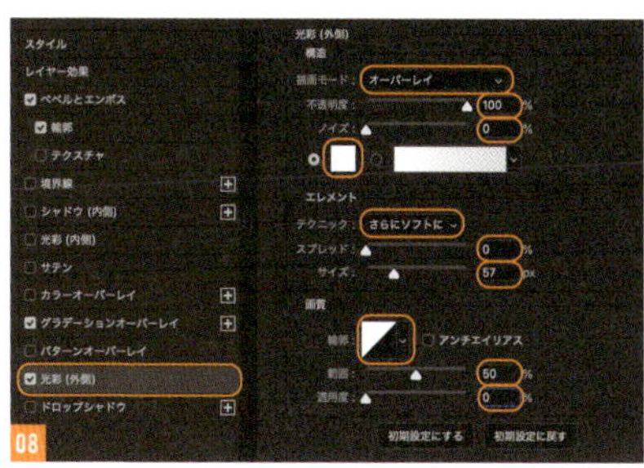

08

09

Recipe

095

ヘアライン加工を作る

さまざまなシーンで使えるリアルなヘアラインを作成します。

Photo retouching

01 グラデーションで金属の質感を再現する

素材[ヘアライン.psd]を開きます。あらかじめデザインしたレイヤー[デザイン]を加工していきます 01。

レイヤー[デザイン]を選択します。レイヤー名の右側でダブルクリックし[レイヤースタイル]パネルを表示します。

[グラデーションオーバーレイ]を選択し[描画モード：通常][不透明度：100%][スタイル：角度][シェイプ内で作成][角度：15°][比率：100%]とします 02。

[グラデーション]をクリックし[グラデーションエディター]ウィンドウを表示します。

カラー分岐点を9個作成します。左から白[#ffffff]とグレー[#5a5a5a]を交互に作成し 03 のように配置します。

金属のような質感が加わりました 04。

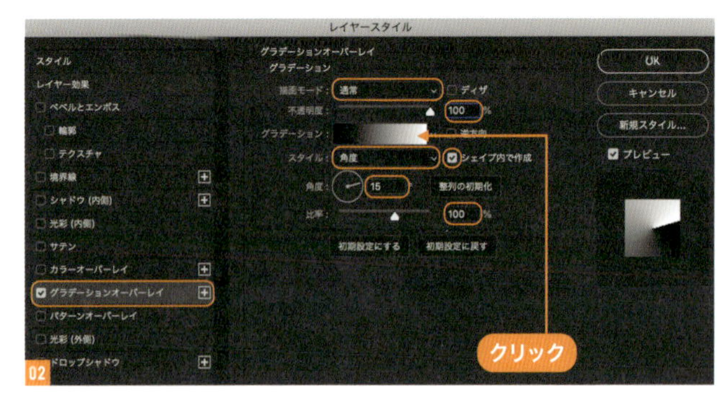

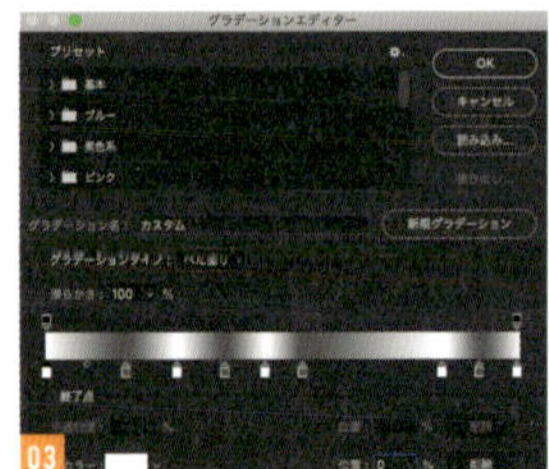

02 デザインに立体感を加える

[シャドウ(内側)]を選択し[不透明度：100%][角度：90°][距離：2px][サイズ：4px]とします05。続いて[光彩(内側)]を選択し、構造を[不透明度：100%][カラー：#ffffff]、エレメントを[サイズ：4px]とし、画質を[範囲：10%]とします(数値は初期設定からの変更値です)06。
白い枠が入り立体感が加わりました07。

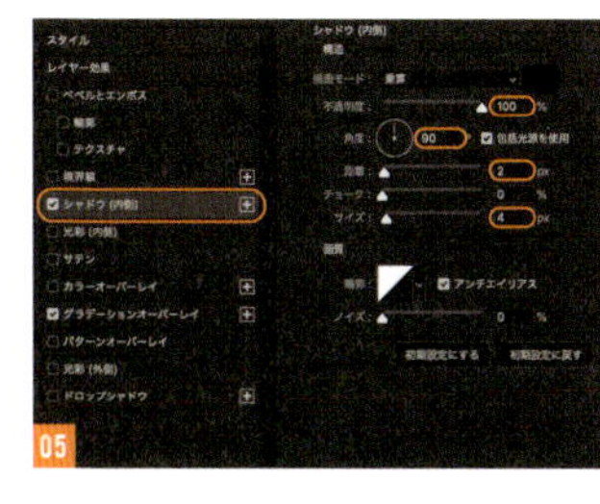
05

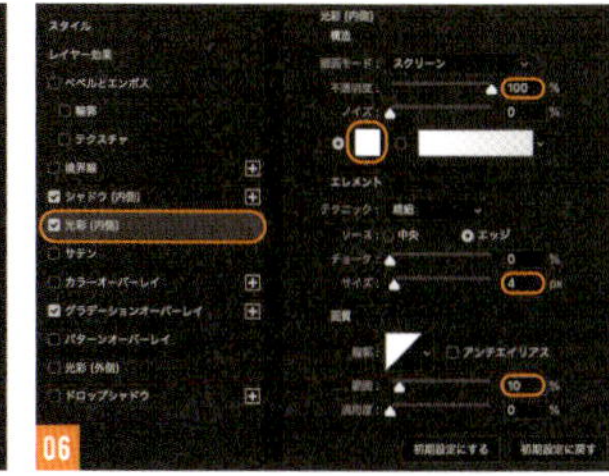
06

07

03 ヘアラインの質感を加える

最上位に新規レイヤー[ヘアライン]を作成します。描画色白[#ffffff]を選択し[塗りつぶしツール]で塗りつぶします。
[フィルター]→[ピクセレート]→[メゾティント]を選択し[種類：細かいドット]で適用します08。
[フィルター]→[ぼかし]→[ぼかし(放射状)]を選択し[量：100][方法：回転][画質：標準]で適用します09。
レイヤーの描画モードを[ソフトライト]とします10。

08

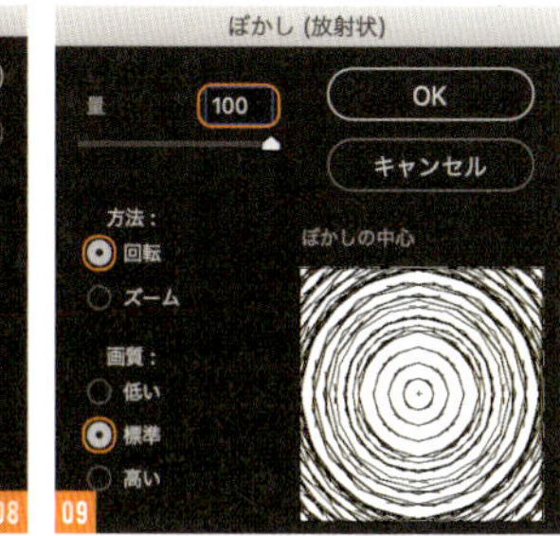

09

10

04 ヘアラインにマスクを追加し完成

レイヤー[デザイン]のレイヤーサムネール上で⌘(Ctrl)キーを押しながらクリックし選択範囲を作成します。
レイヤー[ヘアライン]を選択し、レイヤーパネル内の[レイヤーマスクを追加]を選択します11。
デザインのみにヘアラインが適用されました12。

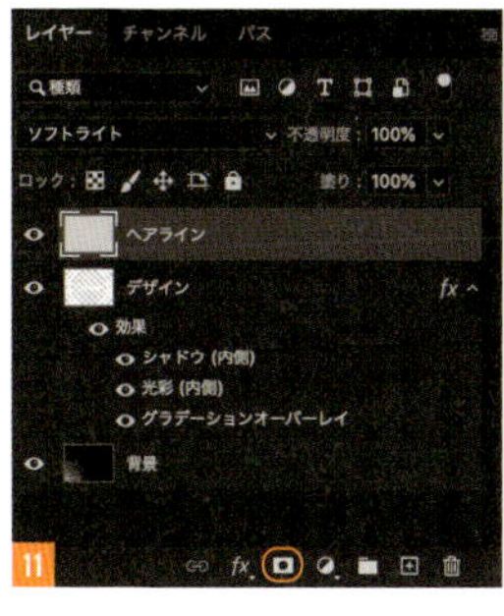

11

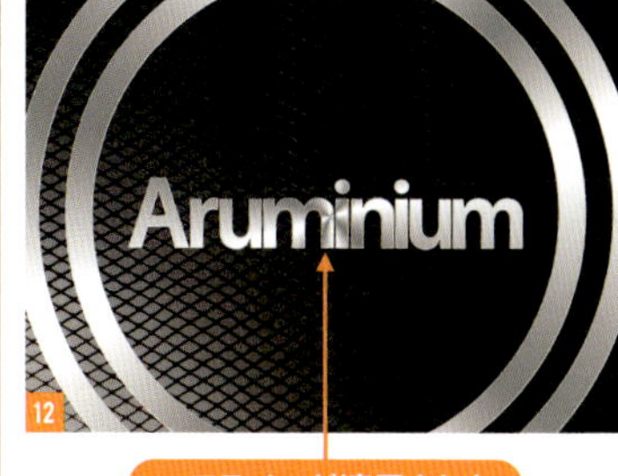

12

Recipe

096

セロハンテープの素材を作成する

基本ツールだけでリアルなセロハンテープを作成できます。

Photo retouching

01 選択範囲を塗りつぶし、ベースとなる素材を作成する

新規ドキュメントを［幅：1000px］［高さ：500px］で作成します。新規レイヤー［セロハンテープ］を作成します。
レイヤー［セロハンテープ］を選択し［長方形選択ツール］を選択し横長の選択範囲を作成します。
［塗りつぶしツール］を選択し、描画色［#d8d8d8］で塗りつぶします 01。

02 テープを部分的に変形する

テープの真ん中あたりまでを選択します 02。
［編集］→［自由変形］を選択し 03 のように回転し上下の位置をそろえます。

Point

ドラッグだけでは綺麗にそろえることが難しい場合は画面をズームし、キーボードの↑↓←→キーを使って調整することができます。

03 テープの切り口を再現する

[多角形選択ツール] や [ペンツール] を使って、テープの切り口をイメージして選択範囲を作成します 04。

Delete キーを押し削除し、反対側も切り口を作ります 05。

04 影を付ける

レイヤー[セロハンテープ] を複製し、上位に配置し、レイヤー名を [影] とします 06。

レイヤー[影] を選択し [レベル補正] を出力レベル [0：235] にして暗くします 07。

[消しゴムツール] を選択し [ブラシの種類：ソフト円ブラシ] [直径：115 px] [硬さ：0%] とします 08。

真っすぐな線を意識して、画面の上から下まで大きなストロークで斜めに消して影を再現します 09。

2つのレイヤーを結合したら完成です。

使用する際はレイヤーの不透明度を下げ、重ねる画像となじませます。

作例では [不透明度：75%] としました。

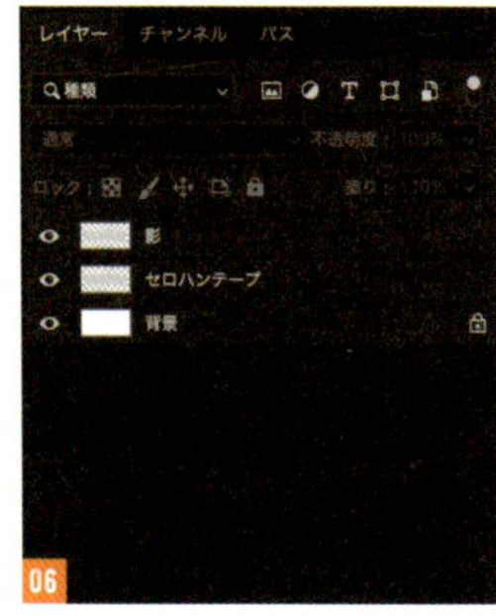

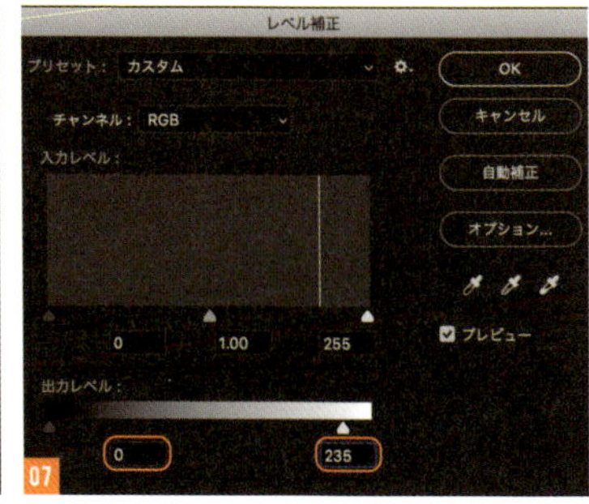

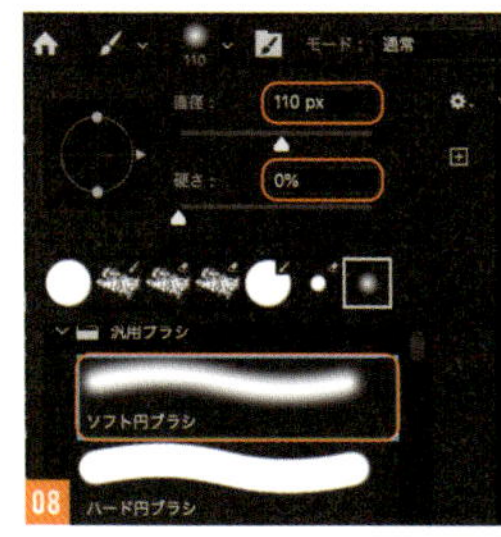

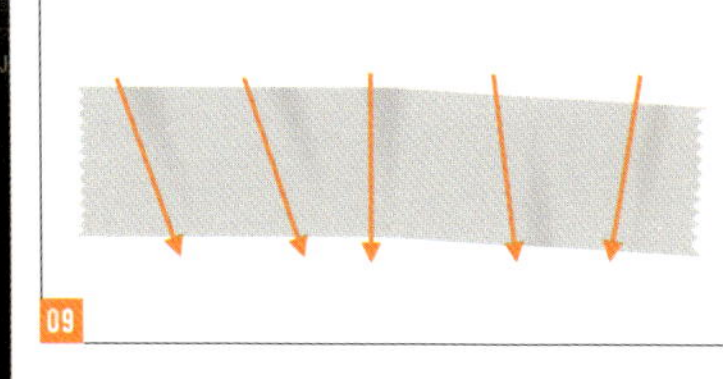

Column

[レイヤースタイル] の [パターンオーバーレイ] を使ってパターンを設定すると、マスキングテープのような表現もできます。ここではプリセットの赤の上質皮紙を適用しています。

なお、[パターン：赤の上質皮紙] は初期設定では表示されません。[ウィンドウ] →[パターン] を選択し表示されるパネル右上のオプションを選択し、表示される [従来のパータンとその他] を選択します。

追加された [従来のパターンとその他] →[従来のパターン] →[カラーペーパー] から選択しましょう。

Recipe

097

シールのように加工する

ワープツールを使ってめくれたシールを表現します。

Photo retouching

01 縦横中央の位置にガイドを作成する

素材[シール.psd]を開きます。
[表示]→[新規ガイド]を選択します 01。
[方向：水平方向][位置：50%]とし[OK]します 02。
もう一度[新規ガイド]を選択し[方向：垂直方向][位置：50%]を適用します 03。
縦横中央位置にガイドが作成されました 04。

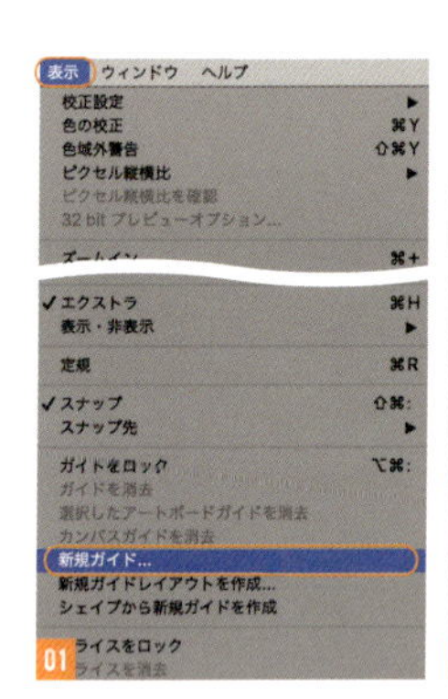

02 ガイドに合わせてシールをカットする

[長方形選択ツール]を選択します。
ガイド近くを選択すると自動的にガイドにスナップするので、中央から右下部分のシールを選択します 05。
レイヤー[シール]を選択し、カンバス上で[右クリック]→[選択範囲をコピーしたレイヤー]を選択します。
コピーしたレイヤーはレイヤー名[シール2]とします 06。
今後ガイドは必要ないので、[表示]→[ガイドを消去]を選択します。

Point

ガイドにスナップしない場合は[表示]→[スナップ]にチェックが入っていることと、[表示]→[スナップ先]→[ガイド]にチェックが入っていることを確認してください。

03 シールがめくれたように変形する

レイヤー［シール2］を選択し［編集］→［変形］→［ワープ］を選択します。右下のコントロールポイントを左上に移動し、ハンドルを開くように移動します 07。
レイヤー［シール］を選択します。めくれた部分を［なげなわツール］で選択し Delete で削除します 08。

07

08

04 シールの裏側を作成する

最上位に新規レイヤー［シール裏］を作成します。
［ペンツール］を選択し、シールの内側をイメージしてパスを作成します 09。
［右クリック］→［選択範囲を作成］し［塗りつぶしツール］を選択して［カラー：#a2a2a2］で塗りつぶします 10。

09

10

05 シールの裏側に立体感を付ける

レイヤー［シール裏］のレイヤー名の右側でダブルクリックし［レイヤースタイル］パネルを表示します。
［ベベルとエンボス］を選択し、11 のように入力して、全体の立体感を付けます。
［光彩（内側）］を選択し、12 のように入力して、境界にハイライトを加えます。

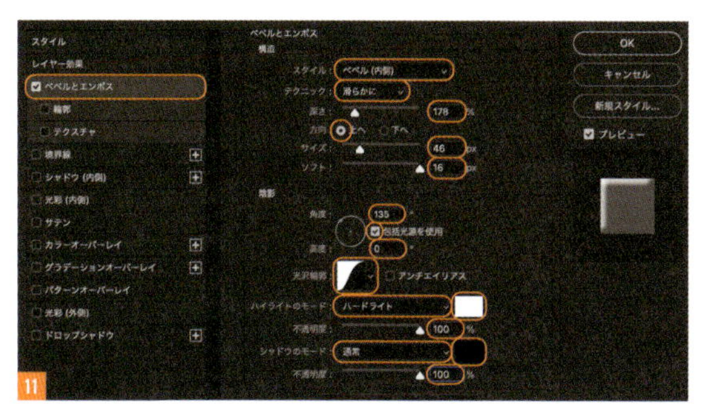

11

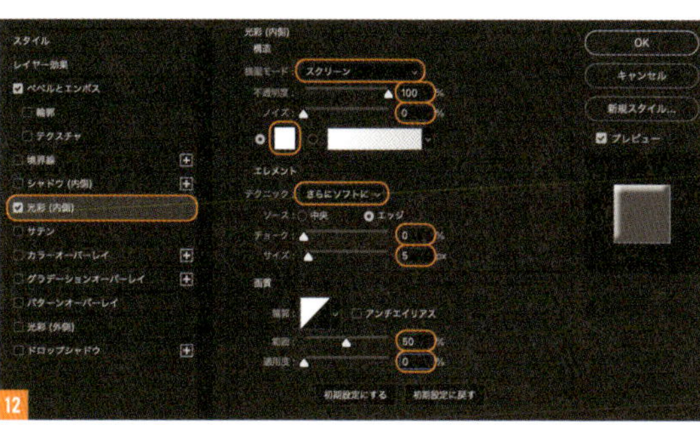

12

06 シールに影を付けて完成

レイヤー［シール］の下位に新規レイヤー［影］を作成します。［楕円形選択ツール］を選択し、シールと同じくらいのサイズで円形の選択範囲を作成します。
［塗りつぶしツール］を選択し、描画色黒［#000000］で塗りつぶします 13。
［フィルター］→［ぼかし］→［ぼかし（ガウス）］を［半径：10 pixel］で適用します 14。
レイヤーの不透明度を［75%］として完成です 15。

13

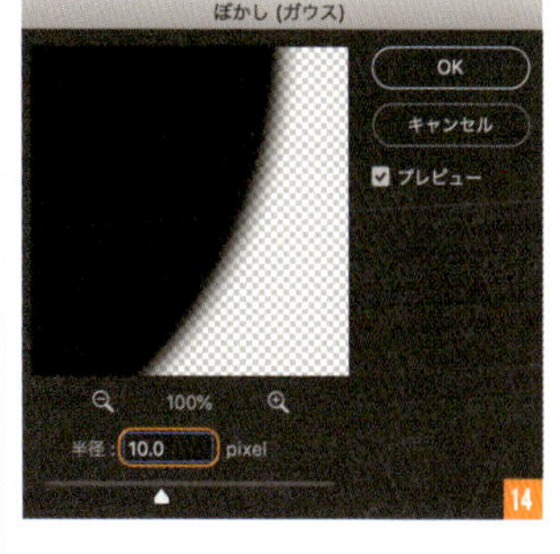

14

15

Recipe

098 鉛筆スケッチ風にする

写真を鉛筆画のような質感に加工します。

Photo retouching

01 画像を開き、レイヤーを複製し白黒にする

素材[人物.psd]を開きます。レイヤー上で[右クリック]→[スマートオブジェクトに変換]を選択します。レイヤー名を[人物]とし、上位に複製し、レイヤー名を[フィルター]とします。
レイヤーパネルの調整レイヤー作成ボタンから[白黒]を選択し01、最上位に配置します02 03。

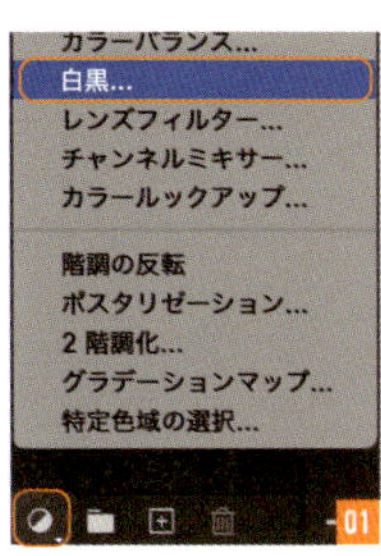

01

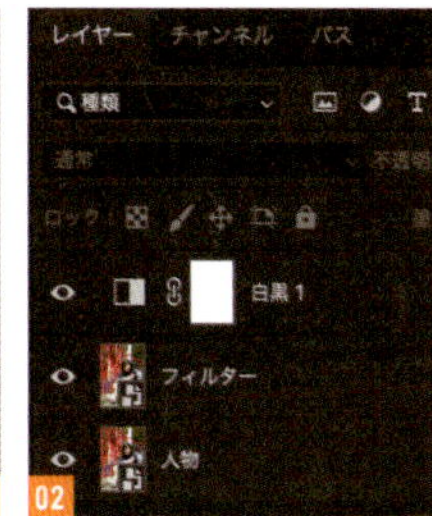

02

03

02 フィルターで鉛筆の質感を作る

レイヤー[フィルター]を選択し[イメージ]→[色調補正]→[階調の反転]を選択します04。
レイヤーの描画モードを[覆い焼きカラー]とします。カンバス上は真っ白になりますが[フィルター]→[ぼかし]→[ぼかし(ガウス)]を選択し、[半径:60 pixel]を適用することで鉛筆風の質感ができました05 06。

04

05

06

03 鉛筆のかすれた質感を加える

レイヤー[人物]を選択し[フィルター]→[フィルターギャラリー]を選択します。
[ブラシストローク]→[はね]を選択し[スプレー半径:4][滑らかさ:8]で適用します07。
鉛筆のかすれた質感が加わりました08。
[レベル補正]で入力レベル[0:0.9:255]とし、コントラストを調整します09。

07

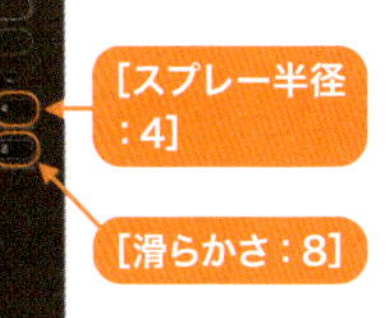

08

09

04 ノートの上に重ねて完成

素材[ノート.psd]を開きます。手順03までで制作した[人物]の画像を統合し[ノート]へ配置し、大きさ、角度を調整します。
レイヤーの描画モードを[カラー比較(暗)]とし、ノートとなじませます10。
作例では、人物以外の部分にマスクを追加し[ブラシツール][ブラシの種類:鉛筆]11を使い、フリーハンドで落書き風の線を描き足しアレンジしました12。

10

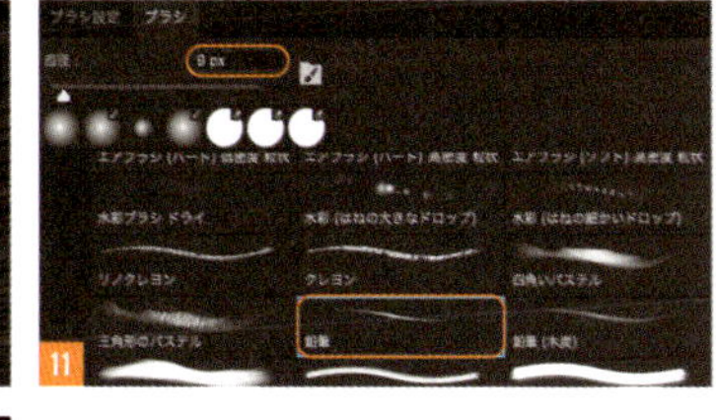

11

12

Point

ブラシ[鉛筆]が選択できない場合は[ウィンドウ]→[ブラシ]を開き、オプションから[レガシーブラシ]を選択して下さい。[レガシーブラシ]→[初期設定ブラシ]内から選択できます。

Recipe

099

しわのあるクラフト紙を作る

フィルターを使ってリアルなクラフト紙を作ってみましょう。写真となじませることで作品にビンテージ感を加えることができます。

Photo retouching

01 雲模様にノイズを加える

素材[デザイン.psd]を開きます。上位に新規レイヤー[クラフト紙]を作成します。[フィルター]→[描画]→[雲模様1]を適用し、さらに[フィルター]→[描画]→[雲模様2]を適用します 01。[フィルター]→[ノイズ]→[ノイズを加える]を選択し[量：3%][分布方法：均等に分布][グレースケールノイズ]とします 02。

01

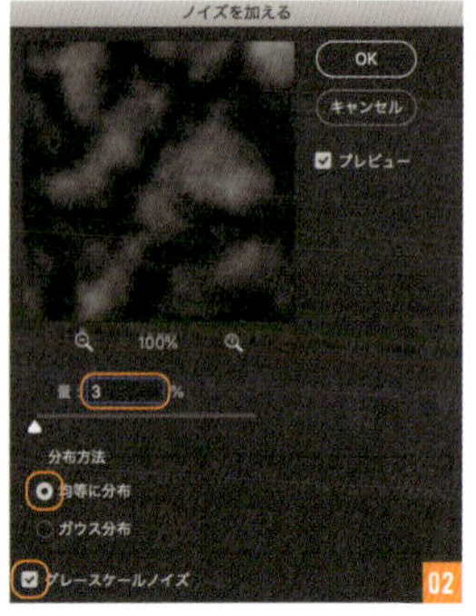

02

02 エンボスを加える

[フィルター]→[表現手法]→[エンボス]を選択し[角度：-180°][高さ：3pixel][量：150%]とします 03 04。

03 クラフト紙に着色する

[イメージ]→[色調補正]→[色相・彩度]を選択し[色彩の統一]にチェックを入れ[色相：30][彩度：20][明度：0]とします 05。
しわのあるクラフト紙風なテクスチャを作成できました 06。

04 デザインにクラフト紙のテクスチャをなじませる

レイヤー[クラフト紙]を選択し、描画モードを[ハードライト]とします 07。
[イメージ]→[色調補正]→[レベル補正]を選択し、入力レベル[0：1.10：240]、出力レベルを[0：180]とします 08。
デザインと紙の質感がなじみました 09。

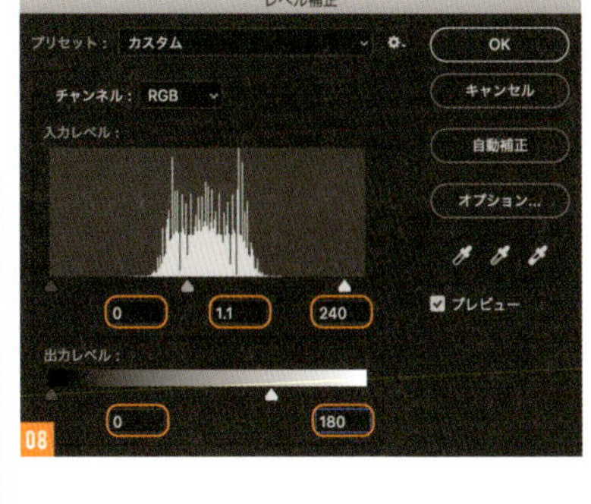

05 ブラシツールで傷を加え完成

最上位に新規レイヤー[傷]を作成します。[ブラシツール]を選択し[ソフト円ブラシ][直径：1px][カラー：#ffffff]とし傷を描画します。ゆっくり線を引くとブレてしまうので、勢いよく、素早く線を引きます 10。レイヤーの不透明度を[30%]としなじませたら完成です 11。

Point

雲模様のフィルタを適用する際は描画色、背景色は初期設定に戻しておくといいでしょう。色が初期設定以外の場合は見本と異なった色合いに変わってしまいます。
フィルター[雲模様]はクラフト紙のしわとなる部分、[ノイズ]はクラフト紙のキメとなる部分となります。
[エンボス]はしわの深さを設定することができます。
[ハードライト]は、明るい部分はより明るく、暗い部分はより暗くする効果があります。クラフト紙の陰影をはっきりと反映させるために選択しています。

Recipe

100

水がしみ込んだような文字表現

ウェットな感のあるオリジナルのブラシで文字やシミを描きます。

Photo retouching

01 ソフト円ブラシを選択し、ブラシパネルを開く

素材[ノート.psd]を開きます。[ブラシツール]を選択し[ブラシの種類：ソフト円ブラシ]を選択します 01。
ブラシパネルを開きます。表示されていない場合は[ウィンドウ]→[ブラシ]を選択し表示します。

02 ソフト円ブラシをカスタムしオリジナルブラシを作成する

[散布]を選択し[散布：60%][コントロール：オフ][数：2][数のジッター：0%][コントロール：オフ]とします 02。
[デュアルブラシ]を選択し、[描画モード：焼き込みカラー]ブラシプリセットの一覧から[Chalk 36 pixels]を選択します。[直径：20px][間隔：46%][散布：0%][数：1]とします 03。
[ウェットエッジ]を選択しチェックマークを入れます 04。

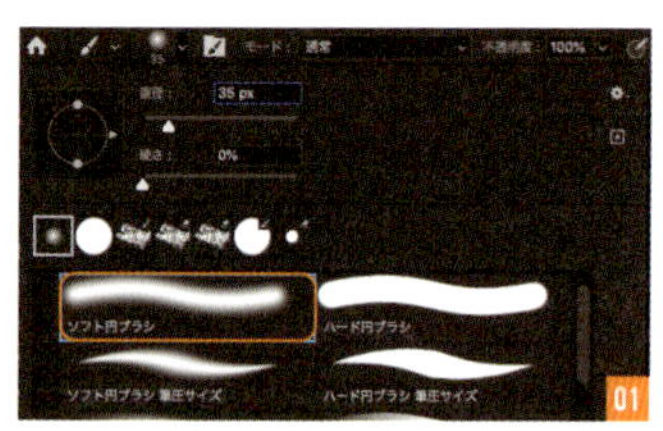

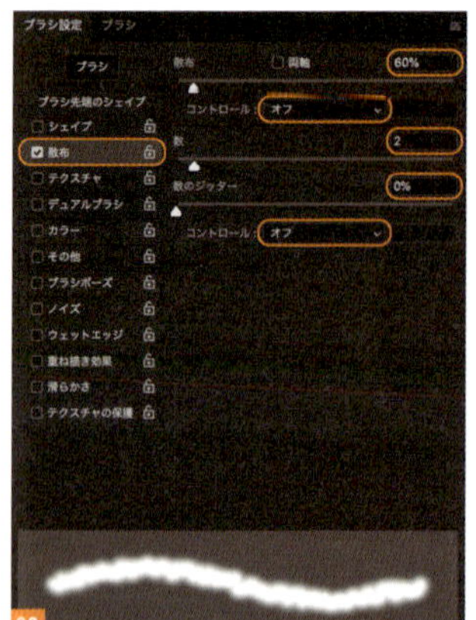

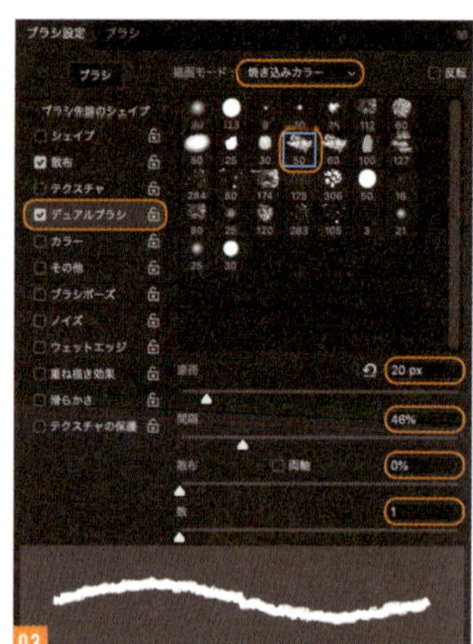

03 レイヤー［ガイド］を目安に文字を描く

レイヤー［ガイド］の上位に新規レイヤー［STAIN］を作成します。［ブラシツール］を選択し、描画色を［#7c4d41］とします。不透明度を［20〜40%］くらいで調整しながら［STAIN PAINT］の文字をなぞります。水彩のように塗り重なった部分が濃くなることを意識して、2〜3回に分けて塗り重ねます 05。
レイヤー［ガイド］は必要なくなったら非表示にするか削除してください。

05

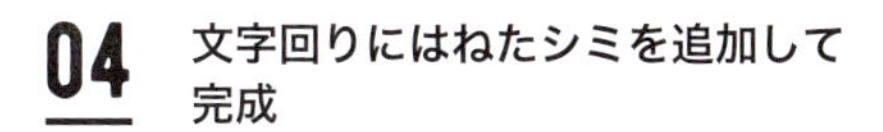

04 文字回りにはねたシミを追加して完成

同じ要領で、文字の周りに水がはねてできたようなシミを追加します。レイヤーの描画モードを［焼き込みカラー］とし、ノートとなじませたら完成です 06。

06

Column

影の付け方で距離感を出す

レイヤースタイルなどを使い素材に影を付ける際に、素材と影が落ちる場所までの距離を意識する事で、素材同士の距離感を調整、演出することができます。

①影なし。ツタには影が付いている

②影あり。アヒルと壁の距離が近い

③影あり。アヒルと壁の距離が遠い

Recipe

101

湯気の表現

湯気を追加して淹れたての珈琲のように加工します。

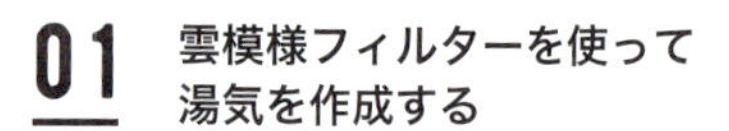

01 雲模様フィルターを使って湯気を作成する

素材[珈琲.psd]を開き 01、上位に新規レイヤーを作成、レイヤー名[湯気]とします 02。
[フィルター]→[描画]→[雲模様 1]を選択します 03。カンバス全体が雲模様のようになりました 04。

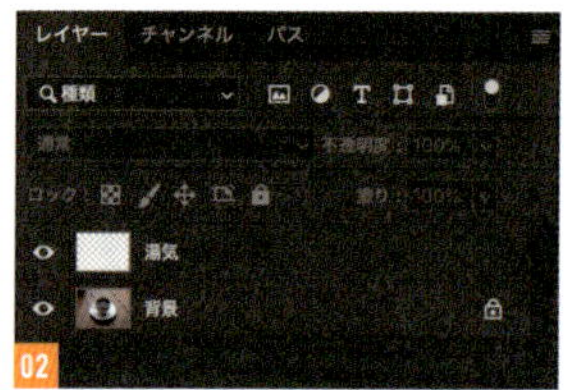

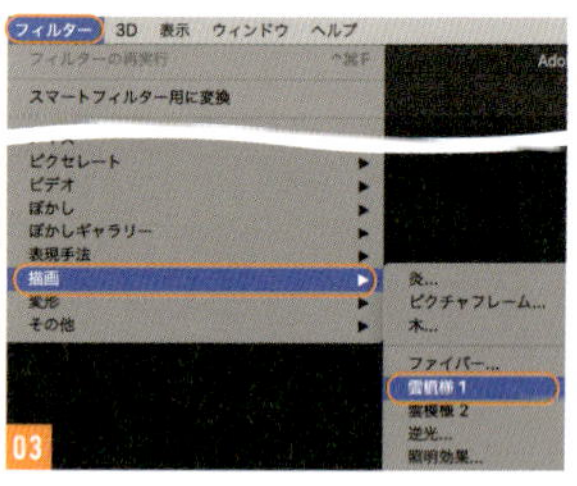

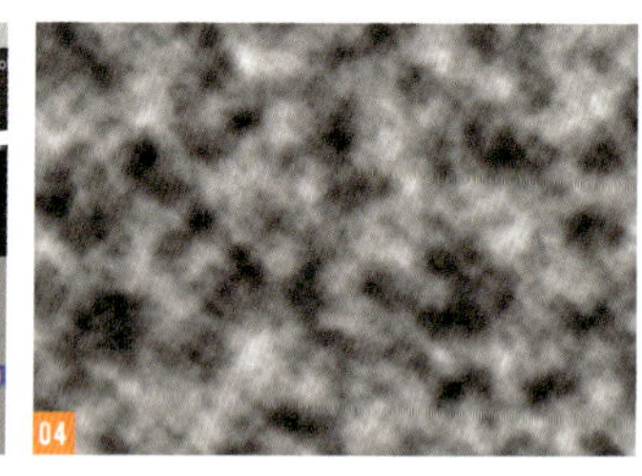

02 雲模様に波形の変形を加えて湯気のように加工していく

レイヤー[湯気]を選択した状態で[フィルター]→[変形]→[波形]を選択します 05。
加工する画像サイズによって数値を変える必要があります。煙のゆらぎを意識してプレビュー画面を見ながら数値を変えていきます。今回は[波数：2][波長：最小：340][波長：最大：433][振幅：最小：1][振幅：最大：450][比率：水平：100%][比率：垂直：20%]としました 06。
雲模様に波形の変形が加わりました 07。

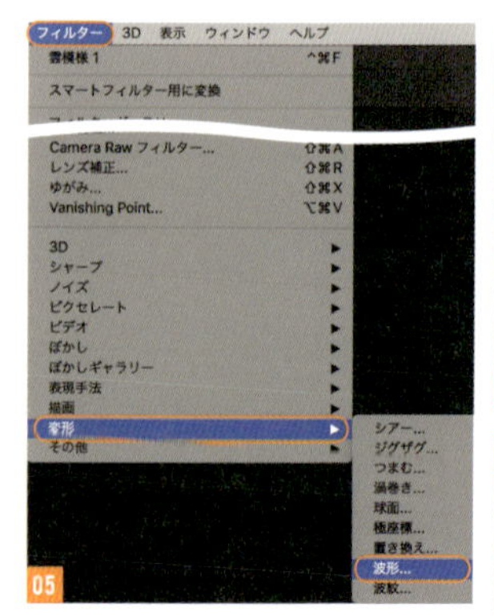

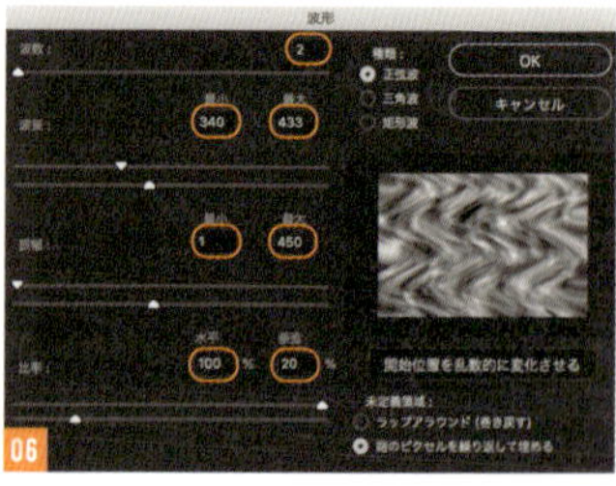

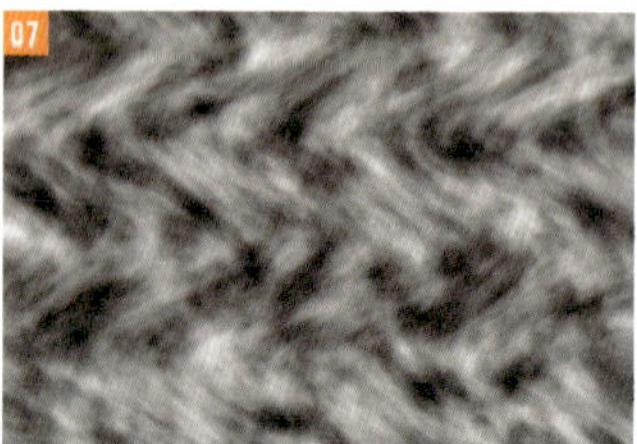

03 湯気にぼかしをかける

レイヤー[湯気]が選択された状態で、レイヤーの描画モードを[スクリーン]にします 08。

描画モード[スクリーン]にすると画像の黒い色の部分は下位のレイヤーに影響を与えないため、白い部分だけが残ります。湯気のように加工することができました 09。

湯気らしさを出すために[フィルター]→[ぼかし]→[ぼかし(ガウス)]を選択します 10。

[半径：28.0pixel]で適用します 11。ふんわりした印象に加工できました 12。

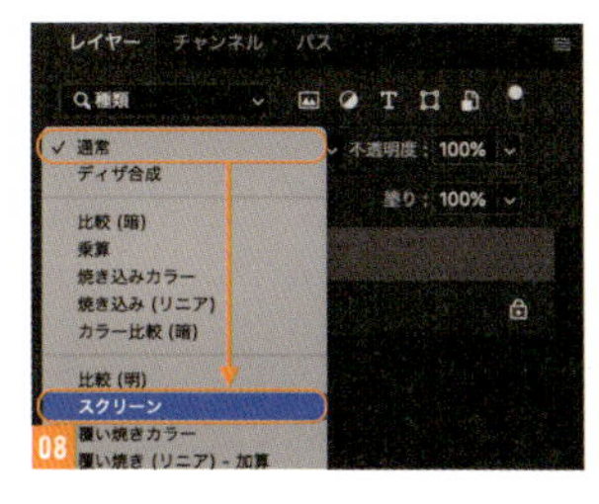

08

09

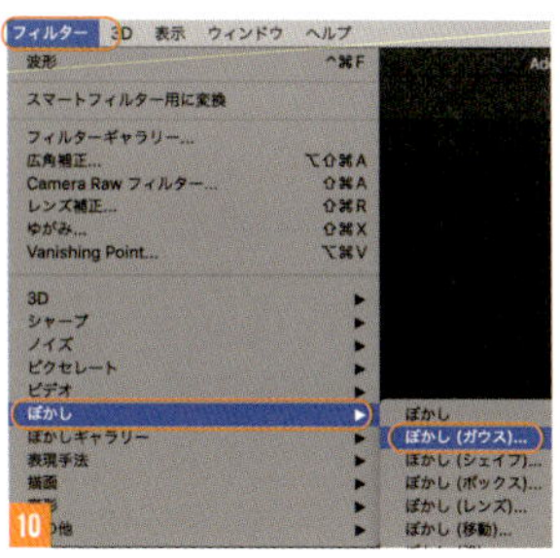

10

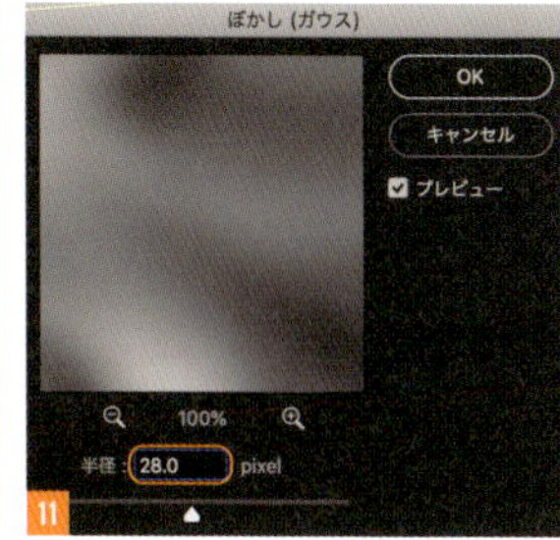

11

12

04 湯気にマスクを追加し不必要な部分を隠す

レイヤー[湯気]が選択された状態で[レイヤーマスクを追加]を選択します 13。

レイヤー[湯気]のレイヤーマスクサムネールが選択された状態で[ブラシツール]を選択し、描画色黒[#000000]を選択 14、不必要な湯気を隠していきます。

ブラシの種類は境界がぼんやりと描画できる[ソフト円ブラシ]を選択し[ブラシサイズ：300px]前後で作業するとスムーズです 15。

湯気が濃すぎる場合はレイヤーの不透明度を調整しましょう。今回は[不透明度：85%]としました。完成状態のレイヤーマスクサムネールは 16 のようになりました。

自然な印象に見えるように注意しながらマスクを追加できたら完成です 17。

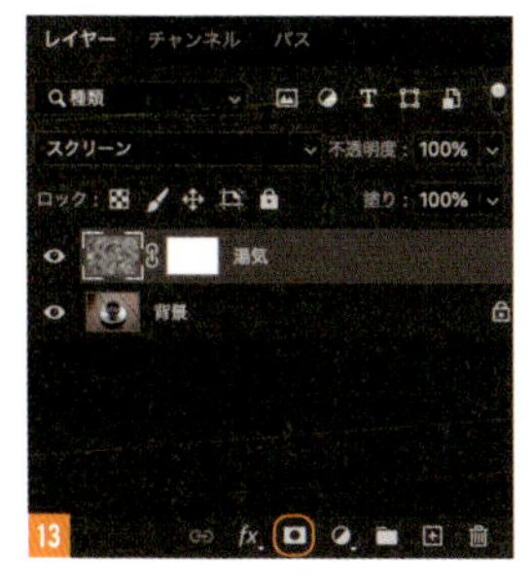

13

14

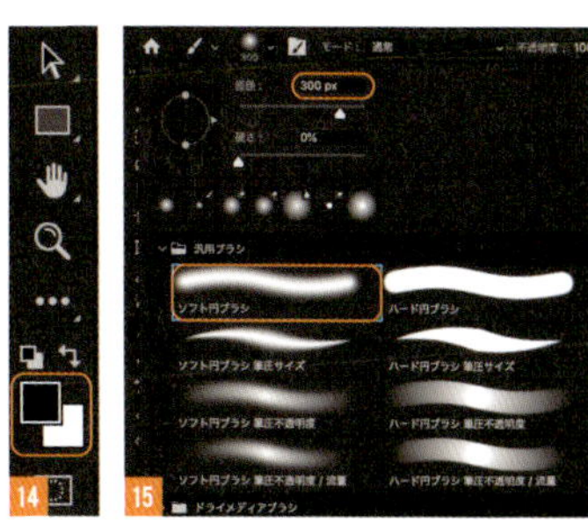

15

16

17

Recipe

102

炎を合成する

フィルターを使って簡単にリアルな炎を作成できます。

Photo retouching

01 パスを作成しフィルターを適用する

素材[背景.psd] を開きます。新規レイヤー[炎]を上位に配置します。
[ペンツール] を選択し、好みの形でパスを作成します 01。
[フィルター] →[描画] →[炎] を選択し、プレビュー画面を見ながら炎の幅を設定します。作例では [幅：60] としました 02。

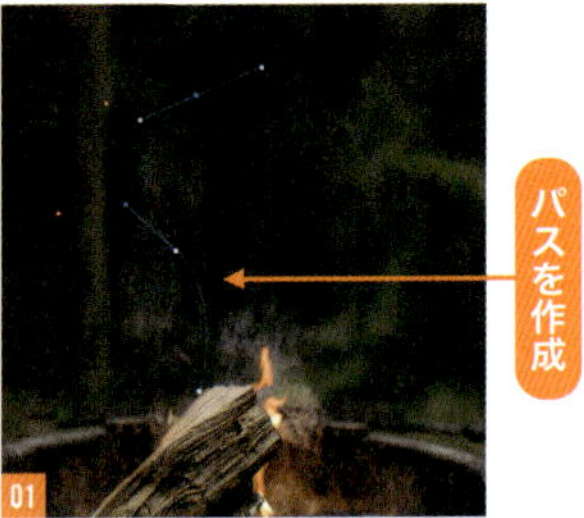

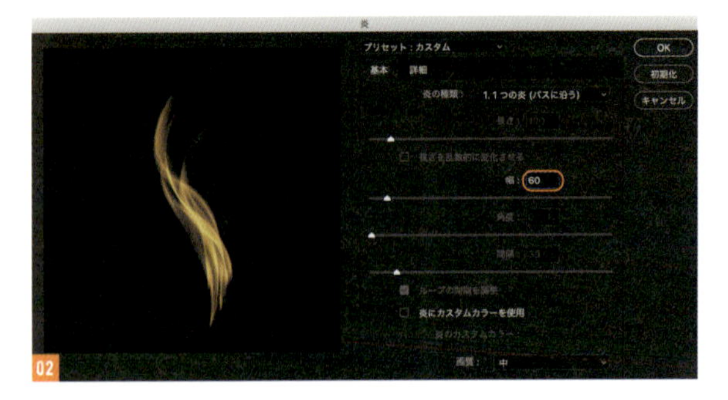

02 炎を増やし、レイアウトしたら完成

手順01の要領で新規レイヤーに炎を増やします。
[フィルター] →[ぼかし] →[ぼかし (ガウス)] を [半径：4pixel] で適用します 03。
好みのレイアウトができたら完成です 04。

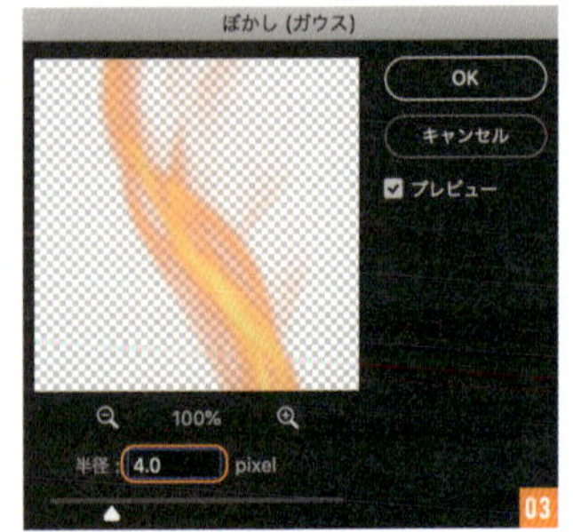

Chapter 07

—

高度なレタッチ・加工の表現

今までの章で学んできたスキルを使い、ポスターや広告といった媒体で使われるような目を奪われるプロレベルの作品を制作します。幻想的な風景やたくさんの素材を複雑に組み合わせたコラージュ、3D機能を生かした風景の合成、SFを感じる未来の都市など、クオリティーの高い作品の作り方のテクニックを惜しみなく解説していきます。

Recipe

103

幻想的な森の風景を制作

複数の風景を合成して、幻想的な風景作品を制作します。

Photo retouching

01 木を配置する

素材[ベース.psd] [素材集.psd] を開きます。
あらかじめ切り抜いた素材[素材集.psd] 01 から各素材を [ベース.psd] へ移動させて制作していきます。
レイヤー[木01] を移動させ、配置します 02。

02 木にドアを追加する

木の右側にある根っこ部分のくぼみを生かしてドアを配置していきます。
[素材集.psd] からレイヤー[ドア] を 03 のように配置します。
木とドアのカラーを合わせます。[イメージ] →[色調補正] →[カラーバランス] を選択し、[中間調] を 04 のように補正します。[イメージ] →[色調補正] →[レベル補正] を 05 のように設定します。
木の色と明るさに合わせて、カラーをシアン、グリーン、イエロー側に、明るさを落ち着かせなじませました 06。

03 木のドアをマスクする

ブラシツールで木のくぼみにドアが埋まっているようにマスクしていきます。
レイヤー[ドア] を選択し、レイヤーパネルから[レイヤーマスクを追加] します。
作成した [レイヤーマスクサムネール] を選択、[ブラシツール] を選択し、[ソフト円ブラシ]、描画色黒[#000000]、背景色白[#ffffff] とします。
ドアの周辺は境界にあわせて綺麗に消してしまうのではなく、ブロックの質感を少し残すことで、綺麗になじませます 07。
三つ又になっている根っこの中央が、階段より手前に来るように、レイヤーを表示・非表示と切り替えながら調整作業をします 08。

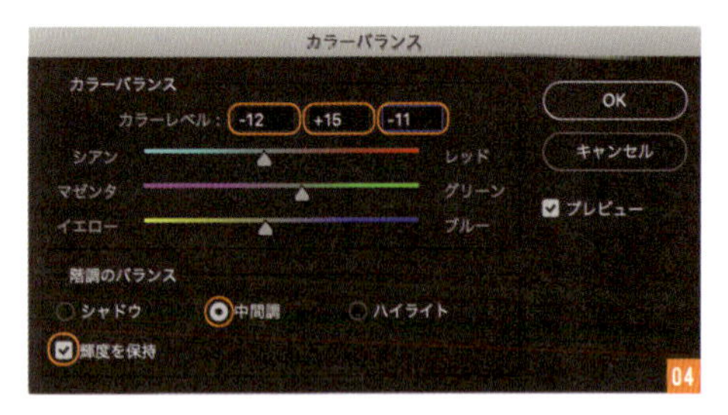

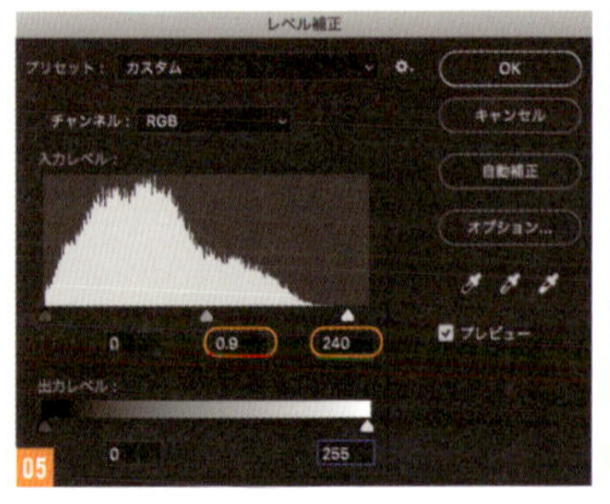

ドアの色が木の色になじんだ

Point

マスクで消しすぎてしまった場合はXキーを押して、描画色を黒[#000000]、白[#ffffff]と切り替えながら作業するとスムーズです。

04 ドアを暗くして立体感を出す

レイヤー[ドア]の上位に新規レイヤー[ドアの影]を作成します。[ペンツール]や[なげなわツール]などで、ドア部分の選択範囲を作成し、[塗りつぶしツール]を使って、描画色黒[#000000]で塗りつぶし、レイヤーの不透明度を[60%]とします09。暗くすることで、ドア部分のくぼみを強調し、立体的に仕上げました。

作成した3つのレイヤー[木01][ドア][ドアの影]を選択し、[右クリック]→[レイヤーを結合]します。レイヤー名を[左の木]としておきます10。

05 木を配置して光がまわっていない演出をする

レイヤー[左の木]を下位に複製し、レイヤー名[右の木]とします。

[水平方向に反転]します。左の木より奥に配置したいので、[編集]→[変形]→[水平方向に反転]、[編集]→[自由変形]を行い、縮小、移動し11のように配置します。

[長方形選択ツール]を使って、レイヤー[右の木]のドアよりも上の範囲を選択します12。

[編集]→[コンテンツに応じて拡大縮小]を選択し、Shiftキーを押しながら上方向にドラッグし、13のように変形させます。変形が終わったら選択範囲を解除します。

最上位に、レイヤー[手前の木]を14のように配置します。[イメージ]→[色調補正]→[レベル補正]を15のように適用し、手前には光がまわっていないという演出をします16。

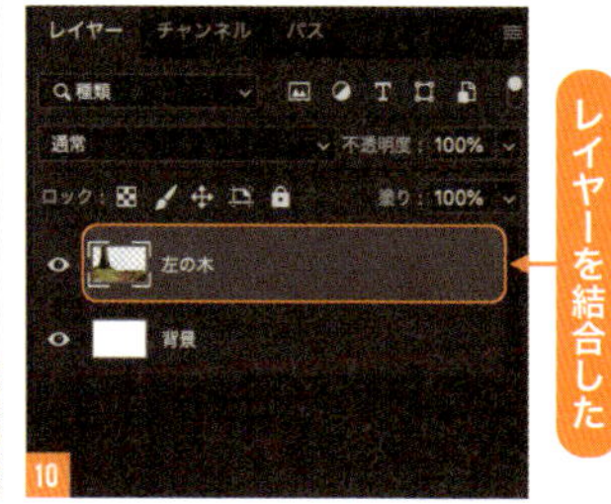

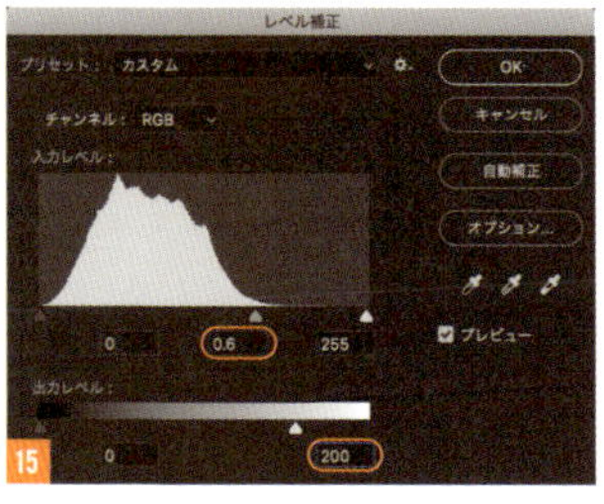

06 木の境界に光を足す

レイヤー[手前の木]の上位に新規レイヤー[手前の木_光]を作成し、[右クリック]→[クリッピングマスクを作成]します。レイヤーを[描画モード：オーバーレイ]としておきます。
[ブラシツール]を選択し、[ソフト円ブラシ]、描画色白[#ffffff]を選択し、木の左側の境界に光を足すイメージで、描画します 17。光が弱いので、レイヤー[手前の木_光]をさらに上位に複製し[不透明度：65%]とします 18 19。

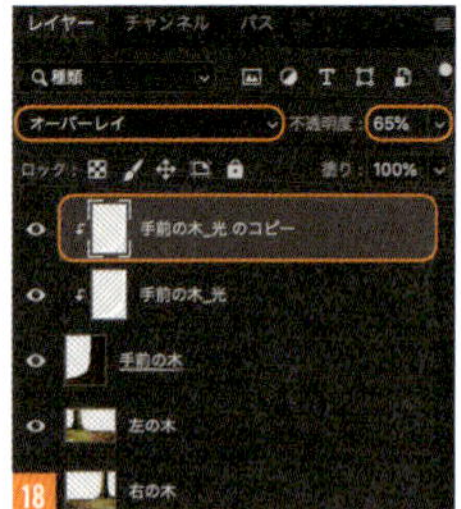

07 背景と画面上部に葉を配置する

最背面にレイヤー[橋]を 20 のように配置します。レイヤーを下位に複製し、左側に移動させ 21 のように配置します。
レイヤー[手前の木]の下位にレイヤー[葉っぱ]を配置します。8つのレイヤーに複製し、それぞれ[拡大・縮小]や[回転]をさせながら 22 を参考に上部に葉っぱを配置してください。
全部同じ明るさの画像ではコピーした感じが出てしまったり、平面的に見えてしまったりするので、重なり合った具合がわかるように、いくつかのレイヤーは[イメージ]→[色調補正]→[レベル補正]を 23 のように設定し、暗く補正して組み合わせ、立体的に見えるようにしています 24。

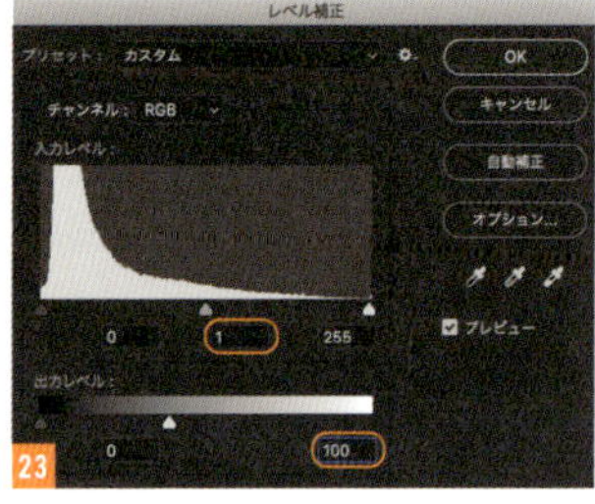

Point

作例では赤色の範囲 25 のように画面上部中央に向かって葉っぱが少なくなるようなイメージで配置し、中央に広がりや余裕をもたせています。

葉っぱが立体的になった

さらにレイヤー[右の木]の下位にもレイヤー[葉っぱ]を複製し、26 を参考に同じ要領で葉っぱを複製し形を整えます。23 で補正した、暗い葉っぱのレイヤーを使って組み合わせます。

08 川を作成する

レイヤー[左の木][右の木]を選択し、レイヤーパネルの[新規グループを作成]とします。
グループ名は[左右の木]とし、グループにレイヤーマスクを追加しておきます27。
グループのレイヤーマスクサムネールを選択した状態で、[ブラシツール]を選択し、[ソフト円ブラシ]、描画色黒[#000000]を使って、28のように川にしたい部分をマスクします。わかりにくい場合はレイヤー[橋]を一時的に非表示にして作業してください29。
レイヤー[橋]を選択し、[レイヤーマスクを追加]します。橋から落ちている影は残して、30のようにマスクを追加します。レイヤー[橋]の下位にレイヤー[湖]を配置します31。
この時点で違和感がある場合は、グループ[左右の木]、レイヤー[橋]のマスクを再度調整してください。

09 川と陸地の境界に影をつけて段を作る

グループ[左右の木]の上位に、新規レイヤー[境界の影]を作成します。
[ブラシツール]を選択し、[ソフト円ブラシ]、描画色黒[#000000]を使って、32のように段をつけるイメージで描画します33。

10 複数のレイヤーに分けて、背景に光を足す

レイヤー[橋]の上位に、新規レイヤー[光]を作成し[描画モード：オーバーレイ]とします。
[ブラシツール]を選択し、[ソフト円ブラシ]、描画色白[#ffffff]を選択し、[ブラシサイズ：1000px]と大きなブラシで、画面奥に光を足します34。
下位に新規レイヤー[光02]を作成し、[描画モード：オーバーレイ]とし、ブラシを使って、橋を中心に上下に光を足します35。ブラシサイズは随時調整して進めていくとよいでしょう。

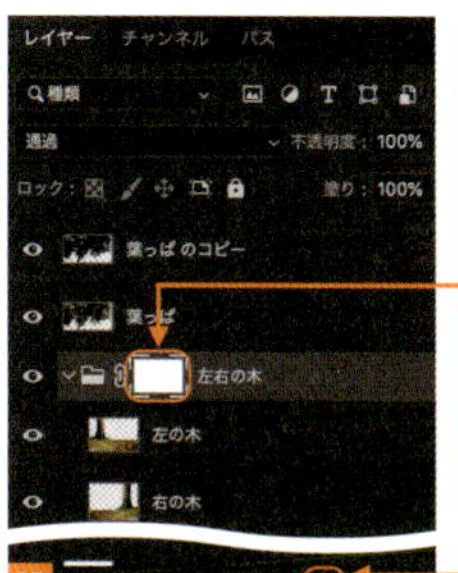

27

28

29

30

31

32

33

Point

直線で描くのではなく、点で影を置いていくようにすると作業しやすくなります。

34

35

Point

画面奥に強い光を足すことで、目線が奥に誘導され奥行きを感じようになります。また左側に追加した光も奥行きを出す目的ですが、暗い要素(木の影)の隣を対照的に明るくすることで、物体の立体感を増やす効果もあります。

11 橋や川に光を足す

下位に新規レイヤー［光03］を作成し、［描画モード：オーバーレイ］とし、橋に光を足します36。さらに川と陸の境界にも光を足します。とくに境界部分は［ブラシサイズ：10px］前後の細い線で境界を描くと立体感が増します37。
橋から落ちる影は［描画色：#92b820］とグリーン系のカラーで描画し、川の色となじませます38。

36

37

38

12 木に蔦を絡める

レイヤー［境界の影］の上位にレイヤー［蔦01］を配置します39。
［描画モード：乗算］とします。レイヤー［左の木］のレイヤーサムネール上で⌘（Ctrl）キー＋クリックを押し、レイヤーの境界を選択します40。
選択範囲が作成された状態で、レイヤー［蔦01］を選択し［レイヤーマスクを追加］します。
ドアにかぶっている蔦は、［ブラシツール］を使って、かぶらないようにマスクします41。
同じ要領で、レイヤー［蔦01］を移動させ、レイヤー［左の木］［右の木］に蔦を追加します42。
それぞれの蔦の位置は回転させるなどして、コピーした感じが出ないように作業するとよいでしょう。片方の木にそれぞれ2つの蔦のレイヤーを使っています。
レイヤー［手前の木］の上位にもレイヤー［蔦］を配置します。拡大や回転を使って形を整え、境界でマスクを追加します43。

39

40

41

42

43

13 地面に影を付ける

レイヤー［手前の木］の下位にレイヤー［葉っぱ］を配置します。
［イメージ］→［色調補正］→［レベル補正］を44のように設定し、黒いシルエットにします。
［編集］→［変形］→［180°回転］、［編集］→［変形］→［自由な形に］を行い45のように手前に配置します。

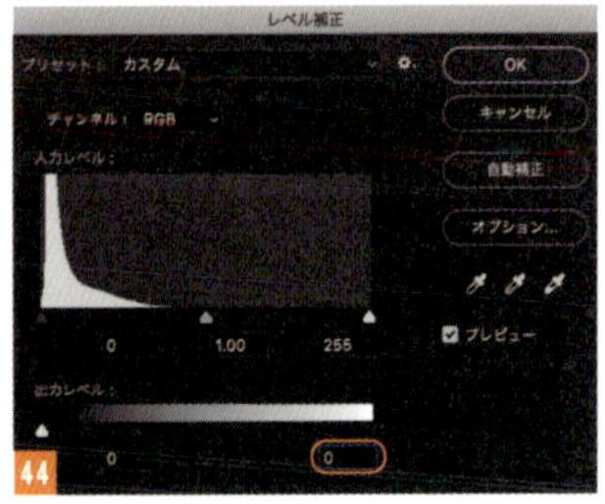

44

45

[フィルター]→[ぼかし]→[ぼかし(ガウス)]を[半径：10pixel]で適用します46。
レイヤーを[不透明度：60%]に調整し、なじませます47。

14 画面手前に植物を配置する

レイヤー[草01]を画面左下に配置します48。
[イメージ]→[色調補正]→[レベル補正]を49のように適用します。
[フィルター]→[ぼかし]→[ぼかし(ガウス)]を[10pixel]で適用します50。
レイヤー[草01]を複製し、レイヤー[手前の木]の上位に配置します。水平方向に反転し、画面右に配置します51。
レイヤー[草02]をさらに手前にあるように、52のように配置します。
レイヤー[蔦02]を53のように、画面左右に2つ配置します。それぞれ拡大・縮小、回転を行いつつ、作業を進めてください。
それぞれ[フィルター]→[ぼかし]→[ぼかし(ガウス)]を[半径：15pixel]で適用します54。
レイヤー[花]を、レイヤー[手前の木]の上位に配置します55。木の影になっている部分なので、[イメージ]→[色調補正]→[レベル補正]を56のように適用し暗くします57。

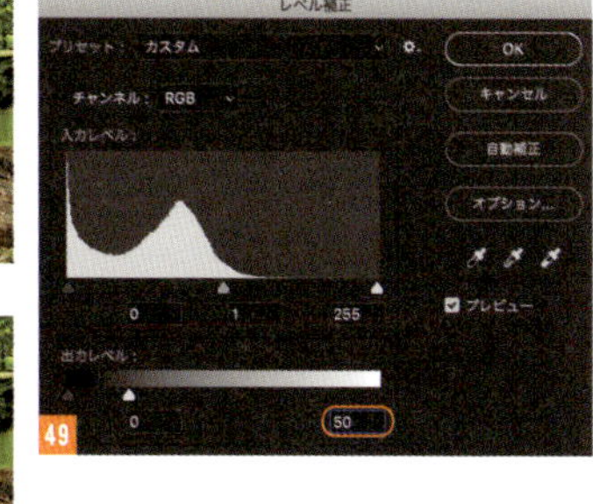

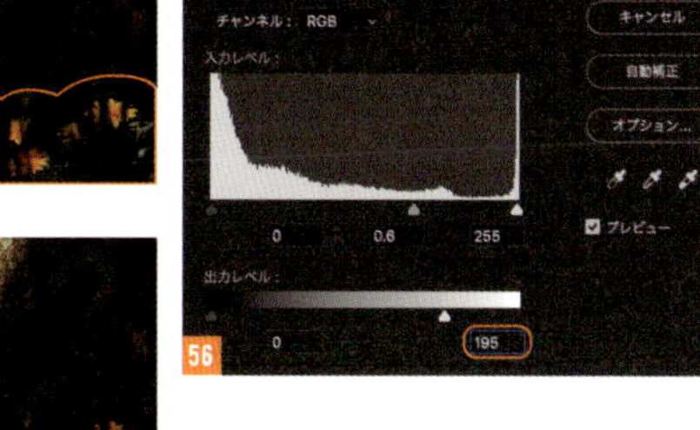

15 車輪と白鳥、鳩を配置する

レイヤー[手前の木]の下位にレイヤー[車輪]を配置します58。レイヤーを下位に複製し、レイヤー名を[車輪の影]とします。
[イメージ]→[色調補正]→[レベル補正]を44と同じように出力[0:0]で適用し、シルエット化し[フィルター]→[ぼかし]→[ぼかし(ガウス)]を[半径:5.0pixel]を適用します。
[編集]→[変形]→[自由な形に]を選択し59のように全体を少し右側に移動させ、車輪の下側を右に変形させるようにします。これで影の形が作れます。レイヤーの不透明度を[75%]とします。
グループ[左右の木]を作成した時と同じ要領で、レイヤー[車輪][車輪の影]をレイヤーパネルの下部の[新規グループを作成]からグループ化し、グループにレイヤーマスクを追加しておきます60。地面と接する部分をマスクします61。
レイヤー[手前の木]の下位に、レイヤー[白鳥]を配置します62。
上位に新規レイヤー[白鳥の光]を作成し、[描画モード:オーバーレイ]とします。[ブラシツール]を選択し、[ソフト円ブラシ]、描画色白[#ffffff]を使って、白鳥の輪郭と、水面に光を描画します。[ブラシサイズ:10px]前後の細いブラシで白鳥の輪郭と波のゆらぎの形に合わせて光を足します。レイヤーの不透明度を[40%]前後で調整しつつ、作業を進めていくとよいでしょう63。
最上位にレイヤー[鳩01][鳩02]を配置します64。下位に新規レイヤー[鳩の影]を作成し、[ブラシツール]を選択し、[ソフト円ブラシ]、描画色黒[#000000]を使って影を描画します。左下に影が落ちるように描きます。65レイヤーの[不透明度:75%]とし、なじませます66。

58

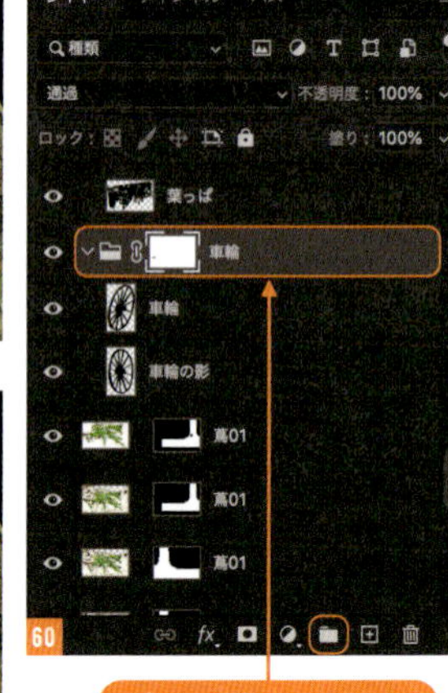

60

59

61

62

63

64

65

66

16 画面全体に光を描画する

レイヤー[手前の木]の下位に新規レイヤー[全体の光01]を作成し[描画モード:オーバーレイ]とします。[ブラシツール]を選択し、[ソフト円ブラシ]、描画色白[#ffffff]を使って光を描画します。

67

68

木の輪郭や、階段のステップ、水と陸の境界、背景奥のハイライトをさらに強調するといった具合で、全体に光を足します67。描画した部分を［描画モード：通常］で見ると68のようになっています。最上位に新規レイヤー［全体の光02］を作成します。同じように［描画モード：オーバーレイ］とし、［ブラシ：木炭描画］［ブラシサイズ：300px～400px］細かな部分は［100px］前後のブラシで光を足します。荒いブラシを使用して、木漏れ日を表現します69。ストロークせずに、点で置いていくように描画します70。

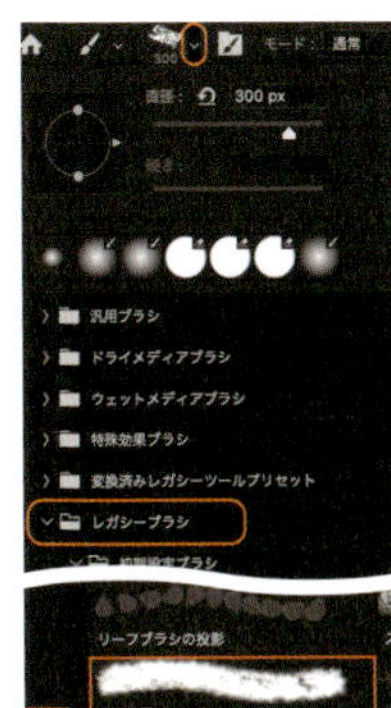

69

70

Point

執筆時のPhotoshop CCのデフォルトの［ブラシ設定］の環境では［木炭描画］のブラシは［レガシーブラシ］→［初期設定ブラシ］→［木炭描画］の項目内に入っています。ただし、この場所は今後のバージョンにより変更になることもあります。

17 画面全体に光の粒を描画する

レイヤーパネルの最上位に新規レイヤー［光の粒］を作成します。

［ブラシツール］を選択し、［ソフト円ブラシ］を選択します。［ウィンドウ］→［ブラシ設定］から、［ブラシ設定］パネルを開き、［ブラシ先端のシェイプ］を［間隔：130%］71、［シェイプ］を［サイズのジッター：50%］72、［散布］を［散布：700%］［数のジッター：45%］73とします。

描画色白［#ffffff］を選択し、74を参考に全体に光の粒を描画します。

手前は［200px］前後の大きいブラシで、奥は［20px］前後の小さなブラシで描きます。

直線的にストロークするのではなく、流れを意識してストロークします。

［レイヤー］→［レイヤースタイル］→［光彩（外側）］を選択し、75のように設定します。［光彩のカラーの設定］は［カラー：#00fff6］を使用しています。これで完成です76。

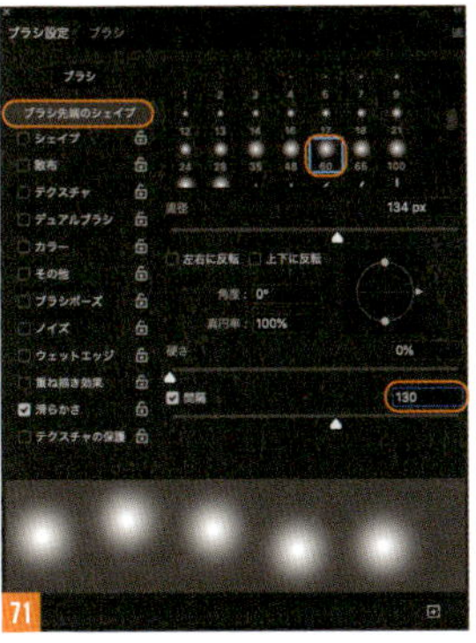

71

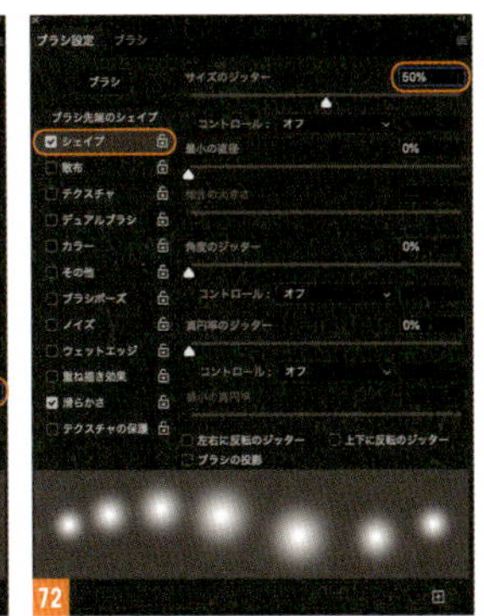

72

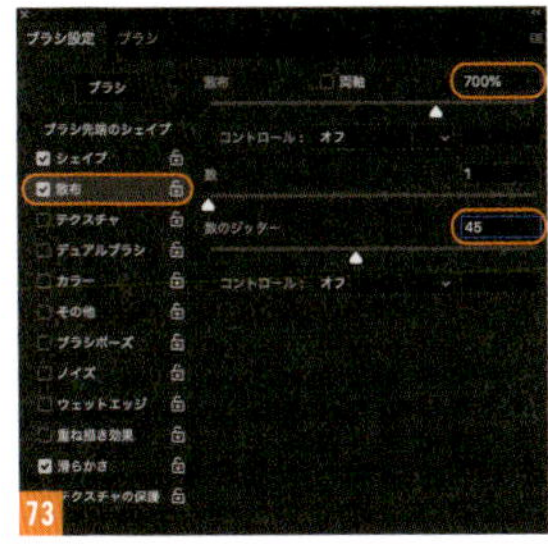

73

74

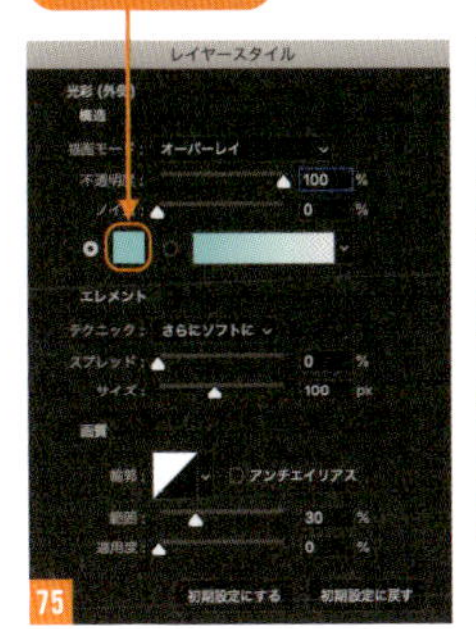

75

76

IDEA

Recipe

104 質感の異なる素材を組み合わせたコラージュ

写真・ビンテージイラスト・落書き、文字といった異なる質感の素材を組み合わせたコラージュ作品を制作します。

Photo retouching

01 ベースと素材集のpsdデータを開く

素材[ベース.psd]を開きます。背景にテーブルの画像を配置した状態です 01。
この作例を作るためにあらかじめ切り抜いた素材[素材集.psd] 02 から各素材を移動させて制作していきます。
なお、[素材集.psd]は基本的に上位から順番に配置して制作できるようにレイヤーの順番を整えています。作業の参考にしてみてください。

02 主役となる犬を配置し、テーブルとの境界を整える

素材集から最上位のレイヤー[犬01]を移動させ、顔が画面の中央にくるように配置します 03。
主役の周辺をたくさんの素材で囲みながら、楽しくにぎやかなコラージュにしていきます。
テーブルとの境界がはっきりしすぎているので、境界に光を足します。
レイヤー[テーブル]の上位に新規レイヤー[テーブルの光]を作成し[描画モード：オーバーレイ]とし、[右クリック]→[クリッピングマスクを作成]を選択します 04。
[ツールパネル]の[ブラシツール]を選択し、[ソフト円ブラシ]、描画色白[#ffffff]を選択し、テーブルの境界に光を足すように描画します 05。
Shift キーを押しながら描く（ストロークする）ことで直線を描くことができます。
光の具合は、描く際のブラシの不透明度や、レイヤー自体の不透明度で調整してください。ここではレイヤーの[不透明度：50%]として調整しました。

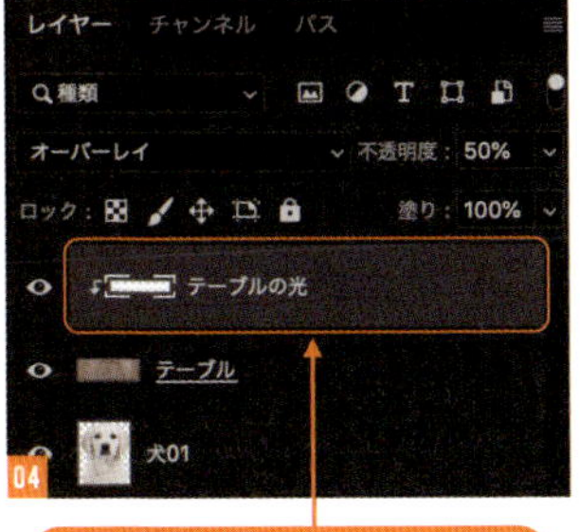

shift キーを押しながら描く

03 犬に影を付ける

レイヤー［犬01］の上位に新規レイヤー［犬の影］を作成します。
［描画モード：ソフトライト］とし、［右クリック］→［クリッピングマスクを作成］とします。
左から光が当たっているように見せたいので、［ブラシツール］を選択し、［ソフト円ブラシ］、描画色黒［#000000］を選択し、犬の右側に影をつけます 06。

04 ネクタイを追加し整える

［素材集.psd］からレイヤー［犬の影］の上位に、レイヤー［ネクタイ］を配置し、［レイヤーマスクを追加］します 07 08。
ネクタイがあごより手前に見えるので、［レイヤーマスクサムネール］を選択した状態で、［ブラシツール］を選択し、［ソフト円ブラシ］［描画色：#000000］で、あごのラインが見えるようにマスクします 09。
［レイヤー］→［レイヤースタイル］→［ドロップシャドウ］を選択、10 のように設定し、右下に影が落ちるようにします。ドロップシャドウのカラーは［#000000］を使用しています 11。
上位に新規レイヤー［ネクタイの影］を追加し、［描画モード：ソフトライト］とし、［右クリック］→［クリッピングマスクを作成］とします。
［ブラシツール］を選択し、［ソフト円ブラシ］、描画色黒［#000000］とし、あごから落ちる影を意識して描画します 12。

左から光があたっていると仮定して犬の右側に影をつける

レイヤーマスクサムネール

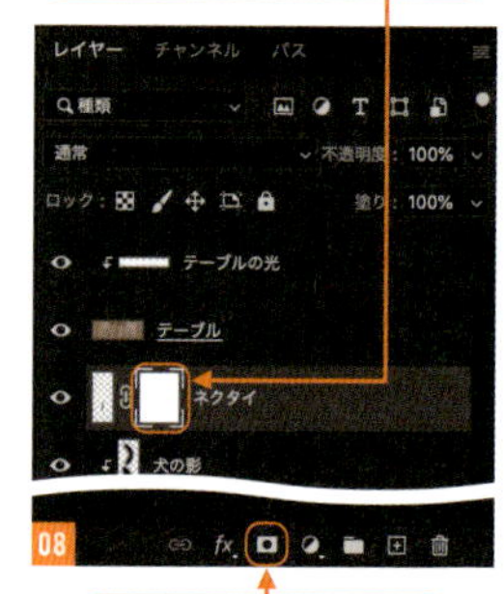

レイヤーマスクを追加

［#000000］を使用

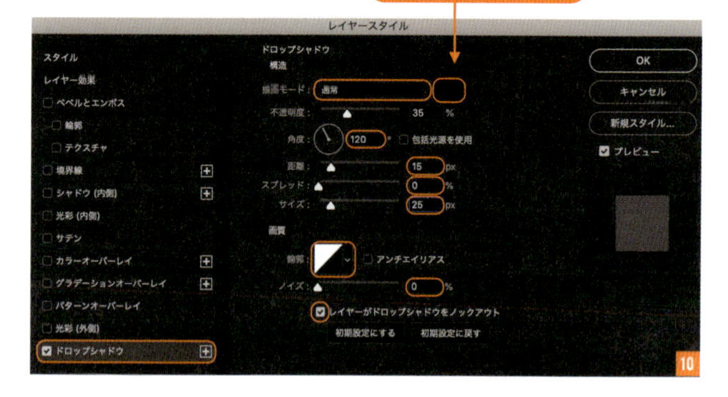

ドロップシャドウが反映された

ブラシで描画

05 手を追加する

レイヤー［テーブル］の下位にレイヤー［犬の手］を配置します13。
レイヤーを複製し、［編集］→［変形］→［水平方向に反転］で水平方向に反転し、反対の手を作成します14。
レイヤー［スプーン］［フォーク］を配置します15。
［スプーン］［フォーク］の角度や位置は［編集］→［自由変形］を行い調整するとよいでしょう。

06 帽子を追加し影を整える

レイヤー［帽子］を配置し、［レイヤーマスクを追加］します16。
［レイヤーマスクサムネール］を選択します。［ブラシツール］を選択し、［ソフト円ブラシ］、描画色黒［#000000］を選択し、17のように犬の額と耳周辺を整えます。

Point

帽子の調整は耳が帽子より下にあることを意識してマスクを追加していくとよいでしょう。

次に2つのレイヤーに分けて帽子の影を描画します。
レイヤー［犬の影］の上位に新規レイヤー［帽子の影1］を作成します。
［ブラシツール］を選択し、［ソフト円ブラシ］、描画色黒［#000000］を選択し、帽子と犬の境界に影を追加するように描画します18。
さらに上位に新規レイヤー［帽子の影2］を作成し、［ブラシサイズ：150px］前後の大きなサイズで影を追加します19。どちらも影の濃さはレイヤーの不透明度で調整してください。

07 帽子が欠けたように表現する

レイヤー[帽子]の[レイヤーマスクサムネール]を選択し、[ペンツール]や[なげなわツール]などを使って、20のように選択範囲を作成し、[塗りつぶしツール]を使ってマスクを追加します21。

レイヤー[帽子]の上位にレイヤー[帽子の境界]を作成します。

[ブラシツール]を選択し、[ハード円ブラシ][描画色：#ffecba]を選択し、22のように、欠けた部分の厚みを作るようなイメージで描画します。

上位に新規レイヤー[境界の影]を作成し、[右クリック]→[クリッピングマスクを作成]します。

[ブラシツール]を選択し、[ソフト円ブラシ]、描画色黒[#000000]とし、左から光が当たっていることを意識しながら陰影に注意して影を描画します23 24。描画に合わせてブラシの不透明度やレイヤーの不透明度は順次調整して進めていくとよいでしょう。

レイヤー[帽子]の下位に新規レイヤー[帽子の内側]を作成します。

[ブラシツール]を選択し、[ハード円ブラシ][描画色：#5a1903]を選択し、25のように欠けの内側を描きます。帽子が欠けたような表現ができました26。

08 帽子の周辺と内側に要素を追加する

レイヤー[帽子]の上位にレイヤー[鳥01]を配置します。帽子のつばにかぶっている足などの部分はレイヤーマスクで削除します27。

帽子にレイヤー[蔦01][蔦02]を配置します28。

レイヤー[帽子の内側]の上位にレイヤー[人物01][猫]を配置し、より上位に[ペンギン]を配置します29。

レイヤー[猫]の足の部分だけを選択します30。⌘（Ctrl）+Cキーでコピーしておき、レイヤー[境界の影]の上位にペーストします。さらに複製し、水平方向に反転、調整して31のように帽子に手をかけているように表現します。

猫の両手にはネクタイの影と同じ要領で[レイヤー]→[レイヤースタイル]→[ドロップシャド

ウ］を32のように適用します。

レイヤー［人物01］の下位に、レイヤー［イラスト01］［イラスト02］［花01］を配置します33。

［ツールパネル］の［横書き文字ツール］を選択し「IDEA」と入力します34。

レイヤー［ペンギン］の下位に配置し、[-30°] 程度回転させて位置を整えました35。

Point

作例では［フォント：Futura PT Medium※］［サイズ：54 pt］［カラー：#ffffff］を使用しています。

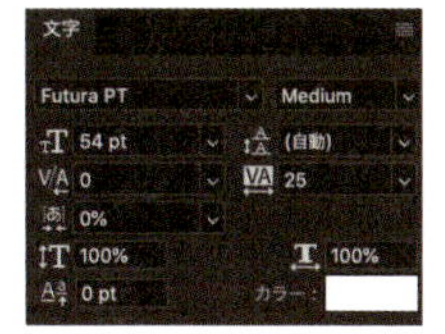

09 テキストや人物に影を付ける

レイヤー[IDEA] を下位に複製し、レイヤー名を［影］とし、［右クリック］→［テキストをラスタライズ］します。白のテキストなので、⌘（Ctrl）＋I キーを押してカラーを反転させ、黒にします36。

花のイラストや人物部分にだけ影を落としたいので、レイヤーパネル上で⌘（Ctrl）＋Shift キーを押しながら、レイヤー［イラスト01］［イラスト02］［人物01］のレイヤーサムネールをクリックし選択範囲を作成します37。選択範囲が作成された状態のまま、レイヤー［影］を選択し、レイヤーパネルから［レイヤーマスクを追加］します38。

レイヤー［影］をやや右下に移動させ［フィルター］→［ぼかし］→［ぼかし（ガウス）］を［半径：5.0pixel］で適用します39。レイヤーの不透明度を［35%］とし、なじませます40 41。

レイヤー［人物01］を下位に複製し、レイヤー名［人物01の影］とします。［イメージ］→［色調補正］→［レベル補正］を［出力レベル：0］とし、黒くします42。

テキストの影と同じ要領で右下に移動させ、［ぼかし（ガウス）］を［半径：5.0pixel］で適用し、レイヤーの不透明度を［40%］とします43。

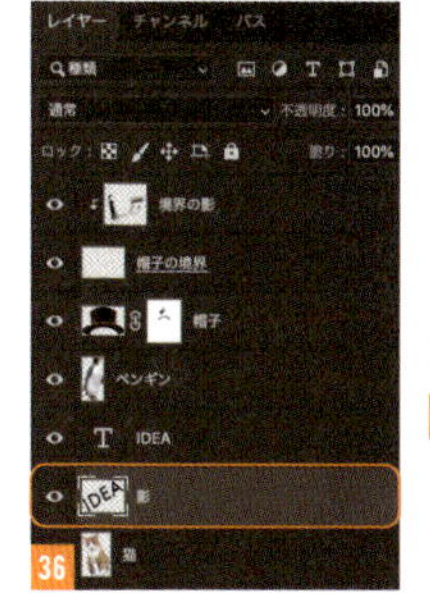

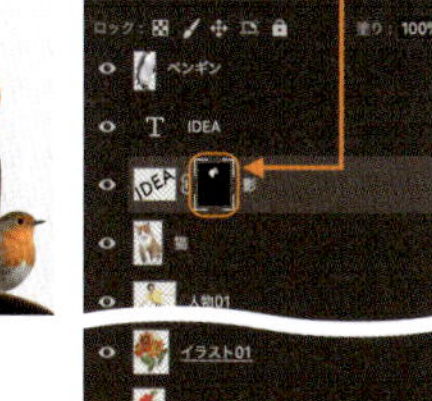

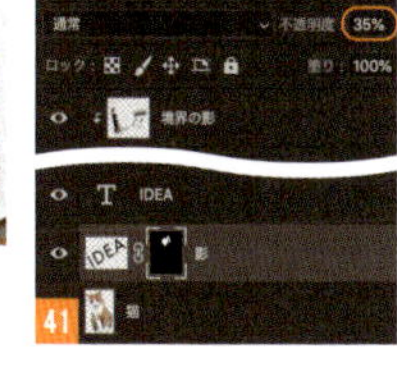
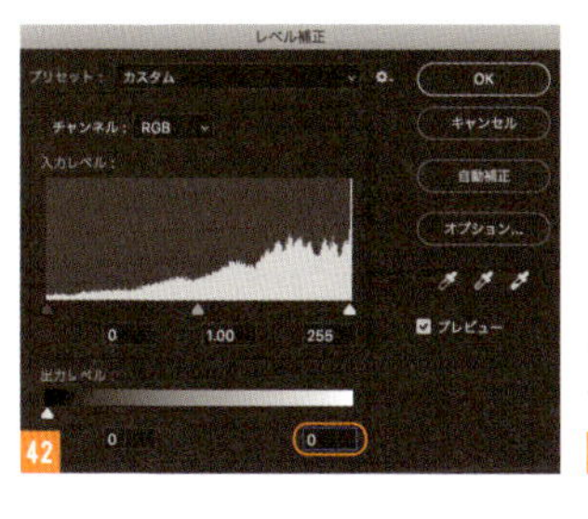

※Adobe Fontsのフォント。Adobe FontsについてはP.249下段のPointを参照してください。

10 背景に素材を追加する

レイヤー[犬01]の下位に要素を追加します。レイヤー[鹿]を帽子の後ろに、レイヤー[イラスト04]をテーブルの右側に、レイヤー[ドーナツ01]をテーブルの左側に、レイヤー[草01]を左手の後ろに配置します。
レイヤー[草01]は複製し、水平方向に反転して右手の後ろにも配置します 44。
この配置は主役の下側にボリュームを出すためです。45 の赤の半透明のように三角形の構図にすることで、安定感を出しています。

Point

三角形の構図は下側に重心やボリュームを感じさせることで、どっしりとした安定感を出すことができます。この構図は三角形の頂点にも目線を誘導しやすいので、作例では三角形の頂点に人物や花、ドーナツといった要素を配置し、動きを出しています。

下位にレイヤー[雲01]を配置します。画面右上に配置し、複製し、縮小して犬の左側、さらに縮小し水平方向に反転し犬の右側に配置します。スプーンやフォークに重ねることで、素材同士の距離感が出るようにしています 46。
同様にレイヤー[雲02]を 47 のように帽子の左上、右上に配置します。こちらも少しずつ他の要素に重ねて距離感を出すように意識しています。
下位にレイヤー[イラスト03][草02][キノコ01][キノコ02]を配置します 48。

11 テーブルに要素を追加する

レイヤー[テーブルの光]の上位に、レイヤー[スイーツ01～04][ペンギン02][ノドウ]を配置します 49。

12 それぞれのお皿に影を追加する

レイヤー[スイーツ04]の下位に新規レイヤー[影]を作成し、右下にお皿の影が落ちることを意識して[楕円形選択ツール]で選択範囲を作成し、[塗りつぶしツール]を使って[描画色：#000000]で塗りつぶします50。

[フィルター]→[ぼかし]→[ぼかし(ガウス)]を[10pixel]で適用し、レイヤーの[不透明度：60%]とします51。

レイヤー[スイーツ02][スイーツ03]にも同じ要領で下位にレイヤー[影]を作成し影を作ります52。

レイヤー[人物01]の影と同じ要領で、レイヤー[ペンギン02]を下位に複製し、レイヤー名[ペンギン02の影]とし、[イメージ]→[色調補正]→[レベル補正]を[出力レベル:0]とし黒くします。[ぼかし(ガウス)]を[半径：5.0pixel]で適用し、レイヤーの不透明度を[40%]とします。さらに[編集]→[変形]→[自由な形に]を選択し、53のように影が右下に落ちたように変形を適用します。

レイヤー[ブドウ]も同様に下位にレイヤー[ブドウの影]を作成します。こちらは[ブラシツール]を選択し、[ソフト円ブラシ]、描画色黒[#000000]で右下に落ちる影を描画し、他の影に合わせて、レイヤーの不透明度を調整します54。

13 テーブルに人物とマカロンを追加する

レイヤー[スイーツ02]の下位に、レイヤー[人物02][マカロン01]を55のように配置します。

人物がマカロンを運んでいるように見せたいので、レイヤー[マカロン01]に56のような選択範囲を作成し、マスクを追加します。レイヤー[マカロン02]を57のように配置します。

[マカロン02]を不安定な配置にすることで、動きを出しています。

14 テーブルに犬を追加する

レイヤー[スイーツ02]の上位に、レイヤー[犬02]を配置します 58。手だけがお皿に乗っているようにマスクを追加します。下位に新規レイヤー[犬02の影]を作成し、[ブラシツール]を選択、[ソフト円ブラシ]、描画色黒[#000000]で他と同様に影を描画します 59。

15 画面全体を装飾する

画面全体を装飾するように素材を配置します。
最上位にレイヤー[ドーナツ02〜05]を配置します 60。大小とサイズに差をつけて、遠近感を出しています。
レイヤー[ドーナツ05]の上位にレイヤー[鳥02]を配置します 61。
レイヤー[ベリー01〜03][赤い実01〜03][ドッグフード02〜08][リンゴ01〜03]を配置します。作例のレイアウトを参考に、ある程度自由に配置してみましょう 62。
帽子の上にレイヤー[蝶01〜02]を配置します 63。
最上位にレイヤー[葉っぱ][蝶03]、スプーンの上に[花02]、フォークの上に[ドッグフード01]を配置します 64。

Point

配置は素材同士の遠近感を意識するとよいでしょう。大きな素材の近くには、小さな素材を配置すると遠近感が出やすくなります。それぞれの素材はあまり近づけすぎずに余裕をもって配置すると広がりも感じやすくなります。

16 全体に落書きを追加する

最上位に新規レイヤー[落書き]を追加します。[ブラシツール]を選択し、[ハード円ブラシ]、描画色白[#ffffff][ブラシサイズ：10px]とし、画面にラフにイラストを描きます65。

65

66

Point

落書きは丁寧に描くのではなく、サラッと描くようにしてみましょう。ラフな雰囲気が出やすくなり、紙面の楽しさが増えます。

さらに上位に新規レイヤー[落書き02]を作成します。犬にもイラストの質感を加えたいので、犬の輪郭をラフに描きます。不透明度[100%]ではイラストの印象が強かったので、レイヤーの不透明度を[50%]とし、質感を調整しています66。

67

17 手前にぼかした要素を追加して完成

最上位にレイヤーを追加します。[蔦02][ドッグフード09]を右下の最も手前に見える位置に配置、[蔦03]を左上、[蔦04]を右上あたりに配置します67。

レイヤー[蔦02]は[フィルター]→[ぼかし]→[ぼかし(ガウス)]を[半径：15pixel]で適用します。他のレイヤーは[半径：10pixel]でそれぞれ適用します。前面にぼかしを入れることで奥行き感を出しました。これで完成です68。

写真、ビンテージイラスト、落書き、テキストといった質感の異なる要素を組み合わせたコラージュの作品ができました。

68

THE WHALES

Color Balance, Layer Mask,Ocean Ripple

Recipe

105 浮上するクジラ

浮上する巨大なクジラのいる風景を制作します。マスクを数回に分けて追加することでクジラの水の中の深さを表現することができます。

Photo retouching

01 各素材を配置する

素材[海.psd] を開きます。素材[パーツ.psd] を開きます 01。レイヤー[クジラ] を移動させ 02 のように配置します。
レイヤー[クジラ] を選択し [イメージ] →[色調補正] →[カラーバランス] を選択します。
[階調のバランス:シャドウ] 03、[中間調] 04、[ハイライト] 05 とそれぞれに設定し、クジラと海の色をなじませます 06。

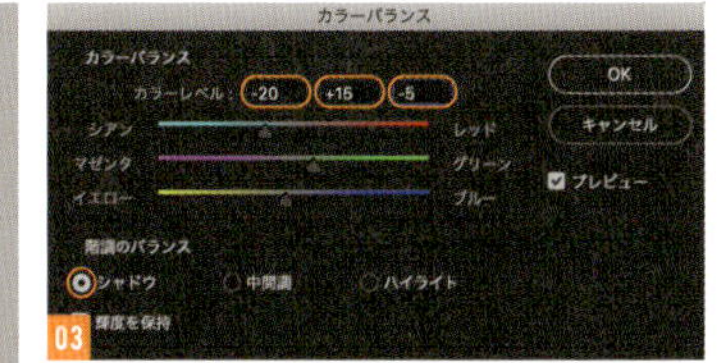

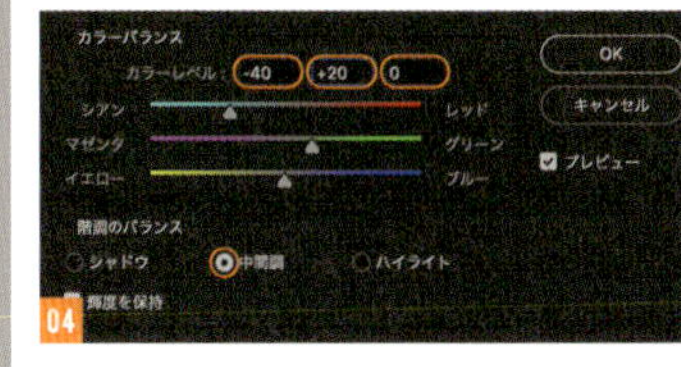

02 クジラに波紋を適用し明るさを微調整する

[フィルター]→[変形]→[波紋]を選択します 07。[量：300%][振幅数：大]で適用します 08 09。[イメージ]→[色調補正]→[レベル補正]を選択し 10 のように設定します。
クジラを海となじませるイメージで明るさを微調整しました 11。

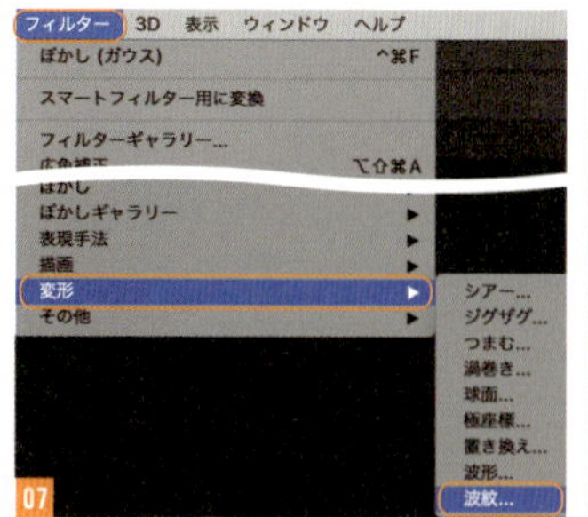

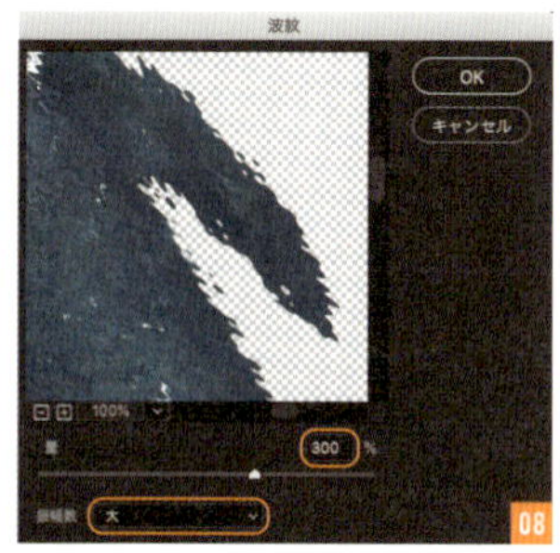

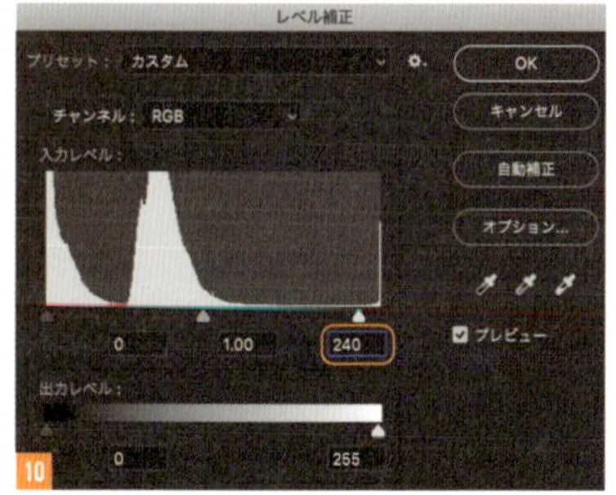

03 マスクを使い クジラの輪郭をなじませる

レイヤー[クジラ]を選択し、レイヤーパネルから[レイヤーマスクを追加]します 12 13。
レイヤーマスクサムネールを選択し、[ブラシツール]を選択します。
オプションバーを[ブラシの種類：ソフト円ブラシ][直径：100〜150][不透明度：30%]とします。
ブラシのサイズは参考程度にし、扱いやすい設定で進めて下さい 14。
描画色黒[#000000]を選択しマスクを追加していきます。
クジラの輪郭にそってマスクを追加しながら、深く水中に沈んでいると思われる箇所(胸ヒレの先端側・尾ヒレなど)は数回にわけてマスクを追加し薄い印象にしていきます 15。

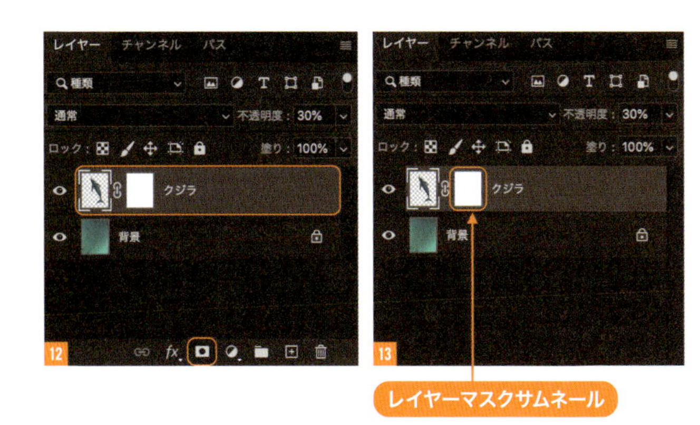

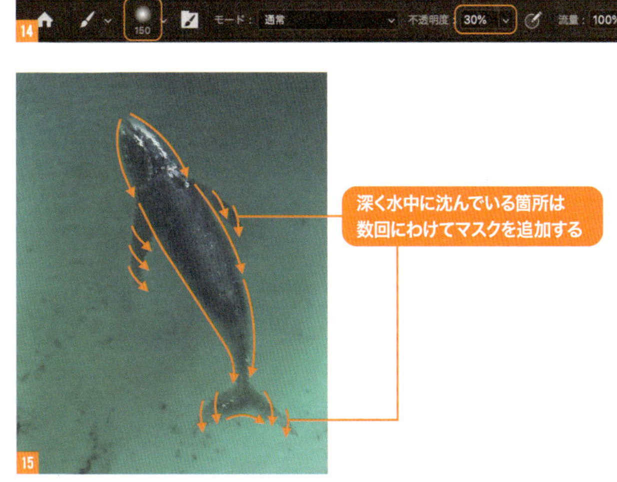

Point

クジラの色をより薄くすることで、水の中の深い位置を泳いでいるように見せることができます。

04 ボートを配置する

素材[パーツ.psd]からレイヤー[ボート]を移動させ、最上位に配置します 16。
さらに上位に新規レイヤー[ボートの影]を作成します。
レイヤー[ボートの影]を選択した状態で[右クリック]→[クリッピングマスクを作成]とし、[描画モード：ソフトライト]とします 17。

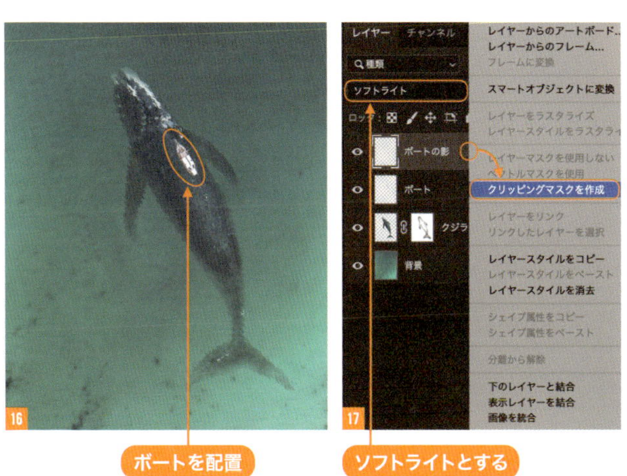

05 ボートに影をつける

ここまでのレイヤー構造は18のようになります。[ブラシツール]を選択し、描画色黒[#000000][ブラシの種類：ソフト円ブラシ]を使って影を描きます。ボートに画面右側から光があたっているようなイメージで影を追加します19。

レイヤー[ボート]を選択、下位に複製しレイヤー名[ボートの影2]とします。

[イメージ]→[色調補正]→[レベル補正]を選択し20のように黒に補正します。

[不透明度：50%]とし、ボートから海面に落ちる影をイメージして、左下にずらして配置します21 22。

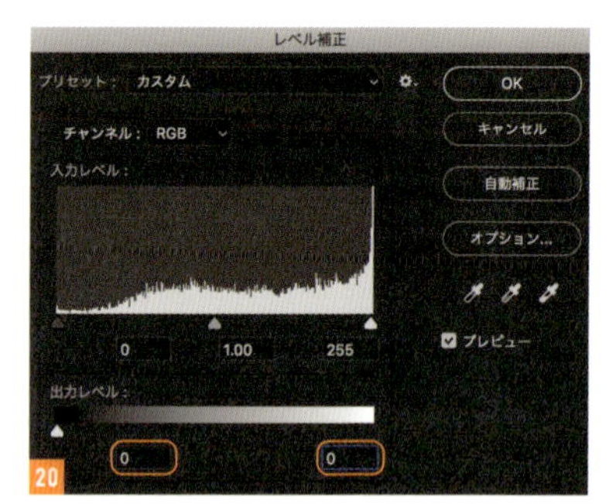

Point

ボートの影をボートからより離れた位置にしてあげると、クジラの位置がより深い位置で泳いでいるように見せることができます。

06 ボートから生じる波、落ちる影を描く

レイヤー[ボート]の下位に新規レイヤー[ボートの波]を作成します。

[ブラシツール]を選択し、描画色白[#ffffff][ブラシの種類：ソフト円ブラシ][不透明度：30〜50%][ブラシのサイズ：3〜6px]を使って23のように波を描きます。

[フィルター]→[ぼかし]→[ぼかし(移動)]を選択し24のように設定します25。

23

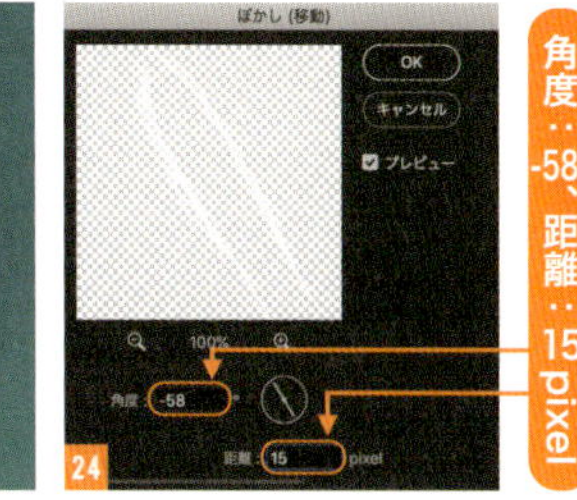

24

25

Point

ブラシで波をうまく描画できない場合はぼかしの具合を強めにしてみてください。

レイヤー[ボートの影2]を選択し、下位に複製します。レイヤー名[ボートの影3]とし、[不透明度：20%]としクジラの背中にボートの影が落ちているイメージで左下に移動させます26 27。

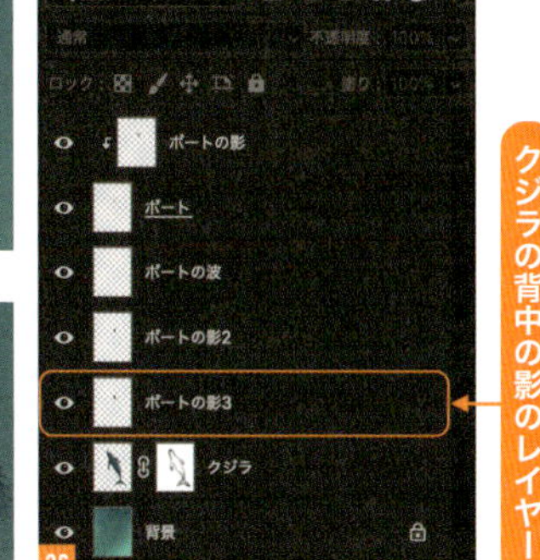

26

27

クジラの背中に影ができた

07 海面に光を追加して各素材同士をなじませる

素材[波.psd]を開きます。レイヤー[クジラ]の上位に配置し[描画モード：スクリーン]とします28。

[イメージ]→[色調補正]→[レベル補正]を選択し29のように設定します。

コントラストが上がり海面のきらめく様子が強調されます30。

最終的なレイヤー構成は31のようになります。

作例では左下にキャッチコピーを合わせました。

28

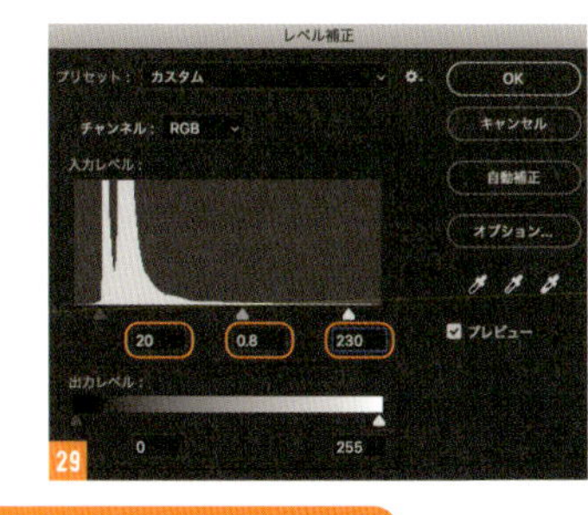

29

素材[波.psd]を配置し、[描画モード：スクリーン]

30

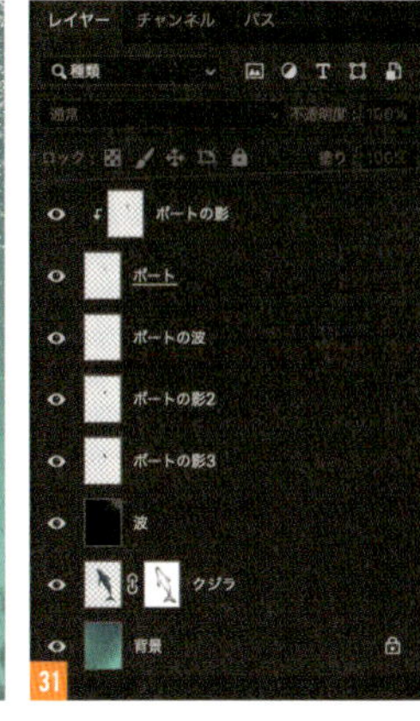

31

Password

パスワード：retouch2

上記のパスワードは本書のサポートページからサンプルファイルをダウンロードする際に必要となる情報になります。

詳しくは本書のP.11の下段をご確認ください。

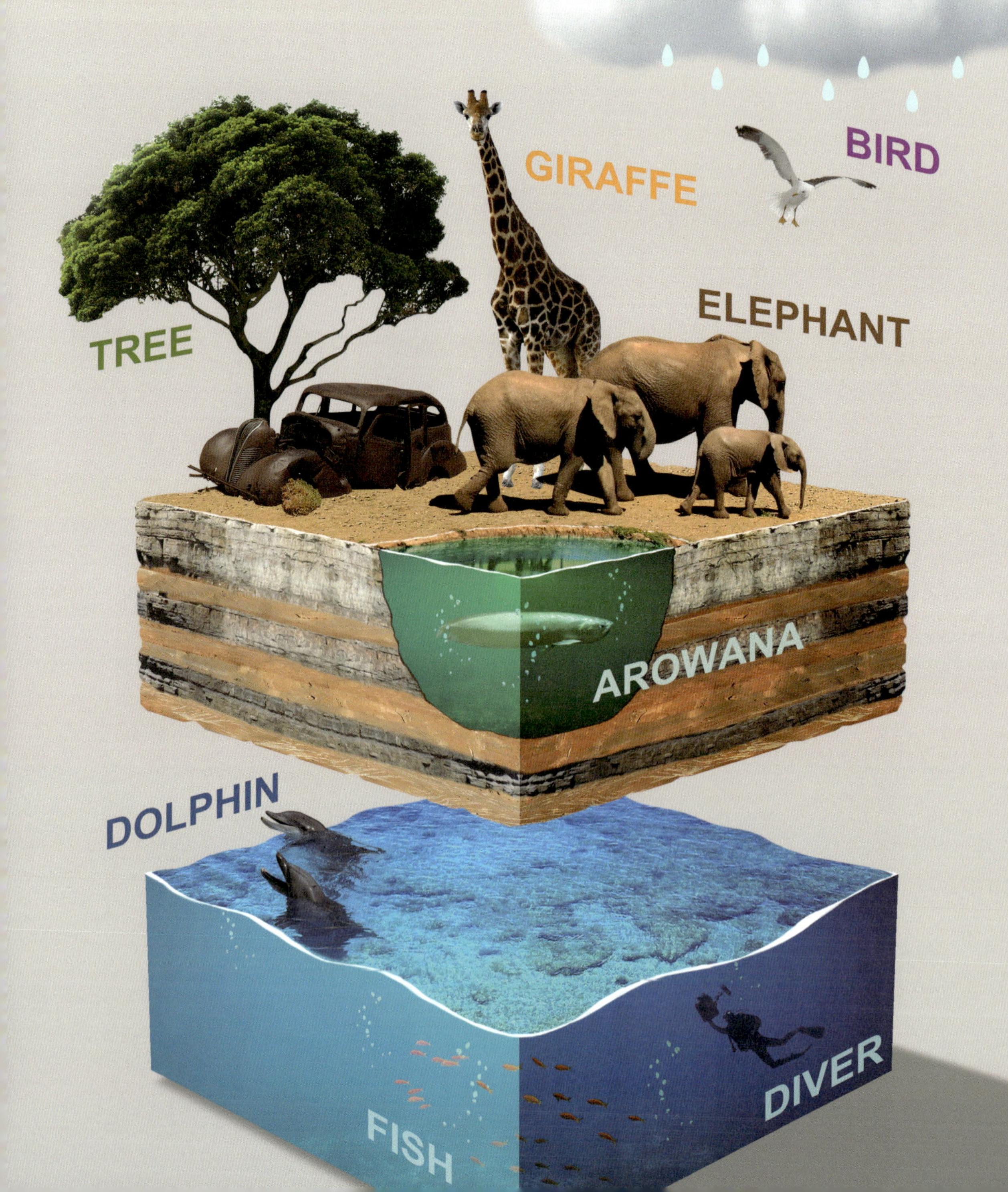

CLOUD
RAIN
BIRD
GIRAFFE
TREE
ELEPHANT
AROWANA
DOLPHIN
DIVER
FISH

Recipe

106 キューブ状に切り取られた風景

3D機能を使って作成した２つのキューブを使って、地上と海の風景を制作します※。

Photo retouching

01 ガイドとなる立体を作成する

素材[背景.psd]を開きます。描画色と背景色を初期設定にし[長方形ツール]を選択し、カンバス上でクリックして[長方形を作成]パネルを表示します。[幅：1500px][高さ：1500px]と入力し 01、中央に配置します。

作成したレイヤー[長方形1]を選択し[3D]→[選択したレイヤーから新規3D押し出しを作成]を選択します 02。

[3Dワークスペースに切り替えますか？]とウィンドウが表示されるので[はい]を選択します 03。ワークスペースが自動的に[3D]に切り替わります。

02 カメラの位置を設定する

[移動ツール]を選択します。

表示した[3Dパネル]内の[現在のビュー]を選択します（[現在のビュー]選択時はカンバスの四隅に黄色いラインが表示されます）04。

[属性]パネル→[3Dカメラ]を選択し[FOV：50：mmレンズ]とします 05。

画面右上の[属性]パネル→[座標]を選択し 06 のように位置と回転を入力します。カンバスは 07 のようになります。

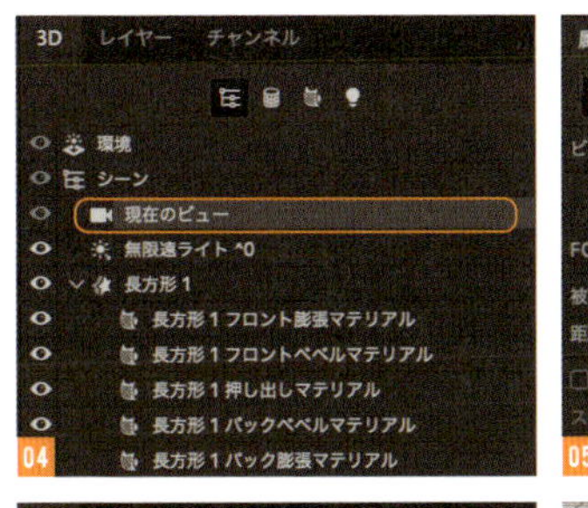

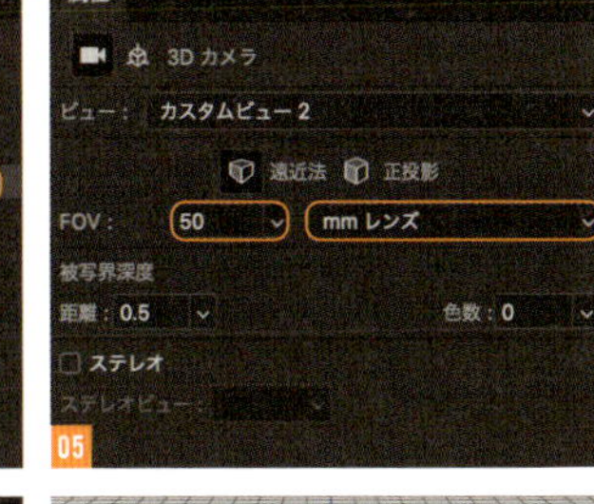

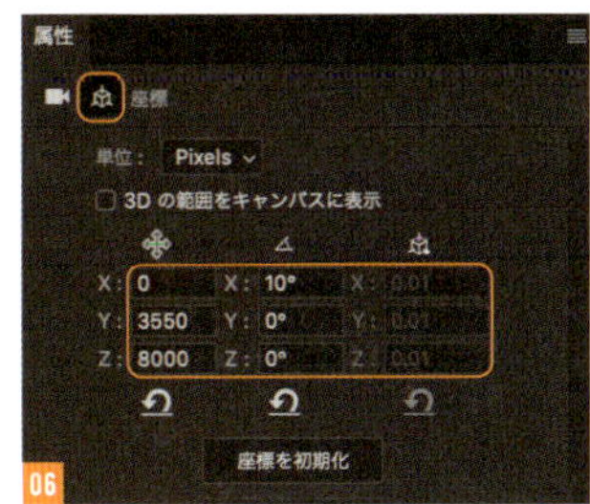

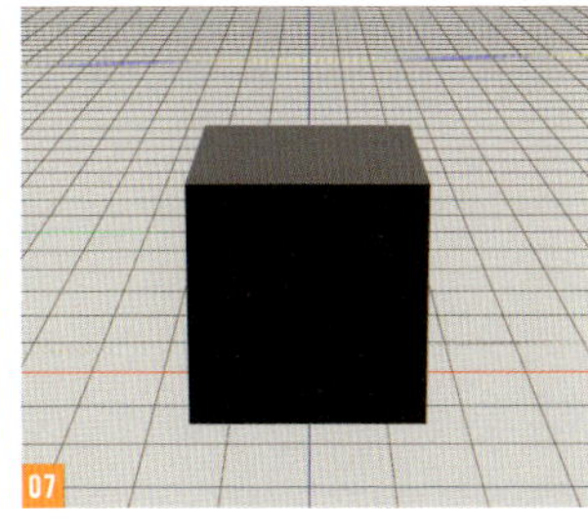

※3D機能を使用するにはグラフィックボードが必要となります。512MB未満のVRAMでは3D機能は無効となり、関係する項目を選択できません。
また、コンピュータのスペックによってはスムーズに動作しない場合があります。3D機能が使用できない場合は、パスツールなどでキューブを作り、手順の06から制作をはじめてください。

03 オブジェクト1の位置やサイズを設定する

[3D] パネル→[長方形1] を選択します。
[属性] パネル→[座標] を選択し、位置、回転、拡大・縮小：寸法またはパーセントを 08 のように入力します。
なお、拡大・縮小：寸法またはパーセントの設定を入力する際は [均一スケール] のチェックは外しましょう。各数値を個別に設定することができます。
[属性] パネル→[メッシュ] を選択し [キャッチシャドウ] [キャストシャドウ] のチェックを外します 09。カンバスは 10 のようになります。

08

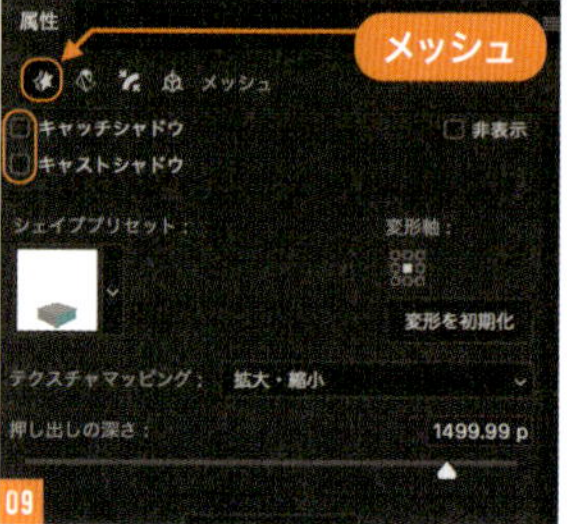

09

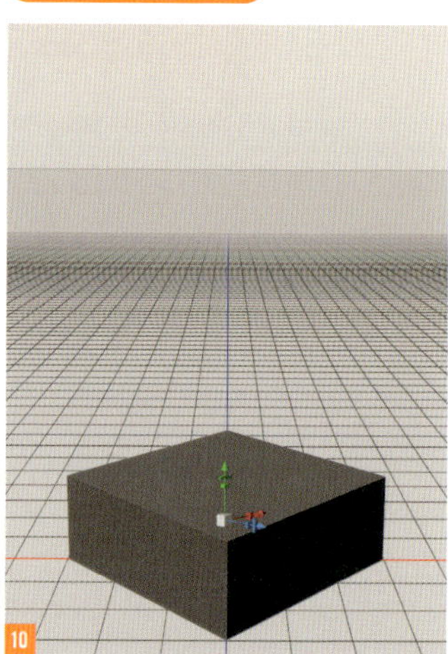

10

04 レイヤーを複製し、移動させる

レイヤーパネルを選択し、レイヤー[長方形1] を複製します。レイヤー名を [長方形2] とし、最上位に配置します。レイヤー[長方形2] を選択し [3D] パネルに切り替えます。
[3D] パネルの [長方形2] を選択します。[属性] パネル→[メッシュ] を選択し [キャッチシャドウ] [キャストシャドウ] のチェックを外します。
[属性] パネル→[座標] を選択し [位置]→[Y位置：1850] とします 11。
Y位置（高さ）のみ変わりました 12。

11

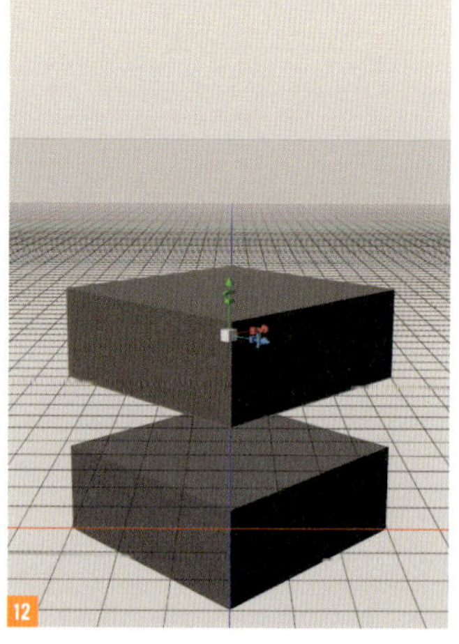

12

レイヤー名を変えても [3D] パネルの項目名までは反映されません。紛らわしいのでこちらも変更しましょう。

05 ラスタライズし、面ごとにレイヤー分けしてグループ化する

レイヤーパネルでレイヤー[長方形1] [長方形2] をそれぞれ選択し [右クリック] →[3D をラスタライズ] します。
[自動選択ツール] を使って各面ごとに選択範囲を作成し [右クリック] →[選択範囲をカットしたレイヤー] とし、レイヤー分けします。各面のレイヤー名を [上] [左] [右] とします。
立体ごとにグループ分けします。上位の立体のグループ名を [オブジェクト1]、下位を [オブジェクト2] とします。レイヤーは 13 のようになります。
グループを把握しやすいようにグループごとにレイヤーのカラーを [レッド] [ブルー] で設定しました。

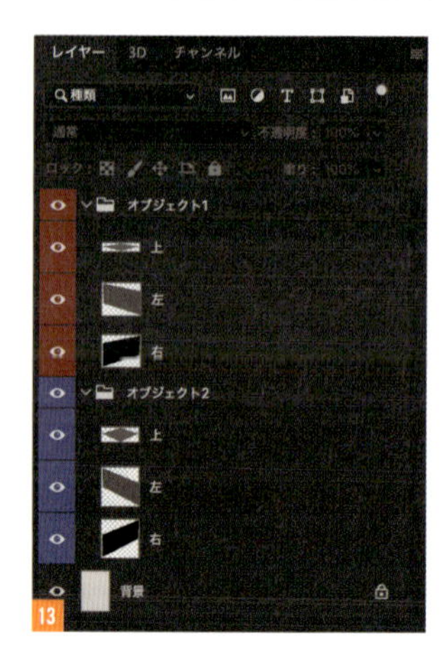

13

06 立体に影を付ける

レイヤー[背景]の上位に新規レイヤー[影]を作成します。
[多角形選択ツール]で立体の影となる部分の選択範囲を作成し、描画色黒[#000000]と[塗りつぶしツール]で塗りつぶします。[フィルター]→[ぼかし]→[ぼかし(ガウス)]を[半径：6 pixel]で適用します。
レイヤーの不透明度を[35%]とします 14 。

14

07 オブジェクト1に地層のテクスチャを貼り付ける

素材[素材集.psd]を開きます。レイヤー[地層01]を移動させ、グループ[オブジェクト1]内の最上位に配置します。[編集]→[変形]→[自由な形に]を使って[オブジェクト1]の形状に合わせて変形します 15 。
レイヤー[地層01]を複製し[編集]→[変形]→[水平方向に反転]し、オブジェクト1の形状に合わせて配置します 16 。
同じ要領で[素材集.psd]からレイヤー[地層2]を移動させグループ内最上位に配置し変形します 17 。
レイヤー[地層2]と[地層2 のコピー]をグループ化しグループ名[地層2]とします。
グループ[地層2]を選択し、レイヤーパネル内の[レイヤーマスクを追加]します 18 。
追加したレイヤーマスクサムネールを選択し[ブラシツール]を使い 19 のように地層に沿ってマスクを追加します。

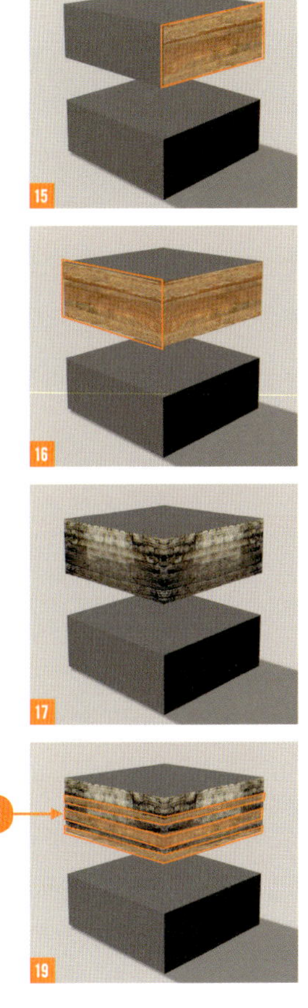

15 16 17 19

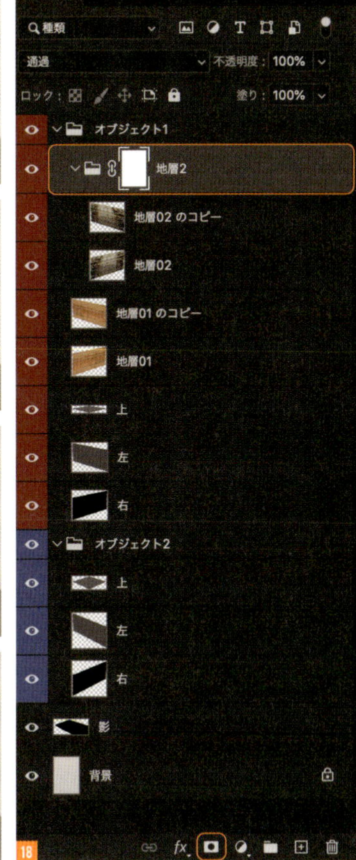

18

08 オブジェクトに陰影を付ける

グループ[オブジェクト1]内のレイヤー[上][右][左]をグループ最上位に配置します。
レイヤー[右]を選択し[レベル補正]を[出力:0:0]とします。レイヤー[左]にも[レベル補正]を[出力レベル:255:255]で適用し 20 、それぞれのレイヤーの描画モードを[ソフトライト]とし、不透明度を[50%]とします 21 。

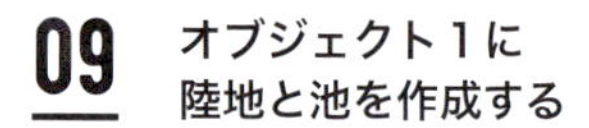

09 オブジェクト1に陸地と池を作成する

素材[素材集.psd]から、レイヤー[地面]を移動させ、グループ[オブジェクト1]のレイヤー[上]の上位に配置し[右クリック]→[クリッピングマスクを作成]を適用します 22 。
素材[水辺の象.psd]を開きます。 23 のように水辺を選択します。
グループ[オブジェクト1]の最上位に配置し、レイヤー名[水辺]とします。
[自由変形]を使い 24 のように サイズを整えます。レイヤー[水辺]を選択し[右クリック]→[クリッピングマスクを作成]を適用します 25 。
[編集]→[変形]→[ワープ]を選択し、オプションバーの[ワープ:円弧]を選択します。
26 のように変形します。
[消しゴムツール]を使って地面との境界をなじませます 27 。

10 水中を作成する

素材[水中.psd]を開き、レイヤー[水中]を移動させます。グループ[地層2]の上位に配置します。
[自由変形]を使って 28 のように縮小します。
[ペンツール]を使って 29 のように水中をイメージして選択範囲を作成します。

レイヤー[水中]を選択し、レイヤーパネル内の[レイヤーマスクを追加]を選択します30。
[イメージ]→[色調補正]→[色相・彩度]を選択し31のように設定します。
緑色になりました32。

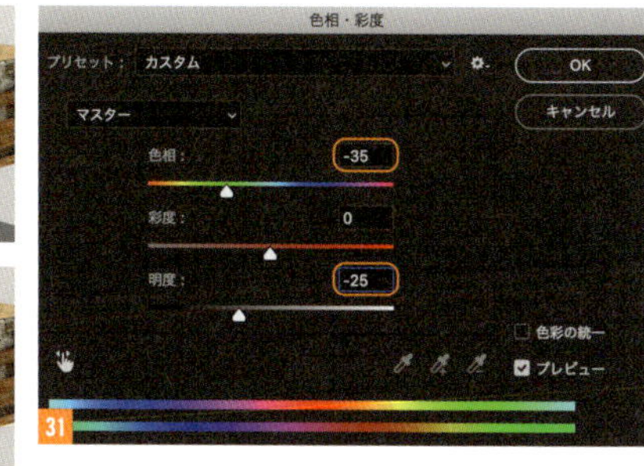

11 池の水面に着色する

レイヤー[水辺]の上位に新規レイヤー[水面の色]を作成します。
グループ[オブジェクト1]内のレイヤー[上]の[レイヤーサムネール]を⌘(Ctrl)キー+クリックし、選択範囲を作成します33。
レイヤー[水面の色]を選択し[ブラシツール]を描画色[#0c9ccc]を選択して34のように水面を塗ります。
レイヤーの描画モードを[オーバーレイ]とします35。

12 水面と陸の境界線を描画する

レイヤー[水面の色]の上位に新規レイヤー[水面の境界]を作成します。
[ブラシツール]で描画色白[#ffffff]を選択し水面の揺らぎを意識して描画します36。
地層と水面の境界線も描画します。
カラーは[スポイトツール]を使って地層の色から抽出します。
作例では明るい面(左の面)を描画色[#5d381f]暗い面(右の面)を描画色[#26231a]で描画しました37。
さらに描画色白[#ffffff]で陸地の境界線を描画します38。

13 オブジェクト２に海面を作成する

素材[海面.psd]を開きます。レイヤー[海面]を移動し、グループ[オブジェクト2]内のレイヤー[上]の上位に配置します。[右クリック]→[クリッピングマスクを作成]を適用します39。

レイヤー[上]を選択します。[ブラシツール]で描画することで、レイヤー[海面]が表示されます。40のように海面のゆらぎを意識して描画しましょう。

レイヤー[海面]の上位に新規レイヤー[海面の境界]を作成し、レイヤー[上]に[クリッピングマスク]を適用した状態で、境界線を描画します41。

14 オブジェクト２に水中を作成する

素材[水中.psd]を開き、レイヤー[水中]をグループ[オブジェクト2]の最下位に移動します42。

レイヤー[右]を選択し、[レベル補正]を[出力:0:0]とします。レイヤー[左]にも[レベル補正]を[出力レベル：255：255]で適用し、それぞれのレイヤーの描画モードを[ソフトライト]とします。

レイヤー[右]の不透明度を[50%]とします43。

レイヤー[右]を⌘(Ctrl)キー+クリックし選択範囲を作成します。さらにレイヤー[左]を⌘(Ctrl)+Shiftキー+クリックし選択範囲を追加します。

選択範囲を作成した状態で、レイヤー[水中]を選択し、レイヤーパネル内の[レイヤーマスクを追加]します44。

15 オブジェクトの輪郭を整える

グループ[オブジェクト1]を選択し、レイヤーパネル内の[レイヤーマスクを追加]します。

グループ[オブジェクト1]のレイヤーマスクサムネールを選択し、45のように地層の側面や底面を自然な形にマスクを追加します。

同じ要領でグループ[オブジェクト2]にもマスクを追加します46。

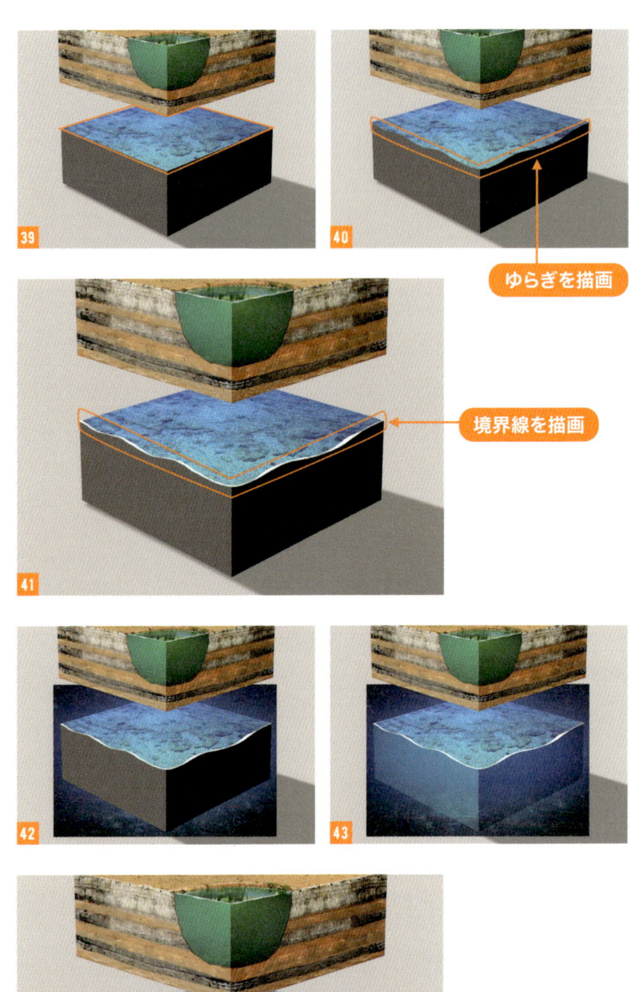

39 40 41 42 43

44

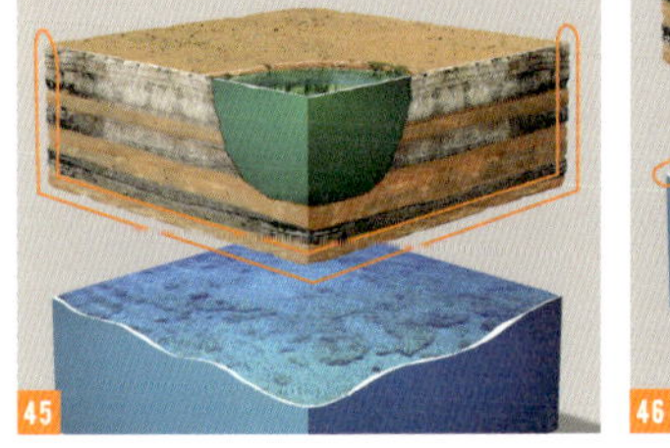

45

46

16 オブジェクト1に素材を配置する

素材[素材集.psd]と素材[水辺の象.psd]から素材を移動します。
レイヤー最上位にレイヤー[象][キリン][車][木]の順で配置します47。
レイヤー[アロワナ][泡]を移動し、グループ[オブジェクト1]内のレイヤー[水中]の上位に配置します。
レイヤー[泡]は[自由変形]を使ってバランスを整えます48。

17 オブジェクト2に素材を配置する

素材[素材集.psd]から、レイヤー[イルカ]を移動し、最上位に配置し[消しゴムツール]を使って海面になじませます49。
レイヤー[ダイバー][魚][泡]を移動し、グループ[オブジェクト2]内のレイヤー[水中]の上位に配置します。
レイヤー[ダイバー]は[不透明度：50%]、レイヤー[魚][泡]は[不透明度：75%]とします50。

18 空中に素材を配置する

素材[素材集.psd]からレイヤー[雲][鳥][雨]を移動し配置します51。
レイヤー[雲]は複製し[水平方向に反転]と[自由変形]を適用しています。

19 文字を配置して完成

[横書き文字ツール]を選択し、最上位に「TREE」とテキストを入力します。
[編集]→[変形]→[ゆがみ]を選択し、キューブ型のオブジェクトの形を参考にゆがみを加えます52。
同じ要領で全体にテキストを配置したら完成です53。

DISPERSION EFFECT

Recipe 107

Dispersion Effectを作る

バラバラに拡散していくようなエフェクトを紹介します。

Photo retouching

01 レイヤー［人物］を複製し、フィルターを選択する

素材[人物.psd]を開きます。レイヤー[人物]を複製し、下位に配置し、レイヤー名[エフェクト1]とします 01 。

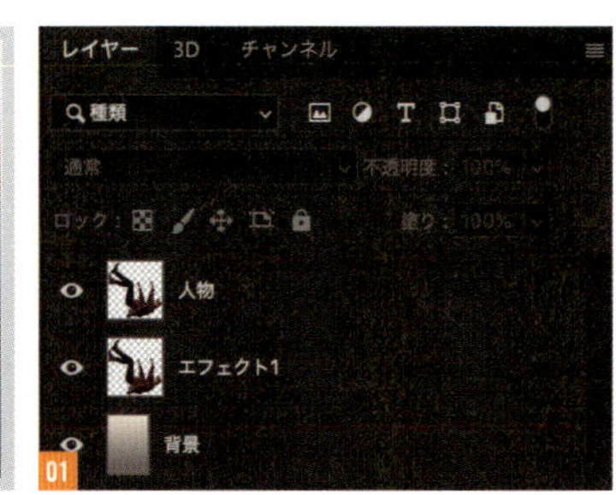

02 上方向にだけ影響が出るよう引き伸ばす

レイヤー[エフェクト1]を選択し、[フィルター]→[ゆがみ]を選択します。
[ゆがみ]パネルが開いたら[前方ワープツール]を選択します。
[属性]パネルの[ブラシツールオプション]を開き 02 のように設定します。
人物を上方向に向かって引き伸ばします。
この時、画像の下側(後頭部より下、背中より下など)を始点にしてゆがみを加えると 03 のようになってしまい原形がわからなくなってしまいます。
ゆがみの始点を 04 のように画像の下側に影響が出ないところからスタートし、上方向にゆがみを加えます 05 。
できるだけまっすぐ上方向にストロークして 06 のようにゆがみを加え[OK]で適用します。レイヤー[人物]を表示して確認します 07 。

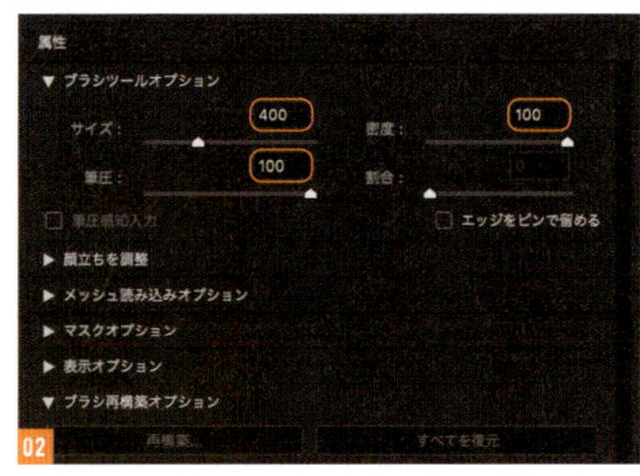

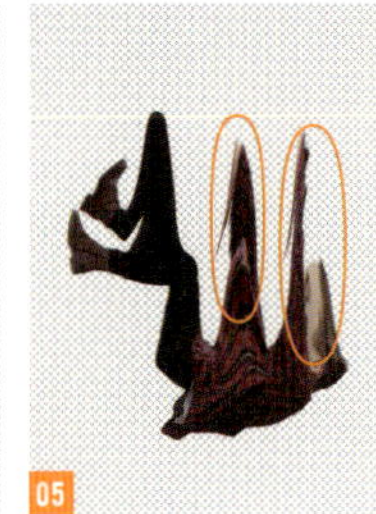

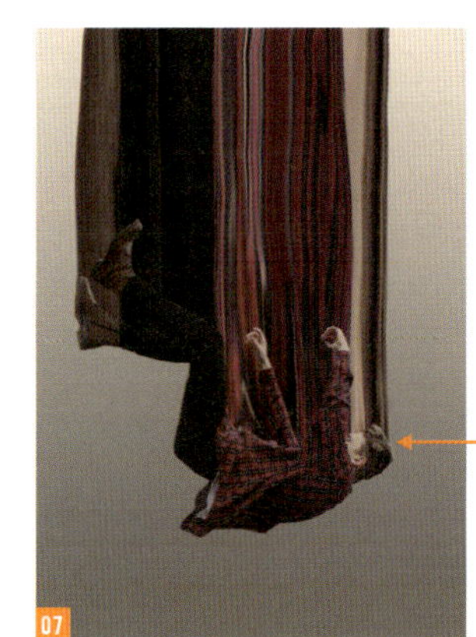

03 マスクを追加し おおまかな形に整える

レイヤー[エフェクト1]を選択し、レイヤーパネル内の[レイヤーマスクを追加]を選択します。
[レイヤーマスクサムネール]を選択します。
[ブラシツール]を選択し、ブラシの種類を[粗い刷毛(丸)]とします 08。
描画色黒[#000000]を選択し、カンバス上で[クリック]した後に Shift キーを押しながら上下に大きなストロークでマスクを追加します。ブラシサイズを変更しながら 09 のようにマスクを追加します。
不透明度を変更しながらグラデーションやムラが出るようにマスクを追加します 10。

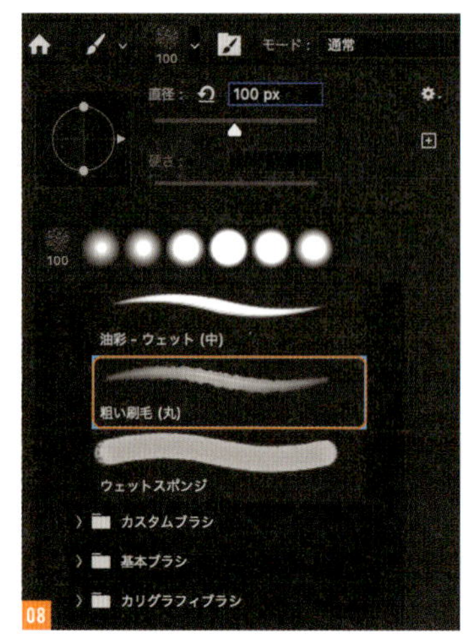

08

09

10

04 マスクを仕上げる

描画色白[#ffffff]と描画色黒[#000000]を切り替えながらマスクを整えます。X キーのショートカットを使いながら進めるとよいでしょう。
描画色白[#ffffff]でストロークせずに点を置くように描画すると拡散したような表現になります 11 12。

Shortcut

描画色と背景色を入れ替え：X キー

11

12

05 人物周辺に拡散した エフェクトを追加する

レイヤー[人物]を複製し、下位に配置し、レイヤー名[エフェクト2]とします 13。
手順02と同じように[フィルター]→[ゆがみ]を選択し画面上方向にゆがみを加えます。
今回は、[属性]パネル→[ブラシオプション]→[サイズ]を調整しながら作業します。
足の間などは細かいブラシ、体は大きなブラシで、サイズを調整しながら作業しましょう 14。
手順02よりも肌の色や靴の色が残る様に、短いストロークで作業します。

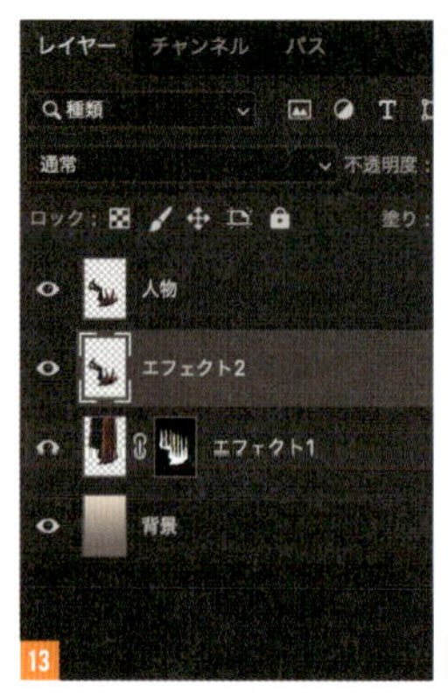

13

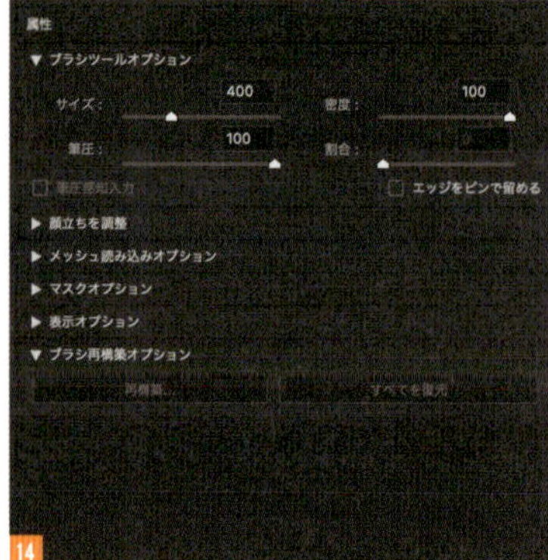

14

06 マスクを整える

手順03〜05と同じ要領でレイヤーマスクを追加し整えます。
顔や、指先、靴など、人物が上方向に引き伸ばされて拡散されているようなイメージで仕上げます 15 。

拡散された

07 ブラシを使い、拡散した様子を追加する

最上位に新規レイヤー[ブラシパーツ]を作成します。
[ブラシツール]を選択し、これまでと同じくブラシの種類を[粗い刷毛(丸)]とし作業します。
描画色は設定せず、人物から抽出します。
[ブラシツール]を選択した状態で、Option (Alt) キーを押すと一時的に[スポイトツール]に変わります。
人物の頭周辺を描画する場合は「髪の色を抽出」→「髪の上方向を描画」→「肌の色を抽出」→「顔の上方向を描画」の手順で[スポイトツール][ブラシツール]を切り替えながら全体を描画していきます 16 。

さらに拡散された

08 人物にマスクを追加する

レイヤー[人物]を選択し、レイヤーマスクを追加します。
[ブラシツール]を選択し[ブラシサイズ][不透明度]を変えながらブラシ[粗い刷毛(丸)]を使用し、下位レイヤーになじませるようにマスクを追加します 17 。

[人物]からも引き伸ばしの様子が描画された

09 人物を素材として、破片を作成する

レイヤー[人物]を選択します。
[多角形選択ツール]を選択し 18 のように人物上で三角の選択範囲を作成します。
[右クリック]→[選択範囲をコピーしたレイヤー]（ショートカットはCtrl＋Jキー）でレイヤーをコピーします。
レイヤー名は[破片]とします。
レイヤー[破片]を選択して移動し、回転させます 19。
同じ要領で人物を素材に、大小様々な三角形でコピーしたレイヤーを作成します 20 21。

18

19

20

21

10 破片を結合し、立体感を加える

ある程度破片を作成したら、レイヤー[破片]自体を複製し、サイズや角度を変えレイアウトします 22。
レイアウトできたら、複数のレイヤー[破片]をすべて選択し[右クリック]→[レイヤーを結合]を選択します。
レイヤー名は[破片]にし[レイヤースタイル]パネルを開きます。
[ベベルとエンボス]を選択し 23 のように設定します。
破片に厚みが加わり、左上から光があたっているような表現になりました 24。

22

24

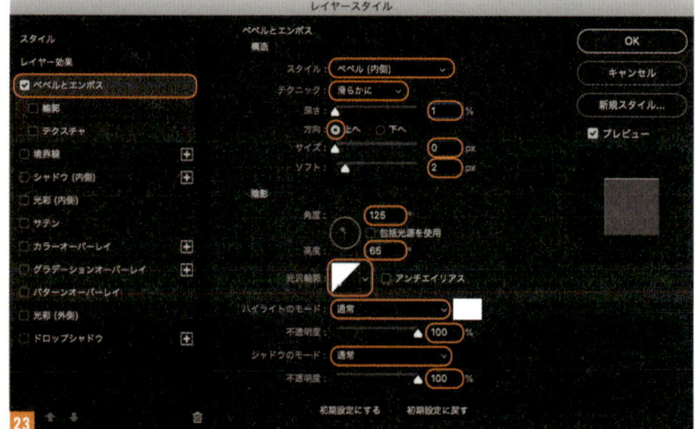

23

11　テキストを追加しエフェクトを加える

[横書き文字ツール]を選択し[Trajan Pro][フォントサイズ：14pt][フォントスタイル：Bold]とします25。
カラーは[#2c2625]としました(髪の毛の暗い部分から抽出しています)。
「Dispersion Effect」と入力し、人物下の中央に配置し26、レイヤーは最上位に配置します。
レイヤー[Dispersion Effect]を下位に複製し、[右クリック]→[テキストをラスタライズ]します27。
レイヤー[Dispersion Effect　のコピー]を選択し[フィルター]→[ぼかし]→[ぼかし(移動)]を選択し、[角度：90°][距離：800pixel]で適用します28。
上下にライン状に加工されたら上方向に移動します29。

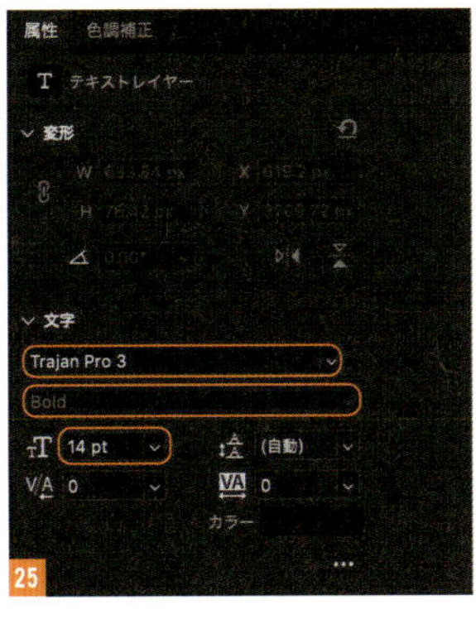

25

26

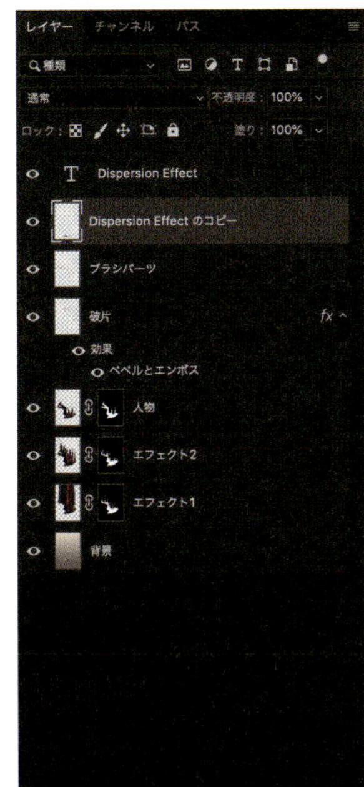

27

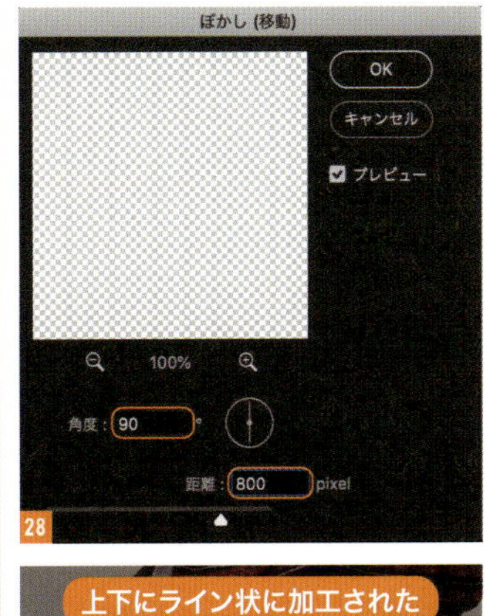

28

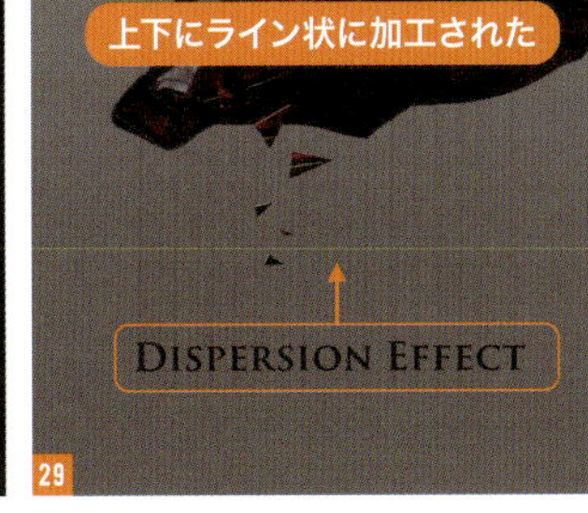

29

12　テキストレイヤーをグループ化しマスクを追加する

レイヤー[Dispersion Effect]と[Dispersion Effect のコピー]をグループ化します。
グループを選択し、レイヤーパネル内の[レイヤーマスクを追加]を選択します。
グループの[レイヤーマスクサムネール]を選択します。[ブラシツール]を選択し、前半の手順と同じようにブラシの種類を[粗い刷毛(丸)]とし、拡散したようなイメージでマスクを追加したら完成です30 31。

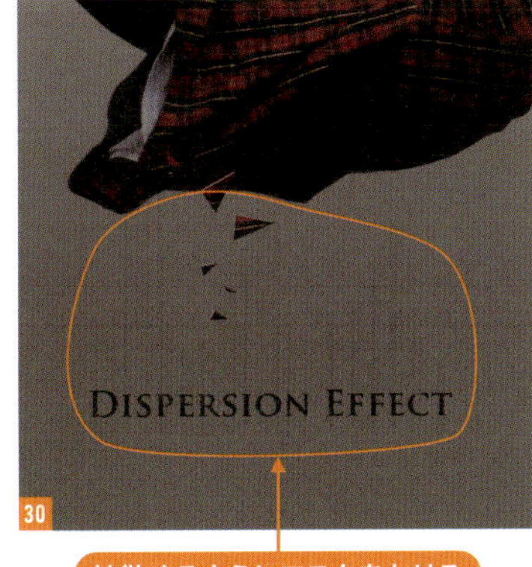

30

31

Recipe

108

ストーリー性のあるコラージュ作品

物語のワンシーンのような作品を作ってみましょう。光と影を調整し写真に立体感を加え、独特な雰囲気のフォトコラージュ作品に仕上げます。

Photo retouching

01 テーブルとリスを配置する

素材[背景.psd] を開きます。素材[素材集.psd] を開き、レイヤー[テーブル] を移動し画面下に配置します 01。

下位にレイヤー[リス01] [リス02] を移動し配置します 02。

レイヤー[テーブル] をグループ名[テーブル]、レイヤー[リス01] [リス02] をグループ名[リス] とし、レイヤーをグループ化しておきます。グループごとにカラーを設定しておくと便利です 03。

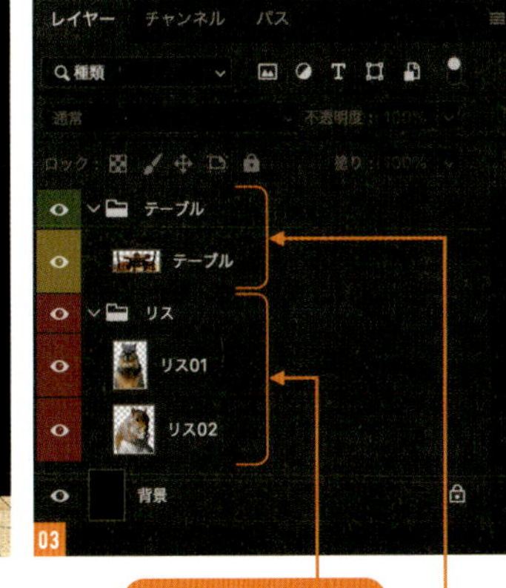

02 椅子を配置する

レイヤー[椅子] をグループ [リス] の下位に配置します。

レイヤー[椅子] を複製し [編集] →[変形] →[水平方向に反転] を適用し、リスの後ろに配置します 04。

レイヤー[椅子] [椅子 のコピー] も、グループ名[椅子] としグループ化しておきます。

03 リスに眼鏡をかける

レイヤー[眼鏡]を移動し、グループ[リス]内最上位に配置します 05。
[編集]→[変形]→[自由な形に]を使い、リスに合わせて変形します 06。
レイヤー[眼鏡]を選択した状態で[自動選択ツール]を選択し、レンズ内を選択します 07。
レイヤー[眼鏡]の上位に新規レイヤー[レンズ]を追加し、選択範囲を描画色黒[#000000]で塗りつぶします。
不透明度を[60%]とし、レンズの透けを再現します 08。

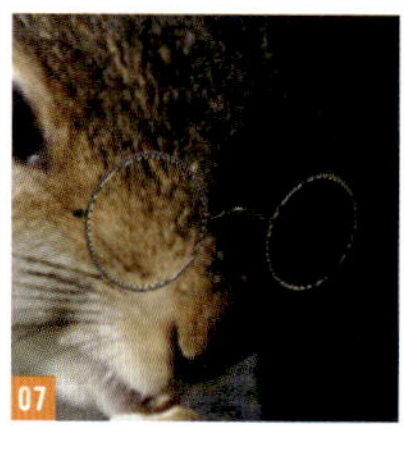

04 リスにトランプを持たせる

レイヤー[トランプ裏]を移動し、グループ[リス]内の最上位に配置します 09。
2つのレイヤー[トランプ裏]のそれぞれにレイヤーパネル内の[レイヤーマスクを追加]を適用します。
[なげなわツール]を使い、10 のようにトランプを持っているようにマスクを追加します。

05 テーブルに小物を配置する

レイヤー[トランプ][コイン1][コイン2]を移動し、グループ[テーブル]内の最上位に配置し[自由変形]や[水平方向に反転]を使って配置します 11。
配置した3つのレイヤーの下位に新規レイヤー[影]を作成します。
[ブラシツール]を選択し描画色黒[#000000]、[ブラシの種類：ソフト円ブラシ]で影を描画します 12。
作例では[ブラシの不透明度：100%]で描画した後に[レイヤーの不透明度：60%]としました。

06 ライトとオウムを配置する

レイヤー[ライト]を移動し最上位に配置し、上位にレイヤー[オウム]を、さらに上位にレイヤー[ツタ]を移動し配置します13。
レイヤー[オウム]の下位にレイヤー[トランプ表]を移動し、オウムがくわえているように配置します14。
移動した4つのレイヤーはグループ化し、グループ名[ライト]とします15。

07 背景に猫を配置し黒い背景に溶け込ませる

素材[猫.psd]を開き移動し、16のように配置します。
黒い背景に溶け込むようになじませていきます。
レイヤー[猫]の上位に[レベル補正]の調整レイヤーを追加し17のように設定します18。
レイヤー[猫]を選択し、レイヤーパネル内の[レイヤーマスクを追加]を適用します。
猫の顔周りにブラシでマスクを追加し、黒い背景に溶け込ませていきます19。

08 猫の顔を明るく描画する

調整レイヤー[レベル補正1]の上位に、新規レイヤー[顔の光]を作成し、描画モードを[オーバーレイ]とします。
[ブラシツール]を選択し描画色白[#ffffff]とします。
描画した部分に光が当たったような効果を得ることができます。
顔の立体感を意識しながら描画します20。
まだ明るさが足りないので、レイヤー[顔の光]を上位に複製します。
暗い背景からぼんやりと顔が浮かび上がった様子が再現できました21。
作成したレイヤー[猫][顔の光]と調整レイヤー[レベル補正1]はグループ化し、グループ名[猫]とします。

13

14

15

16

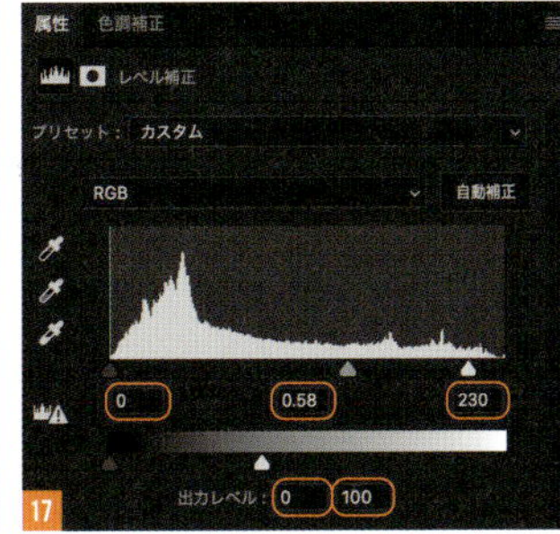

17

18

19

20

21

09 猫の黒目を整える

猫がリスを見ているようにしたいので、目線を修正します。レイヤー[猫]を選択し[コピースタンプツール]を選択します。
ブラシサイズを[20px]前後、不透明度を[50%]前後で、黒目がなくなるように作業します。
ある程度黒目がなくなるまでは、小さいブラシサイズを選択し Option（Alt）キーを押しながらコピー元を選択後、できるだけ近い場所にスタンプするとスムーズに作業できます 22。

22

10 黒目を作る

グループ[猫]の最上位に、さらにグループ[目]を作成します。グループ[目]内に新規レイヤー[黒目]を作成します 23。
[楕円形選択ツール]を選択し、黒目の形をイメージして選択範囲を作成します。
[塗りつぶしツール]描画色黒[#000000]で塗りつぶします 24。
[フィルター]→[ぼかし]→[ぼかし（ガウス）]を[半径：3.0pixel]程度で適用しなじませます。
[自由変形]を使って、角度も調整します 25。

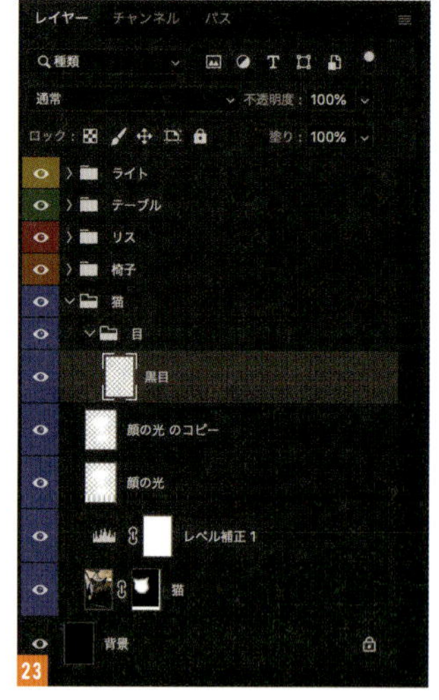

23

24

25

11 黒目を目の輪郭でマスクし、ハイライトを追加する

グループ[目]を選択し、レイヤーパネル内の[レイヤーマスクを追加]を選択します。
[レイヤーマスクサムネール]を選択し[なげなわツール]などで目の輪郭に沿って選択範囲を作成し、目の内側だけが表示されるようにマスクを追加します。
グループ[目]の最上位に新規レイヤー[目のハイライト]を作成します。
[ブラシツール]を選択し、ブラシサイズ[10pixel]前後で点を置くように目のハイライトを描画します。
レイヤーの不透明度を[70%]とし、なじませます 26。

26

12 猫の手を追加する

素材[素材集.psd] からレイヤー[猫の手] を移動し最上位に配置します。
レイヤーを複製し [水平方向に反転] し 27 のようにリスが座っている椅子に手をかけているように配置します。
２つのレイヤー[猫の手] それぞれにレイヤーパネル内の [レイヤーマスクを追加] を選択します。
猫の顔にマスクを追加した要領で、背景になじむように両手にマスクを追加します 28。
画面左側の手は手前の椅子に重なっているので、マスクで手が奥になるようにしましょう。

13 影を追加し 全体の明るさを整える

最上位に新規レイヤー[全体の影] を追加し、描画モードを [ソフトライト] とします。
[ブラシツール] を選択し描画色黒[#000000] とし、全体に影を追加します 29。
ブラシの不透明度やサイズを変更しながら描画します。画面左上から光があたっているようなイメージで、リスの左側、テーブルの下や左側を中心に影にしました。

14 画面全体にライトの光を 追加する

グループ [ライト] 内の最上位に新規レイヤー[ライトの光] を作成し、描画モードを [オーバーレイ] とします。
30 のように選択範囲を作成し描画色[#ffc379] で塗りつぶします。
選択範囲を解除し、[フィルター] →[ぼかし] →[ぼかし (ガウス)] を [半径：100pixel] で適用します 31。
レイヤーの不透明度を [30%] とします。
同じ要領で、「新規レイヤーの作成」→「描画モードをオーバーレイ」→「選択範囲を作成」→「塗りつぶし」を繰り返し、ライトの発光部分や猫の顔にも光を追加します 32。

15 画面手前に要素を追加する

レイヤー最上位に新規グループを作成し[手前の要素]とします。
素材[素材集.psd]からレイヤー[木][草]をグループ内に移動させ配置します。
素材[額縁.psd]も開き、レイヤー[額縁]をグループ最下位に移動させ配置します33。
レイヤー[草]を複製し[水平方向に反転]し[自由変形]を使って拡大します34。
複製し拡大したレイヤー[草のコピー]を選択し[フィルター]→[ぼかし]→[ぼかし(ガウス)]を[半径:15pixel]で適用します35。

33

34

35

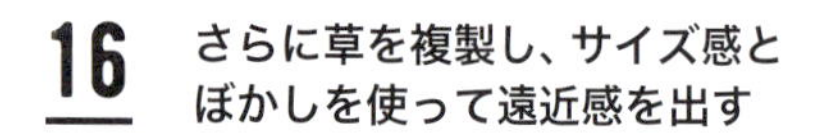

16 さらに草を複製し、サイズ感とぼかしを使って遠近感を出す

同じ要領で[レイヤー[草]を複製]→[変形]→[ぼかし(ガウス)]の手順で草を増やします。
遠近感を意識して、手前のものは大きく拡大しボケを強く、奥のものは弱いボケを追加します36。
複製したレイヤー[草]に[レイヤースタイル]→[ドロップシャドウ]を追加します。
草の影が額縁に落ちるように、画面左側の草には37のように[角度:60°]とし強めの影を付けます。
画面右側の草にも同じように[ドロップシャドウ]を追加します。
レイヤー[木]にも同じように[ドロップシャドウ]を追加します38。

36

38

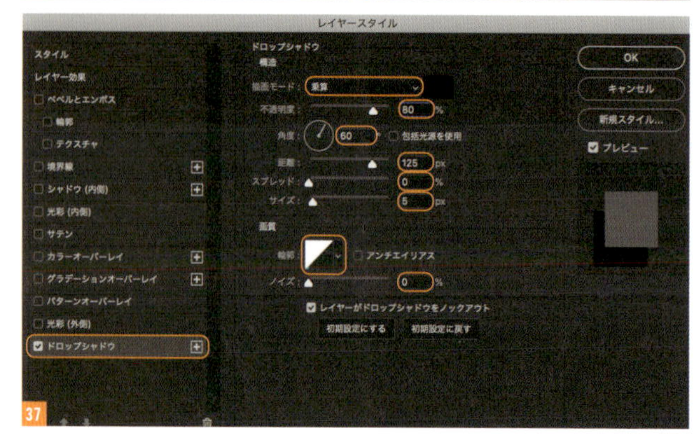

37

17 レイアウトを整える

グループ[手前の要素]より下位のすべてのグループレイヤーを選択します 39。
額縁が追加され、画面下が詰まって見えるので、上方向に移動します 40。
多くのレイヤーを扱う作品の場合、レイヤーのグループ分けや色分けをしておくことで、目的のレイヤーをスムーズに移動させることができます。

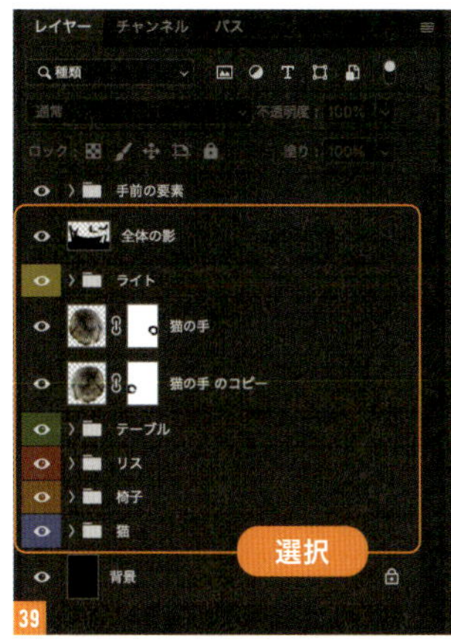

18 古い紙のテクスチャを追加して、なじませたら完成

素材[テクスチャ.psd]を開き、最上位に移動します。
描画モードを[比較(明)]とします 41。
これにより、下位レイヤーの暗い部分にのみ、紙の質感が加わります。
レイヤーの不透明度を[40%]としてなじませたら完成です 42。

Column

ペンタブレットのすすめ

ペンタブレットを使用することで[ブラシツール]を使ったアナログ感覚のペイントができるだけでなく[ペンツール]を使ったパスの作成や、細かなマスクの調整など、マウスの操作だけでは難しいストロークを使った作業をより正確で効率的に行うことができます。
操作には若干の慣れが必要ですが、[ブラシツール][ペンツール]などPhotoshopで頻繁に使用するツールに活用できるので、レタッチ・加工を制作されている方にはぜひおすすめしたいハードウェアです。

Recipe

109

未来の都市を作る

複数の素材を合成して、架空の都市を制作します。色味を整え、光の装飾を加えることで未来感を出すことができます。

Photo retouching

01 ベースとなるビルの風景素材を配置する

[ファイル]→[新規]を選択し、[幅：2185ピクセル][高さ：2811ピクセル]のカンバスを作成します 01。

素材[素材集.psd]を開きます。

この作例を作るために必要なあらかじめ切り抜いた素材をまとめてpsdファイルとして用意しています 02。

レイヤー[ビル02]を 03 のように配置し、上位にレイヤー[ビル01]を 04 のように配置します。

元画像

01

02

03

04

02 [ビル01]の画像を紫系に補正する

それぞれのレイヤーの色を調整します。
レイヤー[ビル01]を選択し、[フィルター]→[Camera Rawフィルター]を選択します 05。ウィンドウが開いたら[基本補正]を 06 のように、[カラーミキサー]を 07 のようにして全体を紫系の色に補正します。
さらに[イメージ]→[色調補正]→[カラーバランス]を選択し、08 のように設定し微調整します 09。

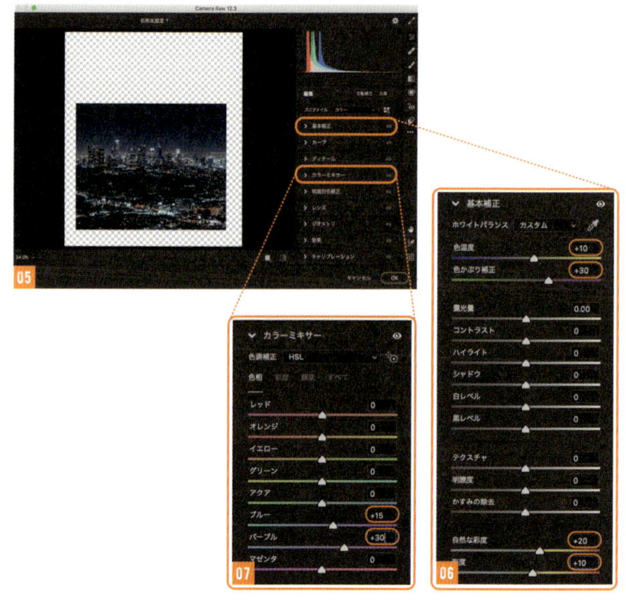

03 [ビル02]の画像を補正して全体の色を整える

レイヤー[ビル02]を選択し、[イメージ]→[色調補正]→[レベル補正]を 10 のように若干浅く、明るく補正します。
[イメージ]→[色調補正]→[カラーバランス]を選択し、[階調のバランス:中間調]を 11 のように、[ハイライト]を 12 のように設定します。マゼンダ寄りに補正され全体の色が整いました 13。

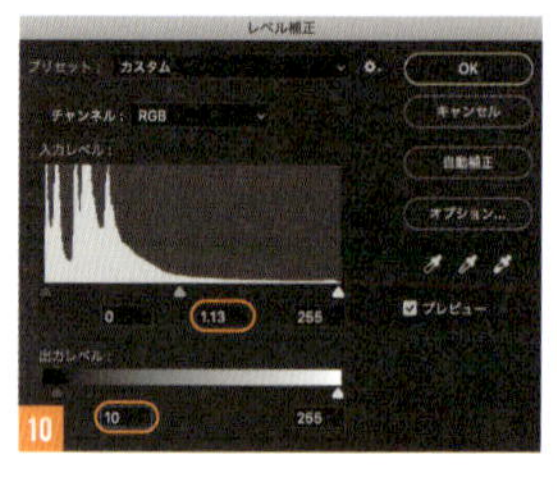

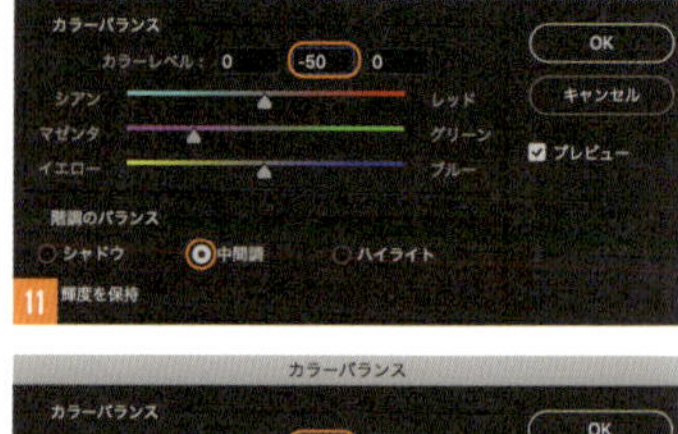

ビル02の画像がマゼンダ寄りに補正された

04 背景の惑星を配置してマスクを追加する

素材[素材集.psd]のレイヤー[惑星]を上位に配置します14。
レイヤーパネルから[レイヤーマスクを追加]を選択し、レイヤーマスクを追加します15。
レイヤーマスクサムネールを選択し、[描画色：背景色]を初期設定(白黒)にしておき、[グラデーションツール]を使ってビルと空の境界あたりでマスクが追加されるように設定します16 17。

Point

描画色黒[#000000][ソフト円ブラシ]を使って、マスクを作成してもかまいません18。

05 タワーを配置して重なりにマスクを追加する

レイヤー[タワー]を最上位に移動させ、19のように配置します。
レイヤーパネルから[レイヤーマスクを追加]を選択します。
手前のビルに重なっている部分などを注意して、描画色黒[#000000][ソフト円ブラシ]を使ってマスクします20。

06 ビルのテクスチャを作り貼りつける

レイヤー[ビル02]の一部をテクスチャとして使用します。
いったん、レイヤー[ビル01]を非表示にしておき、レイヤー[ビル02]の中段左上の位置あたり21を選択し⌘(Ctrl)+Jキーを押してコピーしたレイヤーを作成します。レイヤー[タワー]の上位に移動させ、レイヤー名は[ビルテクスチャ]としておきます。
レイヤーパネルでレイヤー[ビルテクスチャ]を選択し、[右クリック]→[クリッピングマスクを作成]します22。作成したレイヤーを複製してレイヤー[タワー]にテクスチャを貼りつけます。タワーの左下に23のように配置します。

14

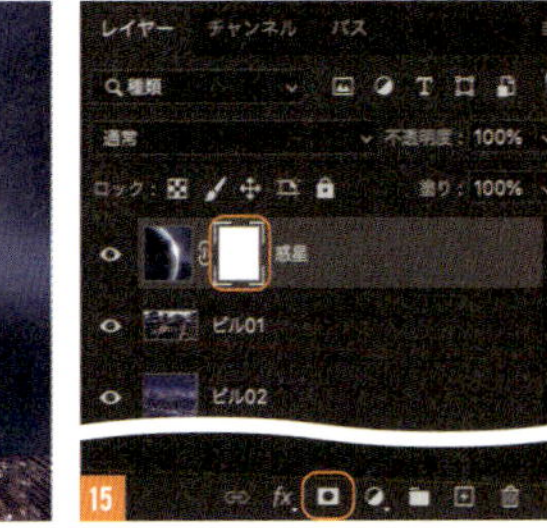

15

16

17

18

19

20

21

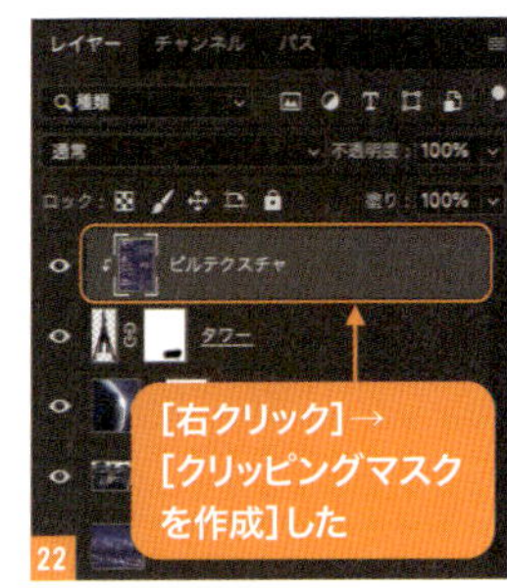

22

23

07 さらにビルのテクスチャを貼りつけていく

さらにレイヤー[ビルテクスチャ]を複数回複製してタワー全体に貼りつけていきます 24 25。全体に貼りつけたらレイヤー[ビルテクスチャ]は結合してしまってかまいません。

複製した[ビルテクスチャ]でタワーを覆っている

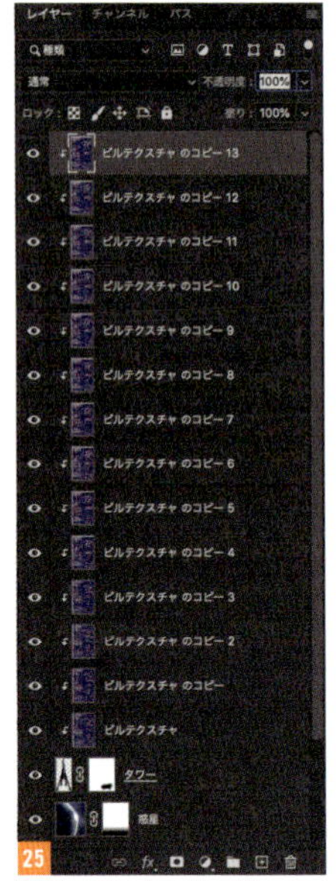

08 タワーに光の立体感をつける

レイヤー[ビルテクスチャ]の上位に新規レイヤー[タワーの光]を作成し[描画モード：オーバーレイ]とします。
レイヤー[ビルテクスチャ]と同じように[右クリック]→[クリッピングマスク]を適用しておきます。
[ブラシツール]を選択し[ソフト円ブラシ]、描画色白[#ffffff]を使って、ビルの境界を光らせるようなイメージで描画します 26(見やすいように[描画モード：通常]状態にすると 27 のようになっています)。このままでは光が弱いので、レイヤー[タワーの光]を複製します 28 29。
レイヤー[タワーの光][ビルテクスチャ][タワー]をすべて選択し、[右クリック]→[レイヤーを結合]し、レイヤー名[タワー]とします。
レイヤー[タワー]を選択し、[イメージ]→[色調補正]→[カラーバランス]を 30 のように適用します。マゼンタとブルーを足すことで風景となじませました。

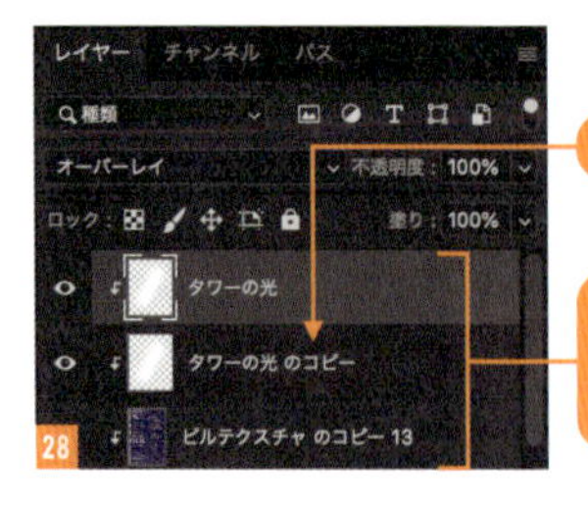

タワーの光を複製した

すべて選択、[右クリック]→[レイヤーを結合]。レイヤー名を[タワー]にする

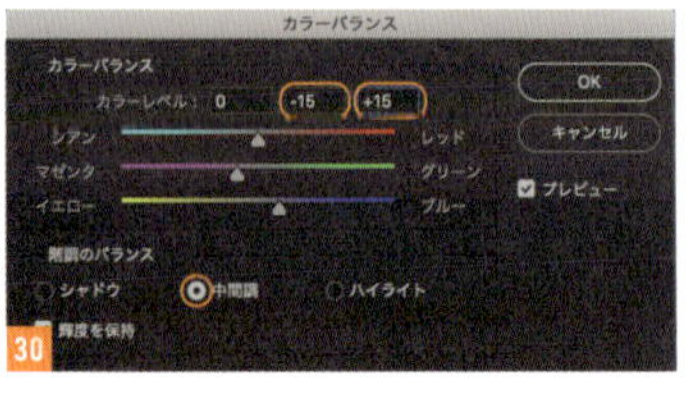

09 タワーに光の装飾を加える

ツールパネルの[楕円形ツール]を選択します31。オプションバーの設定を、塗り[カラーなし]、線のカラー[#ffffff]、線の幅[2.5px]とします32。

33のように、タワーを囲むようなイメージで円形のシェイプを作成します。

作成したレイヤー[楕円形 1]をダブルクリックし、[レイヤースタイル]パネルを表示させます。[光彩(外側)]を選択し、34のように設定します。光彩のカラーは明るい水色[#b7e6ff]を使用しています。35のようになりました。

次にマスクを使ってタワーを囲んでいるように見せます。

レイヤー[楕円形 1]を選択し[レイヤーマスクを追加]します。

[ブラシツール]を選択し、[ハード円ブラシ]を使って36のようにマスクを適用し、光の線がタワーを1周して見えるように調整します。

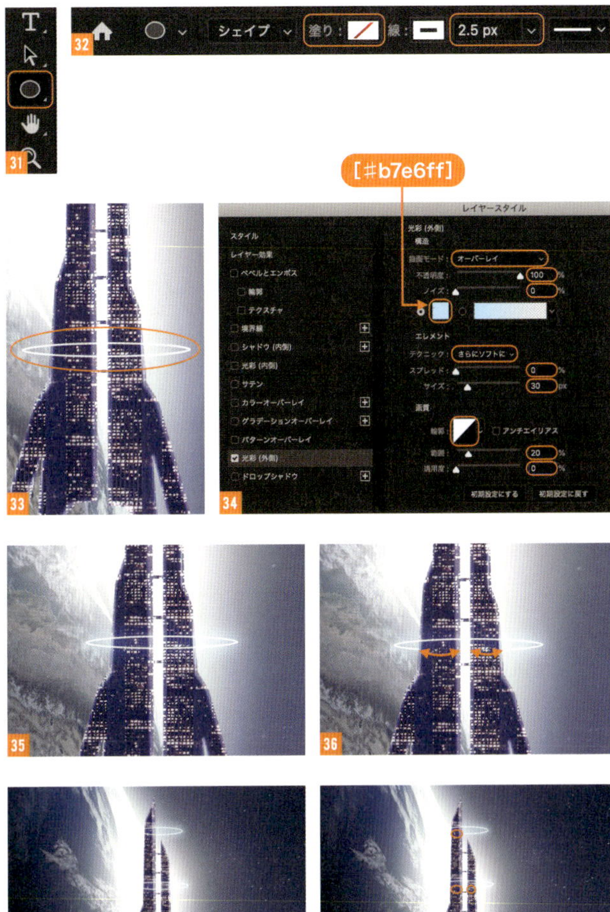

10 光の装飾を複製し、位置によって形を整える

非表示にしていたレイヤー[ビル01]を表示します。レイヤー[楕円形 1]を6つのレイヤーに複製します。レイヤーを複製することでレイヤースタイルも一緒に複製されます。時間の短縮ができるメリットもあります。

それぞれのレイヤーで立体感を意識しながら変形を行います。ビルと空の境界あたりをアイレベルと設定して37を参考に楕円形を作成してください。

また、レイヤー[楕円形 1]と同じように[レイヤーマスク]を追加し、タワーを1周しているようにマスクを追加し、整えます38。

Point

アイレベルとは「目線の高さ」のことです。カメラを構えてこの風景を撮影したらどうなるだろう？と想像するとイメージしやすくなります。この作例では、ビルと空の境界あたりをアイレベルと設定しました。この位置が目線と平行の位置にあることになるので、ほぼ横線の状態になります。目線の高さ（アイレベル）より上にある要素は見上げた状態、下にある要素は見下げた状態となるため、アイレベルより上下に離れるほど光は横線の状態から円形になっていきます。

11 全体に光を追加する

最上位に新規レイヤー[光01]を作成し、[描画モード：オーバーレイ]とします。
[ブラシツール]を選択し、[ソフト円ブラシ]、描画色白[#ffffff]を使ってタワーの下に光を追加します 39。
都市部分に作成したレイヤー[楕円形]の範囲に光を足すイメージです。
さらに上位に新規レイヤー[光02]を作成し、[描画モード：オーバーレイ]とします。こちらは[不透明度：50%]とし少し控えめの光にします。
タワー全体に光を足すように描画します 40。

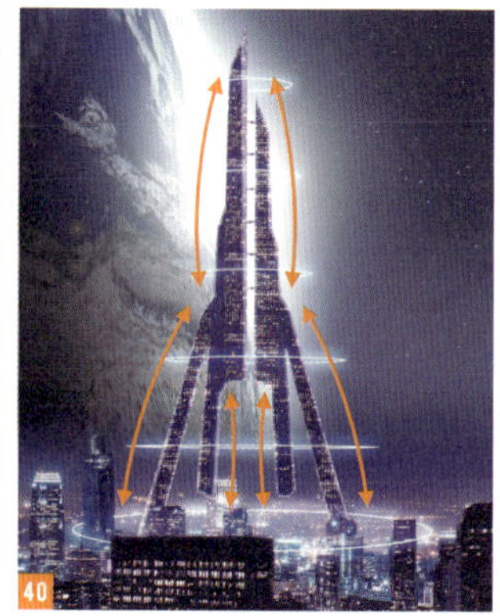

12 手前の要素を配置する

[素材集.psd]からレイヤー[枠_下][枠_上]を移動させます 41。
レイヤー[枠_下]の上位に新規レイヤー[人物の光]を作成し[描画モード：オーバーレイ]とします。レイヤー[枠_下]に対して[右クリック]→[クリッピングマスク]を適用しておきます。タワーの輪郭を光らせた時と同じ要領です。
[ブラシツール]を選択し、[ソフト円ブラシ]、描画色白[#ffffff]を使って、人物と犬の輪郭に光を足すように描画します 42。さらに光を強調したいので、レイヤーを上位に複製します 43。
レイヤー[枠_下]の下位にレイヤー[もや]を作成します。
手前の要素と、都市の風景の間にもやを追加して、距離感を出します。
[ブラシツール]を選択し、[ソフト円ブラシ]、描画色白[#ffffff]を使って、44のように描画します。
レイヤーの不透明度を[25%]とします 45。

13 流れ星や隕石を配置する

[素材集.psd] から、レイヤー[隕石] [流れ星] を移動させます。

レイヤー[流れ星] はレイヤー[枠_上] よりも下位に配置し、[描画モード：スクリーン] とし、複製しつつ、46のように配置します。

レイヤー[隕石] は複製したり、大小にサイズを調整したり、回転させたりして、タワーのまわりに散らします47。

さらに手前に配置した隕石は、[フィルター] → [ぼかし] →[ぼかし (移動)] を48のように適用し配置します。

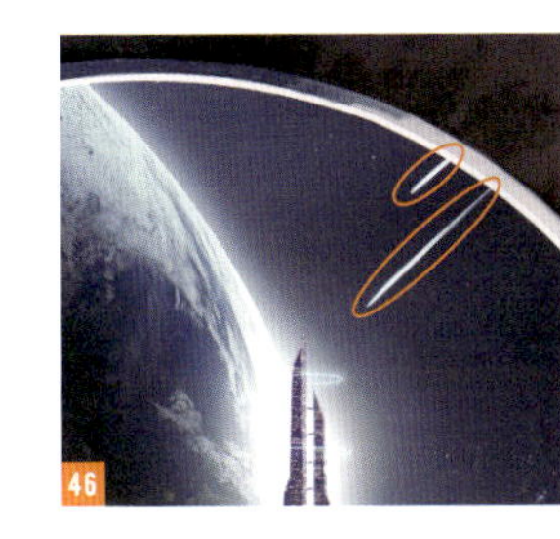
46

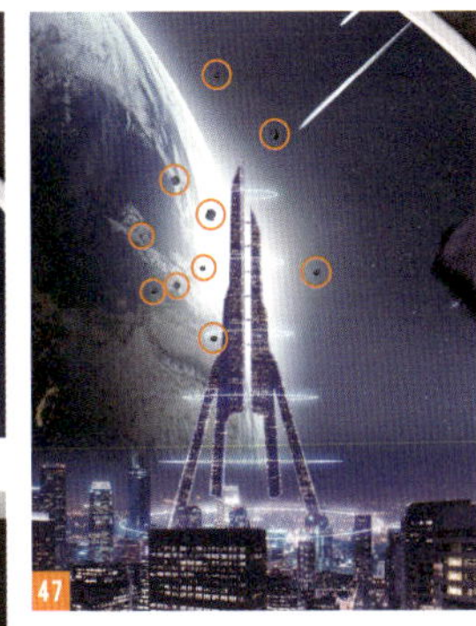
47

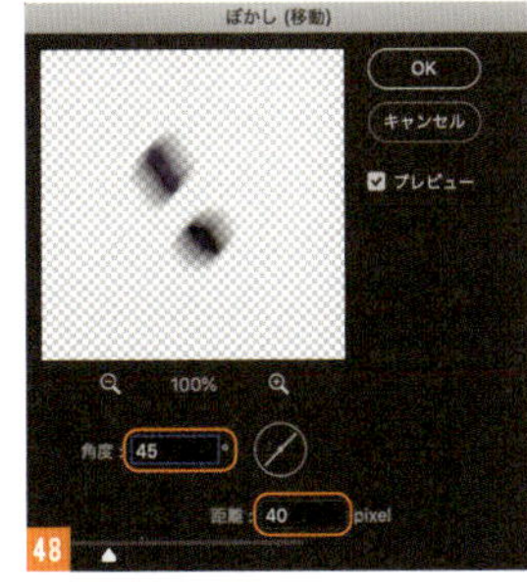

48

Point

サイズを調整、回転させる際は⌘ (ctrl) +T キーのショートカットの [自由変形] が便利です。

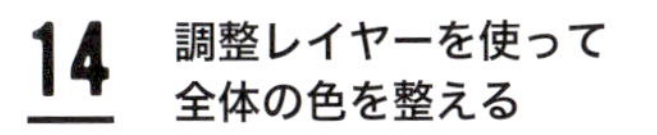

14 調整レイヤーを使って全体の色を整える

レイヤーの最上位に [塗りつぶしまたは調整レイヤーを新規作成] →[特定色域の選択] を追加します。

絶対値にチェックを入れ、それぞれ [ブルー系] を [マゼンタ：+15%] 49、[マゼンタ系] を [シアン：-30%] 50、[白色系] を [シアン：-10%] 51、[ブラック系] を [シアン：-5%] [ブラック：-5%] 52 とします。

全体をマゼンタ寄りにし、ブラックを [- 5 %] とすることで、すこしだけマットな質感にしました53。

同じように最上位に [塗りつぶしまたは調整レイヤーを新規作成]→[トーンカーブ]を追加します。

全体を少しだけ明るく補正したいので、中心にポイントを追加し、[入力：123] [出力：134] と設定します54。

全体のカラーと明るさが整い完成としました55。

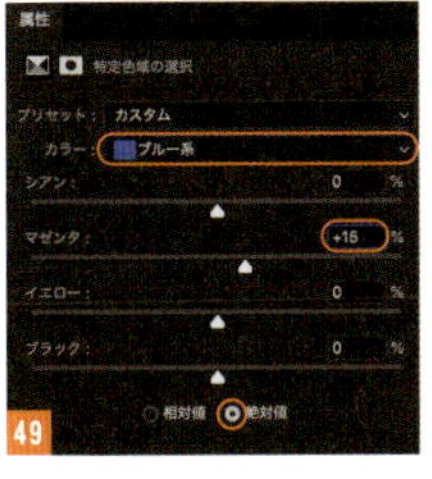

49

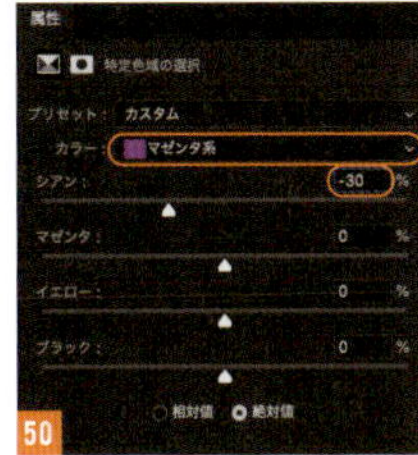

50

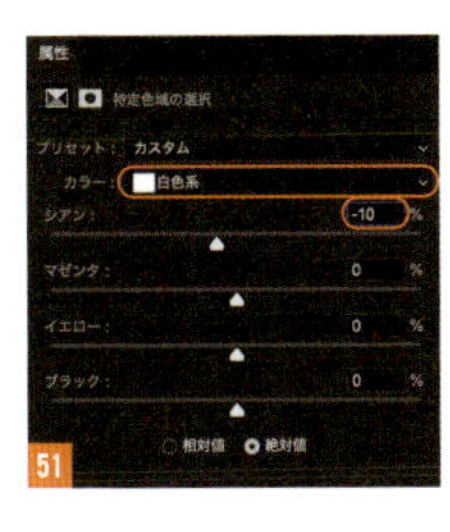

51

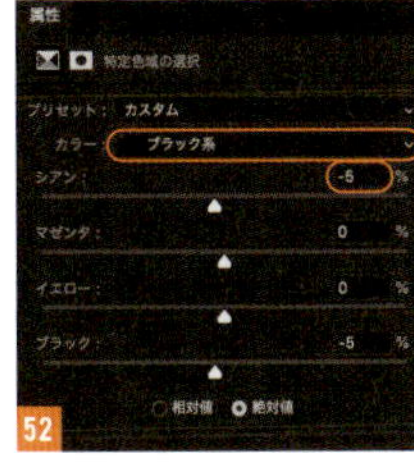

52

53

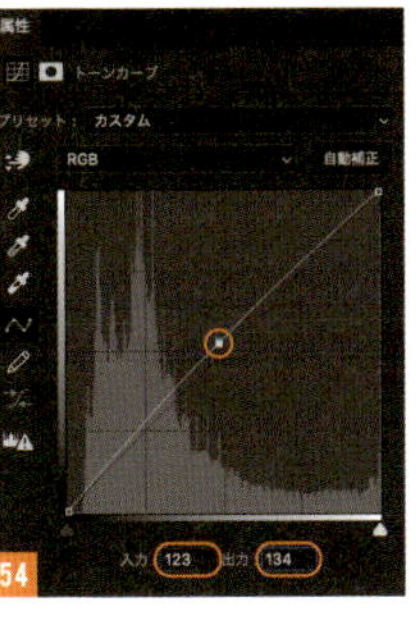

54

55

元画像
URBAN

Recipe
110

ビルを文字でデザインし印象的な風景にする

3D機能を使い文字の形状をしたビル群を制作します。都市の風景とパースを合わせることでリアルな表現が可能です※。

Photo retouching

01 テキストを配置する

素材[都市.psd]を開きます。新規レイヤーを作成し[横書き文字ツール]を選択し「URBAN」と入力します。フォントは[Arial]、フォントスタイル[Bold]、文字サイズは[120pt]とします。作成したテキストを画面中央に配置します01。

02 3Dツールを使い文字を立体にする

レイヤー[URBAN]を選択し[3D]→[選択したレイヤーから新規3D押し出しを作成]を選択します02。
「3Dレイヤーを作成しようとしています〜」とウィンドウが表示されるので[はい]を選択します03。
ワークスペースが自動的に[3D]に切り替わります。

03 カメラの位置を設定する

[移動ツール]を選択します。
画面右下の[3D]パネルを確認します。初期設定ではオブジェクトである[URBAN]04が選択されているので[現在のビュー]を選択します([現在のビュー]選択時はカンバスの四隅に黄色のラインが表示されます)05。
画面右上の[属性]パネル→[3Dカメラ]を選択し[FOV:28:mmレンズ]とします06。
[属性]パネル→[座標]を選択し07のように位置と回転を入力します。カンバスは08のようになります。

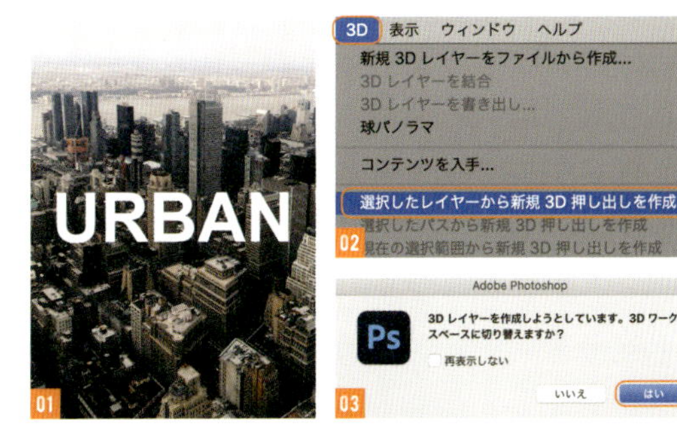

01 02 03

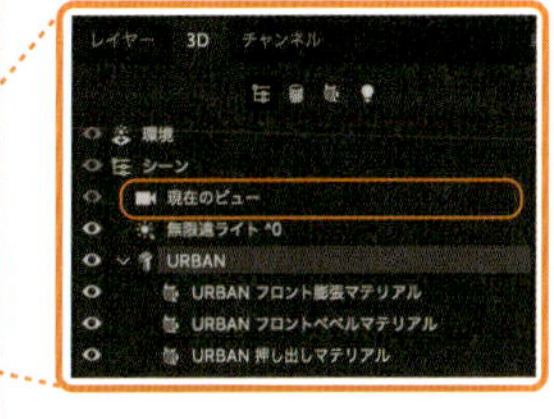

04

05

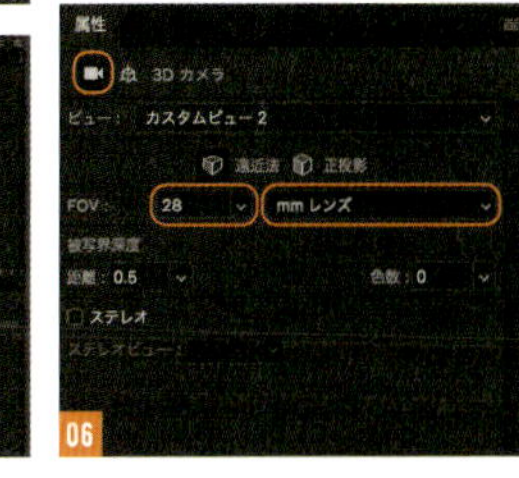

06

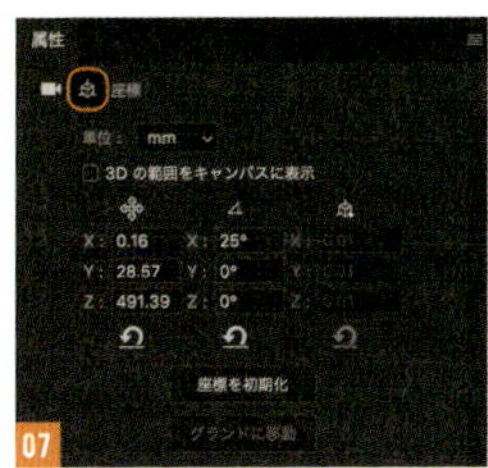

07

08

※3D機能を使用するにはグラフィックボードが必要となります。512MB未満のVRAMでは3D機能は無効となり、関係する項目を選択できません。また、コンピュータのスペックによってはスムーズに動作しない場合があります。3D機能が使用できない場合は、素材[建物入り背景.psd]を開き手順の06から制作をはじめてください。

04 オブジェクトの位置やサイズを設定する

[3D] パネル→[URBAN] を選択します。[属性] パネル→[メッシュ] を選択します。
[キャッチシャドウ] [キャストシャドウ] のチェックを外し [押し出しの深さ：50mm] とします 09。
[属性] パネル→[座標] を選択し、位置、回転、拡大・縮小：寸法またはパーセントを 10 のように入力します。

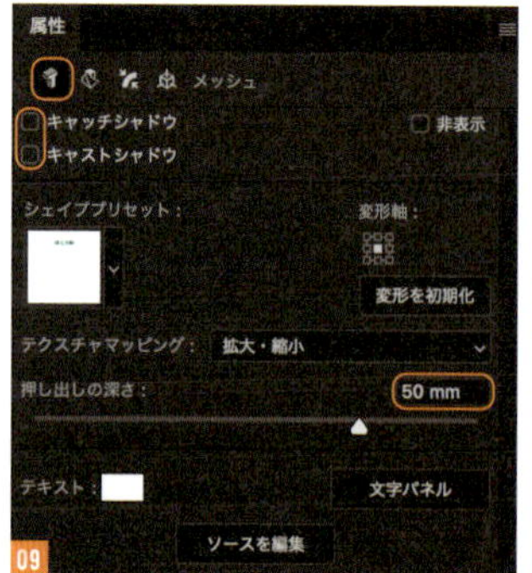

09

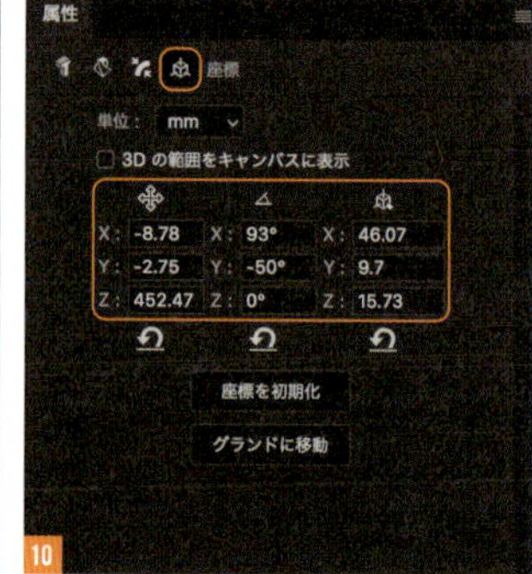

10

05 照明を設定する

面ごとに把握しやすいように照明を設定します。
[3D] パネル→[無限遠ライト 1] を選択します。
[属性] パネル→[無限遠ライト] を選択し [プリセット：初期設定のライト] とします 11。
都市のパースに合わせた立体を作ることができました 12。

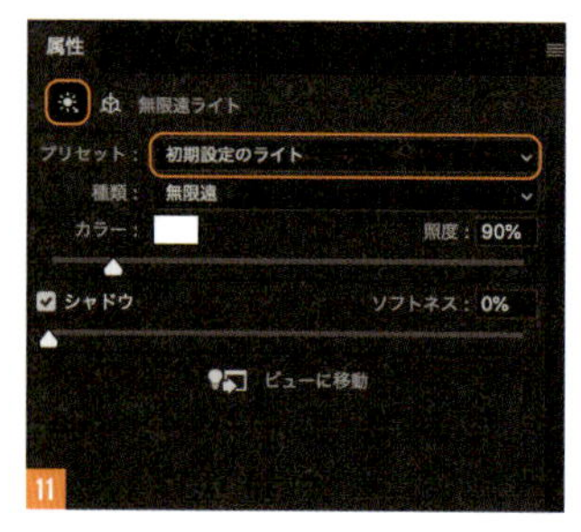

11

12

06 都市にあわせてマスクを追加する

レイヤー[URBAN] を選択し [右クリック] →[3D をラスタライズ] を選択し画像化します。
[ペンツール] を選択します。左斜め下に並ぶビル群の手前から 2 番目の列にレイヤー[URBAN] を配置したいので、13 のような選択範囲ができるようにパスを作成します (作例ではわかりやすいようにパス内を黄色にしています)。
パスを作成したら [右クリック] →[選択範囲を作成] します。
レイヤー[URBAN] を選択し、レイヤーパネル内の [レイヤーマスクを追加] を選択します 14。

13

14

07 ビルの屋上部分を作成する

レイヤー[URBAN] を選択します。
[自動選択ツール] を使い屋上部分の選択範囲を作成し [右クリック] →[コピーしたレイヤー] を作成します。レイヤー名は [屋上] とし、最上位に配置します 15。

15

08 ビル[N]の側面にテクスチャを貼り付ける①

これからの作業が行いやすいように一時的にマスクを非表示にしておきます。レイヤー[URBAN]のレイヤーマスクサムネールを選択し[右クリック]→[レイヤーマスクを使用しない]を選択します16。

素材[ビル素材集.psd]を開きます。レイヤー[壁面01]を移動し、レイヤー[URBAN]より上位に配置します。[編集]→[変形]→[自由な形に]を選択し、レイヤー[URBAN]の最も手前の壁面に合わせて変形します。

次の手順で面の選択範囲でマスクをかけるので、配置する面より若干大きめに変形しておきます。この面は左上の角を基準に変形を行いました17。

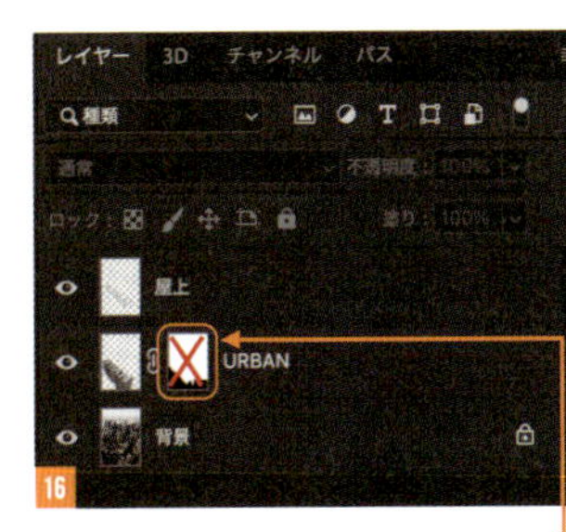

16

17

[右クリック]→[レイヤーマスクを使用しない]を選択

09 ビル[N]の側面にテクスチャを貼り付ける②

レイヤー[壁面01]を非表示にし、レイヤー[URBAN]を選択します。[自動選択ツール]を選択し、先程テクスチャを貼り付けた面を選択します18。

レイヤー[壁面01]を選択して表示し、レイヤーパネル内の[レイヤーマスクを追加]を選択します。

先程若干大きめに変形し、はみ出ていた部分がマスクされ、綺麗にテクスチャを貼ることができました(大きめに変形することで、隙間のないテクスチャを貼ることができます)19。

手順08～09の要領で[URBAN]の「N」にテクスチャを貼っていきます。[自由な形に]は[URBAN]の形状をガイドにしながら変形しましょう20 21 22。

18

19

20

21

22

10 ビル[N]に陰影を付け立体感を出す

ビルのテクスチャとして作成したレイヤーはマスクが追加されている状態になっており、レイヤーパネルは23のようになっています。

「N」の側面が完成したら、各レイヤーごとに選択し[右クリック]→[スマートオブジェクトに変換]します24。

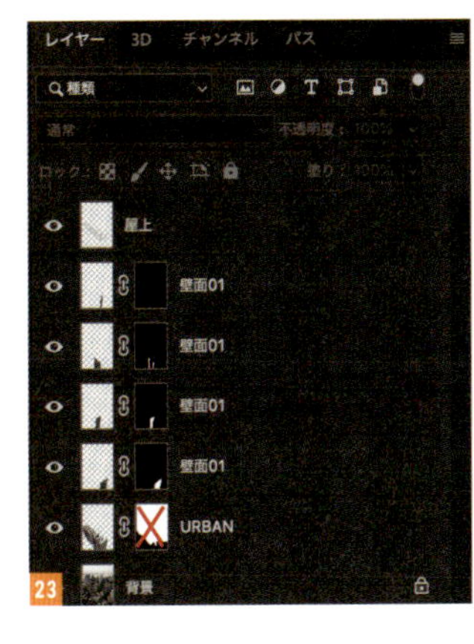

23

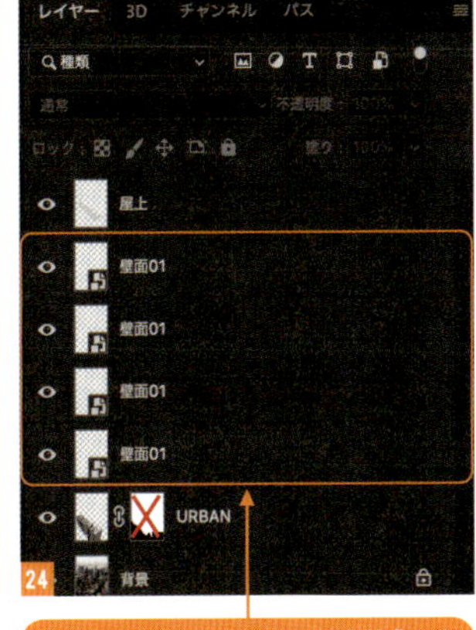

24

[スマートオブジェクトに変換]した

画面左上から光があたっていると想定して、影になっている面のレイヤーに［レベル補正］を適用しビルに陰影を付けます。
影になっている3面を［出力レベル：0：95］としました25 26。

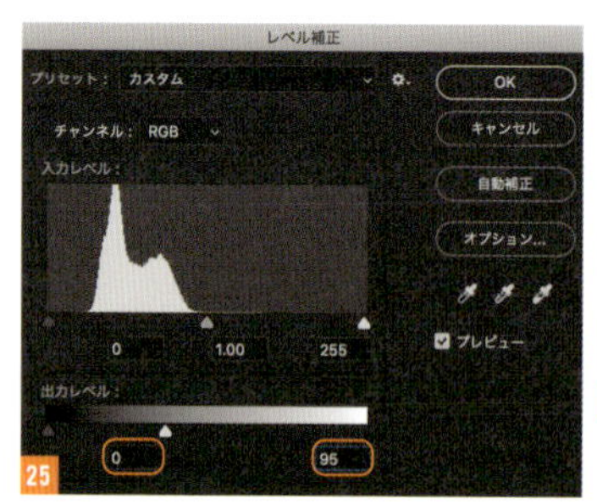

25

26

11 ビル［A］にテクスチャを貼り、陰影を付ける

手順08～09の要領でビル［A］にもテクスチャを貼り付けます27。素材［ビル素材集.psd］のレイヤー［壁面02］を使います。
28のように［自動選択ツール］で選択できない部分は［ペンツール］を使って選択範囲を作成しましょう。
テクスチャを貼り付けたら、手順10と同じように［スマートオブジェクトに変換］し、影になる部分に［レベル補正］を適用します29。

27

28

29

12 ビル［B］にテクスチャを貼り付ける

ビル［B・R・U］の曲面がある場合のテクスチャの貼り付けは、平面と曲面部分を分けて作業します。
まずは、これまでと同じ要領で平面にレイヤー［壁面03］のテクスチャを貼り付けます30。
再度レイヤー［壁面03］を貼り付け［B］の手前部分に31のように面として変形します。
変形を確定せずに［右クリック］→［ワープ］を選択します32。
オプションバーのプリセットを［アーチ］にしアンカーポイントをドラッグし33のように大まかな形を合わせます。
そのままオプションバーのプリセットを［カスタム］にし、ビルの形状に合わせてアンカーポイントとハンドルを調整します34。

30

31

32

33

34

13 ビル［B］の曲面の影を整える

ビル［B］にテクスチャを貼り付けたら、これまでと同じように［レベル補正］を使って陰影を追加します35。

平面と曲面の境目がはっきりして不自然な印象なので、少しずつ影になるようにします。

曲面となっているレイヤーを選択し［スマートフィルターマスクサムネール］を選択します36。

［ブラシツール］で曲面に合わせて柔らかな影ができるようにマスクを追加します37。

35

37

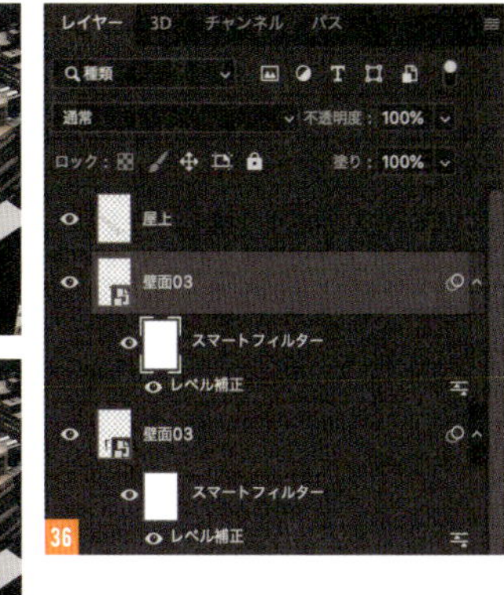

36

14 残りのビルの側面にテクスチャを貼り付ける

これまでと同じ要領で［自由な形に］と［ワープ］を使い、残りのビルの側面にテクスチャを貼り付けます38。

ビル［R］にはレイヤー［壁面04］を、ビル［U］にはレイヤー［壁面05］を貼り付けています。

38

15 ビルの側面を仕上げる

作成した壁面のテクスチャをグループ化し［壁面］とします。レイヤー［URBAN］のレイヤーマスクサムネールを Option（Alt）キーを押しながらグループ［壁面］へドラッグし、マスクをコピーします39 40。

グループ［壁面］内の最上位に新規レイヤー［影］を作成し［ブラシツール］を使って影を描画します。

バランスを見てレイヤーの不透明度を調整しましょう。作例では［50%］としています41。

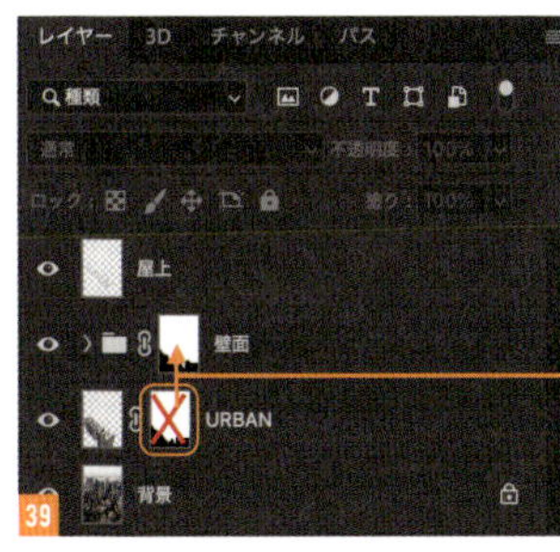

39

40

41

16 屋上にテクスチャを貼り付ける

素材[コンクリート.psd]を開き、素材を移動し最上位に配置します。
レイヤーの不透明度を[50%]くらいまで下げて[自由な形に]を使用し、屋上の立体感に合わせて変形します 42 。
変形後、不透明度は[100%]に戻します。
レイヤー[屋上]のレイヤーサムネールを ⌘ (Ctrl) キー+クリックし、選択範囲を作成します。
レイヤー[コンクリート]を選択し、レイヤーパネル内の[レイヤーマスクを追加]を適用します 43 。

42

43

17 屋上に壁を作る

レイヤー[屋上]を最上位に移動し[塗り:0%]とします。レイヤー[屋上]の[レイヤースタイル]パネルを表示します。
[境界線]を選択し 44 のように設定します。
次に[シャドウ(内側)]を選択し 45 のように設定ます。
内側に影を付けることで壁のような表現ができました 46 。

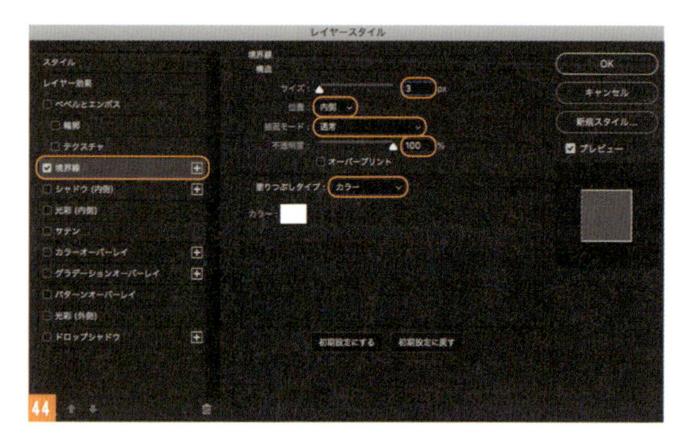

44

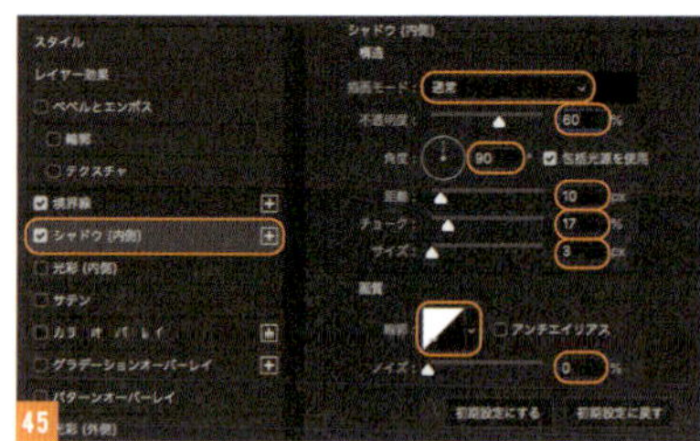
45

46

18 屋上の壁に影を付ける

レイヤー[屋上]の下位に新規レイヤー[屋上の影]を作成します。
レイヤー[屋上]の[レイヤーサムネール]を ⌘ (Ctrl) キー+クリックし、選択範囲を作成します。
レイヤー[屋上の影]を選択し、描画色黒[#000000]で塗りつぶします 47 。
そのまま選択範囲を右下方向にずらし(作例では右に30px、下に10px)、 Delete キーで削除します 48 。
角の部分は 49 のように影がつながっていないところができるので[多角形選択ツール]を使って選択範囲を作成し[塗りつぶしツール]を使って影を作成します。影がつながったらレイヤーの不透明度を[35%]とします 50 。

47

48

49

50

19 屋上に好みのパーツを追加する

素材[ビル素材集.psd]からグループ[タイル][装飾パーツ]内の好みのパーツを移動して、配置してみましょう。配置する場所に応じて[自由な形に]を使って形を整えます51。

レイヤー[タイル]のみ、レイヤー[コンクリート]の上位に配置し、グループ[装飾パーツ]内のレイヤーはすべて最上位に配置していきます。

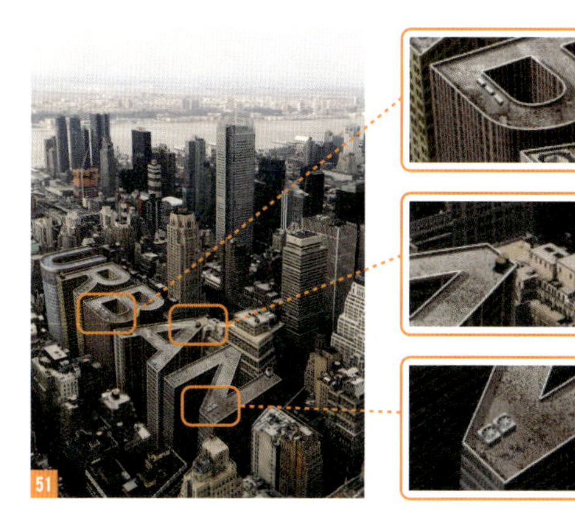
51

20 背景の都市を薄くして遠近感を出す

グラデーションを使って背景を薄い印象にします。調整レイヤー作成ボタンから[グラデーション]を選択し最上位に配置します。ツールパネルの[描画色と背景色を初期設定に戻す]を選択し描画色を黒、背景色を白に設定します。

[グラデーションで塗りつぶし]パネルを開き52のように設定します。

グラデーションは、プリセットの[描画色から背景色へ]を選択し、左側(黒側)の不透明度の分岐点を選択し[不透明度：0%]とします53。

レイヤーの不透明度を[42%]とします54。

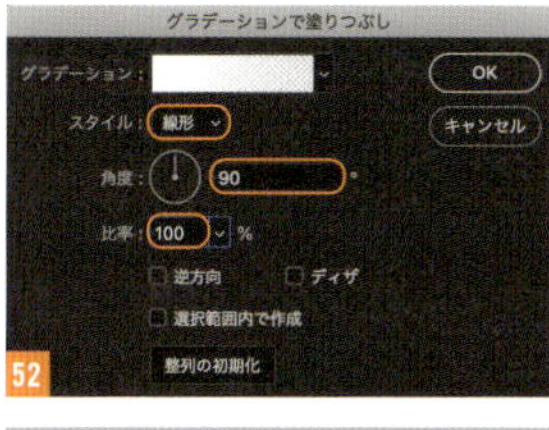

52

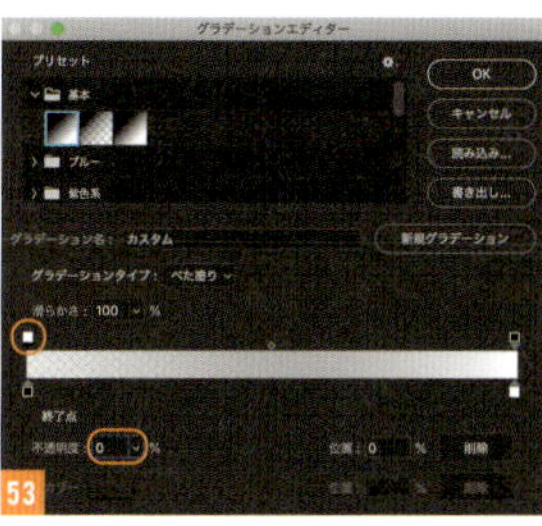

53

54

21 ビルを強調して完成

ビル「URBAN」に目線がいくように、周辺を暗くします。調整レイヤー作成ボタンから[グラデーション]を選択し最上位に配置します。[グラデーションで塗りつぶし]パネルを開きます。

グラデーションはプリセットの[描画色から透明に]を選択します。

55のように設定し、カンバス上でビル[URBAN]の周辺が暗くなるようにグラデーションをドラッグします。

レイヤーの描画モードを[ソフトライト]とし、不透明度を[50%]とし完成です56。

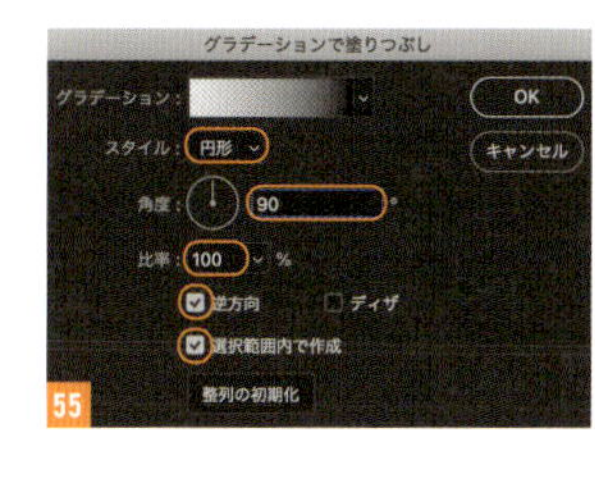

55

56

■著者プロフィール

楠田 諭史（くすだ さとし）

デジタルアート作家として国内外での個展を行いながら、グラフィックデザイナーとして紙媒体やWEB、テレビCM、電車・バスのラッピングデザインなど幅広く手がける。

株式会社URBAN RESEARCH 、株式会社東芝、高橋酒造株式会社など様々な企業のグラフィック制作や、HKT48のDVD・BDパッケージデザイン、多数のアーティストのCDジャケットを手がける。グラフィック作品のジグソーパズルを株式会社エポック社より発売中。

大学、専門学校、カルチャースクールなどで講師活動も行っている。

WEB：http://euphonic-lounge.net

撮影…リバーズ 片山 智博：http://rivers-photo.com、松本 真実：https://mami-matsumoto.com/portfolio/
モデル…木村 優子
素材…Pixabay：https://pixabay.com、キロクマ！：https://kumamoto.photo
編集…鈴木 勇太

■本書サポートページ

本書内で紹介したデータは、下記のURLよりダウンロード可能です。また、本書をお読みいただいたご感想、ご意見をお寄せください。

URL https://isbn2.sbcr.jp/07326/

Photoshop（フォトショップ）レタッチ・加工（かこう）　アイデア図鑑（ずかん）［第2版（だいはん）］

2020年10月2日　初版第1刷発行
2025年3月10日　初版第5刷発行

著者……楠田 諭史（くすだ さとし）

発行者……出井 貴完
発行所……SBクリエイティブ株式会社
〒105-0001　東京都港区虎ノ門2-2-1
https://www.sbcr.jp

印刷……株式会社シナノ
本文デザイン……木村 優子
組版……柿乃制作所
カバーデザイン……西垂水敦（krran）

落丁本、乱丁本は小社営業部にてお取り替えいたします。
定価はカバーに記載されております。

Printed In Japan ISBN978-4-8156-0732-6